LE LIT D'ALIÉNOR

MIREILLE CALMEL

LE LIT D'ALIÉNOR

EDITIONS

À ceux qui m'ont aimée,
À ceux qui m'aiment encore,
À ceux qui m'aimeront un jour,
Ils sont les blancs d'entre ces lignes, d'entre ces mots,
Ils sont mes silences et mes rires,
Ils sont mon regard d'aujourd'hui et ma lumière de demain.

PREMIÈRE
PARTIE

1

Je ne m'aimais pas. Et, cette nuit, moins encore que d'ordinaire. En ce 16 mai de l'an de grâce 1133, personne n'avait besoin de moi.

J'avais beau apprécier l'attente, je guettais chaque pas affairé dans le corridor, chaque craquement des planchers disjoints, chaque son de voix qui franchissait ma porte fermée ou montait par le conduit de la cheminée et gazouillait dans l'âtre éteint.

Je guettais, avec ce sentiment de plus en plus oppressant de solitude, « l'instant ». L'instant où s'ébranleraient les cloches de la cathédrale d'Angers, si proche du château qu'elles feraient trembler les murailles de pierre.

Dame Mathilde, duchesse de Normandie, comtesse d'Anjou, du Maine et de Touraine, petite-fille de Guillaume le Conquérant et prétendante légitime à la couronne d'Angleterre, enfantait dans l'hospice, au bas de l'escalier de bois, et j'étais là, inutile, rejetée, quand je frémissais de savoir l'enfant si proche ; reléguée comme la moins efficace des servantes par mère qui, elle, était tout dans cette maisonnée : ventrière, conseillère, astrologue, apothicaire, régisseur... sorcière. Et moi, je n'étais rien ! Rien qu'une fillette malingre de douze ans, perchée sur des jambes qui ressemblaient à des piquets de barrière et que je n'aimais pas davantage que le reste. Ni mes cheveux entre le blond et le roux, ni mes yeux désespérément grands dans ma figure longue tapissée de taches de rousseur. J'étais laide. Laide de ne servir à rien quand mère était tout.

Elle m'avait envoyée tantôt dans les bois alentour ramasser des simples dont elle avait prétendu la nécessité. Ils étaient là, posés sur une table dans ma chambre. Lorsque je m'étais avancée, fière de mon importance, aux portes de l'hospice où dame Mathilde hurlait, mère m'avait frotté le crâne, emmêlant mes boucles rebelles malgré mes longues nattes.

– Plus tard, Canillette. La comtesse est faible, l'enfant naîtra avec la pleine lune. Il sera gros et vigoureux. Sa venue est difficile. Chacun a sa part de besogne, et ta petite frimousse curieuse ne pourrait que gêner. Va.

– Mais ceci, mère, avais-je insisté en tendant mon panier.

– Plus tard, plus tard.

Et la porte s'était refermée, me livrant seulement le spectacle de dame Mathilde, les cheveux collés sur son front blême et dégoulinant, le visage crispé par l'effort, les mains agrippées à une table qui lui faisait face, debout, jambes écartées, le bas de sa chemise blanche maculé de sang, entourée de trois ventrières qui s'activaient.

J'étais montée me réfugier dans ma chambre en tremblant d'effroi devant pareil spectacle. Car, de la grande Mathilde, imposante et fière, il ne restait rien en cette heure. Celle qui était ma marraine me paraissait un monstre hideux possédé par quelque diable tourmenteur.

Peut-être fallait-il prier. Prier de toute mon âme pour qu'il la laisse tranquille. Sottise ! Ineptie ! Dieu avait bien mieux à faire ! Et puis quoi ? Que savait-il de cette douleur d'enfantement ? Non, il valait mieux que j'en appelle à notre mère à tous.

Je levai les yeux vers la croisée tendue de papier huilé que j'avais ouverte sur le couchant lourd, chargé de nuages d'orage. La lune s'y découpait par intermittence, ronde et pleine comme le ventre de Mathilde, ronde comme cette table qui trônait depuis l'avènement du roi Arthur sur l'Angleterre, ronde comme les yeux de Merlin l'Enchanteur dont j'étais la descendante... Ronde comme ce panier.

Alors, brusquement, mon angoisse disparut.

– Merci, mère ! murmurai-je à cette lune dont le visage souriant éclairait sans cesse ma vie.

Car l'Église aurait beau faire, j'appartenais à la lignée des grandes prêtresses d'Avalon, des druides et des fées, et ce n'était pas ce Dieu triste et hypocrite qui parviendrait jamais à tuer les anciens rites, mes croyances comme celles de ma race. J'aimais bien trop la vie, j'avais bien trop acquis déjà de ce savoir que les prêtres nous contraignaient à oublier.

Je fouillai dans un buffet en aulne et extirpai fébrilement un petit mortier en bois de cerisier. Puis, cueillant en coupe dans mes mains les simples abandonnés trop tôt, je les laissai tomber dans le récipient.

– Si mère n'en veut pas, moi, Loanna de Grimwald, par le pouvoir des trois cercles de vie, je leur donne l'eau, le feu et la terre pour que l'énergie universelle apaise et guérisse.

Je m'emparai du pilon et, gagnée par la magie de mon incantation, je broyai le tout jusqu'à obtenir une pâte noisette à l'odeur de sous-bois.

Mais il restait l'essentiel : levant le mortier au-dessus de ma tête, je le portai à pas lents jusqu'à la fenêtre.

Au loin, par-dessus les remparts du château, la campagne angevine s'endormait, tandis que les chandelles, dans les logis rassemblés autour de l'enceinte, mettaient petit à petit des taches lumineuses sur les vapeurs de la soirée. Des mugissements venaient se mêler aux piaffements des chevaux et aux grognements des cochons dans la basse-cour. Dans le colombier, des battements d'ailes et des roucoulements craintifs répondaient aux cris stridents des faucons.

– Ce n'est pas une nuit comme les autres, remarquai-je. Même les animaux le sentent. Bientôt, bientôt ! Lors, je porterai l'onguent à la comtesse et caresserai l'enfant. Dès que la lune ronde viendra m'éclairer d'un rayon !

Je m'accoudai à la fenêtre en souriant de plaisir, le visage posé dans mes paumes ouvertes, au-dessus du petit mortier de bois.

Un cri de délivrance déchira l'hospice. Guenièvre coupa le cordon ombilical avec de fins ciseaux. Elle saisit le nouveau-né par les pieds et, le suspendant tête en bas, le fessa vigoureusement jusqu'à ce que retentissent dans la pièce des pleurs aigus.

– C'est un fils ! Que l'on prévienne Geoffroi le Bel !

Quelques instants plus tard, je vis la porte cloutée tourner sur ses gonds, avec ce grincement familier que j'espérais depuis des heures.

– Viens, me dit Guenièvre.

Je pris avec précaution le mortier entre mes mains et, sans mot dire, devançai avec dignité ma mère dans l'embrasure de la lourde porte de chêne.

Une fumée blanche et opaque avait envahi la pièce exiguë, mais je n'en avais cure. C'était une sorte de réduit, à l'arrière de ma chambre, où j'aimais essayer mes expériences magiques. À l'inverse de certains seigneurs de ces temps, Geoffroi dit le Bel, comte d'Anjou et du Maine, répugnait à l'utilisation de courtines pour séparer les pièces les unes des autres. De sorte que le donjon se trouvait partagé par des murs intérieurs faits d'éclats de pierre amalgamés avec de la chaux et du sable. Outre la vaste salle du rez-de-chaussée où l'on servait ripaille, à l'étage tous avaient leur chambre, petite et étroite certes, mais suffisante pour que chacun se trouvât à son aise. C'était une de ces exigences de confort que dame Mathilde, après son veuvage d'avec l'empereur d'Allemagne, avait appréciées en deuxièmes noces. La vie au castel d'Angers en était devenue plus intime, ce qui n'était pas pour me déplaire.

La fumée me piquait. Je me raclai la gorge, toussotai plusieurs fois, mais, déterminée à pousser mon entreprise jusqu'à son terme, je rajoutai dans la cheminée la mousse putride et nauséabonde que j'avais pétrie de mes doigts. La flamme s'étouffa encore, élevant un nuage acide dans l'air. Je sentais mon corps s'alanguir et en même temps se balancer d'une sensation à une autre. Un étau m'enserra les tempes tandis que montait du fond de mon ventre une étrange douleur. Je tombai à genoux, sans détourner mon regard de l'âtre.

Soudain, les volutes s'y concentrèrent, puis des formes indistinctes apparurent, se mélangèrent, se précisèrent jusqu'à devenir images. Tout dansait autour de moi dans un ballet d'ombres et de lumières, que je regardais sans voir, pénétrée par des visions d'un autre temps. Les murs vacillaient, semblaient pris de convulsions. Mais peut-être était-ce moi ? Les yeux dilatés par l'étrange pouvoir de mon âme, j'absorbais le parfum d'une connaissance mystérieuse, et cela me grisait.

Je ne sais combien de temps je restai ainsi en transe, auréolée de fumée et de songes grimaçants. Et puis soudain, la fumée se dispersa, happée par un courant d'air venu de la chambre. La porte s'était ouverte et une voix lointaine résonna en s'amplifiant au creux de mes tympans.

– Loanna ! Par les pouvoirs des trois cercles ! Combien de fois devrai-je te répéter que tu es trop jeune pour de telles expériences ?

Je saisis la main que me tendait mère. Elle avait l'air fâché. Je voulus la rassurer d'un sourire, mais n'avais plus la force de rien, tant les révélations m'avaient épuisée. Elle m'aida à me lever ; lors, étirant mes membres endoloris, je parvins à lui faire face. Je ne voulais pas lui causer de tourment. Je redressai fièrement le menton et soutins le regard couleur de mousse empreint d'une colère sourde.

Mère était une petite femme ronde et joufflue, à la chevelure épaisse qui la faisait ressembler à un écheveau de laine rousse. Dressée dans tout mon orgueil d'enfant, j'étais presque aussi grande qu'elle.

— Tu es têtue comme je l'étais à ton âge, Canillette !

L'espace d'un instant, face à ma détermination, ses yeux s'étaient crayonnés d'indulgence, mais cela ne dura pas.

— Cela peut être dangereux pour qui n'est pas préparé, Loanna, tu te dois de préserver la santé de ton esprit. Si les forces que tu manipules en apprentie venaient à t'échapper, tu pourrais y perdre ta lucidité. Tu ne dois jamais oublier cela, Canillette, c'est ton bien le plus précieux.

— Oui, mère. Mais ne vous fâchez pas, il me fallait savoir ! Henri est si joli, si petit.

Ses bras ronds m'enlacèrent avec tendresse. Elle me berça contre sa poitrine généreuse en soupirant, résignée :

— Henri n'a que quelques jours et tu voudrais déjà tout connaître de demain. Allons, est-ce bien raisonnable ? Ton teint est cireux et tes yeux gonflés, ce n'est pas avec ce masque que tu pourras lui être utile.

Elle m'entraîna vers la fenêtre, m'incitant à inspirer largement l'air vif. Peu à peu, la couleur regagna mes joues, et je me sentis moins faible. Lorsque je repris le contrôle de mes sens, une profonde tristesse m'envahit, incontrôlable, que je ne pus m'empêcher de confier à Guenièvre :

— Me sont apparues des choses bien curieuses. Des lieux dont je ne connais rien. D'un endroit, je n'ai retenu qu'un long bras de mer écartant les terres ; d'un autre, un regard languissant d'une pureté extrême, et d'une douceur infinie. Quel sentiment étrange, mère ! Je crois bien que de ma vie, je n'oublierai ces yeux-là. C'est comme s'ils m'avaient pénétré le ventre et le cœur à tout jamais. Croyez-vous que l'on puisse emprisonner l'âme de ceux que l'on regarde quand l'Église l'interdit ?

Elle éclata d'un rire sonore et gai :

— Bien sûr que non, Canillette ! Ni l'Église ni son Dieu n'ont de pouvoir sur ces choses. Tu as vu des images lointaines dans le futur, auxquelles tu ne dois point accorder d'importance pour l'instant. Nous ne pouvons changer le cours des événements que par la stratégie et les forces de la terre, pas en visionnant un fragment de l'histoire. Allons, ma toute petite, sois patiente. Tout cela viendra bien assez tôt, je te le promets. Lors, comme je le fais aujourd'hui, tu pourras servir l'Angleterre... Va ! Bernaude attend ton aide au fauconnier. Pour l'heure, ta science et ton amour des rapaces sont plus utiles au château.

– Sont-ils arrivés ?

– Les jeunes éperviers ont été amenés hier aux vêpres par un des vassaux du comte, mais l'un d'entre eux refuse toute nourriture, tu sauras le reprendre, j'en suis sûre.

– J'y cours, mère.

Je l'embrassai avec bonheur. Je l'aimais, mais n'osais le lui dire. Je coulai dans ses yeux chaleureux un regard plein de tendresse, puis m'élançai à toutes jambes dans l'escalier de pierre.

L'orage était monté d'un coup, violent, en plein cœur de la nuit, ne laissant à l'aurore que ces nuages de traîne qui semblent se prolonger jusqu'à terre.

J'avais couvert ma chemise de soie d'un mantel de laine épaisse et m'étais glissée dans les jardins sous ma fenêtre, nu-pieds dans l'herbe tendre. Avant que les premiers ne se lèvent, il régnait en ce lieu une étrange atmosphère, faite encore des bruits nocturnes et de ceux imperceptibles de la vie qui s'éveille. C'était un moment privilégié, propice à la rêverie. Ici, tout s'animait au chant du coq : les cuisiniers s'activaient, et les parfums champêtres se couvraient d'odeurs de poulardes rôties, de pain blond et de sucre caramélisé. Dans la basse-cour, les poules caquetaient pour réclamer leurs graines d'orge et de blé. Et, depuis la semaine dernière, des bruits de pots de lait tintant contre les écuelles des apprentis venaient s'ajouter au remue-ménage habituel. La voix tonitruante de Bernier, le maréchal-ferrant, encourageait la joyeuse bande de menuisiers et de couvreurs rénovant son atelier. La tempête de vent et de grêle qui avait balayé le château la nuit précédant la naissance du jeune Henri avait emporté les toits de chaume. L'ouvrage pressait : rien ne devait égratigner l'œil et risquer de déplaire au seigneur et à ses invités. La demeure de Geoffroi le Bel était en fête.

Je m'assis en tailleur à même la terre et attendis le lever du jour. De là, je pouvais voir en contrebas du donjon la petite ville s'éveiller lentement et, au loin par-dessus les lices, s'éclairer d'une palette de carmin et d'orange les champs d'orge, de blé, mais aussi ceux laissés en jachère sur lesquels ondulaient des brassées de coquelicots. Mais ce qui me plaisait avant tout était de ne pouvoir être vue de personne, dissimulée par le petit muret clôturant le jardin potager.

Les gens m'aimaient bien ; pourtant, je recherchais peu la compagnie de ceux de mon âge. Je n'étais pas comme eux, et appréciais cette différence. La seule dont j'acceptais parfois l'approche était Bernaude, la fille du luthier. Elle était de mon âge, d'un faciès insipide sans être vraiment laid, mais certains la repoussaient à cause de l'effrayante cicatrice qu'elle portait au bras gauche, déchiqueté par les serres d'un faucon mal dressé. Malgré cette blessure, elle continuait à s'occuper des rapaces, et s'entendait avec eux, presque autant que moi. Notre amitié, cependant, s'arrêtait là.

Il y avait aussi le frère Briscaut, mon précepteur. C'était un moine naïf au possible, qui se réjouissait par de grands gestes exubérants des connaissances que je paraissais assimiler avec une facilité qui le déconcertait. L'avantage certain que j'en retirais était qu'il me laissait libre de mes humeurs, préférant grandement somnoler que veiller une si fameuse élève, comme il se plaisait à le dire à mère et à dame Mathilde, ma marraine. Il m'amusait beaucoup, en fait. Il était rondouillard, à l'image d'une citrouille, dont il avait le teint par un curieux caprice de la nature. Mais il avait le cœur généreux et noble, même s'il affectionnait ce Dieu qui me laissait perplexe. J'étais croyante bien sûr, et avais été baptisée, mais je ne parvenais point à me trouver une ferveur catholique.

Je me souviens qu'à l'aube de mes six ans, tourmentée de ne pas me sentir sous la menace d'une punition divine, je m'étais confiée à Guenièvre d'une voix pleine de remords. Mère avait éclaté d'un de ses rires joyeux qui ressemblaient à une brise printanière.

– En voilà un grand souci, ma Canillette ! Tu ne dois pas t'inquiéter de si peu de chose ! Oublierais-tu que ta lignée connaît plus de magie que ce bon Jésus-Christ ? Lorsque le moment sera venu, je t'enseignerai la puissance d'une foi bien plus grande que celle des catholiques, alors tu sauras mettre en harmonie ton cœur et ton âme. Pour l'heure, crois ce que tu estimes vrai, mais ne le dévoile pas. Tu devras toute ta vie cohabiter avec le Dieu tout-puissant de l'Église et nourrir à son égard le plus grand respect. Écoute ton cœur, il sait ce qui est juste et te guidera…

Au fil des ans, en découvrant la force de mes origines, en étudiant les astres, les secrets des plantes et des éléments avec mère, j'avais fini par ne plus me soucier de cette conscience intuitive et accepté de ne pas railler frère Briscaut lorsqu'il me racontait la Genèse.

Je laissai mes pensées vagabonder sur les événements de la nuit encore proche, engourdie par un sommeil qui, m'ayant fuie longtemps, me rattrapait à présent.

Depuis une semaine, les festivités allaient bon train au château. Tous les vassaux de Geoffroi le Bel étaient venus rendre hommage au jeune Henri. Mathilde, qui affectionnait les réjouissances, avait convié jongleurs, trouvères et amuseurs de toutes sortes pour donner un air de cour à sa demeure. Geoffroi aimait recevoir ses vassaux autant que la noblesse qu'il logeait dans le donjon ou ses dépendances, selon son bon vouloir et la faveur dont ils disposaient. Chacun, connaissant ses brusques et violentes colères, s'accommodait de son sort, dans une atmosphère de liesse.

Geoffroi le Bel était un être d'envergure, fort, solide, à l'esprit vif et prompt, habile et rusé, mais aussi d'une grande générosité. Lorsque sa fille Mathilde s'était retrouvée veuve, le roi d'Angleterre avait vu en cet Angevin l'être d'exception duquel naîtrait son héritier. Affaibli et maladif depuis, le roi espérait de toutes ses maigres forces réconcilier l'Angleterre en proie à de nombreuses querelles à propos de sa succession. En 1127, il força la noblesse à reconnaître les droits au trône de Mathilde. Mais son arriviste de neveu, Étienne de Blois, n'attendait que sa mort pour s'emparer de cet héritage. Mathilde était sur le qui-vive. Elle savait qu'il lui faudrait une armée puissante face à celle d'Étienne de Blois, soutenu dans ses prétentions par le roi de France, Louis le Gros. L'Angleterre avait besoin d'un roi. Un roi tel qu'avait été Arthur.

Depuis l'aube des temps, la Grande-Bretagne était sous la protection du savoir des druides qui veillaient à son unification. Pour Guenièvre de Grimwald, ma mère, descendante directe de Merlin l'Enchanteur, le fils que dame Mathilde venait de mettre au monde serait ce monarque qui marquerait le deuxième millénaire.

Chaque jour, les visages défilaient au-dessus du berceau, ne manquant pas de constater la ressemblance entre le fils et le père : même tignasse flamboyante, et déjà cette corpulence massive qui augure des hommes forts et sains. Henri me plaisait.

Dans la grande salle du donjon où des jonchées d'iris et de genêts étaient renouvelées chaque matin, tout était prétexte à ripaille. J'avais choisi la meilleure place : je m'activais au milieu des pages et des servantes, coupant les miches de pain, servant la soupe de lard et de pois, portant les poulardes, les pâtés, les chapons, les gibiers, les sauces, les entremets et les tartes avec Bernaude, me substituant même au bouteiller si j'y pouvais trouver quelque avantage. Ainsi, j'avais tout loisir d'observer sans être remarquée, me fondant avec grâce et un semblant d'indifférence au sein de l'assemblée. Baissant mon museau, je me posais là où la conversation paraissait intéressante et me hâtais vers d'autres lorsque l'on s'apercevait de mon indiscrétion.

À ce jeu-là, j'étais passée maîtresse. J'avais été payée en retour.

La veille, mère s'était éclipsée avant la fin du banquet, précédant de peu Mathilde, fatiguée par ses invités, et mon instinct m'avait soufflé que des choses importantes se passaient à l'étage.

Parvenue au seuil du long corridor qui permettait d'accéder aux différentes ailes du bâtiment, j'étais passée sans hésitation derrière une tapisserie, empruntant le petit couloir qu'elle dissimulait. Obliquant sur la droite, je m'étais glissée à l'intérieur d'un boyau qui servait à l'aération des pièces centrales. La voix de mère m'avait confortée dans mon opinion. Elle se trouvait bien dans le cabinet secret de Mathilde. Là d'où rien de ce qui se disait ou se décidait ne devait transpirer.

Il était question d'Étienne de Blois. Un frisson de dégoût m'avait parcourue, comme chaque fois que je le croisais. Je détestais cet homme.

La voix de mère était ferme et décidée, d'une très grande noblesse :

– Une alliance avec l'Aquitaine serait décisive pour contrarier les ambitions de cet impétueux ! D'autant plus que ses erreurs accumulées desservent sa cause auprès des barons. Il suffirait de peu pour remettre cet insolent à sa juste place. Si la couronne de France continue de rester d'une neutralité de bon ton, nous le moucherons grâce à ses maladresses, mais je crains le pire, Mathilde. Louis le Gros a trop d'ambition, et Blois lui est un allié fidèle. L'eau dormante est souvent une eau croupie. Rien ne vaut une rivière pour laver les salissures de la félonie.

— Il est vrai que cette damoiselle Aliénor ressemble fort à son grand-père, avait répondu ma marraine en poussant un soupir dont je n'avais trop su s'il était de plaisir ou de regret. Guillaume le troubadour… Ah ! Guenièvre ! Avons-nous connu homme plus entêté, plus entier ? Sa petite-fille a le regard droit et fier de ceux qui n'hésitent pas à braver pour s'élever, même si son éducation lui a ôté cette insolence du verbe que son grand-père avait prompte. Elle sera sans nul doute une femme forte et responsable.

— Comme vous l'êtes vous-même.

— Certes. L'Angleterre ne doit pas devenir la patrie des couards. Mais Henri n'est qu'un nouveau-né ! N'est-ce pas folie que de songer si tôt à son devenir ?

— Aliénor est déjà une pucelle, il est vrai, du même âge que ma Canillette, mais vous savez par expérience combien il est sage qu'une femme soit plus âgée que son époux. Imaginez la richesse du duché d'Aquitaine joint à celui de l'Anjou dans la corbeille d'épousailles du futur roi d'Angleterre. Sa puissance serait à même de tenir tête à tous, y compris au roi de France.

— Soit. Je connais la valeur de tes conseils. Attendons que le petit Henri grandisse un peu, le temps d'écarter de lui les humeurs malignes des nourrissons. Lors, si sa force et son caractère se montrent prometteurs, nous agirons en ce sens.

Puis les voix s'étaient estompées, et, faisant le chemin à reculons, j'avais regagné le rez-de-chaussée.

Tandis que je m'abandonnais à ces proches souvenirs, une brise fine s'était levée. Devant moi, le soleil s'arrondissait sur l'horizon, auréolant l'azur sombre d'une étreinte de rose et de gris. Je frissonnai sous mon mantel. L'humidité de la terre gorgée par l'orage de la veille pénétrait la toile et mouillait mes cuisses avec insistance. L'Aquitaine ! On la disait belle, lumineuse, ensoleillée, chaleureuse par sa musique, ses vins et ses arts. J'appréciais les belles choses, tout ce qui, disait-on, coulait là-bas, comme coulait le fleuve en écartant les terres pour s'y frayer un passage et les enrichir. Ainsi c'était l'Aquitaine, cet endroit dont j'avais pressenti en songe l'importance ! J'en étais sûre à présent : ce pays me plairait.

2

– Laisse-toi faire, ma douce, allons…

– Messire, si quelqu'un entrait.

Pour toute réponse, le jeune comte de Poitiers assit la chambrière à même la table et embrassant goulûment sa gorge délacée, glissa une main impatiente sous ses jupes. Elle s'alanguit en minaudant, laissant un regard vaporeux traîner sur l'embrasure de la porte par habitude. Monsieur le comte était si imprévisible !

La silhouette qui s'y encadra soudain lui fit lâcher un petit cri que le jeune homme attribua à ses caresses plus précises. Il poussa plus loin son assaut, excité par les attributs offerts sans retenue, mais le grondement de fureur derrière lui ébranla d'un coup son ardeur :

– Raymond ! Infâme dépravé !

Son visage se glaça, et il s'écarta sans se retourner pour se rajuster. Refermant son corsage, la chambrière, écarlate, disparut par une porte opposée à celle où fulminait la jeune duchesse d'Aquitaine : Aliénor. De rage, celle-ci fit claquer à terre la cravache qu'elle tenait encore en main.

– Bonne promenade, Aliénor ? lui demanda son oncle d'un air détaché, sans lui faire face.

Il saisit un pichet de vin qu'il avait écarté pour installer les fesses charnues d'Isabeau et, avisant un gobelet d'argent, s'en versa une rasade.

– Comment oses-tu ? Ici, chez moi ! Avec cette fille de rien ! Regarde-moi !

Il se retourna lentement, un sourire amusé aux lèvres. Sa nièce, du haut de ses douze ans, était d'une jalousie maladive. La fureur la rendait encore plus belle, jetant des éclairs métalliques dans ses yeux verts. Elle revenait de promenade et avait sans doute galopé à vive allure, car quelques mèches de cheveux s'étaient défaites de sa coiffe et flottaient comme des flammèches dorées autour de son visage.

– Je n'ai rien fait de mal, Aliénor. Je t'assure que cette jeunette était consentante.

Elle s'avança, meurtrière, levant sa cravache pour lui fouetter le visage, des mots rageurs entre ses dents de porcelaine :

– Ignoble petit…

Il bloqua le geste d'une poigne ferme, amusé.

– Pas de cela, ma nièce, je ne suis pas ton palefroi !

– Tu m'as trahie, fulminait-elle, essayant de dégager son poignet.

Il força la main à lâcher le jonc et, lui tordant le bras derrière le dos, l'attira contre son torse massif. Elle poussa un cri de douleur, mais redressa la tête avec défi.

– Assez, Aliénor !

Elle lui cracha au visage pour toute réponse, se débattant de plus belle. Il resserra l'étreinte, conscient de lui faire mal. Si elle n'avait été sa nièce, il l'aurait soumise à son désir frustré, à lui en faire regretter sa hardiesse, et, l'espace d'une seconde, celui-ci réclama son dû avec tant de violence qu'il troubla ses prunelles d'un éclair sauvage. Instinctive, Aliénor rejeta son visage en arrière, lèvres offertes. Il la repoussa rudement, trop vite, brûlé au plus profond de sa chair par l'appel de ses sens. Il lui fallait apaiser le bouillonnement de son sang, ne pas la regarder. Souple, il s'assit sur la table et, saisissant une grappe de raisin qui traînait dans une coupe, y planta ses dents voracement. Aliénor en frémit jusqu'au creux des reins.

Elle le regarda dévorer tandis que la vengeance revenait, lancinante, dans ses poings. Elle se planta devant lui.

– Tu te moques bien que je sois malheureuse ! Tu ne m'aimes pas !

– Mais si, je t'aime, lui répondit Raymond d'un ton qu'il voulait léger, ce qui eut pour effet de la faire trépigner davantage.

– Pas comme je veux !

– Tu ne sais pas ce que tu veux, répliqua-t-il.

Sa voix était plus ferme, son sang s'apaisait lentement.

– Tu es une enfant, Aliénor, ajouta-t-il en haussant les épaules.

– Ce n'est pas vrai, regarde !

D'un geste vif, elle arracha les lacets qui serraient son corsage dénudant un petit sein blanc et rond. Surpris, Raymond poussa un grognement et détourna la tête. Décidément, cette chipie était prête à tout pour le mettre à bout ! Il ordonna :

– Rajuste-toi ! Tu n'es pas une servante !

– Je suis aussi jolie qu'Isabeau. Touche-moi, reprit la voix, enjôleuse à présent, terriblement sensuelle.

Elle approcha sa poitrine nue de son épaule, s'enivrant de le sentir tressaillir.

« Ne pas céder ! disait sa cervelle en fusion. Ne pas céder ! »

La colère l'emporta. Raymond emprisonna la taille de l'impertinente entre ses cuisses musclées et entreprit de refermer le corsage.

— Vois, tes charmes sont sans effet. Il te faut grandir un peu pour me plaire.

Il fixa, imperturbable, tout au moins en apparence, les grands yeux fulminants jusqu'à ce qu'ils perdent de leur intensité. Aliénor sentit un sanglot lui nouer la gorge. Raymond se moquait d'elle. Il aimait la soumettre, la dominer du haut de sa vingtaine superbe.

— Lâche-moi, gémit-elle, des larmes dans la voix.

Il obtempéra. Elle se détourna, glacée, et lâcha d'une voix éteinte :

— Je sais ce qu'il me reste à faire. Puisque personne ne veut de moi, je n'ai plus qu'à disparaître. Adieu !

Raymond se retint de rire. Il hasarda :

— Où vas-tu ?

— Mourir, messire, lança-t-elle, très digne, en sortant de la pièce.

Il s'attendrit, un sourire aux lèvres. Elle était si obstinée, tellement femme surtout. L'espace d'une seconde, il se demanda si cette entêtée n'était pas capable de se jeter dans le fleuve, juste pour le narguer. Il se dirigea vers la fenêtre du donjon depuis laquelle on pouvait voir les écuries. Un palefrenier était occupé à brosser la haquenée d'Aliénor. La jeune fille donnait des ordres, gesticulait, coléreuse. Au bout de quelques minutes, l'homme saisit une selle à haut pommeau, harnacha l'animal et aida Aliénor à monter. D'un coup sec du talon, elle éperonna sa monture, qui partit d'un trot vif jusqu'au pont-levis.

C'était jour de marché à Bordeaux, et les abords du palais de l'Ombrière regorgeaient de monde, d'étalages aux senteurs les plus variées. Les artisans appelaient leur clientèle d'une voix forte, et Raymond entendait depuis la fenêtre ouverte des phrases sans queue ni tête tant les accents des uns finissaient ceux des autres. Aliénor traversa la foule à vive allure, prenant garde toutefois de ne renverser personne, saluant parfois qui l'interpellait.

S'éloignant des faubourgs, elle prit le chemin qui conduisait vers Belin, à une dizaine de lieues de Bordeaux. Là se trouvait un monastère dont son père était le protecteur et qui servirait à merveille son plan.

« C'est aujourd'hui ou jamais », pensa-t-elle.

Raymond rongea son frein quelques instants, hésitant sur la conduite à tenir.

« Si seulement Isabeau était dans les parages, songea-t-il, elle me ferait oublier cette chipie. »

Mais Isabeau redoutait encore le courroux de sa jeune maîtresse et s'occupait le plus loin possible des appartements de la duchesse. Raymond était seul. Harcelé par l'envie de la poursuivre. Rageur contre lui-même, mais ne pouvant résister davantage, il dévala à son tour les escaliers, haletant comme un jeune cerf, et se dirigea d'un pas ferme vers les écuries.

Il avait beau savoir que tout ceci n'était qu'un jeu, il ne pouvait supporter l'idée qu'il arrivât quoi que ce soit à sa nièce par sa faute. Du moins était-ce l'excuse qu'il s'était donnée.

Les routes étaient peu sûres en ces temps. Depuis quelques mois, une compagnie de bandits de grand chemin les écumait, pillant et massacrant les voyageurs, violant damoiselles et duègnes sans distinction. Le duc d'Aquitaine, Guillaume, le père d'Aliénor, avait dépêché des soldats que Raymond avait conduits lui-même pour décimer ces truands, mais sans succès. Ils restaient introuvables, semblant ne sortir que pour effectuer leurs forfaits. Et il n'y avait pas un vilain pour vendre leur secret. Le duc en était furieux. Son duché qui comprenait le Poitou, la Guyenne et la Gascogne était à lui seul plus vaste et plus riche qu'aucun autre, ridiculisant même les domaines de la couronne. Il ne pouvait laisser dire que ses gardes mieux armés et organisés que ceux du roi Louis le Gros ne parvenaient pas à mater une poignée de voleurs. Mais Raymond, désespérément, revenait bredouille.

Ce dernier trouva son cheval harnaché, un bai qu'il aimait pour sa vigueur, s'en étonna, mais l'air complice du palefrenier le renseigna sur la provenance des ordres. Ainsi, elle savait ! Qu'à cela ne tienne ! Il enfourcha l'animal et sortit à son tour du palais. Quelques marchands l'aiguillèrent sur la route suivie par Aliénor et, sans plus attendre, il s'élança au grand galop sur ses traces.

Le soleil déclinait sur l'estuaire lorsque Raymond rejoignit sa nièce. Il se contenta de la suivre de loin pour ne pas lui donner l'occasion de pavoiser et d'user davantage du pouvoir qu'elle savait exercer sur lui. Il l'aimait à en perdre l'âme, à s'en user le cœur. Elle l'envoûtait. Il la voyait devenir de jour en jour plus femme, et son désir d'homme se heurtait à leur parenté. Il apaisait son appétit charnel avec des servantes, maraudes sans importance. Mais, là encore, Aliénor semblait le deviner, le respirer, et troublait autant qu'elle le pouvait son intimité déjà recluse, à le rendre fou.

Il pénétra dans la cour du monastère, laissa son cheval au frère Alburge qui l'accueillit, et, s'étant renseigné, se dirigea vers les jardins. Aliénor s'y promenait, qui échangeait, angélique, des propos anodins avec un moine. À sa vue, elle ne montra aucune surprise ; pourtant, son regard pétillait de malice. Il se demanda, les doigts brûlants, qui du diable ou de Dieu hantait cette demeure. L'abbé salua Raymond, lança quelques banalités sur l'éphémère des roses qui embaumaient le parterre, puis les laissa seuls.

Aliénor s'avança jusqu'à un petit banc de pierre sous un arbre entouré de clématites. Prenant un air de sainteté qui ne pouvait tromper personne, elle lança d'une voix mélancolique :

– Je vais me plaire ici…

Raymond s'assit à ses côtés.

– Qu'as-tu encore inventé ? L'eau de la Garonne était donc si froide que tu lui aies préféré celle du bénitier ?

– Ne sois pas narquois, Raymond ! J'ai trouvé plus utile que mourir. De plus, le remords passant avec les années, tu m'oublierais et je ne le veux pas. J'ai décidé de prendre le voile.

Raymond avait une furieuse envie de rire, cependant, il décida de jouer la prudence.

– C'est une merveilleuse idée.

La jeune fille tressaillit. Cela ne se passait pas comme elle l'avait prévu. Elle bredouilla :

– Tu crois ?

– Oui. C'est une sage décision. Qui satisfera tout le monde.

– Que veux-tu dire ?

Sa sérénité chancelait face au calme qu'affichait Raymond.

« Touché », pensa-t-il.

Il ne répondit pas. Il étira ses longues jambes et, croisant ses mains derrière sa nuque, s'adossa à l'arbre. Il était maître du jeu, il le sentait au frémissement des doigts d'Aliénor qui pétrissaient la dentelle d'un mouchoir. Il aurait aimé faire durer encore cet instant qui la forçait à baisser les yeux, mais il poussa un soupir satisfait, décidé à l'épargner. Il lança, rêveur, les yeux dans la floraison mauve :

— Pouvoir me promener dans les couloirs du palais, embrasser et cajoler une chambrière, sans risquer d'entendre ton petit pas menu derrière la porte, sans redouter ta colère. Pouvoir venir ici, te confier, en frère, mes déceptions amoureuses ou mes victoires…

C'était plus qu'elle n'en pouvait supporter, la rage embrasa ses joues. Elle lança une main cinglante en direction de son visage, mais il l'esquiva.

— Que se passe-t-il, ma nièce ? Serais-tu en proie au démon pernicieux que l'on nomme jalousie ?

— Tu te moques de moi une fois de plus. Tu sais que je ne peux vivre sans toi…

— Mais si ! Tu seras très bien ici, la rigueur dissimulera ton beau visage, épargnant ainsi maintes souffrances à ceux qui n'auront pas le bonheur d'être aimés comme moi.

— Assez !

Se levant d'un bond, elle courut se réfugier contre un arbre pour cacher ses larmes. Raymond, bien que n'étant pas dupe de son stratagème, s'avança vers elle, la saisit doucement par les épaules et l'attira à lui. Elle se blottit sans résistance contre la poitrine massive et s'abandonna à de violents sanglots.

— Calme-toi. Je n'en pensais rien, tu le sais bien. Pour rien au monde, je ne voudrais que l'on t'enferme entre quatre murs. Tu as besoin d'espace. Sèche tes larmes. La nuit tombe, il faut rentrer.

— Non !

— Allons, sois raisonnable.

Raymond releva le menton frémissant, obligeant sa nièce à lui livrer son visage ruisselant de larmes. Il embrassa le front chaud, avec l'envie de laisser sa bouche caresser les lèvres suppliantes.

— Restons ici, murmura-t-elle d'une voix tremblante, à peine audible. Ensemble ! Je te promets que jamais plus je ne t'ennuierai, ne te ferai de scène. Je t'en prie…

– Tu es folle ! Que vont penser les moines ? Que leur nouvelle recrue s'est liée au démon ?

– Peu m'importe, j'achèterai leur silence ! Je veux dormir contre toi. Me réveiller dans ta chaleur. Juste une fois. Une seule fois. S'il te plaît ?

Raymond secoua la tête, sans conviction pourtant. Les yeux d'un vert d'émeraude brillaient de tant de lumière, d'un espoir si grand, qu'ils faisaient fondre toute résolution.

Et déjà Aliénor savait. Il était vulnérable, il lui appartenait donc. Elle prit sa main, qu'elle sentit molle sous ses doigts, et l'entraîna vers le bureau du père supérieur. Dans le vertige de sa déraison, Raymond n'entendit qu'un brouhaha de mots qui semblaient mêler la fatigue, la fièvre et le besoin qu'avait sa nièce de se sentir veillée, tant le diable l'appelait en ses cauchemars ; explications dont elle jouait avec une telle sincérité qu'on ne pouvait les mettre en défaut. De fait, le saint homme ne trouva nul argument pour les séparer. Il les conduisit à la cellule isolée qu'il réservait à ses hôtes de marque, dans laquelle étaient disposées deux paillasses recouvertes de couvertures. Sur le mur au-dessus d'elles trônait un crucifix de bois. Le frère Alburge leur souhaita une nuit pleine de méditation, puis les laissa seuls. Raymond avait l'impression duveteuse d'être un pantin de chiffons et de plumes, envoûté par l'audace de sa nièce, pris au piège de son amour.

Il la regarda se dévêtir dans un brouillard et l'attirer vers une des couches austères. Il eut encore une hésitation, dernier rempart contre l'inévitable, mais lorsque le corps chaud se moula au sien et qu'Aliénor lui prit la main pour la poser sur son sein en gémissant, il poussa un grognement sauvage et la fit sienne.

Plus tard, Raymond s'éveilla en sursaut. Au-dehors, un loup affamé hurlait dans la nuit claire. Aliénor sommeillait contre son épaule, un sourire aérien aux lèvres. Un frisson le parcourut. Une fois encore, elle avait obtenu ce qu'elle désirait. Dans le regard du comte de Poitiers, que le sommeil déserterait désormais, l'étincelle du remords avait chassé celle du désir. Pour la première fois depuis longtemps, il se mit à pleurer.

Je sursautai en sentant une main épaisse se poser sur mon épaule. Mais reconnaissant l'homme à la caresse bourrue, je lui souris.

– Que prépares-tu cette fois ? me demanda Geoffroi le Bel, avisant ma mixture.

Occupée à composer mes onguents, je ne l'avais pas entendu venir.

– Une colombe s'est blessée à la patte. Voyez.

Je pris dans le colombier qui me faisait face un volatile aux yeux tristes, couché douloureusement sur le côté. Le long de sa cuisse, une estafilade avait arraché les plumes et le sang s'était caillé, collant celles qui restaient.

Délicatement, sous le regard de Geoffroi, je nettoyai la blessure à l'eau de lis, puis, avec des gestes aussi doux qu'il m'était possible, j'étalai ma pommade sur la plaie. L'oiseau ne bougeait pas, confiant, bercé par la douce mélodie que je chantais et dont il savait le langage.

– Tu deviens aussi savante que ta mère, petite, murmura l'homme, admiratif.

Personne ne savait qui était mon père. Guenièvre n'avait jamais éprouvé le besoin de le dire. En conséquence, j'avais adopté Geoffroi comme tel. Il en était conscient et me le rendait bien. J'achevai mon traitement par un bandage de feuilles, puis recouchai l'oiseau dans sa cage, prête à l'entretien que le comte paraissait souhaiter.

– Vous vouliez me parler, n'est-ce pas ?

Il hocha la tête en souriant. Il s'amusait toujours du fait que je puisse deviner ses intentions. Il s'assit près de moi sur le petit banc de pierre. De cet endroit du château, on apercevait le pont-levis et, par les créneaux des remparts derrière nous, la vue qui s'élargissait paisiblement sur la campagne environnante. J'avais fait mon domaine de cette cour intérieure haute, derrière l'une des tours de guet. J'y avais installé mes colombes et mes pigeons, leur apprenant à force de patience et d'amour à devenir des messagers. Seuls mère et Geoffroi venaient me rendre visite, jamais sans but.

J'attendis. Il semblait mal à l'aise. C'était donc d'importance. Il ramassa à terre une petite flûte de buis que j'avais façonnée quelques jours auparavant, lança trois notes dans l'air de ma patience, puis, se raclant la gorge, murmura :

– Tu n'ignores rien, je le sais, de tout ce qui se dit ou se pense ici. Henri va grandir et un jour peut-être, si Dieu le veut, il deviendra roi d'Angleterre. Il aura besoin à ses côtés d'un être fort, qui saura lui éviter les erreurs. Peut-être est-ce cette damoiselle d'Aquitaine. Ta mère semble le croire...

Il marqua une pause, puis continua d'une voix solennelle :

– Henri aura besoin de toi, Loanna, plus que de toute autre. Dans le sang de cette Aliénor, il y a la violence, peut-être les vices de son grand-père, le troubadour. Lui et moi, nous nous ressemblions par ce caractère entier qui méprise les faux hommages. Mais en aucun cas je n'aurais pu être son ami. Si Henri m'est semblable et je le souhaite, une union avec la petite-fille de Guillaume risque d'être dévastatrice, comprends-tu ?

– Ne vous inquiétez point, père. Je protégerai Henri. J'irai en Aquitaine et deviendrai l'amie d'Aliénor. Je ferai ce pour quoi je suis venue au monde : servir ma terre et mon roi.

Il me regarda avec respect et passa une main affectueuse sur mon front pour écarter les boucles sauvages qui y dansaient. J'avais deviné bien avant qu'il ne parle ce qu'il voulait de moi, et c'était tout ce qui importait.

J'étais prête. Prête à affronter demain.

3

Ce matin-là, 25 février 1137, comme tous les matins depuis une semaine, il y avait du brouillard, un brouillard qui ondulait à terre tel un serpentin vaporeux de mousseline. Les formes s'en trouvaient arrondies, fondues, dans une harmonie de gris perle et de bronze. La rivière à mes pieds glougloutait doucement, sertie dans son écrin de mousse et de bruyère. Et comme nulle part ailleurs, ici, à Brocéliande, en plein cœur de la Bretagne, le temps semblait suspendu. Là étaient mes racines, les toutes premières, celles du premier maillon de la chaîne de vie.

Quatre années s'étaient écoulées depuis la naissance d'Henri. Le roi d'Angleterre, Henri Ier Beauclerc, était mort en 1135 et ce qu'il avait craint s'était réalisé : Étienne de Blois s'était emparé du trône par de nombreuses concessions aux barons et aux prélats, soutenu en cela par le roi de France. Depuis ce jour, dame Mathilde et lui se faisaient une guerre ouverte sans, hélas, que cela pût changer le cours des choses. Il eût fallu bien davantage que des prétentions légitimes pour arracher à ce parvenu cette terre tant convoitée. La suggestion de mère d'unir Henri à la jeune duchesse Aliénor d'Aquitaine prenait désormais tout son sens.

Mère m'avait préparée lentement à recevoir l'offrande de la terre, l'ultime bénédiction de mes ancêtres avant de me confronter à mon destin. Elle m'avait enseigné les rituels magiques, ceux que les druides se transmettent de bouche à oreille, et je savais désormais qui j'étais véritablement. Pas n'importe quelle fille, ni duchesse ni roturière, ni sorcière ni fée, et pourtant tout cela à la fois.

Il y avait de cela longtemps, Merlin l'Enchanteur, alors au service du roi Arthur, avait aimé Viviane, grande prêtresse d'Avalon, l'île gardienne des secrets druidiques. De leur union était née une fille, puis une autre lorsque celle-ci fut en âge de procréer. Toutes avaient en commun le même héritage, de par leur accouplement au Dieu cornu lors des fêtes rituelles de Beltaine. Toutes détenaient le savoir. Mère était la seizième de cette lignée. Elle possédait comme ses ancêtres l'intuition aiguë et la perception des choses invisibles, savait les secrets de la magie et les mystères cachés au regard des seuls humains. L'île d'Avalon s'était éloignée depuis longtemps des rives du monde visible, protégée des hommes par un voile de magie. Nul n'y pénétrait plus. Pas même mère. Tout au plus recevait-elle parfois, par des images confuses, des messages qui guidaient ses décisions. La vérité d'Avalon s'était confondue dans sa légende.

Guenièvre de Grimwald était née comme les autres avant elle pour servir l'Angleterre. Il ne s'était pas passé un règne depuis celui d'Arthur où l'une d'entre nous n'ait été là, familière, indispensable, prompte à apaiser, à comprendre, à soutenir, à guérir et à prévoir dans l'ombre des rois, malgré l'interdit qui pesait sur les anciennes croyances, malgré les prêtres qui nous avaient maudites. En s'emparant du trône d'Angleterre, Étienne de Blois avait tiré un trait sur ces superstitions. Le Dieu des chrétiens, le Seul, l'Unique, devait guider les hommes dans la miséricorde et le repentir. Au mépris de toute sagesse ancestrale. Une terre de prière, une terre d'abstinence, une terre de soumission et d'hypocrisie, de fourberie et de mensonge, voilà ce qu'il entendait faire du royaume d'Arthur. C'était intolérable ! Plus encore que le fait pour dame Mathilde d'avoir été dépossédée de son bien. C'était une tradition que l'on écorchait vive, une lumière que l'on éteignait. Comme on était loin de la quête du Graal et, à travers l'objet mystique qu'il représentait, comme on était loin des paroles et des actes d'égalité, de fraternité et de justice de ces êtres emplis d'amour qui en avaient porté le symbole ! Comme on était loin des premiers temps de la chrétienté où la sagesse première était de préserver celle des Anciens.

Parfois, des images me venaient, comme à mère, de formes humaines auréolées d'une aura intense de bleu et de mauve pailletée d'étoiles. Mère me disait alors que c'étaient eux, ces êtres venus des confins de l'univers, qui avaient essaimé sur la planète alors qu'elle n'était qu'un embryon de vie. Que d'eux venait la connaissance que nous devions transmettre. Tout cela me fascinait. Comment cela pouvait-il être ? Les étoiles étaient si lointaines à nos yeux. Le moindre déplacement terrestre nécessitait souvent plusieurs jours de voyage. Alors que penser d'une route dans l'espace ? Pourtant, elle disait vrai. J'en avais la certitude au fond du cœur.

Mon destin était associé à celui d'Henri. Lorsqu'il deviendrait roi, je serais à ses côtés comme grand-mère avait été dans l'ombre d'Henri Ier Beauclerc et mère dans celle de dame Mathilde.

Mais j'étais la dernière. Mère l'avait annoncé comme une sentence. Ce n'était pas une responsabilité légère. Je n'avais que seize ans ce jourd'hui et je portais en moi tout l'espoir d'un monde en train de mourir qui, désespérément, tentait de léguer l'essentiel de ce qui l'avait fait naître pour que règnent paix, amour, progrès et lumière. Tous ces mots qui avaient un sens avant que l'Église n'assoie son obscur pouvoir.

Je ne savais pas si je me sentais prête. Peut-être l'étais-je depuis toujours. Plus qu'aucune autre avant moi, je me devais à la plus sacrée des missions. Une seule chose pour moi était certaine : je n'avais pas le choix. Je n'avais jamais eu et n'aurais jamais d'autre droit que d'épouser mon destin.

Depuis deux mois, je vivais en ermite, sur nos terres de Brocéliande, dans la chaumière que seuls connaissaient ceux de mon sang, à quelques pas de la source, dans cet endroit où, étrangement, régnait un éternel printemps.

Avant mon départ, Geoffroi le Bel m'avait offert une superbe pouliche blanche que j'avais appelée Granoë. Elle m'avait accompagnée en ce lieu où, recluse du monde, j'achevais mon apprentissage. Les années passant, mon corps de fillette malingre s'était transformé en des courbes souples, fines tel un jonc ; lors ma silhouette de sylphide chevauchant Granoë, à l'aube, faisait se signer d'effroi les bûcherons auxquels j'apparaissais dans la brume comme un fantôme. La forêt de Merlin avait ses légendes. Personne n'osait plus s'aventurer dans les bois de peur de rencontrer une âme aux cheveux de lumière, me laissant ainsi toute intimité et liberté d'agir selon mes désirs.

Avant que je quitte mère et ma paisible vie à Angers, j'avais remarqué un changement dans le comportement de Geoffroi le Bel à mon égard. Il recherchait un contact plus charnel, et je devais souvent m'esquiver d'une boutade. Son intérêt grandissant s'était affirmé de jour en jour, et je sentais peser son regard sur mon corps telle une brûlure. Il n'était pas le seul. Le fils de Benoît le meunier, à peine plus âgé que moi, me poursuivait de ses assiduités. Lorsque mère m'avait annoncé qu'il était pour moi temps de me retirer à Brocéliande, j'avais poussé un soupir de soulagement, car je savais qu'aucun au château n'oserait profaner ce lieu de légende.

Il faisait doux. Si doux que l'on aurait pu se croire aux portes de l'été. Je déroulai soigneusement la coiffe qui retenait prisonnière ma longue chevelure. Elle cascada sur mes seins dans une caresse soyeuse. Chaque matin, je me glissais nue dans l'eau bienfaisante de la source de Baranton où Merlin faisait autrefois ses incantations. Sa fraîcheur était vivifiante, et l'extrême richesse des minéraux qui lui traçaient un chemin dans le roc, unique. Je m'abandonnai à ma baignade, laissant mes pensées courir sur le visage rond et joufflu du petit Henri. Il me manquait un peu.

Je me demandais comment Bernaude pouvait bien faire, à présent que je n'étais plus là, pour contenir les caprices de ce petit monstre. Il était caractériel au possible, d'une ardeur et d'une détermination hors du commun. J'étais la seule à parvenir à l'apaiser, la seule qu'il écoutait, et avec laquelle il se montrait attentif et réservé. Sa nourrice comme sa mère ne pouvaient rien en tirer. Moi, je lui racontais des histoires de magiciennes et de dragons, de chevaliers et de princesses, de lutins et d'elfes, je lui enseignais les secrets de la terre et des cieux, et le respect que l'on doit aux choses vivantes. Somme toute, ces leçons élémentaires que le frère Briscaut ne lui inculquerait jamais. À ses yeux, j'étais donc d'un grand mérite, et l'admiration qu'il me portait accentuait mon pouvoir sur ses humeurs.

Peu à peu, autour de moi, le brouillard levait son voile, dénudant la forêt de son mystérieux habit. Ce jour était différent des autres. La source chantait autrement que d'ordinaire, comme si sa mélodie sentait la sérénité qui m'avait gagné l'âme et le cœur. Je savais qu'au matin Mathilde et Geoffroi étaient partis pour l'Aquitaine rencontrer le père d'Aliénor. Aujourd'hui, le premier pas vers demain était suspendu au vouloir du duc Guillaume.

Je me levai pour laisser l'eau glisser le long de mes cuisses. Il était temps de communier avec les énergies créatrices. Je m'allongeai sur le dolmen qui faisait face au bassin, puis laissai venir en moi l'incantation première.

Les hauts murs voûtés du corridor semblaient vibrer dans le silence obscur. Il était rare qu'une stature aussi masculine s'avançât vers le logis de la grande abbesse de l'abbaye de Fontevrault.

Le visage et le col dissimulés par un long mantel de samit, le duc d'Aquitaine suivait, songeur, la flamme vacillante de la bougie que le frère Thibault tenait d'une main mal assurée.

– C'est ici, messire. On vous attend, dit-il en s'arrêtant devant une lourde porte de bois.

Guillaume se demandait ce que pouvait bien lui vouloir la grande abbesse, en cette fin février 1137. Il répugnait à confier sa fille Aliénor à sa protection, même s'il se rendait compte que le chagrin qu'il éprouvait depuis la mort de son épouse lui avait ôté l'envie et le goût des réalités et des gens. Pour l'heure, il songeait à partir en pèlerinage à Compostelle, prier et se repentir, espérant que cela lui rendrait quelque raison de vivre.

La porte s'ouvrit dans un grincement dont les pierres massives se firent l'écho. Il entra et vit, assises auprès de l'âtre crépitant, deux silhouettes familières. L'abbesse se tenait à quelques pas d'eux, droite et raide, de sorte que les rides de son visage semblaient amidonnées du même onguent que les plis de sa robe. Il abaissa la tête et vint humblement poser un genou à terre devant elle.

– Relevez-vous, mon fils. Vous connaissez le comte d'Anjou et son épouse, dame Mathilde.

Guillaume les salua courtoisement d'un signe de tête. L'abbesse poursuivit d'une voix chevrotante :

– Ils ont sollicité la discrétion de ces murs afin de vous entretenir d'une affaire de la plus haute importance, qui demande pour l'heure un secret absolu. J'ai entendu avec intérêt leur requête et leur ai donné ma bénédiction. Il ne leur manque que la vôtre, mon fils. Mais je vous laisse seul juge de la sagesse et de l'honneur de leurs propos.

L'abbesse s'assit péniblement sur sa chaise, croisa les mains sur sa poitrine et s'abandonna à l'ombre qui baignait ce recoin de la pièce austère, affichant ainsi sa réserve.

Après quelques banalités d'usage, Geoffroi le Bel s'engagea dans le vif du sujet :

– Vous n'êtes pas sans connaître les différends qui nous opposent à la maison de Blois. Or, une évolution favorable des événements nous porte à croire que dame Mathilde sera prochainement couronnée reine d'Angleterre, et selon l'ordre des choses, si Dieu le veut, notre petit Henri sera appelé à lui succéder. C'est la raison pour laquelle nous souhaiterions, malgré son jeune âge, que lui soit promise votre fille aînée, Aliénor. Une union entre l'Anjou et l'Aquitaine serait profitable à nos deux familles, ainsi qu'à leurs descendants.

Guillaume secoua sa lourde tête d'un air satisfait, prit le temps d'une inspiration et répondit :

— Je vous estime, Geoffroi, et je trouve votre requête fort opportune. Mes pensées me conduisaient justement à me préoccuper de l'avenir de mon aînée. Aliénor est une jeune fille à présent. Elle festoie et se plaît en compagnie des troubadours. Je crois cependant qu'elle aurait besoin de recueillement et de solitude pour tempérer son caractère excessif. Votre Henri est fort jeune encore, néanmoins, votre idée me séduit. Mais le fait est que nous ne pouvons unir ces enfants trop tôt. Que me proposez-vous ?

— De placer Aliénor en ces lieux une dizaine d'années. Promise à Henri, elle sortira du couvent pour célébrer leurs épousailles et ceindre la couronne d'Angleterre. Nous ne voulons pourtant pas la retrancher du monde ; aussi, nous envisageons de lui attacher l'amitié de la fille de la baronne Guenièvre de Grimwald, fidèle à dame Mathilde. Elles sont du même âge. Cela l'aiderait sans aucun doute à accepter son isolement et à adoucir ce trait de caractère dont vous nous faites l'éloge, ajouta-t-il en connivence. Leur rapprochement scellerait de fait notre entente.

— Cela me semble fort bien pensé, et convenable.

— Il va de soi que pour l'heure, et dans l'intérêt même de nos enfants, cette entrevue doit demeurer secrète, ajouta Mathilde.

— Je pars sur les chemins de Compostelle dans quelques semaines. À mon retour, nous clarifierons cela par écrit et réglerons les détails de la dot. Jusque-là, vous pouvez être assuré de mon entière discrétion et de mon engagement, conclut Guillaume en serrant fraternellement la main tendue de Geoffroi.

Lorsque la porte s'ouvrit sur le corridor pour laisser le duc d'Aquitaine sortir, un glissement de pas furtifs s'éteignit avec la lueur d'une chandelle. Guillaume chassa de son esprit la désagréable sensation que le frôlement y produisit. D'ailleurs, en ce lieu de recueillement, qui pouvait avoir à se fondre dans l'obscurité aussi rapidement ?

En rejoignant son escorte près de la rivière, à l'orée de la forêt, il avait retrouvé sa sérénité. « Ainsi le sort d'Aliénor est joué, et au mieux des intérêts de l'Aquitaine », pensa-t-il. Pour la première fois depuis longtemps, un sourire léger étira ses lèvres sèches.

— Maudite soit ma cousine !

Étienne de Blois fulminait. Il faisait les cent pas dans sa demeure, renversant parfois avec rage un bibelot du revers de la main. Frère Thibault n'osait plus ni parler ni relever la tête de peur de subir personnellement les foudres de cet homme.

Il avait obtenu de la grande abbesse une dérogation de visite à sa mère, qu'il avait prétendue gravement malade, pour avertir sans tarder la maison de Blois de ce qui se préparait.

— Notre grand maître Bertrand de Blanquefort sait-il la nouvelle ?

— Pas encore, messire.

— Si cette union se fait, tous les projets de l'ordre du Temple seront contrariés. Nous devons conserver l'Angleterre, et Louis de France qui nous est acquis doit s'allier l'Aquitaine. Sang de Dieu ! Les prétentions et le pouvoir de l'Église vont bien au-delà de ces querelles vassales. Va ! L'ordre te récompensera pour le soutien que tu lui apportes.

Frère Thibault hocha timidement la tête en guise de remerciement et disparut à petits pas craintifs.

Un homme sec au regard métallique sortit de derrière une courtine. La chlamyde blanche qu'il portait montrait clairement son appartenance à l'ordre des Chevaliers du Temple. Le comte de Blois, roi d'Angleterre, ne parvenant pas à calmer son humeur contrariée, se versa une rasade d'eau-de-vie de prunelle qu'il affectionnait.

L'abbé Suger, fidèle conseiller du roi de France Louis VI le Gros, s'assit dans un lourd fauteuil ouvragé qui meublait un coin de la pièce richement ornée de tapisseries et de statuettes de bronze.

Bien qu'il n'appréciât pas cette tendance pernicieuse à la boisson qui depuis quelque temps semblait coutumière au comte, il s'abstint de tout commentaire. Son souci pour l'heure était autre. Laissant ses pensées franchir ses lèvres, il commenta :

— Mathilde d'Anjou est fin stratège. J'ai déjà entendu le nom de Guenièvre de Grimwald. Qui est-elle ?

– Une sorcière, mon père ! Elle possède les terres de Brocéliande depuis de nombreuses générations. La rumeur la prétend descendante de Merlin l'Enchanteur. De fait, les trouvères parlent d'elle à demi-mot, comme de « celle qui sait ». Qui qu'elle soit en vérité, elle est dangereuse. Depuis toujours, sa famille est proche du trône. En soutenant Mathilde, elle me renie. Songez que certains imbéciles de barons ont été jusqu'à s'indigner que je n'aie à mes côtés quelqu'une de sa race pour prévoir l'avenir ! Comme s'il suffisait de sa présence pour devenir légitime ! Si je n'avais eu assez d'or et le soutien des prêtres pour leur promettre les châtiments divins, ces sots se seraient agenouillés devant des dieux en rut ! *Miserere !*

– Laissez donc à la rumeur sa bassesse, mon fils. Vous qui siégez à la table ronde et buvez la coupe des chevaliers du Christ ne pouvez donner crédit à ces ragots de serfs. C'est souvent la peur plus que la raison qui amène la foi. Croyez-moi, Mathilde d'Anjou n'a besoin de personne pour intriguer contre votre camp.

Étienne de Blois se renfrogna :

– Ne sous-estimez pas Guenièvre de Grimwald, l'abbé. Son influence sur Mathilde est grande. Si vous aviez seulement pu croiser son regard une fois, vous comprendriez. Bien que sous la protection de Dieu, j'en viens parfois à craindre le souffle du Malin dans la verve de ces femelles.

Suger se retint de sourire face à l'épouvante qu'il lisait dans les yeux du comte de Blois. Celui-ci avala une nouvelle rasade d'eau-de-vie, rota bruyamment, puis enchaîna :

– Comment se porte notre Sire Louis de France ?

Ce fut au tour de Suger de grimacer. Il aurait préféré n'avoir pas à répondre, il ne pouvait pourtant mentir. Il soupira :

– Mal. Le flux de ventre ne le quitte que rarement. Je crains que celui-ci ne l'emporte plus tôt qu'il ne faudrait.

Blois s'étrangla :

– Raison de plus pour empêcher cette alliance, mon père ! Les barons anglais ne me suivront plus bien longtemps si Mathilde leur fait miroiter la dot de la jeune Aliénor. J'ai offert mon soutien à l'ordre en échange du sien. J'attends aujourd'hui d'être payé en retour de mes largesses.

Son poing frappa la table avec violence. Suger réprima un sursaut. Cet individu l'agaçait décidément par ses sautes d'humeur ridicules. Il exécrait cette bassesse de l'homme à toujours prétendre à plus qu'il ne devrait exiger.

Pourtant, l'ordre du Temple avait besoin de lui. Cette armée du Christ récemment créée suivait un nouveau chemin depuis la mort de son fondateur, Hugues de Payen, il y avait tout juste une année.

Cela avait été une période difficile durant laquelle le pape avait lourdement insisté pour que Bernard de Clairvaux, l'abbé de l'ordre de Cîteaux, prenne la succession vacante. C'était lui qui, le tout premier, de par sa sagesse, sa rigueur et sa foi citées en exemple, s'était vu chargé de rédiger la règle de l'ordre naissant. Lui qui avait donné le souffle sacré à cette vaste et divine entreprise. Malgré tout ce qu'elle comportait de rêve et de grandeur pour lui, Bernard de Clairvaux avait refusé de devenir grand maître. Bertrand de Blanquefort s'était proposé, achetant les soutiens par de nombreux dons à l'ordre. Il voulait le pouvoir. Le pouvoir absolu que donne la foi, autant sur les rois que sur les esprits et les âmes. Là où Hugues de Payen, Godefroy de Saint-Omer ou Bernard de Clairvaux parlaient de spiritualité, lui parlait d'or, de terres, de domaines, d'allégeances, de biens en tout genre abandonnés par ceux qui s'achetaient ainsi le soutien de l'ordre. Si Bernard de Clairvaux songeait à l'avantage qu'aurait eu une armée divine lors de la précédente croisade, le nouveau grand maître y voyait le moyen d'orchestrer dans une gigantesque toile d'araignée le jeu des alliances, pour devenir rien moins que le grand maître de l'Occident chrétien. L'abbé Suger, de très basse extraction, était avide de pouvoir et rongé d'orgueil. Il avait tôt fait de comprendre son intérêt à rejoindre et à soutenir l'ordre du Temple. Il avait pour cela un atout de choix : son ombre sèche et chétive marquait de son empreinte le gouvernement du royaume de France.

L'abbé rassura le comte de Blois :

– Allons, mon ami, calmez-vous... Quoi que vous décidiez, n'oubliez jamais que ce que vous possédez, c'est à Dieu que vous en êtes redevable. Notre Père à tous ne saurait laisser les intérêts de Son Église à la merci d'ambitions qui ne sont pas les Siennes. Voilà pourquoi notre confrérie accepte désormais les scélérats de toute espèce venus en masse se faire admettre dans l'ordre en expiation de leurs péchés. Qu'ils soient voleurs, sacrilèges, adultères, parjures ou encore homicides, leur foi et leur repentir sont extrêmes. Nous ne pouvons douter que Dieu Lui-même les ait reconnus comme Siens. Ils n'agissent donc plus par mouvement de colère, d'ambition, de vaine gloire ou d'avarice, ils font la guerre de Jésus-Christ leur Seigneur. Selon la Loi divine, mon ami, ils ne sont coupables d'aucun crime s'ils servent la cause de l'Église. S'ils tuent, c'est pour la gloire de Jésus-Christ et s'ils sont tués, ils sont assurés du salut de leur âme. Voyez donc que rien ne saurait se mettre en travers de notre chemin.

– Dois-je comprendre que nous devons employer tous les moyens pour empêcher ces fiançailles ? hasarda Étienne de Blois.

Suger se leva lentement, il considérait l'entretien comme terminé. Il ajouta toutefois d'un ton sans équivoque :

– Comprenez ce que Dieu vous pousse à comprendre, mon fils. J'ai à mon service un chevalier dévoué qui, du fait de la noirceur de son passé, accomplit en virtuose l'expiation de ses crimes. Peut-être serait-il bon de lui faire revêtir le manteau de pèlerin…

Mon esprit s'était fondu à la terre, la pierre et l'eau pour ne faire plus qu'un dans l'équilibre du Grand Tout. Je pouvais désormais deviner chaque mouvement des puissances invisibles. Je me redressai et m'assis sur le dolmen qui avait accumulé à mon contact une douce chaleur. Je gardais les yeux fermés, mais je visualisais chaque élément sous son apparence énergétique. Je savais de ce fait exactement où se trouvait tel arbre ou telle pierre. L'aura qui les enveloppait était un fondu de couleurs tout à la fois violentes et pastel.

Je respirais la force qui montait de la terre dans une odeur entêtante d'humus. Elle me nourrissait. C'était le moment. Je le pressentais. J'aurais dû être impatiente, mais la paix était en moi aussi vivante qu'une eau sous une carapace de glace. J'attendis. Et c'était merveilleux d'attendre.

Soudain, cela commença. Un point lumineux grandit à l'intérieur du cercle magique que j'avais formé avec des morceaux d'opale polie. La clarté devint de plus en plus vive, alors seulement j'ouvris les yeux et je la vis tourbillonner sur elle-même. Elle semblait jaillir de la terre, au pied de la fontaine de Baranton. Lentement, elle prit forme, et un être de lumière se modela du sol vers le ciel.

La longue robe de Merlin inondait à présent le parterre de multiples ruisseaux d'eau pure, à l'endroit où elle reposait en de fines racines. J'admirais avec une infinie tendresse cette cascade étincelante dont le regard d'amour de l'être sans âge semblait à lui seul être la source.

Il avança vers moi ses longs bras de gouttelettes.

– Me voici, mon enfant, ainsi que tu le souhaitais, murmura à mes oreilles la voix musicale de l'Enchanteur. Approche...

Drapée de ma nudité comme d'un habit de baptême, je descendis de mon siège et m'avançai vers mon aïeul. J'entrai face à lui dans le cercle d'opale et la lumière vint me sertir d'un manteau de diamants et de soleil. Merlin me prit la main gauche et la posa à l'endroit de son cœur. Aussitôt, les puissances bénéfiques de sa magie éclatèrent en moi.

– Voici tout ce qu'il te restait à savoir, dit-il simplement. Tu es désormais prête pour affronter demain. Ne sous-estime jamais la cupidité et l'obscurantisme de l'Église. Elle a prétendu les pouvoirs druidiques néfastes et diaboliques quand elle aurait dû œuvrer pour leur respect et leur connaissance. L'asservissement des peuples par cette foi aveugle qu'utilisent ceux qui gouvernent l'Église ne peut être en accord avec les mouvements de la terre, de l'air, des eaux et du feu céleste. En étant à l'écoute de l'énergie cosmique, c'est à l'écoute des hommes et de la vie que tu te mets. Là est la véritable magie : en apprenant à utiliser les forces qui t'entourent et que tout être vivant sécrète par sa seule existence. Souviens-t'en, mon enfant, quand l'heure viendra où tes choix devront aller non dans le sens des enseignements cléricaux, mais dans celui logique et intuitif du bien commun. Va à présent, mon enfant. Avec cette pierre de lune dont tu ne devras jamais te séparer, je lie le destin de l'Angleterre à ta propre existence. Je sais que tu en seras digne. Va.

Je portai à mes lèvres tremblantes d'émotion la main illuminée de Merlin, puis, sachant que le charme serait bientôt rompu, retournai m'allonger sur le dolmen, épuisée de toute cette connaissance qui m'avait pénétrée. Là, je sombrai dans un sommeil aux rêves de cristal, la pierre de lune en pendentif tout contre mon cœur.

Nous étions le 8 mars 1137. Aliénor, la jeune duchesse d'Aquitaine, se trouvait dans un état d'agitation extrême. La veille, son père lui avait annoncé la visite à Bordeaux de la filleule de Mathilde d'Anjou, et cela la grisait. Comment aurait-il pu en être autrement ?

Les mièvreries de ses amies l'ennuyaient à mourir. D'ailleurs, depuis le départ de Raymond pour Antioche où il était promis à la fille du roi Bohémond récemment disparu, elles lui semblaient toutes insipides. Le fait est que Raymond lui manquait atrocement et, plus encore que lui, cette sensation nouvelle qu'il avait fait naître au plus profond de son ventre, une fois, une seule fois lors de cette nuit au monastère de Belin.

Dès le lendemain, Raymond s'était éloigné d'elle, quittant autant qu'il lui était possible le palais pour éviter de rencontrer au détour d'un mur son corps offert. Il ne pouvait plus supporter de vivre dans son sillage, de respirer son parfum de rose et d'iris, de songer à sa chair tiède et à son interdit. Quelques mois plus tard, il se hâtait vers Antioche, vers son destin d'homme et vers une autre femme, espérant y consumer la brûlure de son âme.

Aliénor ne lui en voulait pas. Elle savait combien leur amour était insensé, et sans doute était-ce cela plus que Raymond lui-même qu'elle aimait. Elle se demandait par instants lequel, de l'homme ou de la caresse, son corps regrettait le plus. Parfois, elle découvrait impudiquement ses formes voluptueuses devant le miroir et songeait que Raymond les aurait aimées ainsi transformées. Elle passait par jeu un doigt sur ses seins durs et ajoutait à voix haute, comme un défi au reflet de sa peau :

– D'autres que lui l'aimeront !

– C'est un honneur pour moi, duchesse !

Je me courbai avec respect devant son minois rieur. Aliénor avait les yeux pétillants et hautains, de ceux dont on se dit qu'ils pourraient faire marcher le monde à leur caprice. Elle était belle, et son regard qui me détaillait avec un plaisir non dissimulé me valorisait plus que je n'aurais pu m'y attendre. Je lui plaisais. Je redressai la tête et lui souris de connivence. Aussitôt un rire carnassier franchit ses dents, et, me tendant une main franche et amicale, elle lança d'une voix enjouée :

– Je sens que nous serons, vous et moi, les meilleures amies du monde !

Puis, à l'intention de sa suite, ordonna :

– Allons, damoiselles, faites bonne figure à notre invitée.

Je saluai les jeunes filles autour d'elle, visiblement moins ravies que la duchesse de mon intrusion dans leur comité. Elles m'accueillirent pourtant selon toute bienséance. Sans plus s'occuper d'elles, Aliénor me saisit le bras avec une autorité dont il était évident qu'elle jouait à satiété et m'entraîna le long d'un corridor somptueux en m'expliquant :

– Je vais vous conduire personnellement à vos appartements. Vous verrez, Bordeaux est une ville merveilleuse, tout ici est léger et gai. Ne vous inquiétez pas de ces péronnelles, elles n'ont aucune saveur. Ici les troubadours chantent la joie, quand elles ne sont que fardeau. Vous allez m'égayer, ma chère. Mais je parle, je parle, quand je voudrais tout savoir de vous. Père me disait que vous étiez d'origine anglaise, est-ce vrai ? Les taches de rousseur sur vos joues en sont caractéristiques...

Je la coupai d'un ton moqueur :

– L'air ne vous manque-t-il point ?

Elle s'arrêta et me regarda sans vouloir comprendre :

– Oseriez-vous...

– Insinuer que, pour vous répondre, il me faudrait le temps de parler ? Oui, je l'avoue, terminai-je en plaisantant.

Elle se demanda un instant si elle devait rire ou s'offusquer, puis pencha pour ce naturel joyeux qui était le sien et répliqua :

– Je sens décidément que votre compagnie me sera un délice...

– Est-ce donc mon silence obligé qui vous plaît tant ?

– Plutôt votre impertinence. Aucune de ces sottes n'aurait osé me parler ainsi. D'ailleurs, elles ne sont que caquetage sans intérêt, de sorte que je n'ai plus aucun plaisir à dialoguer.

– Voilà pourquoi vous monologuez en ma compagnie.

– Oh, pardon, pardon ! Je suis tellement surprise et heureuse de notre entente. Regardez.

Elle me montra à travers une fenêtre la ville qui respirait. Le palais de l'Ombrière, dominant les rives de la Garonne, était un vaste bâtiment carré flanqué d'un donjon rectangulaire, que l'on surnommait l'« Arbalesteyre », et de deux autres tours reliées par une coursive. Autour de lui, Bordeaux s'articulait avec grâce, son fleuve semblant se dérouler comme un serpent entre les terres. De là, je pouvais voir grouiller en bas une multitude de gens, d'échoppes, de commerçants, de mendiants et même de bateleurs. Il régnait à Bordeaux une animation comme jamais je n'en avais connu auparavant.

– De l'Arbalesteyre, m'expliqua Aliénor, où se situe votre chambre, on distingue loin en aval, vers Blaye et en face vers le Médoc. Je l'ai choisie moi-même. Je suis sûre à présent qu'elle vous plaira.

Aliénor, sans attendre de réponse mais je commençais à trouver cela normal, m'entraîna dans un autre dédale de corridors et d'escaliers aussi richement décorés que les précédents. Puis elle s'arrêta devant une porte et, cérémonieusement, poussa le lourd battant de bois.

Comme l'aurait fait une servante, elle s'inclina pour me laisser entrer. Je restai bouche bée devant la vaste pièce qui n'avait aucune commune mesure avec celle du donjon de mon enfance. C'était un havre de bon goût et de chaleur. Au centre de la chambre trônait un lit immense, très haut, dont les montants sculptés d'aigles et de serpents se rejoignaient sur les traverses en un bouquet floral. Des tapisseries représentant des scènes courtoises égayaient les murs de leurs teintes chaudes.

Par terre, on avait disposé avec soin un damier de menthe et de sauge, que reprenait un vase d'argent sur une coiffeuse ornée d'un miroir. Une bassine du même métal attendait, emplie d'eau de mélisse, que j'y fasse ma toilette, et d'une malle au couvercle relevé s'échappaient des robes et des coiffes de velours et de dentelles, de voiles et de pierres précieuses. Jamais encore je n'avais vu pareille magnificence.

« C'est la chambre d'une reine », pensai-je.

J'avais entendu maints ragots sur la richesse du duché d'Aquitaine, mais tout cela dépassait mon imagination la plus folle.

Aliénor paraissait aux anges. Ses présents faisaient sur moi l'effet qu'elle avait escompté.

– Aimez-vous ? me demanda-t-elle, impatiente, sans vraiment douter d'elle.

– C'est... majestueux !

Même ce terme-là me semblait fade à côté de tout ce dont mes yeux se régalaient.

Elle pirouetta sur elle-même, légère, en battant des mains comme une enfant. Je me surpris à me demander laquelle des deux, de la femme qu'elle passait pour être ou de l'enfant à laquelle elle ressemblait, me plaisait le plus. J'optai pour son espièglerie et l'embrassai sur la joue avec reconnaissance. Son regard devint brûlant. Un instant nous nous dévisageâmes en silence, puis elle s'approcha du lit, féline, et, me lançant une œillade taquine, me dit :

— Je l'ai fait sculpter par l'ébéniste du palais. Comment le trouves-tu ?

Le tutoiement était venu brusquement, sans doute né de mon baiser.

— Il est beau. Tout cela est nouveau pour moi, duchesse, et je sens que je vais me plaire ici.

Elle hocha la tête. Je ne comprenais pas exactement pourquoi, mais son comportement soudain n'était plus celui d'une enfant, elle paraissait troublée, moins exubérante.

« Je n'aurais pas dû l'embrasser », pensai-je.

Mais cela m'avait semblé tellement naturel.

Aliénor reprit en souriant, comme si, de me voir pensive, elle avait retrouvé son éloquence :

— Père m'a affirmé que tu aimais les oiseaux. Dans les Pyrénées toutes proches, on peut voir des aigles qui s'enivrent des sommets, ils sont si libres. Voilà pourquoi je les admire. Les affectionnes-tu, Loanna de Grimwald ?

— Je n'en ai jamais vu, mais je crois, oui, que je les aimerais.

— Un jour, nous irons. Je demanderai à père de nous fournir une escorte et nous partirons en montagne. Pour l'heure, il te reste à découvrir ce qui donne tout son sens à l'harmonie de cet endroit. Mes troubadours sont dans la salle de musique, ils célébreront tes yeux et ta chevelure. Nul doute qu'avant longtemps tu deviendras l'une de leurs chansons.

— Crois-tu ?

Elle hocha la tête, un sourire malicieux au coin des lèvres. Puis, frappant dans ses mains, elle appela, dans le silence qui était retombé :

— Camille !

Aussitôt, une jouvencelle à peine plus âgée que nous souleva le pan d'une courtine qui masquait une ouverture et vint s'incliner devant moi.

– Ici, toutes mes dames de compagnie ont une chambrière. Camille est à ton service. Elle loge dans le réduit qui jouxte cette chambre. Commande selon tes désirs et tes besoins, elle t'obéira.

– Que Dieu bénisse votre séjour en nos murs, baronne, récita la bouche pulpeuse de Camille.

Son sourire franc et jovial qui creusait deux fossettes de part et d'autre de ses joues, son regard de chat et son embonpoint me plurent aussitôt.

– Levez-vous, dis-je simplement, peu habituée à avoir mes propres servantes.

Camille obtempéra, mais demeura figée dans l'attente d'un ordre. Je ne sus que lui dire. J'aurais préféré cent fois être libre de mes mouvements comme à Brocéliande, mais cela aurait froissé mon hôte. De fait, je me trouvais gourde de ces conventions que j'exécrais. Aliénor ne s'en aperçut pas. Avec une condescendance déconcertante, elle ordonna :

– Tu peux te retirer, Camille. Damoiselle de Grimwald n'a plus besoin de toi. Allons à présent, enchaîna-t-elle en me prenant la main, s'il est une chose dans ce palais qu'il ne faut jamais, jamais, faire attendre, c'est la musique.

Aliénor me devança. La porte se referma sur mon nouveau royaume, barrée par Camille après notre sortie. L'amitié aussi était quelque chose d'inhabituel pour moi. L'Aquitaine et sa duchesse possédaient un charme certain qu'il allait me falloir contrôler, si je ne voulais pas en devenir l'esclave et oublier ma mission.

Nouveau dédale de couloirs. Il m'arriverait sans doute plus d'une fois de me tromper de chemin. Les visages que nous rencontrions se courbaient tous sur le passage de la jeune femme, excessivement à, mon goût, mais cela semblait être de coutume.

Parvenue sans mot dire au terme de son périple, Aliénor poussa les deux battants d'une lourde porte sculptée, et la musique, qui n'était qu'un murmure, explosa à mes oreilles : cithares, luths, flûtes, tambourins, violes se mélangèrent un instant encore, puis s'arrêtèrent brusquement, laissant place aux révérences des troubadours pour leur muse. Aliénor leur lança, en me désignant :

– Messires, la voici. Chantez ses louanges, mais n'en oubliez pas les miennes pour autant.

Aussitôt, tel un essaim d'abeilles, je vis la dizaine de musiciens s'agenouiller à mes pieds, baiser le bas de ma robe, s'éloigner de quelques pas pour mieux me contempler, pincer quelques cordes, lancer des vocalises dans une agitation étourdissante. Amusée, Aliénor alla prendre place sur un fauteuil surélevé habillé d'un velours grenat, sans un mot pour les autres damoiselles alanguies sur des coussins. J'allais crier grâce, quand un battement de mains imposa silence.

– Je vous ai demandé de la charmer, pas de l'étourdir, clama la voix ferme de la duchesse. Allons, Loanna de Grimwald, venez à mes côtés, ces damoiselles vous feront une place. Quant à vous, messires, jouez, divertissez-nous.

Je m'installai sur le banc que me céda à contrecœur une brunette fade au regard de chien battu. Et, tout en songeant combien ce pays était doux, je me laissai emporter par le velouté de la musique.

4

– Peut-être serait-il sage que tu ailles rendre hommage au duc Guillaume. Ta châtellenie t'a été rendue et tes terres sont prospères.

Jaufré sourit vaguement :

– Sans doute, Uc, mais je répugne à me courber devant lui.

– Fais donc fi de ce ridicule sentiment. Ton isolement n'a que trop duré, s'emporta affectueusement le vieil homme. De plus, la cour d'Aquitaine reçoit les plus grands troubadours de ce temps. N'as-tu point envie de sortir de ces murs et d'aller chanter tes vers devant la plus jolie des damoiselles du pays ?

Jaufré se leva, piqué au vif par un irrépressible dégoût. Il grommela entre ses dents serrées :

– La plus belle certes, mais aussi la plus cruelle ; narquoise et hautaine comme l'était son grand-père. Elle rira de mes chants, de mes rêves, pour m'humilier ainsi qu'il l'a fait avec mon père.

Jaufré le troubadour, comte de Blaye, au nord de Bordeaux, tournait comme un lion en cage dans la haute tour de son château surplombant l'estey. Depuis la fenêtre largement ouverte, il voyait les îles proches bercées par le ressac de la marée montante, et les bateliers au pied des remparts héler leurs éventuels passagers d'une voix forte. La brise marine charriait un parfum de large et de liberté qui chatouillait les sens du jeune troubadour.

Uc le Brun, comte de Lusignan, poussa un soupir de tristesse.

« Que de vitalité gaspillée, pensa-t-il. Que de talent en sommeil qui n'exhale rien que les parfums de la nuit. »

Vidant son verre de verjus, il se leva à son tour et glissa son pas derrière la silhouette immobile devant la croisée. Il posa une main paternelle sur l'épaule, la sentit s'affaisser sous sa poigne bourrue.

– Jaufré, murmura-t-il d'une voix gutturale, mon affection pour ton défunt père me fait te considérer tel un fils, tu le sais. Je répugne à repartir en te sachant amer. Il faut oublier les querelles anciennes, se tourner vers l'avenir. Tu n'es pas fait pour te battre, mais pour chanter la vie, l'amour, et ces gestes qui font s'envoler les rires. Depuis ton retour voilà ce jourd'hui trois années, tu as réussi des miracles sur cette terre qui est tienne. Pas un de tes vassaux ne manque de quoi que ce soit, et moi-même ne puis en dire autant dans mes campagnes. Tu es acclamé de partout, reçu non comme un seigneur, mais comme un ami tant tu as brisé d'injustes coutumes qui pesaient sur tes gens et les réduisaient à la misère. Je voudrais avoir ta droiture et ta justesse quand mes élans belliqueux m'entraînent à souhaiter plus et mieux que je ne possède. Pour tout cela je t'envie, mais, pour ton regard que je vois s'éteindre de plus en plus à chacune de mes visites, je me sens triste et riche de tout ce qui te manque. Tu as besoin d'aimer, Jaufré, d'aimer avec ton âme, comme j'adore Sarrazina mon épouse, et non comme tu le fais, avec ton corps, cherchant l'oubli dans des caresses brutales. Crois-moi, mon ami. Va au-devant de ton rêve. Alors, tes vers chanteront mieux et plus intensément.

– Aimer Aliénor ? Tu es fou, vieil ami !

– Si ce n'est elle, ce sera une autre. Aucune ici n'a comblé le vide de ton cœur ni ne s'est reconnue dans tes chansons.

– Tu as sans doute raison, Uc, mais que suis-je pour la duchesse ? Rien d'autre qu'un vassal, indigne d'être conquis.

– Digne au contraire de ce que tu possèdes. Aie confiance en toi. Elle se complaît en compagnie des troubadours, elle se pare de leurs chants, de leur cour, comment ne pourrait-elle respecter l'amour ?

Jaufré poussa un long soupir, n'osant montrer ses doutes au vieil homme – Uc allait sur ses quarante ans. Il se contenta d'étreindre cette main qui pesait sur son épaule. Il se sentait si seul, si las.

– Je vais y réfléchir. Pars soulagé, Uc, tes paroles m'ont touché. Nous nous reverrons bientôt, je te le promets.

Longtemps après son départ, Jaufré resta près de sa lyre, allongé à même le sol sur sa pèlerine de voyage, les yeux dans les étoiles que la nuit avait allumees.

– Par ici, Loanna !

La voix me parvint dans un murmure au milieu des cris et des rires qui s'éparpillaient dans le vaste jardin du palais de l'Ombrière. Ces damoiselles, ainsi que je le constatais depuis une dizaine de jours, date de mon arrivée à Bordeaux, se complaisaient à toutes sortes de jeux pour occuper leurs journées. Pour elles, point ici de vulgaires soucis, ménagers ou vétérinaires, les faucons étaient au fauconnier et les servantes aux fourneaux sans ambiguïté. Le monde futile ne cohabitait que rarement avec le raisonnable. Ces damoiselles ne s'inquiétaient que de toilettes, de parfums, de commérages ponctués de gloussements et de musique, pour ne point dire de badinage, car, comme me l'avait à maintes reprises laissé entendre Aliénor, les jeux de l'amour étaient le meilleur garant d'une jeunesse et d'une beauté éternelles. Je me pliais donc à ces roucoulements de damoiseaux lyriques et profitais de mon existence de soie. Dire que cela me plaisait étant un mensonge diplomatique facile, je l'employais lorsqu'on s'inquiétait de mon air absent, prétextant simplement la nostalgie de ma terre.

Bordeaux était sans nul doute la plus belle ville qu'il m'ait été donné de voir, et, parce qu'une multitude de gens, d'échoppes, de métiers grouillaient sous les fenêtres du palais, il me semblait mille fois plus excitant de découvrir ce petit peuple que de languir parmi ces péronnelles. Fort heureusement, il y avait Aliénor. Une Aliénor trépidante, secrète, troublante, séduisante, cynique, aux mots d'esprit et à la voracité verbale qui m'étaient un régal. Elle avait reçu une éducation presque semblable à la mienne, car, outre les textes « obligés » comme Cicéron ou Platon, elle appréciait à leur juste valeur Plaute, Ovide et Juvénal, sans parler des enseignements d'Abélard que l'Église avait condamné. De son côté, le fait que je parlais une langue d'oc sans faille lui plaisait infiniment. Je me régalais à lui raconter les merveilleuses aventures du roi Arthur, que le conteur gallois Breri avait introduites en terre de France sous le nom de « Matière de Bretagne ». La légende colportée avait eu raison de la réalité, mais cela n'avait aucune importance. Tout ce qui touchait à l'Angleterre, tout ce qui me permettait de parler de sa grandeur et de la noblesse de ma race était un bien. Éduquer Aliénor pour en faire une future reine, lui apprendre le devoir avant ses caprices d'enfant gâtée, tout cela viendrait plus tard.

Je devais d'abord gagner son affection, ce qui paraissait en bonne voie, et sa confiance. Elle ignorait les projets de son père au-delà de son isolement clérical, et encore davantage que je l'y suivrais. Je devrais manœuvrer habilement pour que ma présence lui devienne un soulagement et une récréation. Son père ne voulait en aucune façon qu'elle se sente surveillée et contrainte à son destin trop tôt.

— Avant toute chose, Aliénor doit s'assagir, prendre conscience des valeurs dont son rang est le garant. Vous devrez l'aider comme une amie que vous semblez être déjà, non comme une espionne qu'elle penserait à ses côtés, m'avait confié le duc en aparté. À mon retour, je donnerai à Aliénor les raisons de mon choix ; lors, parce qu'elle vous aimera, j'en suis sûr, son infortune lui semblera moins cruelle. Devenir reine mérite quelques sacrifices, elle en sortira plus grande.

— Par ici, Loanna !

La voix se fit insistante, je me dirigeai donc vers le bosquet d'où elle provenait. Passant devant un saule pleureur dont les branches se prolongeaient jusqu'à terre, j'en vis surgir une main qui m'agrippa et m'attira sous l'épaisse végétation. Cerné par les branchages, un petit banc de bois se détachait à peine de la pénombre qui y régnait. Aliénor rit en s'écriant :

— Surprise !

Avant que j'eusse le temps de répliquer, elle posa un doigt sur ma bouche, accentuant d'un « chut » son geste. Des voix s'étaient rapprochées de la cachette. Elles chuchotaient des « Par ici ; non, par là ; je suis sûre de l'avoir entendue parler », mais ces sottes, ne songeant pas à écarter les branchages, s'éloignèrent après quelques minutes. Aliénor me prit la main et me conduisit jusqu'au banc. Il s'agissait en fait d'une planche de bois grossièrement taillée et posée sur deux pierres. Comme je m'en étonnais, la duchesse éclata d'un petit rire qu'elle modula, pour n'être point perçue au-delà de notre cachette.

— Je l'ai fabriqué moi-même à l'époque où Raymond était ici. Je m'étais cachée sous les branches une fois pour le surprendre, puis trouvant l'endroit stratégique, au fil des jours, j'ai taillé celles qui me gênaient et me suis aménagé cette retraite. D'ici, je peux entendre tout ce qui se dit ou presque dans le jardin. Je t'assure qu'il s'y passe parfois des événements bien excitants !

— Pauvre Raymond ! Comme il a dû souffrir de n'avoir aucun répit !

— Eh bien, tant pis pour lui ! Il n'avait qu'à prendre les fruits que je lui offrais au lieu de se servir dans d'autres corbeilles. Ici, nul ne nous aurait dérangés. Nul n'aurait su !

– Cela n'aurait pas été convenable, voyons ! mentis-je, me souvenant des récits de mère à propos des fêtes païennes.

– Au diable les convenances ! Plutôt mourir que vivre d'ennui ! Comment trouves-tu ma tanière ? Tu es la première à y entrer, sais-tu ?

– Cela signifie donc que tu m'accordes ta confiance, j'en suis flattée, duchesse...

– Ne te moque pas de moi, Loanna de Grimwald ! Alors ? Aimes-tu ?

– Oui, là ! Tu sais combien j'apprécie ces endroits secrets où l'on peut laisser libre cours à sa solitude.

– Tu pourras venir ici autant et tant que tu le voudras, je te l'offre.

Elle posa un baiser sur ma joue avec des étincelles de malice dans les yeux. Je compris à cet instant que j'avais gagné plus que sa confiance. Le temps était venu d'entrouvrir un peu les portes de mon silence. Elle m'y aida :

– Ces sottes vont nous chercher longtemps, je te l'assure. Elles m'agacent avec leurs jeux stupides. Quand je songe que pas une d'entre elles n'a été embrassée !

– Moi non plus. Cela ne veut pas dire pour autant que je sois stupide, me défendis-je.

– Toi, ce n'est pas pareil. En Anjou, les mœurs ne sont pas aussi libertines qu'ici, les occasions t'ont manqué.

Je pris une profonde inspiration, puis lâchai innocemment :

– Rêves-tu du grand amour, Aliénor ?

Elle haussa les épaules.

– À quoi cela servirait-il ? On me mariera sans me demander mon avis.

– Je ne parle pas de mariage, je parle de sentiments.

– Bah, aimer fait perdre la tête et le sens des choses raisonnables. Vois où cela a conduit Raymond ! À s'exiler à Antioche pour refuser mes avances quand je ne lui demandais rien d'autre. Non, j'ai trop plaisir à obtenir ce que je désire pour m'enticher un jour d'un homme.

– Mais le pouvoir te fascine, n'est-ce pas ?

Elle lissa les plis de sa robe d'une main légère, prenant par ce geste le temps d'une réflexion que je savais feinte.

– Je crois que oui.

J'insistai :

– Et si tu rencontrais un bel homme qui aime et use du pouvoir autant que toi ?

– S'il n'est pas un ennemi, alors, oui, je pense que l'on pourrait s'entendre, à condition toutefois qu'il ne déserte pas mon lit pour s'offrir à la guerre. Tu vois, Loanna, qu'un tel bijou n'existe pas !

– Ici, sans doute pas, laissai-je tomber d'un ton mystérieux.

– Ce n'est pas au couvent que je le trouverai !

La voix se fit rageuse. Aliénor frappa de son poing fermé la planche qui nous servait de siège. Elle explosa :

– Quelle idée absurde ! Je refuse de porter le voile ! Et père qui s'entête ! Je ne comprends pas.

– Tu saignes.

Une écharde avait déchiré un lambeau de peau sur le plat de son poing. Je saisis délicatement sa main et, portant la blessure à mes lèvres, demandai d'une voix enjôleuse sans lâcher ses prunelles :

– Même si je t'accompagne ?

Son regard se troubla. Elle regardait avec un plaisir étrange mon baiser sur sa blessure, et je sentis combien il était facile de me l'attacher.

– Pourquoi le ferais-tu ? hasarda-t-elle.

Je retirai ma bouche et lui souris, moqueuse.

– Pour que tu ne perdes pas l'amour du pouvoir au profit de celui de Dieu !

Son rire se heurta de nouveau à la voûte végétale. Elle retira sa main de la mienne et me lança un regard de connivence. Mon jeu lui plaisait.

– Crois-tu que je sois un démon comme le disait Raymond ?

– Sans aucun doute. Toutefois, il a les traits d'un oiseau, peut-être un de ces aigles dont tu me parles et qui semblent s'enivrer d'espace et de hauts sommets pour mieux décrocher les étoiles.

– Un aigle ! Voilà qui me plaît mieux.

Elle s'étira, féline, puis enchaîna :

– Tu as de belles images pour parler des choses et des êtres, il ne te manque que la musique pour les chanter.

À mon tour, je ne pus m'empêcher de rire :

– Une femme troubadour ? Ce ne serait pas sérieux, voyons !

– Pourquoi ? Mon grand-père serait fier, je crois, si j'étais capable de me jouer comme lui des vers et des harmoniques.

– Mais il condamnerait pareille attitude. Une femme doit fredonner et se bercer de poésie, parfois jouer de la harpe au coin du feu, mais sûrement pas chanter l'amour de ville en ville !

Aliénor haussa les épaules.

– Qui parle d'amour ? Je parle de liberté et de pouvoir.

– Aucun troubadour ne chante cela, rétorquai-je.

– C'est bien dommage !… Enfin !

Elle soupira profondément.

– Ils vont me manquer dans cette prison austère. Même si tu m'accompagnes.

Elle marqua une hésitation, me regardant dénouer ma tresse avec insistance.

– Le feras-tu vraiment ?

Je la rassurai d'un « oui » franc. Elle éparpilla mes cheveux libérés sur mes épaules avec lenteur. L'ombre s'était accentuée sous la voûte, sans doute à cause du jour qui décroissait. J'avais peine à distinguer son regard, mais perçus néanmoins son souffle qui devenait irrégulier.

– M'aimes-tu un peu, Loanna ?

La question n'était pas innocente. Je sentais au creux de mes reins brûler une chaleur inaccoutumée que j'attribuai sans hésitation à la caresse de sa main sur ma nuque au travers de ma chevelure. Je pensai l'espace d'un instant que j'étais responsable de ce jeu pour l'avoir provoqué. J'aurais dû me douter que ma compagne trouverait le moyen de le retourner à son avantage. Je répondis évasivement, contrôlant autant qu'il m'était possible ces sensations inhabituelles.

– Oui, sans doute.

– Ce n'est pas la seule raison, n'est-ce pas ? Pourquoi sacrifierais-tu ta jeunesse et ta beauté dans ce couvent quand rien ne t'y contraint ?

– Va savoir ! lançai-je par défi, cherchant l'éclat de ses prunelles dans l'obscurité.

Elle passa délicatement un doigt sur mes lèvres.

– Dis-moi, murmura-t-elle dans un souffle.

Je ne répondis pas. J'avais promis de garder le secret des fiançailles jusqu'au retour du duc. Celui-ci partait dans quelques jours.

Aliénor avait pour habitude d'obtenir de lui tout ce qu'elle désirait et plus encore depuis la disparition de sa mère. Toutefois, il ne revenait pas sur sa décision de la confier à Fontevrault et la jeune louve pressentait là plus qu'un entêtement de vieil homme rongé par la solitude.

– Dis-moi, répéta-t-elle en approchant son visage du mien.

Malgré la douceur de la caresse, je détournai la tête.

– Je n'ai rien à te dire de plus, Aliénor. Il ne t'est pas nécessaire d'user de ce jeu ridicule avec moi. Je ne suis point Raymond.

Ma voix se voulait affirmée, elle ne résonna à mes tympans que pour mieux me convaincre du désir que j'avais de sa bouche sur la mienne. Elle le perçut et s'en troubla davantage.

– Que m'importe Raymond ! Les jeux de l'amour ont mille facettes. Ne veux-tu point que je t'apprenne ?

Mon sang cogna à mes tempes. Comment se pouvait-il que je me sente vulnérable, alors que les enseignements de Merlin m'avaient rendue si proche des éléments et si détachée des humeurs terrestres. Peut-être était-ce l'atmosphère badine du palais et ce vent de déraison qui s'insinuait en chaque recoin. Peut-être n'était-ce que sa présence, si différente des autres femmes. Son poing fermé attira mon menton vers son visage que la pénombre voilait. Je devais contrôler, contrôler coûte que coûte dans l'intérêt de ma mission. Son souffle sur ma bouche…

Un pas menu trottina dans l'herbe. Les branches s'écartèrent. Aliénor suspendit son geste, me laissant entre le soulagement et la frustration.

– J'étais certaine de te trouver là. Bonsoir, damoiselle Loanna.

La jeune sœur d'Aliénor fit une révérence gracieuse.

– Bonsoir, Pernelle, répondis-je d'une voix qui avait du mal à reprendre sa légèreté.

Fort heureusement, l'enfant n'était pas encore en âge de se douter des pulsions d'une chair trop sensuelle. Aliénor bouillait. Je la sentais en proie à l'envie de souffleter vigoureusement sa cadette. Elle se contint pourtant et lui offrit un sourire rageur.

– Un troubadour demande à être reçu. Il est bien désagréable de visage, pas comme celui qui est venu hier, nous annonça Pernelle, très satisfaite, semblait-il, de l'importance de sa nouvelle.

Aliénor se leva dans un froissement de soie.

– Eh bien, ne faisons pas attendre cette curiosité, nous reprendrons cette conversation plus tard, Loanna.

– Comme il vous plaira duchesse.

– Accompagnez-moi, vous me donnerez votre avis. Allons, Pernelle. Et racontez-moi un peu, petite effrontée, comment il se fait que vous connaissiez ma cachette ?

Pernelle partit d'un rire frais qui acheva de chasser de mon corps les brouillards du désir.

Jaufré de Blaye se sentait mal à l'aise, il ne savait plus que faire de ses grands bras, de ses mains qui tenaient gauchement la mandore, de ses pieds qui semblaient s'emmêler. Il eut brusquement envie de fuir, de se réfugier dans la tour sévère et triste de son donjon, si familière, si sécurisante. Les pierres ne riaient jamais de ses chansons. Mais elle ! Elle ! On était parti la chercher, le laissant seul dans ce boudoir aux teintes chaudes, abandonné à son angoisse de vassal, de poète.

« J'ai été fou d'écouter les sornettes de ce vieil homme, pensa-t-il. Que vais-je lui dire, que vais-je chanter, que vais-je inventer pour lui plaire ? Qu'ai-je besoin de lui plaire, d'ailleurs. Seigneur, Seigneur, comment pourrais-je lui plaire, je suis si fat, si blanc à ne contempler que la clarté lunaire. Partir. Oui, c'est cela, partir, avant qu'elle me voie. Partir. »

Il s'élança sur la porte dans un dernier sursaut de peur, mais déjà elle s'ouvrait.

Aliénor, hautaine, contempla ce jeune homme de vingt-cinq ans, ni beau ni vraiment laid, ni grand ni petit, chétif comme une femme avec des traits si fins qu'on les aurait dits de cire. Elle le reconnut instantanément. Elle l'avait vu une fois à Poitiers, il y avait trois ou quatre années. Il était resté le même qu'alors, les yeux sur les bottes, aussi gauche et maladroit qu'avant. Elle sourit de plaisir. L'humilier serait facile ; curieusement, elle ne le fit pas, sans doute à cause de moi.

Elle s'avança, et Jaufré se courba en une révérence qui accentua son ridicule. Il me fit pitié et plus encore, comme la présence d'un animal blessé, traqué de toutes parts. Je ne pus en supporter davantage.

– Relevez-vous, mon ami, murmurai-je.

Ma voix apaisante n'était pas celle dont il se souvenait. Surpris, il leva la tête et se troubla sur mon sourire engageant.

– Jaufré, comte de Blaye, pour vous servir, gente damoiselle.

– Nous savons qui vous êtes !

Cette voix sèche, rugueuse ! Il tourna les yeux et rencontra ceux d'Aliénor, amusée. Du rouge lui monta aux joues. Il avait failli au protocole. Il bredouilla de pâles excuses inintelligibles, et Aliénor éclata d'un rire cruel :

– Allons, messire, lança-t-elle, les belles dames manquent-elles dans vos terres qu'il suffit d'un joli minois pour vous faire perdre vos moyens ? On vous prétend troubadour. Saurez-vous vous montrer digne d'un tel titre ? Ici, les sots ne sont point les bienvenus !

Elle le frôla majestueusement de sa robe en passant près de lui et alla s'asseoir sur les coussins de velours grenat, Pernelle à ses pieds comme un jeune chiot. J'étais glacée. Ces yeux si intensément purs à quelques mètres des miens, si fiers et si fragiles à la fois ! Mon cœur se serra. Jaufré n'osait bouger, fixant la chevelure aux reflets d'or qui cascadait sur mes épaules. Je réalisai brusquement n'avoir pas pris le temps de reformer mes nattes. Au fond, cela avait si peu d'importance, face à son désarroi ! Sans savoir trop pourquoi, j'eus foi soudain en son talent. Passant à son côté, je murmurai pour lui seul : « Chantez pour moi », puis m'installai à droite d'Aliénor, plaidant son indulgence d'un regard.

Elle effleura mon bras d'un doigt plein de promesses, mais sa caresse ne me laissa cette fois sur la peau qu'une sensation de dégoût. Je détestais celle qui toisait son vassal de ce ton supérieur :

– Allons, messire, faites-nous entendre votre chant ou sortez !

J'eus envie de la gifler. Le comte de Blaye nous fit face, un sourire de dédain aux lèvres. Ses yeux accrochèrent les miens, et je pus y lire le bienfait de mes simples paroles d'encouragement. La bête traquée semblait métamorphosée.

– Votre confiance m'honore, ma dame, dit-il en la saluant, mais je compris qu'il ne s'adressait qu'à moi, à moi seule, et cela me remplit d'un bonheur indicible.

J'attendis sa musique comme on attend un arc-en-ciel, et sa musique vint, naquit, plainte langoureuse sous les doigts osseux, monta et gagna le plafond, les coussins, les tapisseries, et les pierres elles-mêmes s'alanguirent de plaisir. Puis le timbre s'envola à son tour, aussi limpide que les prunelles, aussi doux et fin que le visage, cueillant dans un tourbillon de volupté la noblesse dominatrice de son hôtesse.

Lorsque la mélodie se tut, le jeune homme continua de vibrer tout entier d'une aura surnaturelle, qui, même si elle n'était due qu'aux flammes dansantes des bougies dans la pièce, le transfigurait. Aliénor en avait oublié sa première impression désastreuse, et Pernelle battait des mains à mes côtés, radieuse. Quant à moi ! Moi, je n'osais plus rien dire, à peine respirer pour ne pas briser le sortilège de cet instant.

Le troubadour nous dévisagea toutes trois avec l'ineffable douceur de ceux que leur passion fait vivre, puis, se courbant en une révérence gracieuse, il murmura d'une voix caressante :

— Votre beauté, damoiselles, surpasse mon mérite. Mes vers sont bien mièvres à ne rendre qu'un reflet quand ils devraient magnifier la source de leur inspiration. Oserai-je espérer que vous leur pardonniez de n'être qu'insignifiants, écrits avant d'avoir su votre existence.

— Relevez-vous.

Aliénor avait la voix rauque des sens exacerbés. Il s'exécuta, et saisit avec délicatesse la main qu'elle lui tendit à baiser. Il l'effleura de ses lèvres, avec le plaisir que donne la revanche, et joua à s'attarder pour mieux la sentir frémir. Longtemps il avait rêvé de lui faire payer son dédain. S'en faire aimer serait un bon moyen, mais sitôt venue, l'idée lui fit horreur ; non pour la souffrance qu'il pourrait lui infliger à la laisser se pâmer, mais parce que mes yeux si proches lui murmuraient toute ma tendresse.

Brusquement m'étaient revenues en mémoire ces images que j'avais vues, enfant, alors que je jouais en apprentie avec les formules magiques de mère. Ces visions et ce regard comme une promesse ! Il lâcha la main d'Aliénor. Ma gorge palpitait comme jamais, au point qu'il me sembla devenu impossible d'oser le moindre geste.

— Vous nous avez conquises, comte de Blaye. Un tel plaisir mérite récompense.

La voix d'Aliénor me ramena vers la réalité, d'autant plus qu'elle s'adressait à présent à moi :

— Damoiselle Loanna, conduisez donc notre invité aux appartements que nous réservons aux hôtes de marque !

Elle fit une pause pour constater l'effet que produisait son ordre, puis, satisfaite de mon trouble, modula :

– À moins que la bienséance ne me pousse à confier cette tâche à quelque page.

– Je veux bien, moi, le conduire.

La voix fluette de Pernelle s'intercala dans ce jeu dont j'avais du mal à cerner l'intérêt, mais Aliénor répliqua d'un ton sec, qui déclencha une moue boudeuse sur le visage de sa sœur :

– Vous êtes trop jeune encore pour prendre part aux décisions, Pernelle. Il suffit bien que vous assistiez à ces cours d'amour. Plus un mot, voulez-vous ?

Puis, se tournant vers moi, tremblante sous ma carapace :

– J'attends votre réponse. Dois-je envoyer quérir ?

– N'en faites rien, duchesse. Je suis certaine que notre invité est un homme courtois, à l'image de ses chansons, m'entendis-je répondre.

– Soyez-en assurée, damoiselle ?

– Loanna de Grimwald.

Il s'inclina de nouveau. Aliénor affichait un rictus d'amusement cruel. L'intérêt que je portais à cet homme, bien que je me défendisse d'en laisser rien paraître, l'excitait sans aucun doute. Elle ajouta :

– Eh bien, allez, avant que je change d'avis !

Je me glissai sans mot dire le long de la coursive, Jaufré sur mes talons, ressentant avec une jouissance impertinente la brûlure de son regard sur le velours bleu nuit de ma robe ; je me hasardai un instant à déchiffrer ses pensées et ce que j'y lus me fit rougir jusqu'aux oreilles. Fort heureusement, il ne pouvait rien deviner de mes pouvoirs ! Et c'est ainsi que, troublée au plus profond de ma chair, j'arrivai devant la porte massive de sa chambre, dans la tour hexagonale. Je me retournai lentement et lui livrai la douceur de mon visage. Il s'agenouilla et me saisit les mains avec ferveur.

– Ce regard fait de moi votre esclave, gente dame. Je vous dois tout par la confiance que vous m'avez offerte si spontanément et, pourtant, je suis à l'instant plus vulnérable que jamais. Exigez seulement ma vie et vous l'obtiendrez.

– Je ne souhaite rien de plus que votre amitié. Relevez-vous. Vos chansons me plaisent, alors chantez. Chantez autant que vous le voudrez.

– À l'instant, si vous le voulez.

– Plus tard.

– Quand ?

– Ce soir, demain, nous avons tout le temps.

Son impatience m'amusait, m'agaçait.

– Je serai tout entier à vos moindres désirs.

Le contact de sa peau, son regard suppliant de chiot devant son maître ! Décidément, je n'étais plus moi-même ! Je murmurai, tremblante :

– Relevez-vous, je vous en conjure.

De mauvaise grâce il s'exécuta, conservant toutefois au creux de ses mains mes paumes moites. Il les porta délicatement à ses lèvres, mais non comme il l'avait fait avec Aliénor. Son baiser, d'une douceur pleine de promesses, me liquéfia tout entière. Moi qui, de mon existence, n'avais eu d'autres caresses que celles de mère, apaisantes et rassurantes, je me retrouvais plongée dans un océan de sentiments et de sensations qui éveillaient chaque grain de ma peau. Tout mon savoir semblait réduit à néant et je mesurais avec effroi l'abîme de mes lacunes amoureuses. Que se passait-il donc dans ma chair pour me faire éprouver pareils désirs à quelques minutes d'intervalle ?

Toute à mes pensées, je repoussai gentiment mon prétendant en bredouillant un trop rapide :

– Je dois vous laisser à présent, la duchesse m'attend.

Il s'inclina devant ma décision, et je sentis son regard peser sur mes reins jusqu'à ce que le coin du mur m'y dérobe. Lors, laissant libre cours à ces violences que je ne maîtrisais pas, des larmes me secouèrent sans que je puisse comprendre ce qui les avait provoquées et ce qu'elles épanchaient. J'entendis, dans le silence que je me forçais à respecter, la porte se refermer et, après quelques secondes, un chant plus beau encore me parvenir, accentuant mon désespoir. Jaufré de Blaye, je le savais, chantait pour moi.

Cette nuit-là, je ne pus dormir. Quelqu'un vint gratter à ma porte longuement, sans que je sache lequel, d'Aliénor ou de Jaufré, j'aurais eu le plus envie d'accueillir, sans que je sache lequel m'espérait derrière. J'étais perdue. Je n'avais droit qu'à un seul amour : l'Angleterre. Mais le désir était-il l'amour ? Je ne savais plus. Ce regard qui me poursuivait depuis l'enfance me hantait. Si Jaufré faisait partie de mon destin, était-il là pour me soutenir ou pour me détruire ? Quelle était la signification de cette vision d'autrefois ? Était-elle un avertissement ou une promesse ? Qu'allais-je devenir si je ne parvenais pas à maîtriser ces sensations qui me brûlaient l'âme et le corps ? J'étais si démunie. Si seule ! Le petit matin me trouva épuisée d'avoir tourné et retourné dans mon lit.

La semaine qui suivit fut pesante. Non seulement Guillaume ne cédait pas aux suppliques de sa fille, mais il se préparait activement en dévotions et prières à accomplir son pèlerinage. Il ne songeait plus qu'à apaiser sa conscience et la souffrance morale que sa solitude lui infligeait. Plus rien d'autre ne retenait son attention, ni les larmes d'Aliénor, lesquelles n'étaient que les fruits d'un jeu habile, ni les caresses de Pernelle.

Furieuse d'avoir ainsi perdu tout pouvoir sur son père, Aliénor exerçait sur moi son charme, autant, je le devinais, par désir que par défi.

Jaufré ne nous quittait pas, me couvant d'un regard langoureux que, fort heureusement, il parvenait à dissimuler à Aliénor. Il m'entourait de louanges, de poèmes, me nommant « sa lointaine », pour ne point blesser la duchesse à laquelle il lui fallait, selon l'usage, donner sa préférence. Je l'évitais autant que possible en dehors des moments où Aliénor réunissait ses troubadours, ses jongleurs et sa cour dans la grande pièce centrale. Je redoutais de me retrouver seule avec lui. Le moindre de ses souffles près de moi accélérait les battements de mon cœur. Au point d'être esclave de sa présence, de sa voix, de son visage, de son sourire, et, tout à la fois, pressée qu'elle cesse.

J'étais si intimement troublée que je relâchai ma garde. Aliénor s'en aperçut. Sans doute s'imagina-t-elle qu'elle en était l'origine. Quoi qu'il en soit, deux jours avant le départ du comte pour son pèlerinage, je commis l'imprudence d'oublier de barrer ma porte. Le grincement des gonds me tira de l'engourdissement qui m'avait saisie. J'avais soufflé mes chandelles depuis un long moment. L'idée me vint d'appeler à l'aide, mais je n'osai bouger. J'étais comme pétrifiée. Cet instant que j'avais espéré en secret et redouté d'autant me laissait sans défense. Lorsque je reconnus dans la lumière vacillante le visage d'Aliénor, je me mis à trembler. Elle était nue, ses cheveux cascadaient sur ses seins ronds et fermes. Elle posa son chandelier à mon chevet. Drapée seulement d'un doux sourire, elle se glissa dans mes draps et m'étreignit avec tendresse. Ses mains douces et chaudes se glissèrent sous ma chemise de nuit et ses lèvres prirent les miennes sans que je puisse trouver en moi la force de la repousser. J'étais émue plus que je ne l'avais cru possible. Ses mains, sa bouche me donnèrent un plaisir insoupçonné, de sorte que, m'enhardissant, je lui rendis bientôt ses caresses avec la même sensualité. Peu à peu, à la sentir frémir sous mes doigts, je pris conscience du pouvoir que je détenais sur elle. Si j'étais innocente aux jeux de l'amour, j'avais reçu une éducation qui m'avait préparée à l'écoute. Je m'en servis pour l'aimer. Lorsque Aliénor me quitta, bouleversée et heureuse, j'eus la certitude que désormais j'étais maîtresse du jeu.

Restait Jaufré. C'était bien plus difficile. Il me surprit dans les jardins alors qu'Aliénor et Pernelle étaient auprès de leur père. Ce dernier, qui les confiait à la garde de Geoffroi du Lauroux, l'archevêque de Bordeaux chargé d'administrer ses domaines pendant son absence, leur faisait ses dernières recommandations. Les dames de compagnie d'Aliénor souffraient quelques aubades sous la tonnelle, et, lasse de leurs mièvreries, je m'étais éloignée seule vers le verger.

Je ne l'entendis pas venir. Son pas dans l'herbe fine était si léger qu'on eût dit quelque insecte qui s'y serait posé.

– Ces poires ont l'air succulentes, commenta sa voix dans mon dos.

Je faillis m'étrangler de surprise comme je venais de mordre dans une de celles qu'une branche avait mises à portée de main.

– Messire de Blaye, vous auriez pu m'étouffer ! m'indignai-je, après avoir recraché le morceau qui m'avait arraché un toussotement.

– Mille pardons ! Pour rien au monde je ne voudrais pareille chose, croyez-le.

Il me tendit son mouchoir de dentelle, et j'essuyai le bord de mes lèvres où le fruit juteux avait tracé de fins sillons sucrés.

– N'en parlons plus. Mais vous m'avez fait peur. Ce ne sont pas des façons d'arriver ainsi derrière une damoiselle sans s'annoncer.

– Si je l'avais fait, vous vous seriez enfuie. Car vous me fuyez, Loanna de Grimwald. Là encore, en détournant votre regard du mien. Suis-je donc si laid ?

Sa question me bouleversa. Je relevai les yeux. Il avait l'air blessé.

– Vous n'êtes pas laid.

– Allons donc ! Croyez-vous que je n'entende point les railleries sur ma face blanche et maigre, sur mon aspect chétif, presque efféminé ? Le regard des autres m'indiffère. Le vôtre seul me tue.

J'étais glacée. Glacée et brûlante à la fois. Je me mis à trembler, et la poire que ma main soudain ne tenait plus tomba en froissant l'herbe.

– Vous grelottez, remarqua-t-il en esquissant un pâle sourire. Pardon de vous avoir effrayée. Les poètes sont un peu fous. Je n'échappe pas à la règle.

Je voulus parler, mais ma gorge était sèche. Je déglutis péniblement, tandis qu'il poursuivait :

– Je voulais simplement vous saluer avant de partir. Rester près de vous m'est désormais plus pénible que la solitude de mon donjon. Je vous aime, Loanna de Grimwald. Quand vous ne m'aimerez jamais.

Il tourna les talons sur mon silence. Alors, ce fut comme un éclair dans un ciel d'orage. Une fulgurance qui m'écartela. Les mots jaillirent de moi comme crève un nuage de pluie :

– Ne partez pas. Je vous aime.

Il se retourna. Mon cœur battait à tout rompre. Mais je ne tremblais plus. J'avais besoin de le rassurer soudain. Sans fuir son regard cette fois, je murmurai encore :

– Jamais je n'ai vu visage plus noble et plus beau que le vôtre, comte, lorsque la musique tout entière le caresse et l'enivre. Quant à votre voix, elle est digne d'un chant d'oiseau, lorsque l'aurore point et que le ciel s'embrase à son hymne. Si vous partiez maintenant, vous condamneriez ce printemps qui vient à mourir avant de naître. Si je vous ai fui, ce n'est pas par dégoût de vous, mais par peur de moi.

Il s'avança lentement et, s'agenouillant à mes pieds, prit ma main dans les siennes pour y déposer un long baiser. Puis, posant son oreille sur le velours de ma robe, il gémit en confidence :

– J'ai vu la duchesse entrer dans votre chambre cette nuit. Elle n'avait point refermé entièrement la porte derrière elle. J'ai osé l'indiscrétion d'un regard. Pardonnez-moi.

Son aveu me fit rougir. Je comprenais mieux pourquoi il s'était imaginé rejeté.

J'avais appris à assumer mes actes quoi qu'il advienne. Cela faisait partie des lois. Un seul amour, avait dit mère : l'Angleterre. Je serrai les dents. Je m'étais abandonnée deux fois en moins d'une lune. J'avais oublié qui j'étais. Je ne voulais pas le blesser, mais je devais me ressaisir. Je posai ma main sur sa joue. Elle était douce comme un cendal.

– Ce qui s'est passé cette nuit n'est rien. Vous savez combien ici les jeux de l'amour sont sans conséquence. J'étais novice. Elle m'a initiée. Mon destin est lié au sien, pour des raisons que je ne peux dévoiler. Lorsque le duc d'Aquitaine reviendra de Compostelle, j'entrerai au couvent avec elle. Mon cœur et mon âme sont vôtres, Jaufré de Blaye. Mais je n'ai pas le droit de vous aimer.

– Je ne vous reproche rien, ma dame. Je vous appartiens.

– Non, Jaufré. C'est à votre talent que vous appartenez.

– Il n'existerait pas sans la confiance dont vous l'honorez.

– Il existe par lui-même. Croyez-moi. Ne doutez pas de vous. Ne doutez pas de moi. Un jour viendra peut-être où je pourrai être à vous, mais, de grâce, ne vous aliénez pas à m'attendre. Mon fardeau serait bien trop lourd à porter.

– Le poète n'a qu'un seul amour. Quoi que vous me demandiez, je le ferai, dussé-je mourir pour vous. N'attendre rien faisait mon malheur. Vous attendre sera ma plus belle chanson. N'empêchez pas qu'elle se compose de mes rêves.

– Vous êtes fou.

– Je vous l'avais dit. Je n'échappe pas à la règle.

– Restez jusqu'au retour du duc.

– Jusqu'à ce que vous me chassiez, ma douce aimée.

Des rires et des babillages tout proches mirent fin à notre entretien. Agacée de n'avoir pu infléchir son père, Aliénor me cherchait. Jaufré s'esquiva, non sans avoir volé sur mes lèvres un baiser chaste et doux qui me laissa gaie comme un pinson.

Le lendemain, Guillaume, revêtu de son mantel de pèlerin et chaussé de fines sandales, s'éloigna à pied avec quelques barons et amis qui avaient choisi de l'accompagner. Il embrassa ses filles d'un air absent puis s'en fut vers son destin.

Tandis que je suivais sa silhouette appuyée avec lassitude sur son bourdon, un froid glacial m'envahit. Sans m'expliquer pourquoi, je sus que la mort le guettait sur le chemin.

5

– Les Pyrénées, enfin !

La voix sortit le groupe de son mutisme. Devant eux, les sommets enneigés se dessinaient avec majesté, comme un défi aux courbes que leurs pieds et leurs mollets avaient franchies depuis trois semaines. Les pèlerins se regardèrent et échangèrent un sourire confiant. La passe dans la montagne, au col de Roncevaux, était surnommée « la révélatrice ». Certains n'allaient pas au-delà, malgré leur foi, épuisés par la fatigue et le jeûne. Pour les autres, ceux qui passaient le col et pénétraient en Espagne, la route devenait légère, les douleurs moins pernicieuses, la corne sous la plante des pieds, que les semelles de cuir ne protégeaient plus, rendait le sol moins caillouteux, moins tranchant. La béatitude s'emparait des âmes, un sentiment infini d'humilité les amenait à rendre grâces au Seigneur de cette souffrance nécessaire.

Ce jourd'hui, 9 avril 1137, Guillaume d'Aquitaine regardait cette barrière avec inquiétude. Ces derniers temps, sa santé légendaire lui faisait défaut. Il souffrait de violentes migraines et des spasmes lui tordaient l'estomac, lui faisant parfois rendre quelques filets de sang. Il supposait que la mangeaille, saine mais inaccoutumée, lui pesait. Le pain de seigle et le gruau dont il se nourrissait lui laissaient dans l'arrière-bouche un goût âcre dont il ne se débarrassait plus. Il avait maigri durant le voyage et se sentait affaibli.

« Sans doute, pensait-il, ai-je attrapé quelque maladie destinée à purger mon corps de ses humeurs malignes, de ses impuretés. »

Et, malgré la souffrance qui creusait des cernes violacés sous ses yeux, il en tirait une certaine jouissance, celle de penser que son périple n'était pas vain et qu'il entrait en état de grâce. Ses proches, cependant, se montraient moins optimistes. Guillaume était d'ordinaire un être solide, fort comme un bœuf, capable d'engloutir à lui seul un quartier de mouton en un repas, et l'aspect cireux que prenaient ses traits n'augurait rien de bon.

Pourtant, confiant, il continuait son chemin lorsqu'ils lui conseillaient de rester à l'étape. Le jeune baron tourangeau avec qui il s'était lié d'amitié et qui fraternellement servait chacun en eau et gruau l'avait d'ailleurs rassuré quant à cet excès de fatigue. Lui-même avait franchi une première fois la passe à la limite de l'agonie, mais il en était revenu transfiguré et repartait avec plus d'enthousiasme encore. N'était-ce point un signe du destin ?

– Votre gruau, messire.

Avec un sourire enjôleur, Anselme de Corcheville tendit l'écuelle de terre cuite à Guillaume.

« La dernière », songea-t-il, avec l'impression d'entendre tinter dans ses poches les écus d'or promis.

Guillaume s'en saisit maladroitement. L'espace d'une seconde, l'idée lui prit de jeter cette nourriture infecte à terre, mais la voix susurra :

– Il vous faut manger, compère. Vous ne pouvez franchir « la révélatrice » sans forces. Demain, j'en suis convaincu, ces humeurs vous quitteront. Courage !

– Je me sens si mal, Anselme, que je me demande si la prudence ne serait pas de m'arrêter à la prochaine étape, murmura Guillaume, avec une moue de dégoût pour la pâtée qu'il écrasa entre ses doigts violacés, sans se décider à la porter en bouche.

– Rangez-vous à notre sagesse, Guillaume, vous n'avez que trop tardé, répondit le baron d'Angoulême, qu'un pressentiment rendait nerveux.

Il n'appréciait pas ce jeune baron de Corcheville. Outre la vilaine cicatrice qui fendait en deux un visage de fouine, depuis l'arcade sourcilière gauche jusqu'à la commissure droite des lèvres fines, quelque chose dans son attitude mielleuse sonnait faux. Même s'il prétendait tenir cette marque d'un félon qui avait tenté de s'emparer de ses terres, le baron d'Angoulême n'était pas loin de penser que le contraire eût été plus vraisemblable, et que l'homme était un rusé coquin. Son engouement pour le comte s'était avéré trop soudain. Pourtant il ne pouvait accuser sans preuve, d'autant moins que Guillaume semblait fasciné par son nouvel ami.

Anselme examina Guillaume d'un regard compatissant, prit un air résolu et navré, puis consentit dans un soupir :

– Je crois qu'il faut se rendre à l'évidence, vos amis ont raison et sans doute avais-je tort. Mon chemin de croix ne peut être le vôtre, puisque nos raisons et nos péchés diffèrent. Ce soir, nous arriverons à l'hospice. Vous vous ferez examiner par un moine, et vous vous y reposerez.

– Le croyez-vous vraiment ?

– Nous le croyons tous, Guillaume. Ce serait folie que s'entêter, insista le baron d'Angoulême, surpris par ce revirement d'opinion.

Guillaume secoua la tête, dépité. Il songea à sa fille Aliénor et à l'engagement qu'il avait pris de la fiancer à son retour.

« Ainsi, pensa-t-il, l'esprit libéré de toute obligation, je pourrai subir la loi de Dieu. Pour l'heure, la sagesse doit l'emporter sur mes commandements. »

Peut-être est-ce mieux ainsi, soupira-t-il à haute voix.

Résigné, il porta, à l'exemple de ses compagnons, le gruau à ses lèvres, le mâcha sans appétit, les yeux perdus dans les songes imagés de sa fille auréolée de la couronne d'Angleterre.

Brusquement, les images se troublèrent, un spasme d'une violence insoutenable lui fit lâcher l'écuelle et congestionna ses traits. Le souffle lui manqua. Tournant un regard hébété vers ses compagnons qui s'étaient précipités dans un fracas de vaisselle, il s'écroula vers l'arrière, le corps secoué de convulsions. Dans un sursaut de conscience, il saisit la main d'Anselme qui lui soutenait la nuque et la serra avec violence, lâchant dans un souffle, à l'intention des visages penchés au-dessus de lui :

– Unir Aliénor au futur roi… Promesse…

Un filet de sang éructé avec violence de sa gorge en un dernier hoquet vint finir sa phrase. Les yeux révulsés, il rendit son ultime souffle.

Anselme, satisfait, lui ferma les paupières, affichant comme il se doit la perte d'un ami cher sur son visage de fouine.

Saisissant d'à-propos, il murmura à l'attention de tous :

– Nous respecterons ta promesse, Guillaume. Nous irons porter tes dernières volontés au roi de France, ton choix doit être le nôtre désormais.

Brisés par la douleur, les barons ne purent qu'approuver d'un signe de tête avant de se recueillir en prière. Malgré son antipathie pour le baron de Corcheville, pas davantage que les autres le baron d'Angoulême n'imagina un seul instant que le poison était la cause de ce trépas.

À Béthisy, demeure des rois de France, l'abbé Suger reçut la délégation d'Aquitaine avec un éclat métallique dans les prunelles. Il reconnut à leurs côtés celui que les Chevaliers du Temple avaient converti à leur cause, mais demeura de marbre, l'habit et l'esprit qu'il défendait le mettant à l'abri de remords inutiles.

Il fit prévenir Louis VI dit le Gros de l'urgence de l'entretien, puis donna des ordres pour que ces hommes éprouvés prennent collation et repos.

Quelques heures plus tard, Louis le Gros entra dans la grande salle voûtée. Le roi de France avait le teint cireux des êtres malades que le flux de ventre affaiblissait de jour en jour. Son abdomen était enflé telle une outre, et son visage boursouflé couvert de furoncles purulents. Il s'installa sur le trône, puis ses vassaux vinrent s'agenouiller au pied des deux marches recouvertes d'un épais tapis de velours.

D'un geste las, il leur fit signe de se relever, mais le baron d'Angoulême demeura prostré, un genou à terre, accablé par le chagrin. Tendant un visage marqué, il s'exprima au nom de ses compagnons, humblement placés en arc de cercle derrière lui :

– Votre Majesté, nous sommes porteurs d'une bien triste nouvelle. Guillaume, duc d'Aquitaine, n'est plus. Son corps a été inhumé il y a quelques semaines près de l'endroit où il rendit l'âme. Nous sommes ici plusieurs à avoir recueilli ses dernières volontés. Sans prévenir sa maison pour ne pas risquer d'éveiller la convoitise des barons qui lui étaient hostiles, nous venons en son nom vous demander protection pour Aliénor, son aînée, ainsi qu'il est de votre bonté et pouvoir d'en assurer la tutelle.

– Cette nouvelle m'attriste, répondit le roi, contorsionnant sur son siège ses viscères malades, et je ne peux qu'accepter votre requête. La duchesse Aliénor bénéficie sur l'heure de toute ma protection, de même que ses biens et ses gens.

– Que Votre Majesté en soit louée. Toutefois, messire le duc espérait encore davantage dans son agonie, osant souhaiter qu'une union entre le royaume de France et l'Aquitaine serait une grâce qui permettrait à son âme de s'élever en paix vers Dieu.

– Bien, bien. Qu'en pense mon fidèle conseiller ?

Le roi se tourna vers Suger, ainsi qu'il en avait l'habitude. Plus que jamais il ressentait le besoin d'être conforté dans ses positions, tant il craignait que sa maladie n'affaiblisse son esprit. Suger, debout à sa gauche, droit comme un if, mains jointes sur sa robe en un geste de recueillement, marqua un temps d'hésitation protocolaire, puis affirma :

– Notre-Seigneur tout-puissant ne peut que bénir une union de cette nature. Aliénor d'Aquitaine fera, je le crois, une épouse à même de porter la charge d'un État, capable de seconder son époux en tous lieux et temps. L'Église consent.

Louis poussa un soupir soulagé. Puisque Suger approuvait, il aurait tort de refuser cette occasion de marier son benêt de fils à damoiselle aussi intelligente et bien constituée. Il se leva lourdement, n'en pouvant plus de retenir ses selles liquéfiées.

– Prenez le repos dont vous aurez besoin, messires, puis allez porter nos condoléances et notre résolution en Aquitaine. L'abbé Suger vous y accompagnera pour célébrer la mémoire de notre défunt ami et sujet. Les fiançailles seront rendues publiques sitôt que notre filleule en sera informée. Allez à présent, votre roi est fort las et peiné.

Satisfaits, les barons se retirèrent et se rendirent dans la chapelle pour s'y recueillir. Anselme le sournois s'éclipsa discrètement et se fit conduire dans le cabinet secret de Suger. Là, le saint homme lui remit la récompense promise, ainsi que l'absolution pour ce qui n'était somme toute qu'une mission divine.

Quelques instants plus tard, après avoir salué les compagnons de Guillaume afin de n'attirer aucun soupçon, il quitta Béthisy pour rejoindre Étienne de Blois et lui faire son rapport.

– Je me refuse à épouser cette femme !

Louis le Jeune était dans tous ses états. Il tournait en rond, tremblant comme une feuille dans sa longue bure de lin, l'esprit troublé par des images démoniaques.

– Apaisez-vous, mon fils, il y va de l'avenir du royaume, et Dieu Lui-même vous demande ce sacrifice.

– Mais enfin, père, c'est contraire à mes aspirations, on ne peut à la fois posséder une âme de prêtre et d'époux.

Le roi de France sentit la colère le gagner en même tant que la colique dans son ventre. Il répugnait à laisser le royaume entre ces mains féminines, quand il aurait dû être tenu par la poigne et l'esprit ferme de son aîné, tragiquement mort dans un accident quelques années plus tôt.

« Louis ne sera pas un bon roi, pensa-t-il. Pourtant, ai-je le choix ? Cette Aliénor pourra-t-elle transformer ce prêtre en souverain ? Je me la souviens belle et désirable, apte à donner des héritiers à la couronne, mais cela sera-t-il suffisant ? »

Il soupira longuement, puis sa voix ferme et sans appel résonna sous les voûtes de la chapelle :

– Je t'ordonne d'épouser la duchesse Aliénor d'Aquitaine, mon fils, et de la faire reine de France. Je t'ordonne d'aimer cette femme, de lui plaire, de combler ses désirs et ses exigences, afin qu'elle mette au monde des fils pour cette terre. Si ton père te le demande, ton roi l'exige, entends-tu ?

Louis sentit un sanglot de révolte lui nouer la gorge ; pourtant, il s'agenouilla devant son souverain et posa en signe de soumission ses lèvres tremblantes sur l'émeraude sertie de diamants que Louis le Gros portait à l'annulaire gauche. Incapable de bouger ou de proférer un son, il demeura les yeux rivés au sol. Le roi s'écarta d'un pas, déçu autant qu'apitoyé par cette forme voûtée qui cependant était la chair de sa chair. La douleur devenant de nouveau pressante dans ses viscères malades, il tourna les talons et sortit en prenant soin de refermer la porte derrière lui.

Lorsque l'écho de ses pas cessa d'emplir la maison de Dieu, Louis le Jeune, saisi de dégoût et de peur, vomit au pied de la croix la bile acide et verdâtre de ses démons intérieurs. Puis, le corps en transe, il s'en fut se coller contre elle, dans cette position de crucifié qui ne libéra son âme que quelques heures plus tard, alors qu'épuisé il s'endormait recroquevillé en fœtus au pied du symbole divin.

J'avais obtenu d'Aliénor, dès mon arrivée au palais, l'autorisation d'installer mes pigeons dans un colombier désaffecté à l'aplomb de ma fenêtre. Ceux-ci, laissés en liberté, venaient ainsi se nourrir des graines et des miettes que je déposais sur le rebord. Mes messagers volants me rapportaient fréquemment des nouvelles d'Henri et de mère, et je pouvais à loisir échanger mes impressions avec cette dernière. Comme elle me l'avait conseillé en partant, j'évitais d'utiliser la magie à Bordeaux, quelqu'un risquant à tout instant de me surprendre en transe et de compromettre ma mission.

Après le départ de Guillaume, cette sensation glaciale ne cessa de me tourmenter. Consciente du danger que représenterait pour les plans de Mathilde la mort du duc, je ne mesurais pas ses conséquences. Je résolus d'en avertir mère, mais ma colombe ne revint pas.

Depuis quelques jours, un épervier tournait autour du château que les fauconniers ne parvenaient pas à attraper. Je l'avais vu fondre sur de petits moineaux mais n'osais penser qu'il s'attaquerait à proie plus grosse. Le doute persista, je ne savais que faire.

Je n'eus cependant pas besoin d'envoyer une nouvelle colombe, la nouvelle nous parvint sous la forme d'un messager, dépêché par le roi de France. Avant même l'arrivée des compagnons du duc, il vint s'entretenir avec Aliénor et Geoffroi du Lauroux.

L'un et l'autre reçurent l'abbé Suger dans la chapelle, ainsi qu'il en émit le souhait. Mes compagnes, imaginant que la nouvelle était d'importance, s'étaient agglutinées en chuchotant dans le corridor voûté qui cerclait le bâtiment et ouvrait ses arcades sur le jardin intérieur.

Pour ma part, je demeurai à l'écart. Cet homme sec et froid ne me plaisait pas. Dès l'instant où il posa pied à terre, je pressentis qu'il deviendrait mon ennemi. Peut-être à cause de cette croix somptueuse resplendissante de rubis qui pendait par une lourde chaîne d'or sur son mantel. J'avais toujours exécré ces prélats trop riches qui priaient pour la miséricorde d'un peuple mourant de faim, entre deux bouchées de mets surabondants dont un seul eût suffi pour nourrir une famille.

Quelques très longues minutes plus tard, Aliénor écarta les portes de la chapelle, et le silence se fit. Son sourire s'était éteint et son regard avait cette brillance métallique des rages sourdes que l'on ressasse pour ne pas pleurer. Elle était ainsi, s'abandonnant aux larmes pour attendrir, mais interdisant à sa fierté de s'oublier là où d'autres pourraient utiliser sa véritable faiblesse. Elle n'était pas une victime.

Elle semblait pour l'heure ne voir personne et, d'une voix monocorde que je reconnus à peine, elle annonça :

– Le duc d'Aquitaine, mon père, n'est plus.

Puis, marchant tel un pantin, elle passa devant nos révérences recueillies et s'en fut dans sa chambre annoncer à Pernelle la sombre nouvelle.

En me relevant, je croisai le regard froid de Suger, et un frisson me parcourut. Le duc n'était pas défunt d'une mort naturelle, telle fut à l'instant ma certitude. Je baissai les yeux et me dirigeai vers le pigeonnier. Épervier ou pas, Mathilde devait savoir.

Aliénor prit en main toutes les formalités d'usage, exigeant de recevoir elle-même, sans compter sa peine et son temps, les condoléances de ses vassaux et amis, refusant le soutien de ses compagnes, rejetant d'un geste las les paroles d'encouragement des troubadours, qui se retirèrent pour chanter la nouvelle en d'autres lieux. Appelé par les affaires de son comté, Jaufré avait regagné Blaye peu de temps après le départ du duc en pèlerinage. Pourtant, avide de ma présence, il nous rendait visite fréquemment, séjournant au palais de l'Ombrière deux ou trois jours par semaine.

En ces heures douloureuses, sa chaleur me manquait. Je me sentais plus solitaire que jamais, portant tout le poids du chagrin d'Aliénor. J'étais la seule à le partager, lorsque les chandelles mouchées dissimulaient ses larmes aux regards. Lors, je les recueillais sur mon épaule, m'étonnant du courage dont elle faisait preuve.

« Tutelle du roi de France », avait dit Suger. Deux termes qui mettaient un frein à nos projets pour Henri, car ce dernier, trop jeune pour gouverner, pris dans la bataille de sa mère pour le trône d'Angleterre, ne pouvait en aucune façon revendiquer sa promise. Ce que le roi de France ferait du duché d'Aquitaine, je ne l'imaginais que trop, malgré ma fragile expérience des raisons d'État. Que pouvais-je y faire ? Mes pouvoirs n'admettaient pas d'user de la sorcellerie et de sa panoplie de poisons. Ma conscience refusait ce jeu de mort qui était le leur. Plus que jamais, je guettais des nouvelles de mère.

La nuit qui suivit la messe en mémoire du défunt duc, je ne pus trouver le sommeil. Aliénor était apparue, tenant Pernelle par la main, dans la cathédrale Saint-André où les attendaient Geoffroi du Lauroux, l'abbé Suger et une foule silencieuse en deuil. Son visage était fier et noble, et, à son contact protecteur, sa cadette paraissait plus forte malgré ses yeux rougis. Suger avait entrepris les louanges de l'homme pour les vassaux assemblés, marquant d'un sceau monastique la vie d'exemple et de souffrance de Guillaume. Puis vint ce que je redoutais. Il nomma les barons qui l'avaient accompagné au long de son périple, et ceux-ci vinrent s'aligner devant la duchesse, répétant d'une même voix les dernières volontés de leur ami, et leur serment devant sa dépouille.

Un murmure passa dans l'assistance. Je vis les épaules d'Aliénor se voûter lorsque Suger, s'avançant vers elle, mit un genou à terre et déclara à l'intention de tous :

– Que votre père soit béni, mon enfant, de vous donner en héritage le trône de France en espérant vos épousailles avec Louis le Jeune, auxquelles le roi donne sa bénédiction !

Puis, se relevant, il ajouta en ouvrant ses bras dans un geste de communion :

– Recueillons-nous, mes frères, devant l'amour de cet homme pour sa terre et ses enfants.

Tout était dit, magistralement orchestré. Légitimé par le témoignage et consenti par la foule rassurée sur son devenir. Car, en effet, quel honneur plus grand pouvait recevoir mon amie ?

Un frisson de rage me parcourut. Fini l'heureux temps de l'insouciance à laisser se dérouler le destin. Suger était un homme redoutable, il tirait les ficelles du pouvoir et servait des intérêts opposés à ceux de Mathilde et d'Henri. Il aurait fallu être stupide pour ne pas s'en rendre compte. J'allais devoir user désormais de ruse autant que d'intuition pour intriguer à la cour de France.

Aliénor s'était retirée dans sa chambre pour prier dès la cérémonie achevée… Je ne l'avais pas revue depuis.

Je frissonnais. Ne parvenant à échapper à ma colère et à une angoissante pression, je me glissai au-dehors dans une nuit sans lune. Les parfums des seringas se mêlaient à ceux des roses et des lilas, entêtant l'obscurité alourdie par l'orage proche.

Je descendis jusqu'au colombier sous ma fenêtre. Un petit sentier serpentait à travers les broussailles pour rejoindre cet endroit étroit qui n'intéressait plus personne parce qu'à l'écart des jardins luxuriants. Ma colombe n'était toujours pas rentrée ; sans doute ces événements avaient-ils amené mère et Mathilde à revoir leurs plans. Je m'assis un instant sur un banc de pierre oublié. Au pied de la coursive, l'eau clapotait doucement. Une atmosphère malsaine planait sur le palais de l'Ombrière ; j'en sentais la menace autour de moi comme une vapeur indistincte, imprécise, mais qui entourait les lieux, les choses et les gens. Peut-être n'était-ce dû qu'à l'orage ? Peut-être était-ce ma propre peur de l'inconnu ?

Un bruit dans les broussailles me fit tressaillir. Je voulus pencher pour quelque animal, mais mon rythme cardiaque s'accéléra, m'indiquant qu'une présence humaine en était l'origine. Une ombre s'avançait en effet, me barrant toute retraite. Je n'osais bouger, prête à me défendre contre l'imprévisible, lorsque le parfum de lys qui se dégageait d'elle apaisa mes craintes. Au même moment, la lune complice apparut, dévoilée par une trouée dans les nuages. Le regard du troubadour s'éclaira d'un pâle rayon.

– Jaufré, vous rendez-vous compte que vous auriez pu me faire mourir de terreur pour la seconde fois ?

Il s'approcha et me prit la main pour la porter à ses lèvres.

– Pardonnez-moi. Je ne pensais pas vous surprendre ici.

– Qui donc espériez-vous ?

– Une muse peut-être, qui se serait enfuie trop vite, ou simplement un rai de lumière à vos fenêtres pour que quelque chanson vous atteigne. Je vous ai vue dans la cathédrale songeuse et distante, au point que vous ne m'avez pas remarqué. Ici, je me trouvais proche de vous. Je n'osais espérer que ce fût à ce point.

Il était si près que je pouvais percevoir le froissement de son mantel contre mon ventre. Cette solitude soudain si pesante ! N'avoir personne à qui confier mon angoisse ! Son parfum me troublait l'âme, j'eus envie de ses lèvres sur les miennes, de ses mains courant sur mon corps. Pouvoir poser ma tête sur son épaule et oublier, oublier qui j'étais, juste un instant !

Il promena son souffle sur mon visage, jouant à me sentir vibrer de le respirer, prolongeant mon supplice, devinant sans doute avec son savoir d'homme combien l'attente de ses bras aiguisait ce trouble délicieux au creux de mes reins.

Il posa sa paume chaude et douce contre ma joue, et je m'y frottai comme une jeune chatte appelant la caresse. Il murmura :

– Marchons un peu, voulez-vous ? La nuit est belle sur la Garonne, l'orage qui gronde semble l'aspirer tout entière dans son tourbillon de bronze. Venez !

J'acquiesçai d'un signe de tête, la gorge nouée de larmes et de désir.

Nous nous avançâmes jusqu'aux remparts. À leur pied, le fleuve à marée haute clapotait en un murmure sur les quais. Quelques gabares et nefs espagnoles étaient amarrées dans le port, ombres vacillantes sous le vent léger. Au loin, des éclairs zébraient le ciel.

Jaufré pointa son index vers la tête de l'orage et me confia à mi-voix :

– Là-bas est ma terre. Mon comté. Je voudrais vous y emmener, Loanna, vous montrer les îles, les marais. Là-bas, ils n'ont pas la même couleur que ceux d'ici. La terre est plus rousse ou plus noire, l'eau plus vivante. À Blaye, le fleuve ouvre ses bras à l'océan. Venez avec moi, je vous ferai aimer ses gens, ses vignes, ses champs, comme je les aime. Comme je vous aime.

Il me fit face et cueillit mon visage à deux mains, emprisonnant mon regard dans le sien, le fouillant de tendresse. J'aurais tant voulu à cet instant n'être qu'une de ces dames de compagnie frivoles. Pouvoir pleinement l'aimer de toutes mes forces et de tout mon cœur. Mais mon destin était ailleurs. Je secouai la tête tristement. Si seulement je pouvais lui dire… Ses lèvres s'emparèrent des miennes, noyant mon refus dans leur refuge humide.

Soudain, les baisers d'Aliénor m'apparurent fades, face à cette langue qui caressait les mots que je ne lui dirais jamais, consumant mon corps alangui d'un feu inconnu. Le tourbillon de sa bouche gourmande dévorait la mienne puis mon menton, mon cou. Mon souffle s'égara dans un gémissement, enlisant ma volonté dans un désir qui me rendait femme.

Incapable de résister plus longtemps, je le laissai me cambrer sur la pierre des remparts. Je sentais l'appel du vide sous ma nuque, grisée par l'idée qu'il suffirait d'un rien pour y basculer. Avoir confiance en quelqu'un une fois, juste une fois. Il dénoua mes cheveux et s'attarda dans leur soie, son doigt mutin s'aventurant sur mes épaules, derrière mon oreille. Il souriait comme un enfant. J'étais bien, bien de son corps contre le mien. J'enlaçai sa nuque pour l'attirer plus près encore et cherchai sa bouche avec douceur. Au diable mes résolutions ! Demain, il me faudrait partir vers une raison d'État qui n'admettrait aucune faiblesse. Ce soir, cela n'avait plus d'importance. J'avais besoin de lui, de son plaisir puissant au creux de mon ventre. Je guidai sa main sur les liens de soie qui retenaient mon corsage. J'étais nue sous l'étoffe. Jaufré promena ses doigts dans l'échancrure béante. Ses caresses ressemblaient à des ailes de papillon. Même Aliénor avec ses mains adoucies par les onguents n'avait pas cette légèreté à fleur de peau qui me fit frémir. Il s'empara d'un sein et y posa ses lèvres avec passion. Il s'attarda sur ma gorge palpitante, et je savourai avec agacement son insistance à me faire languir.

La nuit devenait de plus en plus métallique au-dessus de mon visage. Je fermai les yeux en sentant sa bouche descendre sur mon nombril. Lentement, ses mains remontèrent l'étoffe le long de mes jambes, ponctuant de baisers ma peau qu'elles dénudaient.

Il s'était agenouillé. Ses lèvres musardaient maintenant à l'intérieur de mes cuisses, agrandissant mon impatience. Je pris encore conscience de mes paumes enserrant ses tempes à les broyer et de la moiteur de mon pubis qui appelait la caresse, mais déjà je ne contrôlais plus rien. Un sanglot d'abandon et de désir me noua la gorge. Mes reins me brûlaient. Je jouis dans un cri qui libéra des larmes dans mes yeux et mon ventre avec la même violence.

Il se redressa et moula son corps au mien contre le mur de moellons. La froidure des pierres pénétrait l'étoffe contre mes reins. Il lécha mes larmes en caressant mes cheveux. Je ne pouvais plus désormais me contenter de sa tendresse, j'avais besoin qu'il me possède, qu'il s'empare de ma virginité sans me laisser plus rien de l'enfance. J'implorai d'une voix que je ne reconnus pas :

– Aime-moi.

Mais il secoua la tête avec un sourire tendre et pathétique à la fois qui me désempara.

– Non, mon aimée, non.

Je ne comprenais pas. Des larmes jaillirent de nouveau que je ne pus contrôler et ruisselèrent sur mes joues, lui demandant pourquoi sans oser le dire. J'avais mal de son refus, mal de son membre viril sous l'étoffe, dressé contre mon ventre offert qu'il s'interdisait de prendre.

– Ne pleurez pas, je vous en prie, murmura-t-il. Je vous aime plus que tout au monde, Loanna, mais vous ne m'appartenez pas, comprenez-vous ? Plus que votre plaisir, c'est vous tout entière que je veux. Je vous sais vierge d'un corps d'homme, mais je ne peux vous ouvrir au mien que dans ma maison, et uniquement si votre cœur et votre âme sont à moi. Si le désir me brûle, qu'il soit plus violent encore, qu'il me dise le bonheur d'être votre vassal ; parce que j'ai plus de respect pour vous que je n'en ai jamais eu pour aucune autre !

J'aurais voulu crier, le gifler, le maudire, mais mes forces m'avaient abandonnée. Seule ma pluie s'écoulait, emportant dans ses ruisseaux celle qui tombait à présent des nuages gorgés au-dessus de nos têtes. Il me berça doucement, et je sentis son désir s'apaiser, résigné.

— Il faut rentrer à présent, décida-t-il. L'orage approche, je ne veux pas que ses eaux trop violentes abîment le sel de votre peau. J'aime son parfum et son goût. Je vous attendrai aussi longtemps qu'il le faudra.

Loanna de Grimwald n'existait plus. Je n'étais plus à cet instant qu'une toute petite fille qui ignorait encore qu'elle était la descendante de Merlin l'Enchanteur. Il rajusta la capeline sur mes épaules et, s'éloignant de quelques pas, m'entraîna vers le sentier. Je l'y suivis en titubant. Je ne sais comment je parvins à regagner ma chambre. Mes pensées étaient à l'image du déluge qui plombait l'Aquitaine : une course sans fin dans l'anéantissement.

6

La réponse de mère me parvint au matin de cette même nuit, mais non sous la forme d'un de mes messagers volants.

Un baiser léger comme l'air m'éveilla d'un sommeil sans rêve, et je la vis à mon chevet, flottant dans la lumière du jour naissant. Elle me sourit affectueusement, et, s'il ne s'était agi de son image emportée par un vent de magie, je me serais jetée dans ses bras comme je le faisais enfant. Je l'admirais avec bonheur.

– Mère, que je suis heureuse de vous revoir !

– Tu m'as manqué aussi, Canillette, même si je te suis pas à pas depuis que tu m'as quittée.

Elle posa sa main de lumière sur la mienne, et sa chaleur m'envahit en même temps que me revenait une profonde tristesse :

– Ô Mère, je me sens tellement perdue par moments. J'ai l'impression de détenir tout le savoir du monde et cependant d'être incapable de m'en servir.

– Allons, les événements se placent en leur temps, ma toute petite. Tu as toujours voulu aller plus vite que les courants sur lesquels nous flottons. Certaines forces nous égarent parfois, retardent le cours de nos prévisions, et c'est en cela que nous trouvons notre raison d'être. Henri grandit, devient fort. Il sera bel homme et plaira le moment venu à ta fougueuse amie. Pour l'heure, les Templiers mettent tout en œuvre pour que l'Aquitaine devienne terre de France. Étienne de Blois est avec eux. Il leur a cédé une partie de ses biens contre leur soutien. Pourtant, sa couardise et sa fourberie le rendent impopulaire. Bientôt, Mathilde reprendra le trône d'Angleterre et lors, sois-en certaine, leurs projets seront compromis.

– Quels sont ces projets, mère ?

– Posséder, ma fille. L'Église veut le pouvoir absolu. Elle manœuvre les rois, fait tomber les têtes, asservit le peuple, le sanctifie par le feu d'une croisade et se frotte les mains sur ses richesses qu'elle qualifie de spirituelles. L'Angleterre était jusqu'à ce jour protégée par les druides. Nous défendons une connaissance et une équité qui font ombrage à ce Dieu dont l'Église a besoin pour servir ses intérêts.

– On ne peut se rendre maître du monde !

— L'esprit est faible. Lorsque le peuple a faim, il lui est facile de croire. Aliénor va épouser Louis. Nous n'y pouvons rien changer. Cela nous sert d'une certaine manière. Elle apprendra davantage à devenir une reine sur le trône de France que dans l'ombre d'un couvent. Ce mariage ne durera pas.

— Comment pouvez-vous en être aussi sûre ?

— Allons, Canillette ! Merlin ne t'a donc rien enseigné à Brocéliande ? Tu vas suivre Aliénor et conseiller habilement ses caprices et manigances. Laissons-la grandir. Méfie-toi seulement de Suger. Cet homme est capable du meilleur autant que du pire. Il est l'ami de Bertrand de Blanquefort, le grand maître du Temple qui a œuvré pour le rattachement de l'Aquitaine au royaume de France. Ainsi Suger pourrait conseiller à Aliénor d'abandonner au profit du Temple une grande part de ses biens pour le salut de son âme. Tu dois empêcher cela. Cette milice du Christ est dangereuse. Elle est bien loin de l'idéal de pureté et de pauvreté du Fils de Dieu. Elle conduira ses chevaliers à commettre d'immondes crimes. La mort de Guillaume est un de leurs faits, commandé par Étienne de Blois qui les a couverts de largesses. Prends garde à toi !

— Et Jaufré, mère ?

— Suis ton cœur, tant qu'il ne fait pas obstacle à ta mission. Nous ne sommes pas comme les autres, Loanna. Lorsque Aliénor sera l'épouse d'Henri, alors tu décideras de ta vie de femme, s'il accepte de partager ton destin. Mais dis-toi que ce ne sera pas facile et qu'alors peut-être, il aura peur de ce que tu es vraiment. Ton père me manque souvent ; pourtant, j'ai respecté son choix, autant que son amour.

— Quel était-il, mère ? Jamais vous ne m'en avez parlé.

— Le moment n'était pas venu. Cette révélation t'aurait sans doute empêchée d'agir ainsi que tu l'as fait.

Elle souriait, mais ses yeux semblaient tristes de tout ce qu'elle n'avait pu vivre, et mon cœur se serra.

— Guillaume de Poitiers dit le troubadour était ton père et le grand-père paternel d'Aliénor. Elle et toi êtes du même sang. Voilà pourquoi je sais que rien, tu entends, rien ne changera la marche de votre destin.

— Mathilde savait, n'est-ce pas ?

– Oui. Ton père était un bel homme, fier, trop sans doute. Il aimait les femmes, et je m'y suis attachée, malgré ses cheveux grisonnants. J'étais pucelle alors, mais je n'ai rien regretté. C'était un de ces feux passionnés qui dévastent et ne laissent ensuite que des cendres. Il n'a jamais su que je portais son enfant ; d'ailleurs, cela n'aurait rien changé. Le duc n'était pas l'homme d'une seule femme. Après que je fus sortie de sa vie, il fit enfermer son épouse dans l'abbaye de Fontevrault pour s'afficher avec la Maubergeonne, une autre de ses maîtresses.

– Pourtant, il vous aimait ?

– À sa façon… Mais tout cela est bien loin ! Il ne faut pas s'y attarder. Les souvenirs doivent rester ce qu'ils sont. Sois simplement assurée que je t'accompagne, que je comprends et approuve tes choix. Être la descendante de Merlin n'empêche en rien de devenir une femme. Bien plus, nous nous devons d'avoir des héritières. Même si tu es la dernière à accomplir cette tâche, notre race ne doit pas se perdre.

Je rougis malgré moi. Jamais auparavant je n'avais abordé ce sujet avec elle. Ces réponses me rassuraient et, en même temps, une angoisse me saisit. J'hésitai un instant, sachant qu'elle pouvait lire mes pensées, mais elle n'en parla pas. J'osai donc :

– Et pour Aliénor, mère ? Ce sentiment contre nature qui m'attire en sa couche. Notre lien de parenté si direct. Est-ce mal ?

– Le bien, le mal sont des notions qui varient selon l'interprétation que l'on en fait. Il est normal que tu éprouves tendresse et amour pour elle, normal aussi que ton corps cherche la caresse. Laisse-toi guider par ton instinct, mais que jamais il ne devienne ton maître. Sache où bat ton cœur et pourquoi tu agis. Tu as compris le besoin qu'avait ton amie de cette complicité, il est un lien véritable qui guidera ses décisions et l'aidera sans aucun doute dans les moments difficiles. Quoi que tu fasses, ton être t'appartient et tu es seule juge, au regard de tes actes, tant, encore une fois, qu'ils n'entravent pas ce pour quoi tu es sur cette terre.

– Merci, mère. Si vous saviez combien votre sagesse m'a fait défaut.

– Je ne serai pas toujours là, Canillette. Tu dois apprendre à avoir confiance en toi.

Elle posa délicatement sa main sur ma joue, et j'en pus percevoir toute la tendresse. J'aurais voulu que cela ne finisse pas, elle non plus sans doute, mais déjà son image se dissipait. Je murmurai encore :

— Reviendrez-vous ?

— Chaque fois que cela sera nécessaire, je serai là, et à tout instant mes pensées te suivront.

— Mère...

— Je sais, Canillette, moi aussi je t'aime.

Je fermai les yeux pour retenir quelques larmes. Lorsque je les rouvris, j'étais seule. Je secouai ma tristesse comme un oiseau s'ébroue, les plumes gorgées de rosée, et, forte de ses paroles, je m'apprêtai pour rejoindre Aliénor.

Je la trouvai ruminant une rage évidente dans le petit boudoir qui jouxtait sa chambre. Elle marchait de long en large en chemise de nuit, et se dirigea vers moi avec une telle colère dans le regard que je crus un instant être l'objet de son courroux. Mais elle ne me laissa pas longtemps dans le doute. Elle explosa à quelques mètres de moi :

— Un puceau clérical ! Tu entends ! Un puceau clérical ! Voilà ce que l'on veut que j'épouse ! Me faire cela ! À moi !

Et aussitôt un torrent de larmes vint la secouer tout entière et la projeter contre mon épaule. Ainsi donc c'était cela ! Trop prisonnière de ces derniers jours, Aliénor n'avait pas pris pleinement conscience de ce qui l'attendait. Sa nuit de prière et de recueillement semblait lui avoir rendu sa férocité avec sa lucidité. Je l'entraînai vers la chauffeuse qui habillait l'alcôve dans le renfoncement de la fenêtre.

— Allons, tout cela ne vaut pas que tu te mettes dans un état pareil, je te l'assure.

— Plutôt mourir qu'épouser ce falot !

— Là, calme-toi, tu vas devenir reine de France, ce n'est pas si mal.

— Reine de rien du tout ! Mon futur époux passe son temps entre les versets de la Bible et le crucifix, dans un endroit triste, sans soleil, sans musique ; le couvent me semblerait plus doux.

— Regarde-moi !

Je relevai son visage d'orage et déposai avec douceur un baiser sur ses lèvres, puis enchaînai d'une voix câline :

– S'il passe son temps à l'église, tu gouverneras à sa place ; s'il ne peut aimer que son Dieu, tu prendras des amants, l'amour n'a point de maître, tu le sais bien.

Je ponctuai ma litanie de baisers sur ses joues, léchant avec lenteur l'eau de ses yeux. Elle gémit, féline. Je glissai avec impertinence une main sur ses seins, que je sentis durcir sous mes caresses, et la renversai sur le velours. Pour la première fois, je ne me posai aucune question. Mère avait répondu à toutes, libérant à la fois mon esprit et mon corps de leurs doutes. De plus, le souvenir de mon désir avorté de la veille avait aiguisé mes sens, et je pris un plaisir souverain à fouiller son ventre de mes doigts avides et à la voir se cabrer de bonheur et de reconnaissance.

Lorsque je la quittai un long moment plus tard, elle dormait, un sourire léger aux lèvres, dans un froissement de velours, de lin et de soie.

Aliénor virevoltait devant son miroir, arquant avec délice son corps de gazelle pour mieux juger du port et du tombé de sa robe de noces.

– As-tu remarqué comme il m'a détaillée ? Il est déjà éperdument épris, j'en suis sûre !

Le chagrin, d'il y a trois mois à peine, avait laissé place à une jubilation grandissante, et, en ce dimanche 25 juillet 1137, Aliénor savourait les préparatifs de son mariage. Il est vrai que Louis avait été séduit au premier regard, oubliant dans la beauté de sa promise ses résolutions de prêtre. Elle avait réussi avec sa science du comportement humain à échanger avec lui quelques tournures d'esprit qui l'avaient surprise. Un peu frêle, pâlot et tristounet, Louis n'était pas sot. Il était lettré autant qu'elle pouvait l'espérer. Même si sa culture sentait l'encens, ils trouveraient au moins sur ce sujet un terrain d'entente. Pour le reste, il me suffisait de voir ses mains frémissantes pour deviner que ce futur roi obéirait corps et âme aux caprices de son épouse. Ce qui était de bon augure !

Aliénor avait congédié chambrières, coiffeuses et autres dames pour me garder seule à ses côtés. Dans moins de deux heures, les cloches de la cathédrale Saint-André sonneraient à tout rompre. Déjà, on entendait gronder la foule massée autour du palais de l'Ombrière.

Les gens étaient venus par centaines des quatre coins de l'Aquitaine, de la Gascogne, de la Saintonge, du Poitou, pour ne parler que des vassaux de la duchesse. Des acclamations de liesse se mêlaient aux odeurs de viande, de poisson, de pain, de caramel, de sauces et de fleurs.

— Cesse de rêvasser, Loanna de Grimwald ! Donne-moi ton sentiment, allons !

Elle me grondait avec des étincelles de bonheur dans les yeux. Je lui souris avec tendresse.

— Tu es irrésistiblement belle ! lui répondis-je sans mentir.

Elle battit des mains comme une enfant.

— Je le savais ! Vite ! Que cela arrive, je n'en puis plus d'attendre !

— À force de trépigner, tes mollets seront enflés. Que dira alors ton futur époux en découvrant pareils jambons ?

— Bah ! Ton eau de mélisse leur rendra leur finesse. Regarde plutôt tout ce monde ! J'ai reçu l'hommage des vicomtes de Thouars, des seigneurs de Lusignan et de Châtellerault, ceux-là mêmes dont père savourait l'importance. J'ai vu les barons de Mauléon et de Parthenay, ceux de Châteauroux et d'Issoudun, de Fezensac, d'Armagnac, il en vient même des Pyrénées, te rends-tu compte ?

Elle les énumérait sur ses doigts, étonnée de se souvenir de chacun.

— Tu oublies la délégation du roi de France avec Suger à sa tête, ajoutai-je, amusée.

— Oui, oui, mais leur équipage s'avère bien terne à côté de ceux de mes vassaux. Il est vrai que nous avons un train de vie bien plus fastueux que celui du roi lui-même ! Tant mieux, cela ranimera les vigueurs de ce cher Louis. Il n'est pas bien beau, mais il a quelque charme.

— Celui surtout d'être fou de toi et vulnérable de ce fait ! rétorquai-je, moqueuse.

— Comme tu me connais bien ! Comme je t'aime !

Elle s'élança vers moi et m'entraîna dans une folle danse pour finir par m'étreindre avec tendresse au creux de ses bras. Je glissai un baiser humide sur son épaule.

— C'est l'heure. Il faut y aller, duchesse. Reprenez donc un peu de dignité, le peuple attend de célébrer une reine.

Elle se redressa et acquiesça d'un signe de tête, domestiquant avec peine son excitation. Prise d'un doute, elle s'inquiéta pourtant :

— Tu seras près de moi, n'est-ce pas ?

— À chacun de tes mouvements.

— Ce n'est pas que j'aie peur, entendons-nous bien, c'est simplement que...

— Que tu as besoin de sentir mon parfum à portée de main, je sais. Même si tu ne peux me voir, je ne verrai que toi.

Lui prenant la main, je la guidai vers la porte. Elle inspira profondément.

Derrière les lourds battants de chêne, une vie nouvelle commençait.

Louis était recueilli, un chapelet entre les doigts. Tourmenté de questions, assailli de doutes, il ne trouvait le repos que dans la prière. Les recommandations de son père, haletant, le front en sueur, le ventre et l'estomac enflés, lui revenaient en mémoire :

— Protège les clercs, les pauvres et les orphelins en gardant à chacun son droit.

Alors, humblement, il s'était agenouillé pour recevoir ses paroles d'adieu :

— Que Dieu te protège des malandrins et des pillards, mon cher enfant. Qu'il accompagne ton voyage et te donne la force nécessaire pour accomplir ton destin. Seule cette pensée me rattache encore à la royauté et à cette vie qui me quitte. Sois digne de ma confiance. Sois digne de tes ancêtres. Sois digne de ce Dieu tout-puissant par qui règnent les rois.

Ces mots le hantaient, qui se superposaient aux prunelles d'étoiles de sa future. Il ne savait s'il devait se réjouir de l'amour qu'il lui portait déjà alors qu'il pressentait ne jamais revoir son père.

La veille de leur départ, il avait entendu Suger désigner à Hervé, son prieur (sur qui allait reposer la charge de l'abbaye Saint-Denis pendant son absence), l'endroit dans la crypte de la basilique où il devrait faire creuser la tombe du roi si l'inévitable venait à se produire avant leur retour. Il ne se sentait pas prêt, trop jeune, trop inexpérimenté. Suger avait tenté de le rassurer pourtant :

– N'ayez crainte. Les affaires d'État sont question de bon sens et de justice. Avec l'aide de Dieu et les conseils de vos aînés, vous gouvernerez avec équité.

Suger ! Heureusement, sa fidélité préservait le royaume ! Louis le Gros lui avait accordé sa confiance et jamais il n'avait eu à s'en plaindre.

Il soupira. Ces gens sous ses fenêtres étaient bien différents de ceux qu'il écoutait vivre au cœur de Paris. Ils paraissaient tellement excessifs. Son épouse aurait-elle plaisir à partager ses journées de recueillement et de vertu ? Elle était si fraîche, si volubile, si délicieusement femme, alors qu'il ignorait tout d'elle.

« Au fond, pensa-t-il, sa lumière éclairera un peu la grisaille de nos murs. Le destin eût pu la choisir laide et éteinte, et m'enchaîner à bien pire ! »

Le mariage fut sobre malgré la foule imposante qui se massait aux abords de la cathédrale. Fidèle à mon serment, je n'eus d'yeux que pour Aliénor, tant elle était majestueuse et belle, effaçant par sa seule présence celle de son triste époux qui, malgré ses habits de brocart et d'or, ressemblait davantage à un moine qu'à un futur roi.

La cérémonie terminée, tous deux s'avancèrent d'un même pas vers le palais de l'Ombrière, sous les cris de joie et les souhaits de bonheur, de prospérité et de longue vie. La ville croulait sous les guirlandes de fleurs, tandis que, foulées par le lent cheminement du cortège, les jonchées de pétales de rose répandaient dans la chaleur étouffante de juillet leur lourd parfum. Et, l'espace d'un instant, je m'imaginai, une main posée sur la mienne, marchant au milieu des sous-bois de Brocéliande vers l'autel de pierre, baigné de la musique cristalline des plis de la tunique de Merlin. Le regard gris de Jaufré vint me poignarder le cœur, et un grand vide m'envahit.

Je l'aperçus plus tard, lors du gigantesque banquet qui fit suite à la cérémonie. Les invités étaient près d'un millier, sans compter le peuple qui avait installé tables et couvertures dans les basses-cours du château et aux alentours pour partager les victuailles distribuées au tout-venant.

Dans l'immense salle de réception, pages et écuyers s'activaient à trancher les viandes, à servir les vins de Bourg et de Blaye, les médocs aux parfums de myrtille et de chêne, dans une ambiance de musique et de fête. Car Aliénor n'avait pas oublié de convier jongleurs, danseurs, acrobates, cracheurs de feu, montreurs d'ours, de chevaux ou de chiens, et ses troubadours. Jaufré était parmi eux, accompagné de son comparse Marcabru, qu'on surnommait « Panperd'hu » et qui vouait une passion sans pareille à la duchesse

Entrecoupant les plus célèbres gestes comme « La chanson de Gérard de Roussillon » ou « La belle aventure de Tristan et Iseult », leurs chansons vantaient les mérites et la beauté de leur muse, et la grandeur de son mariage. Jaufré rendit hommage à Guillaume le troubadour en interprétant quelques-uns de ses poèmes. Mon cœur s'emballa en l'écoutant, illuminant quelques étoiles de pluie dans mes yeux.

Mon voisin de droite, petit baron bien fait mais étonnamment prétentieux, les attribua au plaisir de sa brillante compagnie, ce à quoi je répondis d'une voix tranchante que certains avaient l'art d'attirer la convoitise et d'autres d'inciter à la solitude. J'ignore s'il voulut comprendre, mais il se montra moins imbu de sa personne pendant le reste du repas, réussissant même à plusieurs reprises à me faire rire.

Quelques heures plus tard, le vin avait fait son effet sur les convives, réduisant les distances entre ceux du Nord et ceux du Sud. Louis lui-même semblait moins prisonnier de ses coutumes et échangeait avec verve des propos plus légers. Le charme de l'Aquitaine avait opéré sur les cœurs ainsi que sur le mien lors de mon arrivée. La journée fut radieuse. Aliénor riait à gorge déployée, et je cherchais du regard celui qui, après m'avoir nourri de fougueuses œillades, s'était éclipsé de mon entourage, me laissant languir de son absence.

Vers la fin de la journée, j'eus besoin de m'isoler. Les vapeurs de l'alcool me serraient les tempes, bien que je n'eusse goûté ses délices qu'avec parcimonie. Prétextant quelque indisposition, je retournai vers mes appartements, enjambant les chiens qui se disputaient ossements et bons morceaux, et quelques festoyards endormis dans l'angle d'un mur ou sur des marches d'escalier.

Je longeais la coursive lorsqu'un accent de cithare me fit tressaillir. Je m'arrêtai, mais la musique s'était figée avec mon pas. Je devais rêver sans doute. Je repris mon chemin. Quelques notes accrochèrent de nouveau mes talons. Elles semblaient m'appeler, me guider. En face de moi, une chandelle brûlait, posée sur un des fenestrons de l'Arbalesteyre, non loin de ma chambre. Je me dirigeai vers elle, gravis l'escalier et me trouvai devant une porte entrebâillée. La musique m'attendait entre les doigts de Jaufré. La pièce n'était en réalité qu'un petit réduit parsemé d'étagères sur lesquelles étaient entreposés bougies de cire, brocs et bassines pour la toilette et mille autres ustensiles.

Je frémis de bonheur devant cet endroit insolite et son visage souriant, baigné du plaisir de ma visite.

— Le temps me comptait sans vous, murmura-t-il en posant son instrument pour m'attirer sur ses genoux comme une simple servante.

Je me laissai faire, prisonnière de l'envie de ses lèvres sur les miennes. Je ne l'avais pas revu depuis notre étreinte près du colombier. Il avait eu fort à faire en son comté à cause d'un seigneur voisin qui visait à s'approprier une partie de ses terres. Trois mois, trois mois sans le respirer, et enfin !

Nous nous embrassâmes éperdument. Tout en caressant ma nuque avec douceur, il m'annonça :

— Les jeunes époux vont séjourner une nuit à Blaye avant de gagner Poitiers. La duchesse m'a confirmé qu'elle acceptait mon invitation tantôt. Votre chambre est prête, j'aurai grand bonheur à vous la réserver quelques jours de plus.

— Je dois accompagner Aliénor à Paris.

— Certes, mais votre présence est-elle indispensable avant qu'elle y parvienne ? Prise dans le tourbillon des festivités et l'attachement de son époux, la duchesse n'aura que peu de liberté pour vous. Je vous en prie, Loanna, soyez mon invitée, le temps seulement de découvrir ma terre et ses gens, le temps d'apprendre mon désir de votre peau.

Je frissonnai sous ses caresses, tout en songeant combien il avait raison. Son absence l'avait rendu plus indispensable que jamais au moindre de mes souffles. L'heure était venue pour moi de devenir femme.

— Je resterai, murmurai-je sur ses lèvres.

Fou de joie, il m'enlaça à m'étouffer.

– Non, non et non ! Je refuse, entends-tu ?

Pour l'entendre, je l'entendais. À en avoir les tympans transpercés ! Aliénor hurlait dans mes oreilles depuis une dizaine de minutes sans me laisser la moindre possibilité de répondre.

C'était la première fois depuis mon arrivée à Bordeaux que j'étais la cause d'une de ses colères. Pis, de sa jalousie possessive. Partant de cet odieux principe que je lui appartenais comme toute chose dont elle avait envie et jouissait, il était hors de question que je puisse m'abandonner hors de sa présence. Qui plus est dans les bras d'un de ses vassaux.

Ce qu'elle redoutait le plus, en fait, était simplement que je lui échappe ! Je m'amusais donc de cette démesure, ce qui ne faisait qu'accentuer une rage qui lui mettait un fard aux joues et un regard d'incendie de forêt. Pour rien au monde, je n'aurais renoncé à la proposition de Jaufré. D'autant plus que ma certitude augmentait à mesure que sa colère empirait. Je n'aurais que plus d'influence à mon retour.

Elle gesticulait tel un animal en cage. Je m'étais alanguie sur le canapé bas de son boudoir et me tenais drapée dans un silence qui ne plaidait en rien ma cause.

Il fallait toutefois en finir. Cela ne tarda plus. Comme à son habitude, elle se mit en devoir de larmoyer sur l'injustice de son sort :

– Tu ne m'aimes pas !

Je soupirai avec tendresse.

– Allez-vous vous taire, duchesse ?

Elle éclata en sanglots démesurés. Si sa stratégie avait de fortes chances d'influencer son benêt de mari, il y avait pour ma part bien trop longtemps que j'en connaissais toutes les astuces.

– Tu avais promis de m'accompagner !

– De te suivre, plutôt. C'est ce que je vais faire. Allons, Aliénor, cesse de te comporter comme une enfant gâtée. Quelques semaines seulement, pendant lesquelles ta couche sera bien gardée par ton époux et l'Église. Qu'aurais-je à faire sinon languir de ne pouvoir t'approcher ? Tu feras le voyage au côté des dignitaires. Je n'ai d'autre titre que celui de dame de compagnie, l'oublies-tu ? Ma présence ne pourrait que troubler le semblant d'intimité qu'on te laissera.

— Tu m'oublieras !

— Ne sois pas sotte ! Tu possèdes le plus mauvais caractère de toute l'Aquitaine, duchesse, mais je n'en connais aucune qui possède ton intelligence.

Elle s'arqua sous l'insulte, piquée au vif :

— Je pourrais te faire battre pour ton impertinence !

— Et qu'invoquerais-tu pour motif ? Une raison dont tous ici peuvent vérifier l'évidence ? Paix, ma duchesse. Quelques semaines et je reviens, pour toi.

— Il va t'aimer !

— Je l'espère bien !

— Tu le désires donc ! Pourquoi lui ? Il est laid, sans envergure, sans...

— Sans royaume autre que celui des mots dont il chante les couleurs. Sa palette me plaît. Et ce qu'il est de même ; certains sentiments échappent à la raison.

— Tu avoues donc l'aimer !

— Désirer sa présence à mes côtés quelque temps. Et connaître ce pays dont il est si fier et que tu m'as dépeint tel un enchantement. Allons, suffit à présent. Je n'admettrai plus de querelle à ce sujet.

— Je te hais, Loanna de Grimwald !

— Autant que tu m'aimes !

— Je me donnerai à Louis !

— C'est ton devoir d'épouse !

— N'as-tu donc aucun orgueil ?

— Point de trop, damoiselle.

Vexée, elle tourna les talons et sortit en claquant la porte, ce qui relevait de l'exploit compte tenu de l'épaisseur de celle-ci.

J'allais devoir jouer finement. Je n'avais pas coutume de voir les rages d'Aliénor se prolonger au-delà de quelques heures. Toutefois, celle-ci dura jusqu'à notre départ de Bordeaux.

Suger était inquiet pour le roi de France dont il pressentait la fin proche. Il demanda l'autorisation à Aliénor d'abréger autant que possible les festivités. Ce qui n'était somme toute pas chose aisée. Le peuple et les seigneurs déplacés pour la circonstance attendaient du duché d'Aquitaine de somptueuses réjouissances, et l'on avait encore en mémoire le mariage du père d'Aliénor qui s'était étalé sur plusieurs mois. Que penser alors d'un hymen d'aussi pauvre apparat ?

Contre toute attente, cependant, Aliénor consentit. Nous ne demeurâmes à Bordeaux qu'une quinzaine.

Durant celle-ci, ce ne fut que plaisir pour les yeux tant la ville, illuminée du soir à l'aube par des milliers de chandelles, ressemblait à une jonchée d'étoiles. Sans compter le grouillement perpétuel de chaque côté des rives de la Garonne. Les barques, barges et bateaux ne cessaient de se relayer pour promener les manants et les notables d'un bord à l'autre quand ce n'étaient pas denrées et étoffes, vins ou spiritueux.

Aliénor m'évita soigneusement, ce qui ne veut pas dire qu'elle ne me provoqua pas. Au contraire, je devinais chacun de ses gestes et attitudes à l'égard de Louis comme une manière d'aiguiser ma propre jalousie. Je présumais qu'elle en tirait une vengeance qui lui faisait du bien. Au fond, c'était tout ce qui comptait.

Si cette guerre froide n'avait qu'une importance relative dans le cours des événements à venir, elle me posait toutefois un problème certain. Pendant mon absence, il était évident qu'Aliénor deviendrait l'amante de Louis. Pour être moine dans l'âme, ce jeunot n'en était pas moins homme, et je savais combien il était difficile de résister à cette tentatrice. Or, il était capital qu'Aliénor reste stérile ; si elle donnait un fils à Louis, elle demeurerait à jamais la mère d'un futur roi de France. Autant dire que cela serait désastreux ! Quant à lui faire prendre une potion à son insu, ce n'était possible que dans la mesure où je demeurais à ses côtés. Inutile de songer à m'allouer les services discrets d'une servante, voire de quelqu'un de son entourage. L'amitié dont elle me couvrait avait amené suffisamment de rancœur autour de nous pour que l'on contrefasse mes intentions ou pis encore.

À moins que…

– Que veux-tu ?

La question était formulée comme un reproche. Il ne m'avait pas été difficile d'obtenir un entretien avec mon « ennemie ». Je m'étais présentée devant elle en toute solennité, réclamant comme n'importe quel autre de ses vassaux une audience privée. Surprise par ma requête pour le moins inaccoutumée, elle consentit à me recevoir, supposant sans doute que quelque sujet primordial méritait tant d'artifice.

Sous son air hautain, je la devinais tremblante. Elle jouait avec moi un jeu qui était loin malgré tout de la satisfaire. Je lui manquais. Je m'en servis. Me drapant derrière ces nouvelles conventions entre nous, je mis un genou à terre devant elle, puis, le plus sérieusement du monde, lui annonçai l'objet de mon « tourment ».

— Vous m'avez fait l'honneur autrefois de me confier certaine échappée nocturne au monastère de Belin, en compagnie, si je me souviens bien, de votre oncle, ainsi que les conséquences qui en découlèrent...

— Où veux-tu en venir ?

Le ton était agacé, autant par mon discours que par sa forme protocolaire :

— J'en veux venir au fait qu'ayant fait appel alors au service d'une sorcière pour faire disparaître de votre ventre le fruit de cet amour illicite, vous vous trouvez sans doute aujourd'hui dans l'impossibilité de procréer de nouveau.

Elle blanchit, prête à défaillir. Je me relevai, et la soutins jusqu'à un fauteuil. Elle tremblait, livide, et me regardait telle une naufragée. J'insistai :

— Une future reine se doit de donner des héritiers au trône. Que fera Louis, selon vous, lorsqu'il s'apercevra au terme de longs mois d'attente que son épouse ne porte pas sa descendance ?

— Oh ! Loanna, que vais-je faire ? Je n'avais pas songé à pareille situation, je...

Elle éclata en sanglots, et ceux-ci étaient sincères. La tension qu'elle avait maintenue entre nous l'avait affaiblie. Je berçai avec tendresse son corps voûté, accablé par la détresse.

— Allons, ma duchesse, ne pleure pas. Crois bien que je ne t'aurais pas mise en tourment si je n'avais la solution à cette question.

Elle releva son visage de rivière, une lueur de confiance dans le regard :

— Tu... ?

J'extirpai de mon sein une fiole que j'avais attachée par un cordon de soie à mon cou.

— Trois gouttes seulement après chacun de tes hymens avec Louis. Pas davantage.

— Et tu es certaine que...

— C'est ce que m'a affirmé la sorcière que j'ai vue et à qui j'ai confié le secret d'une certaine dame.

— Comment l'as-tu connue ?

— Tout est possible à qui le souhaite. Que ne ferais-je pour toi ?

— Tu m'aimes donc toujours ?

— En doutais-tu vraiment ?

Je glissai ma bouche sur la sienne et la rassurai d'un baiser.

— Je serai près de toi à chaque instant, ne l'oublie jamais.

Elle hocha la tête. Je passai à son cou la cordelette et dissimulai d'un doigt sensuel la fiole dans sa gorge frémissante.

— Ce soir, oui... Je viendrai.

7

Jaufré n'avait pas menti.

Certes, j'avais eu l'occasion de descendre l'estuaire pour atteindre Bordeaux, mais je le voyais ce jourd'hui avec un regard nouveau. Peut-être était-ce tout ce que m'en avait confié mon troubadour, peut-être aussi m'étais-je suffisamment attachée à cette terre pour mieux en découvrir les recoins les plus secrets. Peu importait, au fond. Nous abordâmes à Blaye au soleil couchant, alors que l'eau brassée par la marée s'embrasait dans ses remous et rejoignait le ciel. Les îles en face se découpaient telles des montagnes d'ombre, et l'on distinguait dans une ondée de coquelicot et d'ambre l'horizon du Médoc.

Sur la butte, Blaye semblait nous appeler avec ses guirlandes de fleurs aux balustres et ses mains qui s'agitaient pour nous faire signe. Ici aussi, chacun guettait l'apparition de la future reine. Le château se devinait en haut de la falaise, à gauche de la ville, mais, pour le voir, il fallait longer l'estey plus amont.

Notre bateau s'ancra dans le fleuve en face de l'embouchure de la rivière qu'on appelait joliment « le Saugeron ». Jaufré nous attendait sur le ponton, vêtu non plus comme un modeste troubadour, mais comme le seigneur des lieux, avec un habit et des chausses de velours ainsi qu'un mantel bordé d'orfroi qui le faisait ressembler à un if. Ses longs cheveux clairsemés retenus par un lien de soie balayaient de quelques mèches rebelles ses joues creuses. Je fus subjuguée par cette vision tant Jaufré était majestueux dans sa simplicité, tandis que derrière lui le promontoire rocheux détaché par le contre-jour s'auréolait d'un brasier somptueux.

Il était entouré des notables et des abbés, d'enfants qui portaient des bouquets et des fruits, tous touchés par l'honneur que nous leur faisions de séjourner une nuit dans leur fief.

Aliénor s'en émut sincèrement, troublée sans doute aussi par la beauté du spectacle. Malgré le désaccord de Suger qui souhaitait hâter le voyage, le cortège s'était scindé en deux groupes. L'armée du roi constituée de plus de trois mille soldats était partie par les terres avec les chariots, la suite d'Aliénor et de Louis par le fleuve. Tout le monde devait se rejoindre le lendemain au lieu dit « Les quatre four-ches » qui était l'un des points de rassemblement de l'ancienne voie romaine.

Toute la délégation, Jaufré, Aliénor et Louis à leur tête, suivis de Suger et des abbés de Saint-Sauveur et Saint-Romain, puis de cha-cun selon son titre et son rang, s'avança vers le château. Il était tel que je l'avais imaginé, bien moins gigantesque que le palais de l'Ombrière et même que celui dans lequel j'avais passé mon enfance, mais de proportions harmonieuses, disposé habilement sur le plateau en recul de l'estey, avec une esplanade qui courait jusqu'aux murailles ceinturant la butte. De sorte que l'on n'apercevait l'eau que depuis les tours qui lui faisaient face.

Le pont-levis était abaissé, et je fus surprise de constater qu'une douve contournait la bâtisse alors qu'il en existait autour du tertre. Jaufré nous expliqua qu'ils avaient détourné un bras du Saugeron et que, sans avoir de véritable utilité défensive, il apportait fraîcheur autour du château et plaisir aux enfants qui parfois venaient y faire quelque pêche miraculeuse.

Nous fûmes servis dans une salle de dimensions agréables, suffi-sante toutefois pour recevoir la centaine de convives que nous étions. Le repas fut arrosé des vins des abbayes, et il me sembla n'avoir rien bu auparavant de plus savoureux. Peut-être encore une fois était-ce cet endroit plus que le reste qui donnait tout son sens à mon plaisir. Quoi qu'il en fût, lorsque nous gagnâmes nos chambres, nos oreilles et nos yeux gardaient encore l'empreinte de l'hospitalité du maître de céans.

À son ordre, l'on me dirigea vers une des tours face à l'estey. Mes appartements étaient tout en haut, au terme d'un escalier circulaire qui desservait chaque étage. Pas très grande, les murs en pierre de taille et moellons revêtus de tapisseries et de tentures aux fenêtres, ma chambre me rappela celle d'Angers. Le lit était couvert d'un des-sus de peau de bête, de même que le sol devant la cheminée qui lui faisait face. Une armoire qui touchait le plafond dégageait une odeur d'écorce d'orange, fruits rapportés lors de la première croisade et qu'Aliénor m'avait dit se plaire en Aquitaine, dans certains endroits ensoleillés. J'avais savouré le goût de ces fruits ronds et juteux, ainsi que leur parfum. Jaufré avait dû s'en souvenir.

Une coiffeuse en vergne surmontée d'un miroir accueillait des onguents et des parfums rares, ainsi que des brosses en poil de loutre et un bassin empli d'eau de mélisse et de rose.

Dans la lueur des chandelles, j'eus l'impression d'être chez moi.

Jaufré ne vint me rejoindre que plus tard. Mes effets m'avaient été apportés dans leurs malles, et Camille achevait de me passer ma chemise de nuit, lorsqu'il s'annonça à ma porte.

Mon cœur s'emballa, tant j'avais passé de minutes à guetter un pas dans l'escalier et espéré son souffle sur ma peau. Camille le fit entrer sur un signe et s'effaça aussitôt dans l'antichambre.

Je m'installai devant la coiffeuse et entrepris de brosser mes cheveux dénoués pour garder une contenance. Jaufré s'avança derrière moi, les souleva lentement et déposa un baiser tendre sur ma nuque. Un frisson glissa le long de mes reins ; lors, n'y tenant plus, je me jetai dans ses bras.

J'aurais aimé qu'il reste, mais il n'en fit rien. Il me dit combien ma présence le bouleversait, mais, encore une fois, celle d'Aliénor en ses murs l'exhortait à la patience. Il s'en fut sur la promesse d'un demain qui me laissa pantelante et incapable de trouver le sommeil. Quant à rejoindre Aliénor, dans ce dédale de couloirs il n'y fallait pas songer sans risquer de me perdre.

Pour la première fois depuis longtemps, je comptai les heures jusqu'au lever du jour.

Peu après matines, Aliénor et sa suite s'engagèrent sur la voie romaine pour rejoindre Taillebourg à la nuit et Poitiers ensuite. Elle me prit en aparté quelques minutes avant son départ, me faisant promettre de ne point trop tarder. Elle dut cependant sentir mon bonheur d'être en ces lieux, car elle s'éloigna en me lançant à la dérobée quelques œillades inquiètes.

Jaufré ne reparut pas avant prime. L'on m'entoura pourtant de mille soins, et une chambrière s'annonça à mon service pour enseigner à Camille comment préparer un bain de fleurs d'oranger. Les vertus de cet arbuste semblaient multiples. Les Arabes, selon Aliénor, l'utilisaient de mille manières dans leur pharmacopée, et je me promis d'en étudier les possibilités dès que l'on m'en laisserait le loisir, tant je sortis détendue et rafraîchie de cette trempette

Depuis ma fenêtre, je pouvais découvrir l'esplanade du château et ses jardins découpés en massifs de fleurs et de rocaille, bordés de vergnes à l'entour de la douve. Il était curieux de voir que Blaye, ville défensive par excellence, moult fois assiégée au cours des précédents siècles, s'ornait de telles parures dans l'intérieur. Je me doutais que le goût certain de son seigneur pour les arts et les ornementations en était l'une des causes premières. À portée d'horizon, je distinguais le lent mouvement du fleuve et son mascaret, les échanges entre les îles et le continent, et le trafic des bateaux, incessant et varié. Tout n'était que ravissement. Même si Bordeaux possédait un charme opulent et certain, ici l'on avait la sensation d'être coupé du monde, vivant dans une paix à laquelle l'harmonie des lieux conservait une identité propre.

Nous prîmes notre matinel en tête à tête. Non point dans la salle à manger qui nous avait accueillis la veille, mais dans une sorte d'arrière-cuisine, meublée sommairement d'une table massive longue tout au plus de six pieds, de deux bancs, de quatre petits buffets en chêne patiné à la cire d'abeille, et d'une cheminée dans laquelle un chaudron fumant dégageait une odeur de soupe épaisse. Deux couverts avaient été dressés, mais point d'orfèvrerie. Un bouquet de roses d'un blanc laiteux avait été posé au centre de la table, juste à côté d'une miche de pain rond à peine sortie du four.

Je trouvai Jaufré en bottes, un pied négligemment posé sur une des marches de la cheminée, goûtant voluptueusement à la louche un fond de potage. Son bliaud de lin écru ceinturé d'une tresse de cuir et de corde sur ses braies sombres le faisait paraître un de ces manants qui cultivaient ses terres, et nul, entrant en ce lieu, n'aurait pu imaginer qu'il en était le maître.

La servante qui m'avait accompagnée referma la porte derrière moi, et l'impression que j'eus de ce tableau me bouleversa. Moi, la sauvageonne, à mi-chemin entre la terre, le ciel et la pierre, je voyais en cet endroit la douce chaumière que j'avais abandonnée à Brocéliande, pour entrer de plein cœur dans la magnificence du palais de l'Ombrière. Des larmes de bonheur me nouèrent la gorge. Se pouvait-il qu'il sache qui j'étais au plus secret de mes racines ?

Je n'osai faire un geste, pétrifiée par l'image, par cette chaleur qui respirait le modeste et la sérénité. Jaufré sourit de plaisir. Il s'approcha et me prit les mains pour me conduire à table. Il m'y installa sans mot dire, puis, saisissant mon assiette, comme n'importe lequel de ses pages, il me servit une grosse louche de soupe épaisse. Il en fit de même à son profit, puis remplit avec désinvolture nos gobelets de ce vin un peu aigrelet mais savoureux dont il avait privilège.

Je ne savais trop que dire. Tout cela était si...

– Mange, murmura-t-il tendrement, optant brusquement pour un tutoiement non conventionnel, tandis qu'il s'asseyait à son tour.

Il trancha le pain d'une lame agile et l'émietta dans son assiette, me tendant ensuite un morceau pour que j'en fasse autant. Je hochai la tête, mais je sentais des larmes couler sur mes joues. Depuis longtemps je n'avais éprouvé pareil bonheur.

– J'aime ta pluie. Elle abreuve ma terre trop vainement stérile. Ici rien n'existe sans cette eau. Ni ce vin, ni ce pain, ni ces roses. Je t'aime Loanna.

– Comment as-tu su ? parvins-je à bredouiller, éperdue de tendresse et de gratitude.

– Je ne sais rien. Je t'appartiens. Lorsque j'étais enfant, dans cette même pièce, je restais souvent au milieu des servantes qui préparaient tourtes et tartes, soupes et entremets, et je trempais mes doigts dans les pots de crèmes, savourant chaque odeur ; ou parfois, je m'installais sur cette pierre dans l'âtre, là où le feu venait lécher mes chausses, et je les écoutais se raconter leurs soucis quotidiens. Elles faisaient peu attention à moi, prisonnières de leurs besognes qu'elles accomplissaient toutefois sans rechigner, avec fidélité et honnêteté, tant il était vrai qu'au service de mon père elles étaient bien nourries et logées. Mais j'entendais leurs préoccupations, et ce qui se racontait dans le village sur la condition des serfs et des manants. Cela me distrayait, parfois me chagrinait. À certains moments, l'une d'elles me découvrait, alors elles faisaient silence, me donnaient un bout de gâteau et, le plus affectueusement du monde, me mettaient à la porte. Il ne fallait pas se plaindre devant le fils du seigneur. J'ai souffert d'être séparé de cet endroit quand les ducs d'Aquitaine s'emparèrent de Blaye et détruisirent pour obtenir ce lieu une partie de ma petite enfance. Cette pièce, pourtant, je la retrouvai intacte, au terme de longues années de solitude à chercher à reprendre mon bien. Ce jourd'hui, j'en ai fait un pays où chacun puise dans la terre matière à nourrir sa famille. Les vilains n'ont plus peur de s'adresser directement à moi lorsque je me rends auprès d'eux, et je suis fier de recevoir leurs revendications, malheureux de ne pouvoir les satisfaire toutes, mais serein de tenter de leur venir en aide malgré tout. C'est ici, dans cette pièce, que je me sens le mieux. Les seigneurs ne sont les maîtres que dans leurs châtellenies. Ailleurs, ils ne sont rien. J'ai voulu ici n'être qu'un troubadour, apte à gérer ses domaines certes, mais aussi modeste que ses gens au fond du cœur. Je n'ai de fortune que cette terre, mais elle est déjà tienne tant tu lui ressembles.

– Que pourrais-je répondre, Jaufré ? Tout ici me parle un langage dont je sens la chaleur et la force. Et cependant tant de choses nous séparent, que tu ignores et qui me retiennent prisonnière d'un autre destin.

Il haussa les épaules d'un mouvement las, sans toutefois se départir de son sourire.

– Le temps n'est pas venu, simplement. J'ai confiance. Allons, mangeons, puis je t'emmène par-delà les chemins visiter mes terres.

Visiter ses terres !

Il avait dit cela le plus naturellement du monde, alors que chacun des lieux m'enchanta. Nous parcourûmes les sentiers qui conduisaient jusqu'à la châtellenie de Bourg, passant par des villages charmants du nom de Sainte-Luce, Plassac, Gauriac. Tous bordaient l'estey, auquel ils étaient rattachés par un petit appontement où des barques attendaient la marée, enlisées dans leurs îlots de vase. Des champs de céréales glissaient jusqu'aux bords, et, sur les coteaux les plus ensoleillés, des vignes portaient un raisin d'un grenat somptueux qu'entouraient des nuées d'abeilles. Jaufré m'expliqua que les vendanges seraient hâtives cette année, probablement début septembre tant la chaleur était lourde, sans être orageuse. Il me montra les fûts dans lesquels le vin attendait d'être bu, les pressoirs à leviers et à vis dont on se servait pour extraire le jus, et il me raconta avec bonheur les étapes successives de la vinification.

Les petites gens nous accueillaient avec de grands sourires, faisaient révérence mais ne s'y attardaient pas, tant la gentillesse de leur seigneur se reconnaissait partout. Je pus à loisir vérifier à quel point il était aimé.

Nous regagnâmes Blaye, alors que le soleil déclinait ses derniers hommages au fleuve. Là, Jaufré me reconduisit cérémonieusement devant ma porte et, sur un baiser léger du bout des lèvres, me quitta sans un mot. J'avais appris à cultiver l'attente à son contact, et ne demandai rien cette fois.

Je m'alanguis à ma toilette, savourant de laisser couler sur ma peau l'eau de rose que l'on avait renouvelée dans la bassine. Découvrant les senteurs subtiles des onguents préparés à mon intention, Camille m'en enduisit généreusement de la tête aux pieds. Elle dénoua mes cheveux et les brossa, puis je la congédiai. Camille était habile, généreuse et discrète. Je sentais qu'elle m'appréciait sincèrement autant que je l'appréciais, et cette complicité m'était fort agréable. Lorsque je fus seule, je froissai le vêtement étalé sur le lit, me refusant à le passer tant la nuit était chaude. Je m'accoudai à la fenêtre dont le vantail tendu de papier huilé était largement ouvert pour laisser entrer la brise marine, après avoir mouché les chandelles dont je n'avais nul besoin. La nuit était belle, chargée de mille parfums, et le souvenir d'une autre semblable me revint en mémoire. Ma tendresse émue revit une petite tête hurlante dans les bras de dame Mathilde.

J'entendis à peine la porte s'entrouvrir, bercée par les bruits nocturnes. Mais je devinai sa présence dans l'ombre et son parfum de lys à quelques pas derrière moi. Je n'osai bouger, délicieusement troublée par l'impudeur que ma nudité lui offrait. La lune dessinait mon corps en contre-jour, et le regard de Jaufré me brûla autant qu'une étreinte. Ici il était le maître, et je n'avais d'autre désir que d'être une servante soumise à ses caprices.

Lorsque instinctivement mes reins se cambrèrent, il s'approcha et moula son ventre à leur courbe. Il me redressa lentement contre son corps, emprisonnant mes seins durcis dans ses paumes. J'en frémis de plaisir. Il me caressa longuement, me laissant à peine le temps de reprendre un souffle que je ne contrôlais plus, épuisant ma chair d'un plaisir à fleur de peau. Puis la douleur vint, foudroyante au creux de mes reins, écartelant mes cuisses offertes sous la poussée de son sexe gonflé. Elle ne dura pas pourtant, se perdit dans un cri, puis, me faisant prisonnière de son va-et-vient incessant, m'immola tout entière à sa jouissance, tandis que tressautait contre mon cœur fou la pierre de lune sertie de lumière.

J'appris de son corps toutes mes audaces et, lorsque le coq chanta sous ma fenêtre, j'étais épuisée de plaisir et de tendresse. Nous nous endormîmes dans les bras l'un de l'autre jusqu'à prime, ivres de bonheur.

Je m'éveillai au parfum d'une rose posée avec délicatesse sur l'oreiller de plumes. J'étais seule. Le souvenir de ses mains sur mes courbes me grisa, accentuant d'un coup le manque de lui. Je me levai et appelai Camille. Elle m'habilla, un sourire coquin au coin des lèvres, sans toutefois oser la moindre remarque. Je me doutais bien que le bruit de ma nuit agitée avait dû parvenir jusqu'à sa couche, aussi me contentai-je d'un clin d'œil complice dans le miroir.

– Repose-toi pendant mon absence, lui suggérai-je lorsqu'elle eut achevé de me parer.

Sur ce, je descendis l'escalier de bois vers les cuisines où une odeur de poulardes rôties chatouillait mon appétit.

Jaufré, me dit-on, était occupé à régler une méchante affaire entre deux paysans. J'hésitai un instant à troubler sa justice, mais optai finalement pour les jardins du château qui s'alanguissaient jusqu'au bord de la falaise surplombant l'estey. Bercée par le reflux d'une marée brune, je m'enivrais de l'attendre, l'esprit frémissant au souvenir de cette nuit. Lorsque son pas accrocha les gravillons du sentier, je sus que, quoi qu'il advienne, je lui appartenais toute.

Il embrassa ma chevelure et murmura seulement :

– Viens.

Quelques instants plus tard, montée sur Granoë, je suivais sa silhouette gracile qui m'entraînait vers les palus, au pas tranquille de son palefroi. Encore une fois, je fus éblouie par la diversité des paysages qui constituaient sa terre. Cet endroit était extrêmement différent de ceux que j'avais visités la veille. Ici, point de vigne ou de culture de céréales. Seule la brande poussait. Des centaines d'oiseaux dont je n'avais même pas idée peuplaient l'endroit, de même que des rats et des chats sauvages, du gibier d'eau, des hérons, sans parler des anguilles au creux de la vase dont Jaufré m'assura qu'elles étaient un mets de choix. Jamais je n'avais vu autant d'animaux à la fois, qui se soulevaient sous les sabots des chevaux ou s'échappaient dans les herbes hautes.

Nous rencontrâmes des petites gens qui ramassaient du bois, ou relevaient des collets affectés au braconnage. Jaufré faisait mine de ne rien voir. Parfois, pris sur le fait, un de ceux-là tendait en suppliant clémence une grive ou une palombe. Jaufré jouait alors son rôle de seigneur. Il grondait, sourcil froncé, et promettait la bastonnade à la moindre récidive, mais refusait de prendre l'objet du délit. L'on s'éloignait sur un : « Ça ira pour cette fois, mais que je ne t'y reprenne pas ! »

Nous avions conscience l'un et l'autre qu'il n'y changerait rien. Jaufré n'avait pu abolir toutes les coutumes. Il souhaitait pourtant que chacun mange à sa faim et savait que nombre de vagabonds vivaient du fruit de la chasse ou de la pêche sans payer leur tribut. Il ne pouvait satisfaire chacun et trouvait injuste que certains n'aient rien quand il possédait tout. Lors, il fermait les yeux sur ces pratiques ancestrales. Le palus lui en offrait la possibilité sans rien voler à quiconque. Les abbés eux-mêmes, bien qu'habiles négociants, se débarrassaient de leurs pauvres en les dirigeant vers les « créatures que le Seigneur tout-puissant avait placées en abondance sur leur chemin ».

L'Église !

Il me fallut assister à chacun des offices, tant à l'abbaye de Saint-Sauveur qu'à son homologue de Saint-Romain, m'ennuyant à mourir de ces simagrées de prière vers un Dieu qui, comme auparavant, me laissait perplexe. Certes, j'avais coutume de me rendre aux différents offices au côté d'Aliénor, mais ici, cela me devenait une véritable torture tant j'avais à découvrir auprès de mon aimé. Je dus chaque fois me faire violence pour trouver des raisons de courber la tête quand l'envie me prenait de chercher d'un œil gai tel nid d'oiseau perché sur une colonne ou sur l'épaule d'un saint de pierre. Jaufré, lui, se recueillait avec ferveur, et j'étais touchée au plus secret de mon être, effleurant avec douceur son coude sur le prie-Dieu, tentant par ce simple geste de lui communiquer ma force et mon savoir.

Il disait souvent au sortir de l'abbaye qu'il tirait sa musique de ces moments de recueillement, mais je savais qu'il n'en était rien. Jaufré était un sensitif. Chaque événement aussi anodin soit-il emplissait son esprit et son cœur, et il en restituait l'émotion ou l'empreinte dans ses chansons. Dieu n'était qu'une excuse à son talent, moi je l'aimais pour sa faiblesse.

Il pleurait comme un enfant lorsque les notes s'égrenaient sous sa mandore. Sa voix alors s'élevait, transportant jusqu'aux nuages un chant d'amour qu'il ne maîtrisait pas, et moi, assise à ses pieds telle une humble servante, le regard en pluie, je notais ses paroles pour qu'il puisse s'en souvenir lorsque son chant se serait tu. Ensuite seulement, il réapprenait chaque mot oublié, chaque mélodie que je fredonnais. Ainsi composait Jaufré. Sans préméditation.

Et je buvais son souffle, ses larmes brûlantes qui noyaient les miennes et se perdaient dans nos baisers, enflammant nos corps et nos âmes d'une complicité dans laquelle nous n'étions plus qu'un. Jamais je n'avais connu telle plénitude. Les jours qui passaient m'enrichissaient de bonheur, de confiance, et j'aurais voulu qu'ils ne finissent pas.

– Le roi est trépassé.

La nouvelle me poignarda. Jaufré était assis au bord du fleuve, au pied de la falaise, à cet endroit où des enfants pêchaient des crevettes grises. Il jouait avec un bâton noueux à les torturer dans la nacelle d'osier à demi remplie de vase, les chausses enfoncées dans le limon.

J'étais venue le rejoindre après l'avoir cherché dans le château, avertie par un enfant qui m'avait indiqué le chemin. Cela faisait maintenant trois semaines que j'étais à Blaye, sans aucun souci du temps qui passe.

Il n'avait pas bougé à mon approche, pas même relevé la tête, le regard éteint fixé sur ses victimes. Il ne les voyait pas. Seuls ses mots me parvinrent, comme une sentence. Je me laissai tomber à ses côtés dans l'herbe maculée de boue et de vase.

La marée était basse, dénudant les îles en face, enfouissant jusqu'à la cale les embarcations dans sa visqueuse épaisseur. Quelques nappes d'un brouillard chaud frôlaient la surface

Je lui pris la main qui écrasait le bâton. Il le lâcha à mon contact et agrippa mes doigts de toutes ses forces comme un naufragé pour ne pas sombrer. Il me fit mal, pourtant plus il serrait ma main, plus la douleur dans mon ventre s'amenuisait. Nous restâmes ainsi, immobiles, à fixer l'horizon.

– Épouse-moi, Loanna. Toi seule es digne de cette terre. Épouse-moi, gémit sa voix soudain désespérée.

Elle me bouleversa. Ma gorge s'inondait de cette vague qui remontait le long de mon cou, sans pouvoir atteindre mes yeux et déverser son trop-plein. C'était un peu comme si, de ne pas bouger, l'on pouvait arrêter l'instant, prolonger ce présent à l'infini.

– Je dois partir, murmurai-je malgré moi. Mais je te fais serment que nul autre jamais ne sera de ma chair. Je t'aime, Jaufré de Blaye

– Je t'attendrai... je t'attendrai, répéta-t-il, le timbre assourdi par le chagrin.

Deux jours plus tard, je laissai derrière moi la ville haute et ses remparts, ses jardins et ses gens, sa musique et sa souffrance. Les cloches de l'église de Saint-Martin sonnaient à l'instant où je franchis la voie romaine en direction de Poitiers, comme un glas que je n'oublierais plus. Alors seulement, elles se mirent à couler, mes larmes de marée. Nous étions le 20 août 1137.

Aliénor était reine de France.

8

Le vicomte de Châtellerault était un homme courtois et avenant. Il m'avait accueillie avec effusion comme seuls savaient le faire ces gens du Midi que j'affectionnais de plus en plus, et son accent chantait avec douceur dans une voix de basse. Je l'écoutais avec plaisir raconter moult anecdotes sur ses terres et me parler de son amitié sans faille avec les comtes de Poitiers. Jaufré m'avait hautement recommandé de faire escale chez lui, et je m'en réjouissais depuis mon arrivée, tant l'homme était plaisant. Il avait une quarantaine d'années, les cheveux bouclés poivre et sel retenus par un lien de cuir sur les épaules, la barbe fournie dans laquelle dansaient, insoumis, de fins fils d'argent, et une taille alourdie par défaut d'activité. Le bonhomme dégageait une sorte de jovialité qui le baignait tout entier, sans doute à cause de son regard malicieux, et aussi de ce rire qui éclatait, sonore et vif comme un coup de tonnerre. De sorte que le repas me fut un enchantement après cette longue journée de route où mes pensées à tout bout de champ me ramenaient auprès de Jaufré.

La conversation dévia sur ses deux fils aînés qui avaient suivi Aliénor à Paris et devaient être sacrés chevaliers aux prochaines fêtes de Pentecôte, et sur cet heureux mariage, bien qu'il manifestât quelques craintes à savoir unis ces gens du Nord et du Sud, si différents par les us et coutumes. Plusieurs fois, en s'échauffant par l'ardeur d'un récit, le vicomte rougit jusqu'à la racine des tempes et sembla prêt à exploser, alors il levait son verre empli d'un vin acide et buvait à grandes goulées en faisant un gargouillis de glotte qu'imitait à perfection le plus jeune de ses fils, Thierrey.

Lorsque les entremets furent balayés d'un dernier sursaut d'appétit, le vicomte se leva de la longue table et s'installa cérémonieusement dans un fauteuil ouvragé au coin de l'âtre dans lequel flambait une bûche de chêne. Il m'invita à prendre place devant lui sur un banc et toute la joyeuse tablée s'assit à même le sol sur l'épais tapis qui recouvrait les carreaux de terre cuite, tandis que le jeune Thierrey se blottissait entre les jambes de Loriane, l'épouse du vicomte. Alors seulement, mon hôte saisit une harpe que je n'avais pas même remarquée. La calant avec habitude entre ses genoux, il se mit à faire courir ses doigts boudinés sur les cordes. Sa voix s'éleva, chaude et harmonieuse, et tous, en un instant, furent pendus à ces notes qui montaient comme montaient dans l'âtre noirci des étoiles de feu. Il chanta une chanson ancienne qui parlait d'un dragon et d'un chevalier à l'épée merveilleuse qui, pour conquérir sa belle, brava mille morts et ramena le cœur de l'animal. Puis sa voix se fit nostalgique, et il entonna une chanson qui pleurait les amours malheureuses d'un jeune homme et de sa belle, promise à un autre. Du fond de moi jaillirent des souvenirs si frais encore qu'ils effleuraient mes mains et mes lèvres : ce souffle sur ma peau, ces murmures emplis de promesses et jusqu'au parfum de la terre et de la marée, musqués comme nulle part ailleurs. J'eus soudain l'impression désespérée d'être seule au monde.

Lorsque la musique abandonna à l'air léger ses derniers accords, une voix retentit dans le silence, qui, d'un même élan, nous fit tourner la tête :

– Bonsoir, père.

Le jeune homme qui se tenait droit derrière nous, et qu'envoûtés par la mélodie nous n'avions point entendu arriver, avait fière allure avec son pourpoint de cuir et sa chevelure claire bouclée. Il avait le même front, les mêmes yeux rieurs que le vicomte, et je m'étonnai soudain qu'il fût là. Mon hôte ne m'avait-il point affirmé que ses deux fils étaient dans le sillage d'Aliénor ? Le vicomte se leva comme le jouvenceau s'avançait en saluant à la ronde, et le rejoignit pour l'embrasser avec empressement, le serrant dans ses bras.

– Denys ! lança-t-il avec bonheur. Quelle joie, mon fils !

De nouveau je tressaillis. Je n'avais pas entendu ce prénom dans l'éloge que le vicomte m'avait fait de ses enfants. Pourquoi ne m'avait-il pas parlé de celui-ci, et que signifiait ce regard douloureux de Loriane, qui fuyait cette étreinte ? Quel secret cachait donc cet inconnu, d'une beauté qui dépassait tout ce que j'avais pu rencontrer jusqu'alors ? Tant que, malgré toutes ces interrogations, je ne parvenais pas à me détourner de son visage aux traits fins et réguliers, à la bouche gourmande. Mais déjà le vicomte se tournait vers moi, prenant son fils par les épaules, et s'avançait pour me le présenter. L'impression qu'il faisait sur moi devait se lire sur mon visage, car le damoiseau sourit à fendre l'âme.

– Damoiselle de Grimwald, laissez-moi vous présenter Denys, mon fils.

– Si j'avais su découvrir au logis aussi délicieuse apparition, nul doute, père, que je me serais hâté davantage encore, lança-t-il d'une voix enjôleuse en déposant sur ma main un baiser léger comme une caresse.

Je me sentis rosir. Son regard insista sur les lacets de mon corsage tandis qu'il se redressait déjà et s'avançait vers Loriane pour la saluer d'un respectueux :

– Bonsoir, mère.

Mais, comme précédemment, Loriane détourna la tête et je crus percevoir dans les yeux du vicomte un voile de tristesse. Denys sembla ne rien remarquer et embrassa précautionneusement la joue de l'aïeule qui s'était assoupie contre la muraille, la bouche ouverte.

Le vicomte se réinstalla sur son siège et lança joyeusement :

– Allons, mon garçon, assieds-toi et conte-nous d'où tu reviens !

Denys s'assit, souple et félin, sur le tapis, et Thierrey, qui le regardait avec de grands yeux admiratifs, se détacha des jambes de sa mère pour venir se blottir contre celles de l'arrivant. Machinalement, Denys froissa la tignasse brune sous ses doigts. Le bambin soupira d'aise. Loriane avait en apparence retrouvé son sourire, mais ses longues mains blanches qu'elle tenait l'une dans l'autre tremblaient par intermittence. Déjà la voix chaleureuse de Denys captait l'attention :

– Notre jeune roi est un homme juste, père. Lorsqu'il a appris que les Orléanais s'étaient constitués en commune, il eût pu noyer ses féaux dans une mare de sang ! D'autant qu'il était fort fâché qu'ils lui fissent pareille insurrection à quelques semaines de son mariage et quelques jours seulement après la mort de feu notre roi Louis. Pourtant, il a maté ces rebelles par le verbe, il a même accepté d'écouter leurs revendications en soulignant qu'il les étudierait et veillerait à ce que justice soit rendue équitablement dans son royaume. Il a ajouté ensuite qu'il était le roi et entendait à ce titre unir ses féaux autour d'un même idéal : la paix de Dieu. « Car, a-t-il affirmé, c'est par lui que je règne et grâce à lui que j'entends. De sorte que sa justice sera mienne et que quiconque la bravera sera puni par elle comme par moi. »

– As-tu vu tes frères ? demanda le vicomte, l'air content.

– Non point, hélas. Notre bon roi a jugé plus prudent de faire partir sa jeune épousée en avant afin qu'elle n'ait pas à subir les désagréments d'une révolte aussi brutale qu'injustifiée. Lionel et Benoît avec ceux du Sud lui ont donc servi d'escorte jusqu'à l'île de la Cité, où la reine mère Adélaïde devait l'accueillir. Je les ai manqués de peu et ne me suis point attardé, car je savais que vous attendiez les teintures que l'on m'avait envoyé acheter. De plus, mon chargement eût pu attirer l'œil de quelque malandrin. La guède se fait rare ici depuis que le feu roi Louis en a refusé le commerce avec la Grande-Bretagne, et ses prix ont monté. Nul doute que l'on m'aurait détroussé si l'on avait su ce que je transportais.

– Mais aucun maraud ne peut te voler, puisque tu es le plus fort ! assura Thierrey en se redressant fièrement.

Me prenant à témoin, il lança d'une voix grave :

– Si vous l'aviez pu voir, dame Loanna, contre les vilains qui l'autre jour cherchaient querelle à l'Ernestine ! Il s'est battu à mains nues comme ça.

D'un bond il fut debout à singer une pluie de coups de poing contre des cibles imaginaires tandis que Denys se laissait aller à un rire sonore dans lequel je reconnus la vigueur de son père. Le vicomte, et tous d'ailleurs, n'étaient pas en reste d'amusement car, voyant que son jeu attirait vers lui les regards, notre jeune combattant en rajoutait. Jugeant pourtant qu'il avait assez bougé, le vicomte le souleva de terre par le col de son bliaud et il se retrouva les pieds battant le vide en se tortillant de surprise. Toute l'assemblée partit d'un rire gai, qu'il partagea sans vergogne tandis que, retombant sur ses pieds, il lançait un regard respectueux vers son père qui l'avait ainsi crocheté par-derrière.

– Allons, lança celui-ci, il est temps d'aller dormir, jeune fougueux. Tu auras tout loisir demain d'amuser dame Loanna, puisqu'elle nous fait la joie de séjourner quelques jours en notre compagnie.

Saisissant l'à-propos et mesurant ma fatigue, je glissai en me levant :

– Je vais me retirer aussi, si vous le permettez.

– Certes, damoiselle. Je vais vous conduire à votre chambre, annonça Loriane en se levant à son tour.

Après avoir salué l'assemblée, nous nous dirigeâmes tous trois vers le grand escalier qui se perdait dans les étages.

Les terres du vicomte étaient splendides, et je ne regrettai pas ma décision de passer quelques jours avec mes nouveaux amis. Si j'étais pressée de revoir Aliénor, je ne parvenais pas pourtant à détacher mes pensées de Jaufré, comme si son souffle continuait de me faire vivre. La rivière inondait les douves autour du château dont le pont-levis n'était levé que le soir, et sur ses rives la petite bourgade s'entourait d'un rempart de pierre qui depuis longtemps n'avait vu d'assaillant. Le vicomte était un pacifique. Il avait renoncé à guerroyer, autant qu'à courtiser les damoiselles, suite à une blessure de loup qui l'avait amputé d'un morceau de cuisse et d'une partie de ses attributs masculins. On racontait qu'il avait dû la vie à une sorcière, qui avait fait fuir les bêtes et l'avait soigné. Depuis, il lui assurait protection, et une servante du château se rendait une fois par semaine dans la forêt pour déposer dans un endroit précis un panier garni de victuailles. C'était peut-être pour cette raison que les bois m'attiraient, aussi sans doute à cause de ce besoin de solitude qui m'avait fait accepter l'hospitalité du vicomte. Jaufré était trop présent. Le vicomte m'avait demandé l'autorisation de renvoyer à Blaye l'escorte qui m'avait amenée jusqu'à lui, m'assurant qu'il me fournirait des hommes sûrs dès lors que je souhaiterais reprendre mon voyage. J'avais confiance en lui. Sa fidélité aux ducs d'Aquitaine n'était pas une légende, et il éprouvait une grande affection pour son cousin, le père d'Aliénor. Ici, je me sentais en sécurité. Prête à prendre assez de recul pour affronter mon destin.

Cela faisait trois jours que j'arpentais les jardins avec Loriane. Elle était de bonne compagnie et je l'assistais avec plaisir dans les tâches coutumières auxquelles mon enfance m'avait habituée. Je n'avais pas revu Denys qui s'était dépêché, dès le lendemain de son arrivée, de partir à une battue au loup avec quelques vaillants gars et traqueurs. Ce matin-là, je n'avais qu'une envie en m'éveillant, m'enfoncer au cœur de la forêt pour y ramasser des racines et des simples qui, je le savais, me feraient défaut à Paris. Il était bon de réapprovisionner mes médecines en vue des maladies que l'hiver ne manquerait pas d'amener. Donc, munie d'une besace de cuir et de ma serpette, je me glissai au-delà du pont-levis et enfilai le petit sentier. Il y faisait frais et c'était agréable, car, bien que nous avancions vers septembre, les journées étaient encore étouffantes.

Je passai un grand moment courbée dans les bosquets et taillis, faisant fuir par mes investigations quelques mulots ou lièvres qui détalaient à ras de terre et disparaissaient dans les ronces, décrochant du pied des vieux chênes certains champignons qui favorisaient le don de double vue. Lorsque ma besace fut remplie, je me dirigeai d'un pas satisfait vers un coude de la rivière. Le site était joli et l'on distinguait à travers les noisetiers et les aulnes piqués en bordure les tours crénelées du château. Avisant une pierre plate, je m'y assis avec bonheur, sans pouvoir m'empêcher de penser que Jaufré aurait aimé cet endroit. Mes jambes me semblèrent lourdes soudain. Je les étirai jusqu'à sentir à travers mes bottes mouillées de rosée la fraîcheur lancinante de l'onde. Croisant mes mains derrière ma nuque, je me laissai aller contre le tronc de l'arbre qui généreusement courbait sa ramure au-dessus de mon front. Puis, engourdie par la douceur du lieu autant que par celle du soleil, je fermai les paupières pour me laisser porter par l'instant.

Ce fut une sensation plus qu'un bruit qui me tira de ma rêverie. Une sensation étrange et brutale de danger. Le cœur battant la chamade, je restai sans bouger, les sens en alerte. Qu'avait-il pu se produire pour que je ressentisse pareille angoisse ? Autour de moi tout était serein. Me forçant au calme, je fis mine de m'étirer, le plus naturellement du monde, pour lancer un coup d'œil aux alentours. Rien. J'avais pourtant cette impression désagréable d'être épiée. Par qui ou par quoi ? Était-ce cette sorcière dont m'avait parlé le vicomte ? Non, ce ne pouvait être cette femme. Quelqu'un ou quelque chose était tapi là, dans l'ombre des sous-bois, et me voulait du mal. Je desserrai d'une main discrète ma serpette du lien de cuir qui la retenait à ma ceinture et, la gardant au creux de ma paume, je me relevai comme si de rien n'était. Le temps de percevoir un sifflement, une douleur aiguë me transperça le bras, m'arrachant un cri de souffrance et d'impuissance. Une flèche clouait ma chair au tronc de l'arbre, souillant la manche de mon bliaud d'un filet de sang écarlate. J'allais l'arracher pour me dégager, lorsqu'un rire cruel arrêta mon geste. Je tournai la tête. Je ne l'avais pas entendu venir, mais il était là. Il se détachait à peine dans la semi-obscurité du sous-bois, tout de noir vêtu jusqu'à la cagoule qui dissimulait ses traits, un carquois passé autour de son épaule.

En un bond, l'homme fut près de moi et, plantant un regard cruel dans le mien, il ricana :

– Tout doux, ma belle ! Laisse-moi ce plaisir.

D'un geste vif, il arracha la flèche. Ma serpette partit en direction de son visage, mais c'était compter sans son habileté. Il esquiva mon geste et me frappa. À demi assommée, je tombai à la renverse. Puis il y eut une grande douleur contre ma nuque, et il me sembla que la nuit emplissait d'un coup l'espace. Une nuit froide au goût âcre de sang.

Lorsque j'ouvris les yeux, je perçus seulement le contact de la terre ferme sous mes reins. Je ne parvenais pas à bouger. C'était comme si mon corps tout entier était attaché à cette mousse qu'il écrasait de son poids. Un cliquetis de ferraille résonnait dans ma tête, et je m'obligeai à chercher sa direction sans être sûre seulement qu'il ne venait pas de l'intérieur de mon crâne. Une brume opaque voilait mes yeux et les choses alentour m'apparaissaient déformées. Toutefois, je distinguai deux formes humaines et des épées qui s'entrechoquaient. Puis il y eut un grand cri, et une des formes s'écroula à genoux, tandis que l'autre s'approchait de moi, la lame dégoulinante de sang. Alors, je fermai les yeux et glissai de nouveau dans la nuit.

À mon réveil dans la jolie chambre aux tapisseries chatoyantes du castel de Châtellerault, j'appris que je n'avais dû la vie sauve qu'à la grande habileté de Denys. L'ombre penchée sur moi et dont je ne gardais que le souvenir d'une course qui martelait le sol et résonnait dans ma tête, c'était lui. Lui qui, étant rentré au château, avait su que je me trouvais dans les bois et s'était inquiété, mû par quelque sentiment qu'il ne s'expliquait encore pas ce jourd'hui. Lui qui avait surpris mon agresseur alors qu'il me déposait évanouie sur la berge après ma chute. Lui qui était arrivé à temps, guidé par une voix enjôleuse. Lorsqu'il raconta cela à son père, celui-ci répliqua qu'assurément il s'agissait de celle de la sorcière, qui les avait à sa façon remerciés de leurs présents. Trop faible encore, je me contentai de cette explication, bien qu'il m'eût semblé à un moment avoir entendu au creux de mes tympans chanter la voix de mère. Cela, au fond, n'avait nulle importance. Ce qui en avait, c'était Denys. Depuis deux jours qu'il m'avait ramenée, il s'évertuait à me veiller comme un chien de garde. Ma blessure au bras n'était pas foncièrement dangereuse, si ce n'était le fait que j'avais perdu beaucoup de sang. La véritable cause de mon étourdissement prolongé avait été cette chute contre un rocher acéré qui avait fait éclater mon crâne. J'avais déliré longtemps, dans une langue qu'ils ne connaissaient pas et dont moi-même j'eus beaucoup de mal à m'expliquer l'origine. Parfois, me dit-on, je parlais de choses terribles, de bêtes monstrueuses crachant feu et sang, de terres englouties par de gigantesques vagues. L'instant d'après, je crachais des torrents de phrases incohérentes. Par quels étranges chemins du temps avais-je erré dans cette course contre la mort, je ne saurais le dire. Lorsqu'on me narra tout cela, j'eus peur d'avoir parlé de la véritable raison de mon existence. Mais Denys n'en fit mention dans aucune de nos conversations. En désespoir de cause, effrayé par mon teint cireux, il s'en était retourné dans la forêt, avait déposé un panier garni de victuailles à l'endroit où d'ordinaire la sorcière se montrait et avait supplié qu'elle leur vienne en aide, comme autrefois elle avait sauvé son père. Le lendemain, à la place du panier, se trouvait une gourde emplie d'un liquide noirâtre avec cette seule indication : « Faites-lui boire par deux fois à l'instant où se montrera et s'éteindra la lune. »

Ainsi fut fait. Le matin suivant, j'ouvrais des yeux étonnés sur des visages ravagés d'inquiétude. Mais je ne pus articuler un mot. Mon corps n'était que courbatures. Lors, je me laissai distraire par le récit de mon aventure. J'appris ainsi, devant un bol de soupe, que mon agresseur avait disparu, profitant de ce que Denys s'approchait de moi. Par crainte devant le sang qui s'échappait de mon crâne, Denys ne s'était pas préoccupé de le poursuivre et m'avait emportée à vive allure vers le château. De sorte que nul ne savait ce qu'il était advenu de l'homme. On l'avait recherché ensuite en vain. Des traces de sabots découvertes dans une petite clairière firent supposer qu'il avait réussi à regagner sa monture et à s'enfuir. De mon côté, je ne pus fournir d'explication quant à ce que voulait cet homme, et ne me connaissais aucun ennemi. Peut-être n'était-ce qu'un malandrin qui avait saisi une occasion, mais Denys m'assura que les alentours du château étaient paisibles et que seuls quelques braconniers musardaient en ces lieux. Tout cela me laissa perplexe. Le vicomte m'expliqua qu'il s'était résolu à attendre quelques jours avant de prévenir Jaufré, confiant en la médecine de la sorcière. Je lui en fus reconnaissante. Il valait mieux qu'il n'en sache rien. La séparation avait été difficile, il était inutile que mon troubadour se sente coupable de n'avoir pas accompagné mes pas.

Il me fallut une semaine avant de pouvoir quitter le lit ; mon bras me faisait horriblement mal, et au moindre mouvement mon crâne semblait prêt à éclater. Denys venait me voir chaque jour, et nous devînmes amis. C'était un jeune homme cultivé et agréable, qui s'évertuait à me faire rire et s'éclipsait sitôt qu'il lisait sur mon visage quelque trace de fatigue. Le vicomte venait lui aussi et prenait toujours ma main de la même manière, entre les siennes si grosses que j'avais l'impression qu'elles m'enveloppaient tout entière. Il ne cessait de se dire navré. J'eus beau l'assurer qu'il n'était en rien responsable et qu'au contraire j'avais trouvé en sa demeure une seconde famille, rien n'y fit. Le pauvre homme ne se pardonnait pas mon aventure. Alors, je demandai qu'il joue de la harpe, et, bien que les voix au bout d'un moment me deviennent une véritable torture, la sienne me berçait doucement et apaisait mes douleurs jusqu'à m'endormir. Loriane était la plus empressée auprès de moi en sa qualité de maîtresse de maison, mais elle s'éclipsait sans mot dire dès lors que Denys s'annonçait.

Un jour, n'y tenant plus, alors que nous venions, lui et moi, d'échanger une longue conversation sur les nouvelles qui parvenaient de la cour de France, je lui demandai :

– Quel est donc, Denys, ce secret qui ronge les vôtres ? Bien que cela ne me concerne en rien, je suis peinée de voir tant de souffrance traverser vos regards chaque fois que vous êtes en compagnie de Loriane.

Il se renfonça dans son fauteuil en soupirant :

– Ainsi vous avez remarqué…

Je hochai la tête, mais n'osai en dire davantage. Il eut un sourire franc qu'il ponctua d'un geste désabusé de la main.

– Au fond, ce n'est un secret pour personne. Loriane n'est pas ma mère. Je suis né de l'infidélité de mon père avec une servante dont il fut éperdument amoureux. J'aurais dû être élevé comme n'importe quel bâtard, mais elle mourut en me mettant au monde. Malgré les suppliques de son épouse, père refusa que je sois confié à quelque autre servante. Loriane nourrissait Lionel à l'époque et avait bien assez de lait pour deux. Père lui imposa ma présence, demandant que je reçoive la même éducation que ses fils, même si jamais il ne me donnerait titre et nom. Voilà, damoiselle, vous savez tout. Bien que j'éprouve une réelle affection pour Loriane, elle ne m'a pas pardonné l'amour que mon père porta à ma mère. Ce n'est pas une méchante femme et jamais elle ne me fit du mal ; cependant, chaque jour auprès d'elle lui rappelle ce que je représente et c'est une souffrance dont sa nature trop sensible ne peut guérir. D'autant plus que, de tous ses garçons, je suis celui qui ressemble le plus au vicomte. Alors je pars chaque fois que je le peux jusqu'aux frontières du domaine, pour qu'elle me voie le moins possible. J'ai bien pensé suivre mes deux frères dans le sillage de notre reine, mais qui suis-je pour revendiquer quelque place ? Ils ne m'aiment pas. Pour eux, je ne suis qu'un bâtard et je me doute qu'à la mort de père je serai chassé du domaine comme un vulgaire rat. Pour l'heure et par amour pour lui, je le sers au mieux de ma conscience, car il a fait de moi ce que je suis.

Son regard était d'une infinie tristesse, comme s'il portait soudain sur ses épaules le poids de tout cet amour dont il était empli et qui n'aurait demandé qu'à se répandre. Une profonde tendresse m'envahit. Je murmurai avec certitude :

– Il ne sera pas dit, Denys de Châtellerault, que je regarderai en ingrate tout ce que je vous dois moi-même. Accompagnez-moi à Paris, et je vous promets que vous ne serez ni valet ni bête curieuse. La reine est mon amie. Ma reconnaissance sera la sienne, et je vous assure que vos mérites gagneront un titre qui ce jourd'hui vous fait défaut.

Il leva vers moi de grands yeux ronds, puis, comprenant que je parlais le plus sérieusement du monde, il saisit ma main valide et la porta spontanément à ses lèvres.

– En ce cas, ma dame, sachez que vous n'aurez jamais serviteur plus fidèle.

J'éclatai d'un rire gai qui acheva de me guérir.

– Je vous dois bien plus que je ne pourrai jamais acquitter, mais votre amitié me sera un présent précieux, Denys.

– Puisse-t-elle, murmura-t-il dans un souffle en se levant, vous dire combien je vous aime.

Et, me plantant là médusée par cet aveu, il quitta la pièce.

Dès le lendemain de cette conversation, je faisais mes premiers pas au jardin et ne revis pas Denys, parti à la chasse aux loups. Je me doutais qu'après cette confidence il lui eût été difficile de me regarder de nouveau en face. Avait-il peur que je change d'avis le concernant ? Ce n'était pas dans mes habitudes, d'autant plus que j'éprouvais pour lui une réelle affection. Et ni le fait qu'il m'ait sauvé la vie ni sa grande beauté n'y étaient pour quelque chose. C'était plutôt comme si je le connaissais depuis toujours. Comme Jaufré. Étrangement pourtant, il n'y avait en moi aucun doute. Ce sentiment-là était différent de celui qui me liait à Jaufré. C'était autre chose. Autrement. Mon troubadour me manquait cruellement. Mais je ne pouvais nier que c'était à cause de lui que j'avais été vulnérable. Je n'avais cessé de penser à lui, tant que cela m'avait empêché de percevoir le danger assez tôt. Je me consumais d'amour au point de n'être plus moi-même. Je n'en avais pas le droit. J'étais venue en Aquitaine pour une seule raison et, bien que les événements me contraignissent à la patience, cette raison devait primer sur tout. J'avais voulu me convaincre l'espace d'un rêve que je n'étais qu'une femme comme les autres. La réalité me rappelait à ma vérité. Je devais accomplir ma destinée. Ne plus me laisser distraire, ni par Jaufré ni par personne. Quoi qu'il m'en coûte. Alors seulement, je pourrais gagner la cause de l'Angleterre.

Lorsque Denys revint trois jours plus tard, j'annonçai que je me sentais prête à reprendre la route et qu'il ne tenait qu'à lui de m'accompagner. Le vicomte fut heureux d'apprendre que j'appuierais son fils auprès de la reine, et Loriane me lança un regard de reconnaissance. Bien que je n'aie jamais abordé le sujet avec elle, elle avait dû comprendre que je savais et lui enlevais ainsi un grand poids. Denys avait raison, ce n'était pas une méchante femme. Pouvait-on lui reprocher d'aimer son mari et d'avoir souffert de le voir se pâmer pour une autre au point de préférer aux siens le fils qu'elle lui avait donné ? Quelque trois semaines après mon arrivée, je quittai Châtellerault, le bras et la tête encore un peu douloureux, Denys dans le pas tranquille de ma jument, en tête d'une solide escorte d'hommes d'armes.

9

Aliénor arriva en vue de Paris au milieu de ce mois de septembre 1137, épuisée par cet interminable voyage. La chaleur avait accablé son escorte, et les étapes s'étaient rallongées depuis Orléans où elle s'était séparée de Louis, occupé à mater ses féaux. Ses dames de compagnie geignaient sans cesse, impatientes de parvenir enfin dans l'île de la Cité pour retrouver l'humeur festive qu'elles avaient abandonnée à Bordeaux. Aliénor redressait fièrement son front pour ne rien laisser paraître de ce même désir. La première partie du trajet l'avait amusée grâce à la présence de son époux, empressé, enjôleur et rougissant à la fois de ses audaces, courtois et habile à manier les textes latins. Mais, depuis qu'il l'avait contrainte de poursuivre sans lui, elle avait compté les jours. Que n'aurait-elle donné pour galoper jusqu'à son nouvel univers, épuisant quelques chevaux dans sa hâte, au lieu de se contenter de franchir une trentaine de lieues par jour et de faire bonne figure devant les vassaux de Louis !

Aussi, lorsqu'elle vit la boucle de la Seine refermer ses bras autour de l'île de la Cité, fut-elle prise d'une joie d'enfant. Enfin ! Enfin, elle allait pouvoir donner pleine mesure à son tempérament. Enfin, elle allait faire de cette terre sa terre.

C'était compter sans la mère de Louis : Adélaïde de Savoie. Elle l'accueillit aussi froidement que le pouvait son visage dur, comme taillé dans un bloc de granit. Aliénor sentit son enthousiasme s'effriter. Le ton pincé, jaugeant ses atours aux couleurs vives, la reine mère lança, mauvaise :

– Ma bru, ce ne sont point à la cour de France des mises respectables. Il vous faut oublier ce luxe tapageur et de fort mauvais goût. Dès demain, votre garde-robe sera remplacée, de même, Dieu les garde, que celles de vos dames de compagnie. Nous ne sommes pas ici pour nous donner en spectacle !

– Oui, mère, avait répondu Aliénor, faisant contre mauvaise fortune bon cœur. Elle ne savait rien des mœurs de la cour. Certes, elle avait entendu dire qu'elles étaient austères, mais elle avait cru pouvoir les adoucir. Louis était toujours à Orléans, elle n'était dès lors ici qu'une étrangère. Malgré toute la rancœur et la haine que lui inspira sur-le-champ cette marâtre, Aliénor n'eut d'autre recours que la soumission. Elle s'y plia en se disant qu'elle avait échappé aux voiles du couvent et pouvait se permettre un peu de patience.

Dès le lendemain de son arrivée, elle troqua donc ses robes rehaussées d'or et d'argent, de dentelle et de pierreries pour des atours ternes aux teintes de beige, de blanc ou de bleu pâle.

Hélas, la vie dans l'antique Lutèce était ennuyeuse à mourir, et les lamentations de ses dames de compagnie n'apaisèrent en rien son désespoir. Du soir au matin, du matin au soir, Adélaïde de Savoie sur ses traces tel un chien de garde, il lui fallut filer, tisser, repriser, piquer au canevas, visiter les différents hospices pour laver les pieds des miséreux, s'aventurer même aux portes de la léproserie sur une des îles de la Seine pour y porter des fruits frais. Les chairs décomposées des bras et des visages entr'aperçus au travers des fenêtres grillagées hantèrent ses cauchemars la nuit suivante.

Quant à l'abbé Suger dont elle s'était imaginé qu'il l'avait prise en affection, elle dut constater amèrement qu'il ne songeait qu'à lui-même. Lui aussi posa ses interdits. Si on lui permettait de lire Cicéron et Platon entre les œuvres des Pères de l'Église, elle dut bannir Plaute, Ovide, Juvénal ou Stace dont on raffolait en Aquitaine mais jugés d'essence diabolique à Paris.

Suger condamna aussi les cours d'amour et les rires badins des troubadours. Il n'y fallut plus songer qu'en rêve. Seuls quelques trouvères et acrobates étaient invités lors des fêtes liturgiques ou pour les grandes occasions. Le reste du temps, s'il s'en égarait un à la cour de France, c'était pour donner des gestes sinistres ou qu'elle avait entendues cent fois. Sans parler de cette langue d'oïl qu'elle comprenait à peine.

Pour couronner le tout, Paris puait ! Dès que l'on ouvrait les fenêtres tendues de papier huilé, une odeur de crotte, d'urine, de graisse et de poissonnaille vous chavirait. S'il ne s'était agi que du dehors encore, mais le vieux palais austère et froid était sale, poussiéreux, crotté jusqu'en ses moindres recoins. Autant qu'il lui était possible, elle tentait de s'évader de ce décor, mais la cité ne valait guère mieux. Rue Boueuse, rue Merdeuse, rue des Rats, tels étaient les noms accrochés aux angles des bâtisses sombres à force d'être éclaboussées, frôlées par manque de place. Lorsqu'elle les traversait, elle pensait tristement aux fenêtres fleuries de Bordeaux ou Poitiers, aux balustres de bois d'où croulaient des chèvrefeuilles, des seringas ou des gonfanons aux couleurs vives, et au nom des rues : rue de la Font, rue des Bourdeliers, rue des Carrières, rue de la Chesnaie, rue du Lavoir, rue Jolie...

Comme son pays brusquement lui semblait loin !

Sa seule consolation était de savoir qu'à Paris se tenait la plus brillante des universités de ce temps, celle de l'illustre Abélard. Depuis son enfance, elle avait entendu à maintes reprises conter la triste aventure de ce professeur aux idées nouvelles, qui s'était heurté à Bernard de Clairvaux et au pape même. On avait brûlé ses écrits, et pourtant il continuait d'attirer par ses doctrines une foule d'étudiants de plus en plus nombreux.

Héloïse, son élève qu'il aima et à cause de laquelle il fut châtré, vivait retirée au couvent du Paraclet, qu'Abélard avait fait naître d'un rondin de bois. Était-ce au nom de ces amours interdites par la religion qu'Abélard faisait toujours recette ? Aliénor refusait de le croire. Elle s'était promis de rencontrer ses disciples et, chaque fois qu'elle passait devant l'église Sainte-Geneviève où se donnaient ses enseignements, elle tentait d'accrocher quelques bribes de conversation. Adélaïde de Savoie n'aurait pas toléré qu'elle mette pied à terre.

Aliénor rongea son frein jusqu'à l'arrivée de Louis, deux semaines plus tard. Il ne lui fallut que quelques jours pour comprendre que son époux n'avait de roi que le titre. Suger et Adélaïde de Savoie, soutenue par Raoul de Crécy, comte de Vermandois et conseiller du feu roi, se partageaient le pouvoir. Tiraillé entre sa mère et son confesseur, Louis, inexpérimenté, jeune et vulnérable, se laissait ballotter. Mais Aliénor n'avait pas quitté la rieuse Aquitaine et tout ce qu'elle aimait pour faire figure de potiche ! Qu'Adélaïde de Savoie impose sa loi lui était intolérable, quant à Suger, il devait rester ce qu'il était : l'abbé de Saint-Denis.

Agacée d'être tenue à l'écart, agacée d'être délaissée par son époux qui passait de nouveau plus de temps en prière qu'en sa compagnie, agacée de mon silence qui s'éternisait et des jérémiades de ses dames de compagnie, Aliénor explosa.

Par pure provocation, elle fit irruption un matin dans une robe somptueuse d'un bordeaux moiré brodé de fils d'argent, les cheveux retenus dans une coiffe de perles disposée en damier autour de son chignon. Le scandale avait commencé devant la porte à deux vantaux qui ouvrait sur le cabinet des ministres. Louis les avait réunis avec Suger pour s'entendre sur des questions de politique avec les vassaux d'Aliénor. Ceux-ci craignaient que l'Aquitaine ne tombe aux mains du royaume de France et perde une grande partie de son indépendance.

Les deux gardes placés de part et d'autre de l'entrée avaient interdit l'accès à la jeune épousée, croisant leurs guisarmes devant la porte sculptée de fleurs de lys. Aliénor avait saisi une pointe dans chaque main et les avait écartées violemment après avoir tempêté contre ces personnages impassibles qui osaient s'opposer à leur reine. Alertée par les vociférations, l'assemblée penchée au-dessus d'une carte avait fait silence. Suger accourut vers l'entrée. Il s'en fallut de peu qu'il se fît heurter par les lourds battants que, dans la force de sa colère, Aliénor avait ouverts à pleines mains. Elle tomba nez à nez avec l'abbé qui secoua la tête en signe de réprobation, l'œil sévère.

Mais la jeune femme l'ignora, passa près de lui sans le saluer et, dans un mouvement de jupe très digne, s'avança au milieu des ministres, courbés en une révérence contrite. Louis était livide, ses yeux égarés cherchaient dans l'attitude posée de Suger un refuge qu'il ne trouva pas. Aliénor lui fit face, le regard plein de défi, puis, se tournant vers ses sujets :

– Relevez-vous, messires, et poursuivons, voulez-vous ? Je ne saurais me contenter de vos grimaces, l'abbé…

Le ton ne laissait place à aucune réplique. Louis se plia, Suger finit par conclure au terme des quatre heures que dura l'assemblée que cette petite ne manquait ni d'aplomb ni d'à-propos et encore moins de jugeote. Elle avait émis plusieurs remarques pertinentes sur un sujet qui lui était cher, et certains de ses conseils n'avaient pas manqué de le surprendre favorablement. Lui-même n'eût pas mieux fait. Aliénor apprenait vite, elle devait devenir son alliée. Ce ne serait pas si simple. Il convenait tout d'abord de lui faire entendre raison. L'on ne pouvait heurter de front la reine mère qui n'avait que très occasionnellement le droit de présider un conseil et qui reçut d'un spasme rageur l'initiative de sa belle-fille. Il faudrait donc qu'Aliénor tempère ses mouvements d'humeur et accepte d'attendre d'être invitée. Quant à prendre part au débat, c'était contraire aux bonnes mœurs d'Île-de-France.

Aliénor se buta. Jamais en Aquitaine les femmes n'avaient été exclues de la politique. Puisqu'il en devait être ainsi, elle se réservait le gouvernement de sa province et le droit de régler les litiges avec ses vassaux. Pour être reine de France, elle n'en restait pas moins duchesse d'Aquitaine. Quant au palais, si royal fût-il titré, il n'était plus question qu'elle s'en accommode. Il serait nettoyé de fond en comble, rafraîchi et jonché de frais chaque jour. Les troubadours, les jongleurs, les danseurs et tout amuseur y recevraient hospitalité. Aliénor était la vie. Elle voulait la vie.

Bouleversé par l'attitude offensive de son épouse, Louis se retira plusieurs jours en méditation à Saint-Denis, à genoux sur la tombe de son père. Il ne savait trop que faire, découvrant avec égarement qu'il n'entendait rien à sa femme, que son caractère instable et capricieux lui faisait horreur et que, somme toute, il ne tirait de véritable plénitude que de la prière. Afin de protéger son âme, il décida qu'il valait mieux pour lui n'approcher Aliénor que lorsque le besoin de son corps brouillerait le latin de son missel. Ce qui ne fit rien, bien au contraire, pour apaiser la soif de pouvoir et de justice d'une jeune reine frustrée.

Agacé, l'abbé Suger chiffonna le parchemin qu'il tenait en main. Étienne de Blois voulait davantage : l'appui total du roi de France pour soutenir son action contre la maison d'Anjou. Quelques semaines plus tôt, les espions du roi d'Angleterre avaient intercepté une missive provenant d'Angers à l'intention de Loanna de Grimwald. Le message était clair : on lui demandait de redoubler de vigilance auprès d'Aliénor à la cour de France. Étienne de Blois avait pris peur. Une espionne aux côtés d'Aliénor ! Suger l'avait rassuré, mais, plus le temps passait, plus il méprisait cet homme. Comme si une femme pouvait contrecarrer leurs projets ! Toutefois, il n'était pas assez sot pour ne pas se tenir sur ses gardes. Il valait mieux que cette damoiselle ne revienne jamais. Il ne manquait pas de couvents où elle serait bien gardée, et, si cela permettait de calmer cet individu aux humeurs primaires, ce ne serait que mieux pour sa tranquillité.

Apprenant par ses espions qu'elle se trouvait à Châtellerault, il avait chargé Anselme le sournois de l'enlever. Depuis la mort du duc d'Aquitaine, qu'il avait si habilement organisée, ce dernier partageait ses talents entre Étienne de Blois et l'abbé de Saint-Denis. Pourtant, cette fois, l'homme était revenu bredouille, blessé méchamment par une lame dont il ignorait le bras. Mieux encore, il n'avait dû son salut qu'à l'intérêt de son agresseur pour la damoiselle. Suger ne pouvait pas recommencer pareil attentat. Il lui fallait trouver autre chose. La volonté de Dieu l'y aida.

Un toussotement le tira de sa réflexion. L'abbé se retourna. Une pucelle aussi jolie qu'un bouton de rose s'épanouissait dans une robe fluide vert pomme. Courbée en une gracieuse révérence, elle tendait vers sa vieille silhouette un regard droit et pur d'un bleu-gris plein de charme.

— Relevez-vous, mon enfant. Vous me voyez ravi de votre présence ici. Vous voici bien changée depuis la dernière fois que je vous vis. Votre oncle fabrique-t-il toujours cette délicieuse eau-de-vie de noyau dont il a le secret ?

— Il m'a chargée de vous en porter un flacon, mon père, de même que ses amitiés et ses remerciements pour votre affection.

— Le cher homme ! De ma vie je n'ai goûté pareil breuvage. Allons, asseyez-vous et donnez-moi donc ce trésor, que nous partagions le plaisir de ces retrouvailles.

Béatrice de Campan sortit un flacon de verre d'une petite bourse de soie, puis s'approcha d'un buffet bas. Elle saisit gracieusement deux gobelets d'argent et les remplit. Revenant vers Suger, elle lui en tendit un en souriant avec simplicité.

— Je vois, s'exclama celui-ci, que vous n'avez pas oublié notre dernière entrevue ! Que Dieu vous garde, mon enfant.

Face à face et d'un même geste, ils avalèrent l'un et l'autre sans sourciller l'élixir du vieil oncle. Il y avait fort longtemps que le baron de Campan avait donné à sa nièce l'habitude de vider d'un trait, à la montagnarde, cet alcool fort qui rosissait ses joues et vivifiait son jeune corps. Suger partit d'un rire frais. Béatrice passait, avec un geste de chatte, un revers de main sur ses lèvres gourmandes.

— Eh bien, vous voilà digne des plus grands de votre vallée, damoiselle ! À présent, racontez-moi tout.

Il lui désigna un fauteuil ouvragé qui faisait face au sien.

— Que vous dire, mon père, si ce n'est mon bonheur d'être à Paris. J'ai pleuré de joie en apprenant que vous me réclamiez à vos côtés pour parfaire mon éducation. Vous avez fait tant déjà en me prenant sous votre tutelle à la mort de ma famille.

— Allons, vous savez combien votre mère et moi étions unis. Mes parents étaient au service des siens, lors nous avons grandi ensemble, ne l'oubliez pas ! Comment aurais-je pu vous abandonner après le drame qui vous rendit orpheline et sans un sou quand j'avais, moi, élevé ma charge à la cour de France ? Ce n'est pas votre oncle et ses faibles biens qui eussent pu vous donner l'éducation que vous méritez et que souhaitait votre mère.

— Certes, toutefois il a rempli d'amour le vide que leur mort me laissa. Et je doute fort avoir eu une enfance plus heureuse dans quelque autre maison. Grâce à vous, mon père.

Suger s'appuya pesamment contre le dosseret du fauteuil, laissant le verre vide s'alourdir dans sa main molle. Il ne pouvait détacher ses yeux de sa protégée.

Elle n'avait que six ans lorsque le château de ses parents s'était embrasé à Sainte-Marie, qui était leur fief. Ils avaient péri tous deux, asphyxiés par les fumées, pris au piège des flammes qui, en peu de temps, avaient calciné la construction en bois. Béatrice était absente, en visite à Campan chez son oncle, petit baron lettré qui lui apprenait le latin et possédait un furet apprivoisé avec lequel elle aimait jouer. Elle y était demeurée.

En souvenir de sa propre enfance sobre mais heureuse, Suger avait versé une dot conséquente et exigé que la fillette reçoive la meilleure des éducations. Il n'imaginait pas que cette petite gagnerait en beauté ce qu'elle avait alors en manigance. Habile et rusée, l'enfant obtenait tout sans vergogne, exploitant sans aucun remords toute situation à son avantage, jouant même de chantage pour appuyer ses revendications.

Interrompant le fil de ses souvenirs en remarquant que Béatrice l'examinait d'un regard mi-amusé, mi-interrogateur, il lança, en tapotant ses doigts libres sur l'accoudoir :

— Aimeriez-vous rester à la cour, Béatrice ?

Le regard pétilla de malice, ponctuant un oui franc. Suger s'attendrit :

— Je m'en doutais. J'ai touché un mot de votre esprit à la reine, vous n'avez que deux ans de plus qu'elle et elle s'ennuie fort de ne point trouver quelqu'un de son envergure. Je crois que vous pouvez être celle-là.

Béatrice laissa planer sur son visage un voile de satisfaction qui dénotait assez combien ce rôle lui convenait. Elle s'empara du blanc laissé en fin de phrase par son tuteur pour ajouter, d'un air entendu :

– Il va de soi, mon père, qu'ainsi placée je pourrai être à même de vous raconter ces petits potins de cour qui ne manquent jamais d'intéresser quelques grands du royaume...

– Je ne doutais pas un seul instant, ma chère enfant, que vous en devineriez l'importance, la remercia Suger d'un signe de tête complice.

Puis il enchaîna, en lui tendant son verre :

– Reservez-vous donc une rasade avant que je vous informe des convenances de votre nouvelle vie.

Le tantôt, Béatrice de Campan était présentée à Aliénor comme recommandée par un petit baron d'Aquitaine. La jeune reine sauta de joie. Depuis le temps qu'elle entendait parler des Pyrénées, à l'autre bout de son duché ! De plus, cette damoiselle avait un minois à faire pâmer plus d'un. Puisque je l'oubliais, elle m'envoya au diable ! Suger l'accommodait d'un ange.

L'ange s'infiltra très vite au milieu du va-et-vient de la cour. Elle s'attira même la sympathie de la comtesse d'Angoulême, qui avait suivi Aliénor au palais de la Cité, et qui me détestait comme elle détestait chacun. Cette petite peste sans aucun charme n'aimait qu'elle et jalousait tout le monde. Béatrice décida donc de l'apprivoiser pour mieux s'en servir et, habilement, y parvint. Son air ingénu n'attirait aucune méfiance ; mieux, il paraissait susciter protection. Aliénor, quant à elle, la trouvait fort à son goût, bien que trop pieuse et prude. Frustrée de caresses depuis mon départ et ne pouvant espérer de Louis que des étreintes brutales, sauvages et coupables, qui la laissaient sur sa faim, il ne lui aurait point déplu de convertir sa nouvelle amie à des jeux plus tendres. Ce n'était pas si simple. Si Béatrice avait de l'esprit à revendre, une culture appréciable, elle n'éprouvait aucune attirance pour les femmes. En outre, elle tremblait et bafouillait en présence de Louis, signe qu'il ne lui était pas indifférent.

Ce dernier y avait d'ailleurs été sensible. Béatrice avait cette beauté douce des icônes, et ses cheveux d'un blond doré lui faisaient à contre-jour une auréole autour du visage. Louis avait été saisi par tant de pureté, d'autant plus que Suger lui avait assuré que cette petite avait reçu une éducation en tout point semblable à la sienne. Et pour cause.

Aliénor, pour sa part, ne s'en émut nullement. Certes, Louis l'aimait, la désirait et ne pouvait se soustraire à ses caresses, mais aussitôt après il la quittait pour rejoindre la chapelle. Aliénor avait posé des questions, leurs étreintes auraient pu trouver un prolongement bien plus tendre, proche de celui qui avait suivi leur hymen. Louis avait répondu évasivement que les tracasseries du royaume troublaient son sommeil et qu'il avait besoin de solitude et de recueillement. Elle ne l'entendait pas rentrer, et au matin, seuls la place et l'oreiller encore chauds à ses côtés trahissaient sa présence. Pire, elle avait remarqué à plusieurs reprises des stries violacées sur ses épaules et ses omoplates. Certaines rumeurs prétendaient que Louis se flagellait pour se punir d'avoir éprouvé du plaisir en sa chair. Aliénor ne savait qu'en penser.

Cela faisait à présent trois semaines que Béatrice était intégrée au sein des proches d'Aliénor, et la jeune reine ne songeait plus à s'enivrer de politique. Avoir écarté Adélaïde de Savoie qui boudait sur ses terres suffisait à son orgueil. Elle était désormais bien trop occupée à redécorer ses appartements, à broder des tapisseries et à faire visiter à sa nouvelle amie une ville qu'elle n'avait jamais eu vraiment jusqu'alors l'envie de découvrir. Nous étions en octobre 1137, et les premiers frimas se faisaient rudement sentir. Les rues de la Cité s'ornaient de crevasses profondes que la pluie avait ravinées. La Seine avait pris une couleur métallique, mais, avec le froid, ne charriait plus ces odeurs infectes qui avaient saisi Aliénor à la gorge lorsqu'elle avait franchi pour la première fois le Grand Châtelet, ce large pont qui devait son nom à la forteresse qui barrait son extrémité.

Son plus grand plaisir, depuis que Béatrice était à ses côtés, était de se rendre sur la butte de Montmartre. On y achevait la construction d'une chapelle au milieu des frênes et des marronniers aux branches givrées. Chaudement couvertes, les deux jeunes femmes escortées de leur suite appréciaient d'un même œil ce spectacle grandiose. De là, on pouvait voir la colline de Chaillot et le paysage parsemé de vignobles. On suivait les méandres du fleuve égayé d'îles verdoyantes. On apercevait les clochers des villages sur ses rives à l'orée des forêts. Béatrice disait en plaisantant qu'elles étaient comme à la montagne.

Pendant ce temps, l'abbé Suger se frottait les mains. Son stratagème pour écarter la reine de la politique du royaume fonctionnait au-delà de ses espérances. Il ne se passait pas un jour sans que Béatrice de Campan lui rende compte par le menu des faits et dires de la reine. Adélaïde de Savoie de son côté ruminait sa vengeance, aidée dans son jeu par Raoul de Crécy, comte de Vermandois. Raoul était un homme agréable de figure et d'allure, mais marié à une sorte d'échalas rougeaud aux yeux de poisson globuleux, qu'il n'arrivait à satisfaire que les chandelles mouchées. De sorte qu'il papillonnait dans la couche des dames de compagnie d'Aliénor, lesquelles, souvent mal mariées, trouvaient l'amant fort plaisant. Ce manège agaçait l'oncle de son épouse légitime, Thibault, comte de Champagne, chevalier de l'ordre du Temple, d'autant qu'il aurait bien voulu s'emparer de sa place de conseiller auprès du roi

Suger trouvait la situation délicate, pourtant il laissait faire. Tant que ces gens s'occupaient entre eux, Louis était facile à manœuvrer et suivait ses conseils sans sourciller. La cause de Dieu était pour le jeune roi la seule à défendre, aussi dispensait-il sans compter ses largesses à l'ordre du Temple, lui cédant plusieurs terrains et bâtiments dans Paris et ses faubourgs. À travers l'importance que la milice du Christ prenait, Suger voyait grandir la sienne. Qu'aurait-il pu demander de plus qu'œuvrer à sa propre gloire ?

C'est dans cette atmosphère curieuse que je fis mon entrée sur l'île de la Cité avec Denys et une solide escorte.

Au pied de la montagne Sainte-Geneviève, nichées dans le coude de la Seine, et sous une pluie battante qui collait une boue noire aux sabots des chevaux, les ruelles se renvoyaient le grincement des chaînes retenant les enseignes des tavernes et des échoppes. Le mauvais temps, qui depuis plus de dix jours nous contraignait à des étapes courtes, semblait atteindre ici son paroxysme.

Denys et moi avions effectué le trajet depuis Chartres en silence, tant la tempête empêchait tout échange. Les volets de cuir de la voiture se relevaient sous la poussée de la bourrasque, inondant nos capelines de voyage de grosses gouttes froides. Aveuglés par la pluie et freinés par les ornières, les chevaux avançaient au pas malgré les encouragements musclés d'un cocher trempé jusqu'aux os. Denys avait insisté pour retarder encore notre dernière étape, mais j'étais de plus en plus inquiète. Depuis cette agression à Châtellerault, je ne cessais de penser que, si l'on avait tenté de m'écarter, c'était pour mieux me perdre auprès d'Aliénor. Je n'avais que trop tardé. Chien de temps. J'étais glacée. Denys me regardait par instants d'un air de pitié, mais je répondais par un sourire. Il ne comprenait pas mon entêtement, davantage habitué à ces damoiselles qui s'enferment dans leur chambre au moindre coup de tonnerre. Nous nous étions querellés à ce propos, et je n'avais pas cédé.

— Vous êtes, sauf le respect que je vous dois, la petite personne la plus entêtée et inconsciente que je connaisse, m'avait-il lancé en dernier recours.

Loin de me vexer, cela n'avait eu d'autre effet que de me faire éclater de rire.

— C'est sans nul doute que vous ne connaissez pas la reine de France, mon jeune ami !

Ajoutant qu'il saurait en son temps les raisons de ma hâte, j'étais montée dans la voiture, le bas des jupes maculé de boue.

— Une dame demande à être reçue. Elle est... très sale, Majesté.

Aliénor venait de lancer les dés et de perdre une nouvelle fois face à la chance insolente de Béatrice. On avait allumé les torches tant la tempête à l'extérieur du palais avait réduit la luminosité, et un feu crépitait dans la cheminée de la pièce où, entourée de ses suivantes, la jeune reine occupait ses journées maussades. Ce jourd'hui, l'on jouait aux osselets ou aux dés selon les groupes. Le roi était malade, il avait attrapé la fièvre et toussait depuis l'avant-veille. Son état n'était pas inquiétant, mais il était contraint au lit et l'apothicaire du palais interdisait toute visite. Le roi migraineux, fort mauvais patient, était d'une humeur exécrable.

Aliénor regarda le page en se demandant s'il ne se moquait pas d'elle. Que venait donc faire au palais une ribaude ? Pourquoi l'avait-on laissée entrer ? Elle l'apostropha sur un ton agacé :

– Que nous veut cette souillon ?

– Rendre hommage à cette flambée bienvenue !

Je n'avais pas attendu d'être invitée, soucieuse de marquer dès l'instant mon territoire. Denys m'avait suivie timidement. Il faut dire que nos tenues crottées n'incitaient guère à nous laisser approcher. Il y eut un murmure au milieu des tables, certaines personnes me croyant ou m'espérant perdue corps et biens, d'autres se demandant qui osait.

Le page s'écarta en tremblant de la tête aux pieds, craignant l'esclandre. Mais Aliénor avait reconnu le timbre de ma voix. Elle se leva d'un bond, bousculant la table, manquant de renverser sur les genoux de Béatrice le plateau de jeu. Elle se précipita en criant mon nom et, sans se soucier de mon aspect, m'étreignit devant une assemblée médusée. Son bonheur me fit du bien. Ainsi, elle ne m'avait pas oubliée. Je lançai dans un rire, n'osant poser mes mains sur ses atours :

– Votre Majesté devrait prendre garde, je ruisselle d'une eau écœurante.

– Que m'importe donc ton allure, mon amie, quand tu me fais la joie d'être ici !

Elle s'écarta pour mieux me contempler, tenant à bout de bras mes épaules mouillées. Soucieuse malgré tout des regards fixés sur nous, je m'agenouillai en une profonde révérence, tendant vers ses yeux pleins d'étoiles de bonheur les miens avides de sa présence. Elle me releva.

– Point de cela aujourd'hui, Loanna de Grimwald.

Elle frappa des mains, et le page qui m'avait introduite, à présent rassuré, s'avança.

– Fais conduire dame de Grimwald dans la chambre du soleil couchant et monter ses malles pour qu'elle puisse se changer, et allumer un feu, et mander ma chambrière Bernice. Comment, tu es encore là ? Allons !

– Un instant seulement, Majesté. Toutes vos bontés me touchent, mais je ne suis point arrivée seule. Voici Denys de Châtellerault qui, par la finesse de sa lame, me sauva la vie sur le chemin. De sorte que je lui suis redevable devant Dieu. J'ai eu l'audace d'espérer que vous trouveriez ici moyen de mettre à profit pareil talent.

Aliénor détailla Denys. Elle avait tiqué au début de ma phrase, alors que je m'étais effacée pour révéler mon protégé, mais ne se laissa pas aller à l'inquiétude. Je lui étais revenue, c'était l'essentiel.

Denys mit un genou à terre, tenant son chapeau d'une main ferme, l'autre écartant sa cape pour se poser avec respect sur le pommeau ouvragé d'une épée qu'il portait à la ceinture.

– Levez-vous, messire de Châtellerault. Soyez assuré de ma reconnaissance pour votre geste. On va vous conduire auprès de messire de Crécy qui vous prendra en charge sur ma recommandation. Allez, tous deux, à présent. Ce ne sont point des tenues pour paraître à la cour. Ces damoiselles ont le cœur au bord des lèvres, ajouta Aliénor, amusée par les mines dégoûtées de ses amies.

Nous échangeâmes un sourire complice, puis, très digne, je suivis le page qui m'attendait, escortée de Denys, troublé par la beauté hautaine de la jeune reine.

Je n'avais pas eu le cœur d'ennuyer Camille, aussi crottée que nous, et la laissai se délasser dans l'antichambre tandis que je me pliais aux soins de Bernice. C'était une petite Bordelaise à peine plus âgée que moi, au minois rieur bien que sans grâce, à laquelle je racontai mon séjour en pays de Blaye, sachant que sa famille en était originaire. Bernice en fut émue aux larmes. Elle n'aimait pas l'île de la Cité, elle ne s'adaptait pas à la tristesse de la vieille ville. Elle se fit toutefois un plaisir, mise en confiance par mes propres confidences, de me raconter tout ce qui avait été le quotidien de sa maîtresse pendant mon absence. Cela me rassura, jusqu'à ce que j'apprenne le nom de Béatrice de Campan. Bernice la trouvait merveilleuse et la reine aussi, et damoiselle d'Angoulême qui gloussait à ses plaisanteries, et...

Et cela m'agaça. J'avais eu raison de me hâter. Mon regard avait accroché celui de ladite personne lorsque Aliénor m'avait étreinte et j'avais pressenti la menace. Restait à savoir si cette trop jolie dame m'avait remplacée en tout point.

J'eus la réponse peu de temps après. La porte de ma chambre s'ouvrit à l'instant où je m'apprêtais à descendre, et Aliénor congédia Bernice.

Elle ne me laissa pas loisir de lancer la conversation. Elle se jeta sur moi avec une voracité de louve, m'enlaçant à m'étouffer, et ne s'apaisa que quelques heures plus tard alors que none sonnait. Aliénor avait manqué d'amour. Et j'avais manqué d'elle.

Ensuite seulement vinrent les reproches. Je l'avais abandonnée sans nouvelles, elle m'en voulait d'avoir pris du plaisir quand elle se démenait à se faire une place ici. Heureusement, il y avait eu Béatrice, si généreuse et attentive, si cultivée, si charmeuse, si jolie...

Je coupai court à son éloge. Aliénor était blottie de côté contre mon épaule, sa jambe droite posée avec négligence sur mon ventre.

– Suffit. Pourquoi avoir quitté une telle perle pour te perdre au creux de mes reins si vite ? Permets-moi de ne pas comprendre, ma reine.

Aliénor se redressa et détailla mon visage agacé. Elle poussa un soupir de plaisir, puis se pelotonna de nouveau contre moi.

– Jalouse. Tu es jalouse de Béatrice. Tant mieux !

Je ne pus m'empêcher de sourire. Pour toute réponse, je caressai ses boucles rebelles. Quelques secondes plus tard, Aliénor dormait en ronronnant comme un jeune chat.

Les jours qui suivirent me permirent de me faire ma propre opinion. Béatrice était, en apparence tout au moins, gaie, enjouée, aussi agréable de compagnie qu'il était possible, mais elle n'était que fourberie. Ses oreilles traînaient partout avec indiscrétion. Elle était d'une intelligence vive, finissait souvent les phrases d'une conversation saisie au vol, apprenait avec une grande facilité les défauts d'autrui pour les mieux tourner et flattait avec une habileté sans égale qui pouvait lui être hostile.

Je l'avais surprise plus d'une fois se dirigeant vers le cabinet de Suger, ou acceptant le bras du vieil homme avec un plaisir évident et échangeant avec lui quelques propos à l'écart. Cela m'avait suffi pour comprendre. Elle ravissait les femmes, auxquelles elle contait, à la demande, la triste histoire d'Abélard et Héloïse, et se refusait aux hommes.

Le roi s'était remis au bout d'une semaine de lit de sa maladie mais gardait encore le teint laiteux, de sorte que, sur les ordres de son apothicaire, il demeurait enfermé, confiant à Suger les questions politiques autant que religieuses.

Mon retour laissa Louis dans une indifférence totale. M'avait-il seulement remarquée à Bordeaux, tant il ne voyait qu'Aliénor ? Suger, en revanche, m'accueillit trop plaisamment à mon goût, me confortant dans l'idée que, pour être ainsi amical, il aurait sans doute eu grand intérêt à ma perte.

Béatrice ? Elle paraissait s'accommoder avec générosité de notre jeu à trois, mais je n'étais pas dupe. Pas plus, contrairement à ce que pensait Aliénor, que je n'en étais jalouse.

Raoul de Crécy s'était plié de mauvaise grâce aux ordres d'Aliénor et avait promu Denys au titre de connétable de la reine. Il avait argué qu'il n'y avait qu'un seul connétable à la cour, que c'était celui du roi et qu'il était déjà pourvu. Aliénor s'indigna : de quel droit lui enlevait-on le privilège de se sentir protégée par une garde personnelle ? S'il lui seyait d'avoir son connétable, elle se moquait bien de ce qui était établi avant son arrivée à Paris. Elle avait suffisamment œuvré pour que cela change, elle n'allait pas s'arrêter en si grand chemin. Denys n'avait pas de titre ? Qu'à cela ne tienne, il en gagnerait un dès les prochains tournois. Et gare à celui ou celle qui trouverait à redire à son choix ! Louis s'en garda bien. Au fond, si cela amusait la reine, il n'y avait pas lieu de la contrarier sur un point aussi insignifiant.

Ainsi, Denys fut nommé aux ordres d'Aliénor, trop heureux d'être dans le sillage d'une aussi jolie reine, duchesse d'Aquitaine de surcroît, pour laquelle son père aurait donné sa vie sur l'heure. Pour lui qui n'avait d'autre espoir que de grandir dans l'ombre d'un nom qu'il ne porterait jamais, c'était beaucoup. Trop même, au regard de ses deux demi-frères que le roi devait faire chevaliers lors des fêtes du couronnement à Bourges, au moment de Noël. Denys ne s'attarda pas à leur rancune. Il se contenta de les éviter, cherchant à mériter cette place que ma reconnaissance lui avait offerte.

Je n'avais pas eu de nouvelles de Jaufré. Il me manquait désespérément, bien que je décidasse de ne pas en tenir compte. Il me fallait du temps pour accepter l'idée que je ne pouvais l'aimer sans me perdre. Aliénor et Denys m'y aidaient sans le savoir. Les intrigues de la cour aussi, aiguisant ma vigilance.

En Anjou et en Angleterre, c'était le point mort, rien n'évoluait. Henri grandissait, solide et têtu. C'était là l'essentiel.

L'hiver passa ainsi, dans la grisaille et un froid inhabituel, laissant enfler, sous la neige qui recouvrait les toits, les bouillonnements de haine sourde. Il fallait qu'elle jaillisse. Elle s'insinua avec le dégel comme une eau noire.

10

– Regardez celui-ci !

– Quel panache ! C'est le mien, j'en suis sûre.

– Non pas, il est bien trop beau ! Oh, mais voyez celui-là.

– Allons ! Allons, que d'excitation, mesdames. Tenez-vous, on vous regarde !

Aliénor grondait d'un doigt levé ses bavardes de compagnes. L'agitation était à son comble. Installées dans les tribunes à gauche de la reine, celles-ci n'en pouvaient plus d'admirer les cavaliers aux armures scintillantes.

La plaine de Saint-Denis se colorait de pavillons et d'oriflammes aux couleurs des combattants. Mars avait levé ses quartiers, et une tiédeur printanière amenait sous les tentures des parfums de lilas. L'abbaye laissée sur la gauche découpait ses flancs de pierre sur un ciel sans nuage. Ces fêtes de Pentecôte de l'année 1138 s'annonçaient bien.

Assise entre Aliénor et Béatrice, je me sentais tout aussi excitée que ces diablesses, sans toutefois m'épandre ainsi qu'elles le faisaient. Chacune d'elles avait son favori parmi les jeunes seigneurs bien tournés qui venaient les saluer en paradant sur leur monture.

Louis demeurait de marbre. Il était soucieux. Les barons aquitains avaient décliné son invitation à prendre part aux joutes. Les relations avec le duché étaient tendues, et Aliénor refusait d'entendre raison. Le roi aurait voulu mater avec une armée ces esprits rebelles, les plier à la vassalité du royaume de France. La jeune reine, elle, pensait que l'Aquitaine devait rester sous sa seule juridiction et soutenait leur cause. Cela ne plaisait pas davantage à Louis qu'à Suger, qui tentait vainement depuis quelques semaines de contraindre Aliénor à se rendre aux injonctions de son époux. L'abbé, à la droite du roi, pesait lourdement sur le dossier de son fauteuil, un cerne de fatigue sous les yeux.

Un héraut, salué par une envolée de trompettes, déclara le tournoi ouvert. Commença alors, sous la salve musicale, un défilé de cavaliers qui, l'un après l'autre, vinrent saluer la dame pour laquelle ils combattaient, puis repartirent en accrochant à leur lance la manche qu'elle leur avait donnée.

Béatrice reçut l'hommage du comte de Flandres qui, depuis quelque temps, lui faisait la cour, la comtesse du Berry celui du jeune et impétueux baron de Casteljaloux, et, pour ma part, je découvris avec plaisir le visage rieur de Denys dans l'échancrure du heaume relevé. La reine avait tenu à ce qu'il se batte pour moi et non pour elle, comme elle l'avait précédemment décidé. Son connétable avait très vite su trouver sa place au palais et s'y rendre indispensable, de sorte que pas un ne songeait désormais à remettre en question ses attributions.

Parvenu devant moi, Denys décrocha de son armure un bouton de rose blanche et me le lança en guise de promesse. Je le saisis au vol et y déposai un baiser. Aliénor lança d'une voix tranquille :

– Décidément, ce Denys de Châtellerault ne manque pas de panache ! Voyons s'il sait aussi se battre !

– N'en doutez pas, ma reine, répondis-je en piquant la rose dans mes cheveux. J'ai le souvenir d'un embarras dont son épée me tira et, récemment, on rapporte qu'il a défendu avec aisance un jeune étudiant qui s'était heurté à quelques malandrins après avoir bu plus que de raison.

– Vous ne pouviez choisir meilleur ami, susurra la voix de Béatrice, qui, sans m'adresser un seul regard, ajouta d'un ton entendu : Quel dommage qu'il ne soit pas autre chose qu'un enfant naturel.

Je repartis sur le même ton :

– Il est des cas où la nature fait sainement les choses.

Elle n'eut pas le temps de renvoyer la balle. Un cavalier sans armoiries s'avançait vers Aliénor. Son armure d'un noir d'encre ornée d'un plumeau rouge se découpait de façon massive sur le fond bleu du ciel.

Un murmure frémit dans l'assistance lorsqu'il s'arrêta devant la reine et hocha la tête pour la saluer. À l'inverse de tous les autres, il garda la visière de son heaume abaissée, masquant ses traits à l'assemblée. Amusée, Aliénor décrocha de sa manche un cendal blanc et le lui lança. Il le laissa se dérouler sous la brise, puis sortit son épée du fourreau. La soie s'enfila avec grâce autour de la lame. D'un geste souple du poignet, il la ramena à lui et récupéra son trophée pour le nouer à sa lance. Sous le regard ravi de la reine, il tourna bride et rejoignit son rang.

Quelques secondes plus tard, les lances émoussées heurtaient les poitrines et nombre de cavaliers mordaient la poussière. Certains seigneurs hardis venaient s'incliner devant la tribune à la fin de chaque joute, soulevant un mouvement d'admiration ou d'indignation selon qu'ils étaient bien ou mal vus. Florine de Bourgogne s'évanouit à la vue du sang qui rougissait la pointe d'une lance, et l'on dut lui administrer les sels.

Moi, je n'avais d'yeux que pour cet inconnu. Qui pouvait-il être pour avoir méprisé ainsi le roi de France et salué son épouse ? Louis avait tiqué et glissé quelques mots à Suger, qui avait secoué la tête négativement.

À l'issue du tournoi, seuls quatre cavaliers restaient en lice : Denys, bien que blessé par un coup qui lui avait démis l'épaule, le chevalier inconnu, le comte de Beaufort et le baron de Casteljaloux qui venait d'envoyer à terre le comte de Flandres sous les yeux noirs de Béatrice et pour mon plus grand plaisir. Cela piquait son orgueil et satisfaisait le mien.

Denys chuta à la deuxième attaque du cavalier noir, son bras atteint de nouveau par la lance, de même que le comte de Beaufort sous les coups du baron de Casteljaloux. D'un même élan, soulevant la poussière sous les sabots de leurs chevaux ruisselants de sueur, les combattants se firent face et chargèrent. Le bruit sourd du métal entrechoqué résonna dans nos tempes. L'assistance retint son souffle. Emportés par la violence du choc, les deux hommes furent désarçonnés et se relevèrent en faisant grincer leurs armures poussiéreuses. Le cavalier noir arracha son épée du fourreau et fonça sur le baron qui rétablissait son équilibre. Celui-ci, habile, esquiva l'attaque et dégaina à son tour. Les deux hommes tournèrent en cercle face à face, jouant de leur épée à deux mains comme d'une brindille entre leurs poings gantés.

Aliénor avait planté ses ongles dans les accoudoirs et se dressait à demi sur son siège, ne perdant aucun des mouvements des deux hommes. L'on devinait à ses traits tirés qu'elle redoutait l'issue du combat. À présent, il n'était plus question de jeu mais d'orgueil bafoué. Il fallait un vainqueur, peu importait que le vaincu périsse.

Le baron de Casteljaloux se battait bien, mais la carrure impressionnante de son adversaire faisait compter double chaque coup qu'il croisait contre son fer. Il se fatigua vite, ne réussissant, grâce à sa rapidité, qu'à feinter les coups mortels.

Un instant il trébucha, et le chevalier fut sur lui. Posant un pied sur le ventre palpitant, il pointa l'épée au-dessus de la gorge. Le roi se leva d'un bond.

— Il suffit, messire. Vous nous avez montré votre bravoure et votre talent.

Le paladin garda un instant la position, le buste tourné vers le roi, puis planta la lame à quelques centimètres du souffle du baron, arrachant un cri parmi les dames. Aliénor interpella l'inconnu :

— Approchez, messire.

L'homme s'approcha, désarmé. L'écharpe de soie blanche s'ornait de sang et de poussière. Il la détacha, le regard tourné vers le roi, noir sous le heaume noir. Sans un mot.

Aliénor se racla la gorge :

— Vous êtes le vainqueur de ce tournoi. Nous ferez-vous l'honneur de dire qui vous êtes ? Un chevalier tel que vous se doit de rester dans les mémoires.

L'homme releva son heaume, et Aliénor reconnut les yeux de braise.

— Vous ! hoqueta-t-elle.

Louis l'interrogea du regard, mais l'homme se présenta lui-même.

— Guy de Verdeuil, vicomte de Thouars, pour vous servir, duchesse.

Louis frémit :

— Il me semblait, messire, que vous aviez refusé notre invitation. Je suis ravi de voir qu'il n'en est rien. Encore que j'eusse préféré découvrir plus tôt votre véritable bannière.

Arrogant, Guy de Verdeuil tendit l'écharpe à Louis, un rictus de haine barrant ses traits durs.

— La voici, messire ! J'ai défendu les couleurs de l'Aquitaine au nom des miens.

Louis s'étrangla. Aliénor, livide, se retint de glisser vers l'asile confortable du fauteuil. L'insulte était de taille. Le roi se força pourtant à sourire.

– Soit. Nous ferez-vous l'honneur, messire, de séjourner chez nous ?

Pour toute réponse, le vicomte s'inclina devant Aliénor, puis, le regard fier dans celui de Louis, lui cracha au visage. Suger bondit. Il lui suffit d'un signe que je devinai. Aussitôt, l'homme se retrouva cerné de soldats. Il éclata d'un rire féroce et se laissa emmener.

L'incident ne resta pas sans suite, la colère grondait, les vassaux d'Aliénor voyaient en l'arrestation du vicomte de Thouars une atteinte à leurs droits. La querelle éclata entre ses partisans et ceux qui condamnaient son attitude. Aliénor refusait encore d'intervenir, se contentant d'exiger de Louis la libération du vicomte. Mais Louis ne l'entendait pas ainsi.

Or il fallait agir. Je le fis. Il était nécessaire d'écarter le roi de la cour quelque temps, nécessaire de reprendre en main l'Aquitaine et de vaincre Suger dans l'importance qu'il prenait chaque jour. Aliénor céda à mes supplices, se laissa guider et accepta que Louis mate la révolte. Quelques semaines plus tard, il partait pour Poitiers avec l'ost royal et Suger regagnait l'abbaye de Saint-Denis où il projetait la construction d'une abbatiale grandiose. Privée de son fils et d'une quelconque autorité, Adélaïde de Savoie se retira une fois de plus sur ses terres.

Avec le dégel, j'avais reçu des nouvelles de Blaye. Là-bas aussi l'hiver avait été rigoureux. De gros glaçons flottaient sur l'estey et nombre de canaux avaient gelé. Les pauvres gens qui vivaient sur les richesses de la Comtau avaient eu maigre pitance et, plus encore que les hivers précédents, enfants en bas âge et vieillards étaient morts de faim et de froid. Jaufré avait agi de son mieux, ouvrant les portes du château, distribuant pain et nourriture. L'ampleur de sa tâche ne lui avait laissé que peu de temps pour m'écrire. De plus, beaucoup de chemins étaient devenus impraticables. À la neige et au froid avaient succédé de véritables déluges de grêle et de pluie. Personne n'avait pu circuler. Ni homme, ni bête, ni courrier.

Il avait pensé à moi autant que j'avais pensé à lui et sans doute même davantage.

À présent que je serrais entre mes mains le parchemin à l'odeur de lys, un manque aigu me déchirait le ventre. Que n'aurais-je donné en cet instant pour ses mains sur mes seins, mes hanches, et sa chair dans la mienne. Je dus m'appuyer au mur pour ne pas vaciller de désir et de douleur à la fois. Je n'en pouvais plus soudain de son absence.

Jaufré me disait son intention de venir à Paris avec son ami Panperd'hu. Je savais qu'Aliénor ne verrait pas d'un œil ravi ces retrouvailles. Je devais la convaincre sans la froisser. Denys m'y aida. Je lui avais avoué mon attachement à Jaufré pour le décourager d'un amour sincère et, curieusement, ma franchise nous avait rapprochés encore. Pour se consoler, Denys s'était tourné vers la reine, qui le subjuguait par sa beauté autant que par son impertinence. Les regards dont celle-ci enveloppait son connétable me donnaient à penser qu'elle nourrissait à son égard les mêmes sentiments. Comme je la comprenais ! Louis était un amant fantôme tout juste bon à aiguiser sa faim et la laisser pantelante d'un désir frustré. Je la comblais autant qu'il m'était possible dès que nous trouvions quelque intimité, mais cela ne suffisait plus à son ventre.

Aliénor avait besoin d'un sexe d'homme. Je le lui offris un soir.

Selon nos nouvelles habitudes, elle m'avait rejointe dans ma chambre, sitôt les chandelles mouchées dans le palais. Nue contre mon corps, elle s'était aussitôt abandonnée à mes caresses sur sa nuque et ses épaules, qui l'apaisaient et l'excitaient tout à la fois. J'en usais parfois comme d'un jeu pour faire grandir son impatience. Pas cette nuit. J'attendais autre chose. Il m'était facile de prévoir ses réactions. Je n'eus qu'à me laisser guider par son souffle qui, du ronronnement à l'agacement, puis à l'inquiétude, traduisit l'instant que j'espérais. Voyant que je me satisfaisais de ces attouchements trop sages, sa main s'enhardit sur mon pubis. Je ne réagis pas. Ce soir, il m'était facile de me contrôler. Elle insista quelques minutes, retenant son souffle pour guetter le mien. Je feignis un soupir résigné et promenais d'une main molle mes doigts au creux de ses reins. Elle se redressa d'un bond, comme brûlée à mon contact.

— Tu ne m'aimes plus ! frissonna sa voix entre la consternation et la panique.

— Bien sûr que si ! répondis-je tristement.

— Et cependant tu es lointaine, à peine sens-tu mon désir de toi. De quelle langueur souffres-tu si ce n'est de moins d'amour ?

– Oser seulement te le dire déclencherait des foudres sur ce baldaquin.

– N'as-tu point confiance en moi ? Qu'ai-je donc fait pour que tu me craignes et me rejettes ?

– Rien, ma reine. Rien.

Et pour preuve, je l'attirai contre moi. Elle se pelotonna dans le creux de mon épaule. Un sourire m'échappa que l'obscurité lui voila. Elle était prête. J'attendis encore pourtant. Je voulais qu'elle m'arrache ce secret, comme une victoire qu'elle aimerait s'octroyer plus tard. Le feu crépitait dans la cheminée au pied du lit, arrondissant des ombres fantasques sur les murs blanchis.

– Parle-moi, je t'en prie, gémit-elle. Je ne puis supporter de te perdre.

– La compagnie de certain troubadour me manque, voilà tout.

Elle se redressa, furieusement blessée.

– C'est donc cela ! Je m'étonnais que tu l'aies oublié si facilement.

Elle s'écarta de moi et me tourna le dos, boudeuse, pour me dissimuler ses yeux scintillants de larmes. Afin de lui laisser le temps de digérer mon aveu, je me glissai hors du lit et remis une bûche dans l'âtre.

Un long moment s'écoula, peuplé de gerbes d'étincelles crépitantes qu'activait la pique sur les braises. Un instant, je perçus la course folle d'une souris en quelque coin de la pièce. Aliénor ne bougea pas. Puis ce fut un soupir, suivi d'un autre plus prononcé. Tous deux signifiaient la même chose : pourquoi ?

Alors seulement j'eus la certitude que sa colère était tombée, qu'elle voulait que je la rassure et tout à la fois que je lui fasse mal, comme on peut avoir mal de la peur de perdre ceux que l'on aime.

– Oublierais-tu un corps d'homme au creux du tien s'il n'était que tendresse ?

Il y eut un temps de pause. Aliénor se retourna lentement et se cala contre un volumineux oreiller de plumes d'oie. Son visage était calme. Elle soupira de nouveau, d'incompréhension cette fois, qu'elle ponctua d'une de ses évidences :

– Un homme ne peut être tendresse.

– Lui, si.

– Je ne vois vraiment pas ce qui fait la différence !

Elle semblait si vulnérable, si délicieusement oubliée, qu'une vague de pitié me submergea. Comment pouvait-elle savoir ? Comment pouvait-elle comprendre ? Je m'entendis répondre d'une voix désolée :

– Tout. Que sais-tu de l'amour ? Louis t'embroche mais ne t'aime pas.

Ses yeux s'écarquillèrent, tandis que sa bouche s'arrondissait en une moue songeuse. Pourtant, cela ne dura qu'un instant, car brusquement ce fut comme si un rayon de soleil venait de déchirer le papier huilé de la fenêtre. Aliénor avait éclaté d'un rire sonore. Elle repartit sur ce ton léger que j'adorais :

– Ai-je donc l'air d'une poularde pour mériter d'être embrochée ?

Ce fut à mon tour d'éclater de rire. Dieu que je l'aimais ! Je la rejoignis sur le lit et caressai du doigt ses lèvres fines.

– Donne-moi Jaufré ! Tu ne le regretteras pas. Je te le promets. J'ai besoin de sa présence.

Ses yeux se voilèrent de tristesse.

– Pour que tu ailles la nuit dans sa couche plutôt que dans la mienne, se plaignit-elle.

– Quelques nuits seulement.

– Pendant lesquelles je brûlerai d'envie de vous passer tous deux par l'épée.

Je l'embrassai sur le front. Ma petite reine avait mûri pendant mon absence, c'était incontestable. Mais pas encore assez pour avoir pleinement confiance en moi. Pour ce faire, je devais m'employer à la seconde partie de mon plan. Lui faire l'amour était un bon remède contre sa peur. Lentement je descendis mes lèvres sur sa bouche, sans m'y attarder toutefois, pas davantage qu'au long de son cou et à la naissance de sa gorge. Aliénor renversa la tête en arrière, le souffle court dans lequel se perdit un « oui » chargé d'espoir. Remontant vers son oreille, je murmurai pour clore la discussion :

– Et je suis sûre, moi, que tu n'y penseras même pas.

Sur cette promesse, je me levai pour moucher les chandelles, plongeant la pièce dans l'obscurité. J'ajoutai :

– Allonge-toi.

Elle obéit sans mot dire, le corps pantelant à l'idée d'un nouveau jeu. Je m'enveloppai dans un châle et me glissai dans l'antichambre. Denys m'y attendait, assis sur le lit qu'occupait d'ordinaire Camille, ma chambrière, reléguée pour l'heure à l'étage au-dessus, chez une de ses camarades. Le connétable avait troqué sa cotte de mailles contre un bliaud de laine et j'eus soudain la vision de ce jouvenceau charmeur qui m'était apparu pour la première fois à Châtellerault. Il se leva à mon approche, l'air interrogateur. On l'avait conduit ici sur mes ordres, sans qu'il sache la raison de ma requête. Son regard plongea dans mon décolleté que mon vêtement sommaire dissimulait à peine, et je pris conscience de l'indécence de ma tenue. Pour ne point lui laisser loisir d'extrapoler, je resserrai plus encore les pans du châle sur mon ventre et chuchotai :

— Je t'ai promis un jour de te montrer ma reconnaissance, pas mon corps.

Il sourit et répliqua :

— Ce serait offense de ne pas regarder.

— Garde-toi pour celle que tu aimes, le taquinai-je mystérieusement.

Denys connaissait les liens charnels qui m'unissaient à la reine, pourtant il me fixa sans comprendre.

— Que veux-tu dire, Loanna de Grimwald ?

— Ne le sais-tu donc pas ? Il est vrai que, chez le vicomte, on ne t'a point appris à écouter aux portes. Laisse-moi la rejoindre, puis entre. Je vous quitterai dès lors que tu seras en sa couche.

— Mais elle… bredouilla-t-il, en proie à une vive émotion qui colora ses joues d'un carmin brûlant.

— Ne t'inquiète pas. Aliénor est une chatte. Elle t'aime autant que tu l'aimes. Promets-moi seulement de rester fidèle à ta réputation. On m'a rapporté que tu étais un bon amant, je ne veux point que ma reine soit déçue.

Denys me lança un regard étrange fait à la fois d'admiration, de désir et de fascination. Il savait que je n'étais pas comme les autres, et, au fil des jours, nous devenions complices au-delà de ce qu'il imaginait possible entre une femme et un homme qui ne sont pas des amants. Il se demanda sans doute, cette nuit-là, jusqu'où je pouvais aller !

Il se contenta de bredouiller un merci que je feignis de ne pas entendre. Aliénor s'impatientait de mon absence, je le devinais au froissement des draps de l'autre côté. Soulevant de nouveau la tenture, je la rejoignis. Le plancher grinça sous mes pas, et un soupir me parvint. J'écartai délicatement les couvertures et, m'agenouillant au-dessus de son ventre, ponctuai de baisers son buste impatient.

– Que faisais-tu donc ? murmura-t-elle.

– Rien qui te déplaise, ma reine.

Lorsque ma bouche écarta ses cuisses, toutes les questions qu'elle pouvait se poser se noyèrent dans un flot de plaisir. Elle n'entendit pas Denys approcher ni ne se choqua de sentir d'autres mains sur elle.

Denys me remplaça habilement. À un moment, ses doigts effleu-rèrent ma peau et me brûlèrent. Ce fut pour moi le signal du départ. Ma chair trop longtemps oubliée réclamait ce sexe dressé que je devinais dans l'ombre. Je m'écartai de lui, d'eux, ramassai le châle qu'Aliénor avait fait glisser de mes épaules. J'avais le ventre en feu. Mais ma place n'était plus là. J'appartenais à Jaufré. L'oublier même pour une heure revenait à me perdre. J'aimais bien trop Denys et Aliénor pour participer à leurs ébats. J'attendais autre chose de leur communion, autre chose qui ne devait en rien m'inclure. Je m'éclip-sai vers l'antichambre où je m'enroulai dans une couverture et, ber-cée par les gémissements d'Aliénor, je m'endormis à même le sol devant l'âtre flamboyant. Dans ma tête chantait une voix dont je ne connaissais que trop bien le timbre.

Jamais je n'avais vu Aliénor aussi épanouie. Dès le lendemain de cette nuit mémorable, elle me confia qu'il n'y avait aucune com-mune mesure entre Denys et Louis, et que je lui avais fait un présent royal. Je ne renouvelai pas ma requête à propos de Jaufré. C'était inutile. Ces simples mots m'avaient suffi à comprendre qu'elle était accordée. Un messager de Blaye déboula à bride abattue la semaine suivante. Jaufré se disait honoré d'accepter l'invitation de la reine et annonçait son arrivée. Jamais nouvelle ne me bouleversa autant. C'était comme si chaque fibre de mon corps se nourrissait soudain du moindre souffle de vent qui nous rapprochait ! Pour ajouter à cela, Denys affichait au fond des yeux une étoile pétillante que je ne lui connaissais pas. Il m'avait gratifiée d'un baiser sur le front la pre-mière fois que nous nous étions retrouvés seuls, quelques heures seu-lement après ses ébats royaux. « Je t'aime, petite fée ! » avait-il dit avant de s'enfuir en riant comme un enfant. J'étais restée les bras ballants. Il y avait tant de façons d'aimer, m'avaient appris Merlin et mère. Tant de façons qui généraient tant de joie ! J'étais heureuse.

Deux semaines plus tard, Jaufré arrivait au palais de la Cité avec Panperd'hu et un jeune troubadour de notre âge, Bernard de Ventadour, qui passait pour avoir séduit la comtesse pour laquelle ses parents travaillaient et dont la réputation avait amusé Aliénor Le mari jaloux n'était aucunement fâché que son protégé aille chanter sous d'autres cieux. Ce qu'il comptait faire céans.

Mes retrouvailles avec mon aimé furent encore plus douces que je ne l'espérais. Je lui appris tout ce qui s'était passé depuis mon départ de Blaye et lui me raconta combien il lui avait été difficile de vivre chaque instant sans mon parfum sur l'oreiller. Il avait composé de nouvelles chansons, nostalgiques et lointaines, et je ne pouvais m'empêcher de frémir chaque fois que ses longs doigts osseux faisaient chanter les cordes de sa cithare. Oui, j'étais heureuse. Délicieusement, éperdument heureuse !

À quelque temps de là, un courrier annonça que l'Aquitaine était calmée et la paix revenue. Suger, chargé de l'intendance pendant l'absence de Louis, faisait de fréquentes visites au palais. À chacune d'elles, il se montrait souriant et affable. Béatrice, émoustillée à l'idée du retour du roi, avait retrouvé son éclat auprès des dames de compagnie que la longueur des jours ramenait vers les jardins. Même si elle avait perdu de son charme auprès de la reine, il lui restait suffisamment de charisme pour enjôler la cour et nombre de ces bécasses assorties de beaux damoiseaux s'y laissaient prendre. Je me réjouissais en secret du fait que, las d'espérer d'elle autre chose que du mépris, le comte de Flandres avait jeté son dévolu sur la demi-sœur de Geoffroi le Bel, Sibylle d'Anjou. C'était une compagne agréable de figure et d'allant, bien qu'un peu effacée et craintive. Je l'avais vue à plusieurs reprises en Anjou, et la retrouver à la cour où elle nous avait rejoints depuis Pentecôte m'avait rapprochée un peu de mon enfance et des miens. Nous nous entendions à merveille. Et si l'on raillait souvent ses petits cris apeurés, beaucoup parmi ces dames et ces damoiseaux la considéraient comme la meilleure amie du monde, tant elle se coupait en quatre pour être aimable et agréable avec tous. Qu'elle ait par ces attraits volé à Béatrice son chevalier le plus servant m'amusait d'autant plus que cette dernière en était verte de jalousie. C'était pour sa petite personne prétentieuse et maligne un retour de bâton divinement savoureux !

Cette période de clémence et d'euphorie cessa avec le retour du roi. Aliénor dut prendre garde à masquer sa liaison. Elle joua finement, assurant le roi que ses yeux pétillants et ses joues rosées étaient dus à sa présence, tant elle avait souffert d'être séparée de lui. Louis sembla s'y laisser prendre. Dans le même temps, un messager de mère m'annonça de mauvaises nouvelles : les chevaliers du Christ étendaient leurs possessions en Aquitaine et Étienne de Blois s'en faisait des alliés fidèles. J'avais du mal à comprendre comment il y parvenait. Ce sot dévoré d'ambition et de lucre trahissait, pour satisfaire ses alliés, les prélats et barons anglais qui servaient sa cause.

Sous le prétexte de bénéficier d'une armée divine, il leur arrachait des domaines et n'hésitait pas à les faire s'opposer pour récupérer leurs terres. Mathilde comptait les points, renforçait ses alliances en Normandie et, poussée par mère, tentait de son mieux de barrer la route à l'ordre sur ses deux duchés. Plusieurs de ses messages avaient été interceptés et l'on savait à présent que mon rôle n'allait pas dans le sens des intérêts du Temple. Je devais redoubler de vigilance. Ce n'était pas chose facile, car Jaufré me remplissait le cœur et m'attendrissait.

Depuis le retour de Louis, je veillais à ce qu'Aliénor se montre de plus en plus capricieuse et autoritaire. Ce n'était pas difficile compte tenu de ses aptitudes naturelles ! Son appétit charnel apaisé par Denys dès lors que Louis sortait de sa couche, elle entendait de nouveau prendre part aux décisions royales, s'opposait de ce fait à Suger et continuait d'exiger la libération du vicomte de Thouars que le roi s'obstinait à garder pour conforter son autorité en Aquitaine. Elle ne pouvait admettre que l'un des siens soit privé de sa terre, d'autant plus que le vieux vicomte de Vertheuil était un proche de son père et que son fils avait agi par défi et par peur davantage que par haine. Louis, cependant, n'aimait pas qu'on le provoque, pas plus qu'il n'aimait ce qu'Aliénor avait fait du palais de la Cité. Chaque jour, jongleurs, troubadours, bateleurs de toute espèce emplissaient les rues de la vieille ville, ainsi que les cours et les salles du palais redécorées de couleurs chatoyantes.

Béatrice voyait tout cela d'un œil mauvais. Aliénor ne s'intéressait plus à sa personne malgré les efforts visibles qu'elle faisait pour s'infiltrer dans notre intimité, et, plus elle me détestait d'être revenue, plus elle se heurtait au fait que beaucoup m'appréciaient. J'avais su me rendre indispensable grâce à ma connaissance des simples et des pigments pour les teintures. J'écoutais avec application ce qu'on me confiait sans divulguer rien alentour ; souvent même, ces dames suivaient mes conseils et s'en félicitaient. Béatrice n'avait d'autre talent que sa fourberie et sa trop grande, trop éclatante beauté. L'attention dont me couvait Jaufré la rendait malade, je le devinais à chacun de ses regards incendiaires, au ton de sa voix qui cherchait à blesser sous des dehors mielleux. Cette damoiselle était un véritable poison. Pour comble à son malheur, malgré l'amour qu'elle portait au roi, celui-ci la voyait à peine, et, si l'on sentait que son visage de madone attirait son regard, c'était le plus souvent un de ces regards vides dont on ignorait véritablement le fondement. Pour donner un sens à son existence désespérément creuse, elle décida qu'il était temps pour elle de se frayer une place en son cœur, si près de Dieu qu'elle en deviendrait l'image.

Les beaux jours s'allongeant, tout ce petit monde se déplaça à Saint-Germain pour de grands pique-niques sur une herbe tendre. Les dames ramassaient à tour de bras les fleurs d'acacia, si savoureuses en beignets, et des plantes aromatiques qu'elles frottaient à même leur peau pour se parfumer.

Loin du bruit, de la musique et des rires, le jeune roi, qui n'avait jusqu'alors goûté que le paisible roulement de la Seine et quelques divertissements de bon ton, voyait dans tout ce luxe dispensé par la reine une sorte de provocation à ses vêtements et son allure de moine. Tout cela lui déplaisait. Les fêtes des îles et des saints patrons n'avaient jamais été aussi somptueuses et faisaient penser davantage à des festivités païennes, malgré les processions, qu'à des cérémonies religieuses.

Louis se réfugiait donc dans *sa* chapelle dès qu'il revenait de la chasse au faucon ou à courre avec les chiens qu'on lui avait offerts selon cette toute nouvelle mode. Les dames faisaient partie de l'équipage lors de la battue au renard, donnant une allure de désordre joyeux à ce qui était d'ordinaire une affaire d'hommes.

Bref, ce tapage ne cessait que dans la lumière feutrée des vitraux cloisonnés d'étain de la maison de Dieu. Il y croisait de plus en plus souvent Béatrice de Campan, qu'il se prenait à regarder à la dérobée. Le visage souriant de la Vierge à l'Enfant rayonnait de toute sa sainteté dans sa niche de marbre à quelques pas de la jeune femme, et Louis trouvait une certaine similitude à la douceur de leur expression. Parfois, Béatrice tournait son charmant sourire vers le regard admiratif du roi et il se troublait de la voir paisible et sereine. Il aimait sa compagnie si reposante.

Peu à peu, il commença de regretter les jours marqués de son absence. D'autant plus que, lorsqu'il avait l'occasion d'échanger quelques propos avec elle, il s'étonnait toujours de l'entendre reprocher à Aliénor son attitude hautaine vis-à-vis de lui et son goût du luxe. Pour autant que Béatrice brillât par ses toilettes, celles-ci conservaient une certaine sobriété, sa beauté et sa grâce naturelle suffisant amplement à faire se retourner sur son passage les regards des plus exigeants.

Finement, Béatrice dénigrait Aliénor tout en feignant de l'aimer, ce qui déconcertait Louis autant que cela le rassurait. Comme il était réconfortant de trouver quelqu'un qui le comprenait ! Quant à cette contradiction, il l'attribuait à son peu d'expérience des femmes et n'y voyait aucune malice. Une seule chose prévalait : grâce à la présence de Béatrice, il se sentait bien moins seul.

> *Quan lo rius de la fontana*
> *S'esclarzis, si com far sol*
> *E par la flors aiglentina*
> *E'l rossinholetz el ram*
> *Volf e refranh et aplana*
> *Son dous chantar et afina,*
> *Dreitz es qu'ieu lo mieu refranha.*

« Quand l'eau de la fontaine
Devient plus limpide, comme cela arrive
Quand naît la fleur de l'églantier
Et que le rossignol sur la branche répète,

Module, roule et affine sa douce chanson,
Il est bien juste que je reprenne la mienne. »

– Encore, messire Rudel, encore ! implora Sibylle d'Anjou en battant des mains.

Mais Aliénor, qui régissait la cour d'amour, décida du contraire.
Un jeune troubadour nommé Bertrand de Born se pliait aux caprices de ces dames et s'apprêtait à subir la dernière épreuve.

Les yeux bandés, on le fit tourner sur lui-même, pour le laisser
enfin à genoux au milieu de la pièce dans le plus grand silence. Lors,
tour à tour, les dames s'approchèrent et frôlèrent du bas de leur jupe
les mains tendues du jeune homme. À ce simple contact, il devait
reconnaître les atours de son aimée ; s'il réussissait, celle-ci acceptait
d'être sa « dame » et qu'il se meure d'amour pour elle comme elle se
mourait d'amour pour lui.

Chacune retint son souffle lorsque, majestueuse, Mélissinde de
Bourgogne s'avança, le cœur battant. C'était elle qui recevait les
faveurs du troubadour, malgré son mariage avec le vieux duc de
Bourgogne. Le trouble qu'elle affichait suffit-il à capturer l'âme sensible de Bertrand ? Aussitôt après son passage, il lança d'une voix
émue :

– Je n'en veux point d'autre que celle-ci, à mon cœur et pour
toujours.

Mélissinde de Bourgogne manqua s'évanouir de bonheur. Aliénor laissa retomber le murmure qui avait couru dans l'assistance,
puis s'exclama :

– Qu'on libère messire Bertrand !

Immédiatement, un page lui ôta son bandeau des yeux, et il chercha l'élue de son cœur qui, assise auprès d'Aliénor, regardait le bas
de sa jupe, un fard haut placé sur les pommettes saillantes.

– Approchez.

Le jeune homme s'avança devant Aliénor. Je le devinai tremblant
sous son apparente tranquillité.

– Tendez votre main gauche, mon ami, susurra la reine.

Elle déposa dans la paume ouverte celle frémissante de Mélissinde :

– Voici celle que vous avez choisie.

Bertrand de Born se prosterna devant sa belle. Puis récita d'une voix vibrante :

– Je jure par Dieu de vous être fidèle, ma dame, jusqu'à ma mort ou jusqu'à ce triste moment où vous me retirerez votre serment. Que jamais aucune autre ne sera ma muse et que désormais seuls vos moindres désirs seront ma quête et mon bonheur.

Mélissinde de Bourgogne, tremblante telle une feuille d'automne, murmura à son tour :

– Et moi je fais serment, messire, de vous aimer pour votre mérite jusqu'à ce que la mort nous sépare.

Les dames alentour, émues, essuyèrent d'un revers de mouchoir une larme au coin de leurs paupières. Aliénor posa avec tendresse sa main sur celle des amants, puis s'adressa à Jaufré, amoureusement assis à mes pieds sur un coussin de velours :

– À présent, faites-nous le plaisir d'une chanson, messire.

Jaufré pinça quelques cordes de sa mandore, se racla la gorge et annonça :

– Oyez, oyez, gentes damoiselles et beaux damoiseaux, cette chanson qui célèbre celle dont mon cœur est épris…

Il allait entamer sa complainte lorsque la voix d'Aliénor l'interrompit.

– Un instant.

Un page venait d'entrer et murmurait quelques phrases à l'oreille de la reine. Il tenait un bref de parchemin dans sa main gauche. Aliénor acquiesça du menton et l'homme présenta le courrier à Jaufré, tandis qu'Aliénor commentait déjà :

– De sombres nouvelles de Blaye viennent d'arriver, mon ami. Il semble que vos terres soient menacées.

Jaufré blêmit. Il posa sa mandore à terre et décacheta le parchemin : le seigneur du Vitrezais voulait s'approprier la Comtau et assiégeait la ville haute. Le message était de son administrateur, qui comptait sur son prompt retour pour des négociations.

Jaufré laissa s'enrouler le papier sur son poing, puis, triste et rageur à la fois, déclara d'une voix éteinte :

– Je dois partir sur l'heure, Votre Majesté.

– Faites, mon ami. Et revenez sitôt que vous le pourrez.

Je n'osai parler, un étau m'enserrait la poitrine. Que pouvais-je face à son devoir quand je savais le poids du mien ?

Quelques heures plus tard, j'accompagnai Jaufré aux berges du Grand Châtelet. Nous n'avions pas échangé un mot. Il m'avait prise dans un angle de mur au sortir de la salle de musique, tel un animal qui dévore sa proie, puis, par honte et crainte sans doute de sa faiblesse, m'avait laissée me rajuster seule. J'avais le cœur et le ventre écartelés entre mes larmes et le plaisir.

Il m'embrassa goulûment, l'esprit déjà là-bas, puis tourna la bride de son cheval et partit au galop. Les mains en porte-voix, gonflant le souffle du vent dans ma poitrine d'orage, je hurlai : « Je t'aime ! » sur ses traces.

Un mois plus tard, le 20 juin 1138, Mélissinde de Bourgogne libérait Bertrand de Born de son serment, lors d'une battue au sanglier. Apeuré par la bête énorme que les chiens avaient talonnée, son cheval se cabra, la précipitant à terre. Le temps d'intervenir et de piquer à l'arbalète les flancs lourds de l'animal, Mélissinde gisait sans vie, le visage déchiqueté par la bête. J'en frémis de la tête aux pieds, un goût de sang dans la bouche, comme un mauvais présage pour demain.

11

– M'aimez-vous, Louis ?

– Comme un sot, comme un fou.

Aliénor poussa un soupir de satisfaction et, roulant ses mains sous sa nuque, laissa courir ses yeux sur le plafond orné de fleurs de lys bleues rehaussées de feuilles d'or. Louis passa tendrement une main blanche sur les seins fermes, admirant le visage de son épouse dans la lueur blafarde du jour qui pointait au travers du papier huilé de la fenêtre de la chambre.

Il était heureux. Depuis quelques mois, Aliénor avait changé à son égard, elle était douce, enjouée, radieuse, paraissait mieux comprendre ses besoins et peu à peu l'avait ramené vers sa couche, où il découvrait l'amour, non comme aux premiers émois de leur mariage mais comme une communion sensuelle, puissante.

La raison en était qu'en cet automne 1138 Aliénor ne portait toujours pas d'enfant et qu'elle craignait, malgré la potion que je lui fournissais, d'être devenue stérile. Et puis elle avait trouvé un nouveau jeu.

J'avais fini par lui faire entendre raison. Aliénor cognait de front contre les obstacles quand il suffisait pour passer de les contourner. L'expérience de cette dernière année lui avait montré qu'il ne naissait rien de bon de ses sautes d'humeur et que, chaque fois, elle trouvait en face d'elle Suger, derrière lequel Louis se réfugiait.

Bien que prodigieusement têtue, Aliénor était intelligente, et c'était sur cette intelligence que je comptais. J'entrepris tout d'abord de lui montrer les manigances de Béatrice, m'arrangeant pour qu'au cours de nos promenades ou de nos jeux nous la croisions en compagnie de Suger ou de Louis à plusieurs reprises. Au début, Aliénor ne soupçonna rien, encore sous le charme de la « sainte » ; puis, à mes allusions, elle commença de se poser des questions. Comment se faisait-il que l'abbé connaisse toujours ses intentions ? Des indiscrétions m'apprirent leurs liens anciens. J'en fis aussitôt état à la reine. Dès lors, Béatrice fut écartée gentiment de ses faveurs. Adélaïde de Savoie intriguait auprès du roi contre sa belle-fille ? Qu'à cela ne tienne. Je fis intercepter un bref à l'attention du conseiller Raoul de

Crécy dans lequel elle lui dictait ses directives à propos de certaine affaire. Aliénor la fit venir dans son cabinet et lui recommanda de se retirer sur ses terres et d'épouser ce petit seigneur de Montmorency, bel homme fort courtois qui était épris d'elle, sous peine de voir certain billet arriver entre les mains d'un roi peu enclin à admettre que sa propre mère lui soit hostile. Adélaïde n'insista pas. L'on conseilla de même à Raoul de Crécy d'aller pour quelque temps visiter ses terres.

On prit pour excuse un incident mineur : Adélaïde comme Raoul avaient refusé d'acquitter leur écot pour les dépenses royales. Avec toutes les transformations du palais qu'Aliénor avait effectuées, du remplacement des cheminées à l'agrandissement des fenêtres, la facture était lourde et, ainsi qu'il était de coutume, les grands du royaume devaient payer. Et encore, Aliénor voulait des vitres comme en Aquitaine, mais elles lui furent refusées par Suger.

À nouveau, elle m'écouta. S'il ne restait que Suger pour lui faire des misères, il fallait le moucher. Mieux, le remplacer. Louis ne demandait au fond qu'à se laisser aller à l'amour qu'il portait à son épouse depuis leur rencontre. Et Aliénor aimait le pouvoir. Elle l'obtint.

Il lui fallut moins d'une année pour que le roi redevienne soumis et docile comme un agneau. Aliénor n'intervenait plus dans le cabinet des ministres, elle lançait sur l'oreiller des questions pour « causer et montrer son intérêt ». Louis parlait, confiait à son oreille attentive ses craintes et ses doutes, et Aliénor suggérait sans en avoir l'air, ponctuant d'un « je vous dis cela, mais sans doute ai-je tort », qui laissait Louis songeur. Au matin, il défendait pourtant l'avis de son épouse comme étant le sien. Au fil des mois, Suger fut de moins en moins souvent appelé au palais pour ses précieux conseils. L'abbé ne s'en offusqua pas, mais il commit une erreur de tactique, celle de croire qu'Aliénor faisait cela dans le but de garder Louis et donc de sa propre initiative. S'il savait désormais, j'en étais convaincue, que ma mission était de contrarier le couple royal, il n'imaginait en aucun cas que je puisse être aussi influente auprès de la reine. Moi aussi, j'avais appris à dissimuler !

Il restait cependant Thierry Galeran, déjà fidèle serviteur de Louis le Gros. S'il s'était jusqu'alors fait tout petit, il avait acquis ces derniers mois une place redoutable auprès du roi. Je n'étais pas loin de penser que, ne pouvant plus utiliser véritablement Béatrice, Suger avait fait pression sur ce vieil homme pour qu'il devienne son oreille à la cour. Il était facile de comprendre combien il leur était profitable de lutter ensemble contre la reine. S'unir pour mieux diviser était un usage vieux comme le monde ! Pourtant, lui aussi avait une faiblesse. Je fis remarquer à Aliénor que l'on pouvait difficilement faire confiance à un eunuque. Cruel certes, mais une fois encore je n'avais pas le choix. Après une petite enquête, Aliénor se fit un plaisir de moucher à l'envi le vieil homme, par des plaisanteries fines qui répandirent à la vitesse d'un éclair son triste état et le déconsidérèrent auprès de nombreuses personnes. S'il s'opposait aux suggestions d'Aliénor, c'était par pure méconnaissance des femmes ! Voire par muflerie et jalousie, Aliénor et Louis s'aimaient tant !

En vérité, Aliénor aimait surtout Denys, qui lui apportait quelques compensations aux déficiences du roi.

Somme toute, tout allait pour le mieux. J'envoyai une colombe à mère, qui conforta mon initiative. Mathilde reprenait du terrain sur Étienne de Blois, et il était bon que Suger soit écarté.

Il me restait une chose à faire à présent. Jouer avec la susceptibilité d'Aliénor. Elle n'avait soutenu les barons aquitains que pour tenir tête à Suger et au roi dans un temps où on l'empêchait de donner son mot. Elle demanda la libération du vicomte de Thouars comme une faveur à Louis et, devant leur nouvelle entente, Louis l'accorda. En échange, Aliénor réduisit les dépenses du royaume en limitant les festivités.

– Quand me ferez-vous le bonheur d'un enfant ?

La question était venue naturellement, tandis que Louis jouait avec la pointe du sein durci par ses caresses. Aliénor blêmit. Un instant, la vision d'une tête grosse comme son poing tétant ce même bout passa devant ses yeux.

Elle répondit cependant d'une voix enjouée :

– Bientôt, sans doute. Notre amour ne saurait à présent nous priver de cette joie.

– Il me faut un fils, Aliénor.

– Demandez à Dieu de nous le donner, Louis. Les fêtes de Noël approchent. Je voudrais pouvoir porter mon ventre comme un présent.

– Je vais prier pour cela, mais avant…

Il glissa sa main dans l'échancrure des cuisses pour les ouvrir davantage et, appuyant son corps frêle sur celui d'Aliénor, la fit sienne pour la seconde fois de la nuit.

– Que te dire ? On m'avait assuré de son efficacité. Peut-être est-ce trop tard déjà.

– Il me faut un enfant, Loanna !

Elle tapa d'un poing rageur sur le bureau, puis explosa en colère contre elle-même :

– Quelle sotte ! Pourquoi n'ai-je pas mis au monde cet enfant de Raymond au lieu de le faire mourir dans mon ventre. Il aurait suffi de le confier à quelque institution et aujourd'hui je porterais un futur roi !

– Allons, calme-toi !

Aliénor se tordait les mains, soucieuse. Je les lui pris et l'attirai contre ma poitrine. Il fallait changer ma stratégie. Au terme de dix-huit mois de mariage, Aliénor n'avait encore porté aucun enfant, cela commençait à attirer les soupçons. Or, si Aliénor ne devait pas mettre au monde de garçon, cela ne devait pas l'empêcher dans un premier temps d'avoir le gros ventre. Il suffisait que ses grossesses n'arrivent pas à terme. Je l'écartai doucement en la prenant par les épaules. Ses yeux étaient rougis de larmes.

– Écoute. Peut-être cet élixir ne vaut-il rien. Il est sur la rive droite, dans les bois, une vieille femme qu'on prétend sorcière. Je m'en irai la visiter et lui demander conseil, veux-tu ?

– Je t'accompagne.

– Grand Dieu, non ! Que penserait-on si l'on te reconnaissait ? Tu as des ennemis, Aliénor, qui auraient tôt fait d'acheter cette femme pour savoir les raisons de ta visite. Laisse-moi faire. T'ai-je déjà trahie ?

– Non, non, tu as raison. Mais va ! Je dois porter un enfant pour Noël.

– Je te le promets, ma reine.

La sorcière me donna une décoction qui avait, ma foi, quelques propriétés et je profitai de mon passage dans les bois alentour pour ramasser de l'*artemis vulgaris* que je savais trouver au creux des chemins. Bien au secret de ma chambre, je confectionnai à mon tour une poudre que, le moment venu, j'ajouterais au mélange pour provoquer une fausse couche. Jusque-là, Aliénor porterait l'enfant de Louis...

Cela se passa ainsi. Le ventre tendu sous sa robe, chacun put voir la jeune reine sourire avec bonheur au bras de son époux radieux pour la veillée de Noël 1138 à Bourges.

Aliénor était folle de rage. Louis venait d'entrer dans sa chambre pour lui apprendre que les Poitevins, à l'exemple des Orléanais, s'étaient, quelques semaines plus tôt, constitués en commune et soulevaient d'autres places fortes autour de Poitiers.

— Ils occupent le palais, dites-vous ?

— En effet, ma dame.

— Quelle insolence ! Je ne puis l'admettre, Louis, vous m'entendez !

— Simple querelle, ma mie, que nous réglerons vite.

— Vous ne comprenez pas, Louis, on ne touche pas impunément à la demeure des ducs d'Aquitaine ! De plus, c'est une atteinte à votre prestige autant qu'au mien.

L'œil de Louis s'alluma. Il n'avait pas envisagé la question de la sorte. Pourtant, à l'évidence, c'était son autorité qu'on bravait.

— J'enverrai quelques troupes.

Aliénor cogna violemment de son poing fermé le plateau de sa coiffeuse.

— Que les gens de Thibault de Champagne vous accompagnent !

— Est-ce nécessaire ? s'enquit prudemment le roi, que ce geste de colère avait surpris.

— Je vous veux à la tête d'une armée, Louis, et je veux celle de ces fomentateurs de révolte.

Louis écarquilla les yeux. Jamais encore, il n'avait vu Aliénor éprouver pareille haine, surtout envers ses gens. C'était décidé, il lui offrirait sa victoire.

Thibault de Champagne, duquel le roi s'était rapproché depuis le départ de Raoul de Crécy, ne se laissa pas convaincre. Louis pouvait fort bien se passer de ses hommes. Il n'y avait à son sentiment aucune raison de provoquer pareil déménagement. Ce n'est qu'en avril 1139 que Louis, avec une troupe de deux cents cavaliers, partit pour Poitiers, tandis qu'Aliénor, rongée par la rage, se faisait un allié en la personne d'un jeune clerc berrichon nommé Cadurc, fort savant et bel homme, qui avait l'avantage certain de la trouver parfaite.

Devant la colère de Louis, les Poitevins n'opposèrent aucune révolte et le palais fut libéré sans que la moindre goutte de sang fût versée. Ce n'était pas suffisant pour la reine. Louis obtempéra. À contrecœur, il désigna de jeunes otages parmi les familles les plus importantes et les exila de part et d'autre du royaume, soulevant une clameur réprobatrice à travers le royaume. C'est alors que Suger intervint. Sans prévenir. Lui qui s'était jusque-là abstenu de participer au débat fronça le sourcil en apprenant la nouvelle. Bien qu'occupé à préparer les fêtes de Pâques, il fonça vers Poitiers.

Autant dire que cela agaça Aliénor. Suger n'eut qu'à sermonner en brandissant la volonté de Dieu, et Louis l'enfant de l'Église, Louis le prêtre-roi, s'agenouilla devant son confesseur et demanda pardon. Dès le lendemain de l'arrivée de Suger, la sentence était levée et les jeunes gens réintégraient leurs familles. Non seulement Louis matait la révolte, mais il attirait soudain une sympathie que sa clémence auréolait de panache. Blotti dans le sillage de Suger, comme un jouvenceau cachant sa faiblesse, il revint vers Aliénor la tête basse.

Son épouse le reçut dans une mare de sang. Elle venait de perdre son enfant. Un fils.

Elle était livide et accusatrice. Louis l'avait contrariée. Louis n'avait pas vengé son honneur. Louis avait menti. Et, plus encore, Louis s'était trompé ! Dieu avait rejeté sa clémence. Sinon comment expliquer cette fausse couche ? Bouleversé, le roi ne trouva rien à répondre. Le doute était en lui. Il n'était pas responsable. C'était Suger qui avait été l'instrument de Dieu. Suger s'était trompé. Il l'avait trompé. Mais ne l'avait-il pas fait de bonne foi ? Dieu n'est que pardon, disent les saintes Écritures. Où était la vérité de Dieu ? Chaque fois qu'il en arrivait à cette question, il avait devant les yeux l'image de ce fœtus ensanglanté.

Il ne sut que pleurer au chevet de sa reine. Mais Aliénor ne lui accorda aucun regard de pitié. Pour la première fois de sa vie, elle avait au cœur une haine qui eût noyé Paris dans le même sang que celui de sa propre chair.

Quelque temps plus tard, sans doute pour tenter d'éclairer un peu le visage fermé de son épouse, Louis écarta Suger de la cour, et Cadurc fut promu à de hauts titres et prébendes afférentes.

Lors de plusieurs débats théologiques dans les vergers du palais, je me liai d'amitié avec un jeune clerc nommé Thomas Becket, qui, venu d'Angleterre pour étudier en l'île de la Cité, me donnait des nouvelles régulières : Mathilde gagnait du terrain de jour en jour et, à son avis, ne tarderait pas à reprendre la couronne. Il était l'allié de la maison d'Anjou et me servit de relais avec la Normandie, où ma marraine s'était implantée pour mieux diriger les opérations. J'appris donc de vive voix qu'Henri n'avait rien perdu de son mauvais caractère, bien au contraire. Âgé maintenant de six ans, il épouvantait frère Briscaut, qui avait manqué faire un coup de sang à la suite d'une de ses espiègleries. Pour se venger d'une punition méritée qui l'avait laissé en pénitence plusieurs heures agenouillé sur le froid des pierres de l'église, le chérubin en avait ouvert les portes à une escouade de cochons agacés par les flammes d'une torche. Attiré par le vacarme, l'abbé avait trouvé son église souillée et ravagée par les animaux aux hurlements stridents. Henri avait reçu une abondante bastonnade sans même froncer les sourcils, son regard noir dans celui de l'abbé qui s'en signa d'effroi.

Cette anecdote me fit rire aux éclats tant j'imaginais la face cramoisie de ce bon vieux frère Briscaut aux prises avec ce petit monstre. Thomas Becket avec son accent merveilleux me gronda. Henri avait bravé l'Église ! Un pressentiment me donna envie de lui dire que ce ne serait sans doute pas la dernière fois mais je m'abstins. Un jour, ces deux hommes s'affronteraient, je le sentais, mais pour l'heure Henri était tel que je l'avais deviné, un enfanteau plein de vie et d'imagination. Plus têtu encore que son père. Son union avec Aliénor ne manquerait pas de me donner du fil à retordre !

La compagnie de Thomas Becket me plaisait et me faisait du bien. Outre ce sujet, nous parlions souvent philosophie, et la mienne, tirée de l'enseignement de mère et de Merlin, lui faisait hocher la tête. Si Thomas Becket était un prêtre, sa foi pure et vraie rendait à l'homme une dignité indiscutable. Il n'était pas d'accord avec certains us de son Église, refusant pour lui-même toute richesse. Ses sandales étaient usées jusqu'à la corde et sa bure simple laissait voir quelques trous aux manches et aux chevilles. Il m'appelait débonnairement et sans malice sa « petite païenne », ce à quoi je répliquais que j'étais aussi catholique que lui-même. S'il n'avait aucune raison d'en douter, certaines de mes réponses concernant mon éducation le laissaient songeur. Depuis qu'il connaissait le frère Briscaut, il avait peine à croire qu'il ait pu m'inculquer tout ce que je savais. Pour éviter les oreilles indiscrètes de Béatrice qui sans relâche traînait aux alentours, nous échangions souvent en gallois, que j'avais appris de mère, et je retrouvais un peu de mon enfance pendant ces moments partagés.

Je recevais fréquemment des nouvelles de Blaye. Jaufré me manquait, et cependant j'étais soulagée qu'il ne fût pas à mes côtés. C'était une de ces contradictions qui bouillonnaient dans ma tête. Je me nourrissais de son absence, de la certitude de son amour. Cela aiguisait mes sens, les laissant en alerte. Lorsqu'il était près de moi, je baignais dans une torpeur béate qui me rendait vulnérable. Je l'avais déjà appris à mes dépens. Amour et devoir ne faisaient point bon ménage. Mon esprit était bien trop occupé à déjouer les manigances qui planaient à la cour pour s'abandonner.

Je me contentais de ses courriers. Ils m'apportaient une bouffée de large, de lys et d'orangers. Une bouffée de bonheur. Rétablir la paix dans ses terres n'avait pas été chose facile. Limitrophe du pays vitrezais, la Comtau attisait la convoitise de son jeune seigneur impétueux, héritier récent d'un bonhomme pacifique. Jaufré s'entendait bien avec le vieillard et, de fait, laissait souvent les riverains s'aventurer sur ses terres. La Comtau était d'une telle richesse qu'on pouvait y vivre en nombre sans qu'aucun y perde. Son fils n'était pas du même avis. Il voulait tout. Pour lui seul. Il était de ces jeunes fougueux qui ne songeaient qu'à brûler, piller et massacrer, user du vice comme d'une vertu et travailler à leur seule gloire. À son arrivée, Jaufré avait trouvé la ville haute assiégée par une centaine d'hommes, les abbayes pillées et les gens réfugiés à l'intérieur de l'enceinte fortifiée. Lui-même n'avait dû son salut qu'à l'existence d'un souterrain qui partait de l'hospice des pèlerins de Compostelle à Saint-Martin et menait droit au château.

Jaufré ne voulait pas la guerre, mais non plus renoncer à son bien. Le siège dura huit mois, pendant lesquels la ville haute fut ravitaillée par le fleuve, grâce à un autre souterrain, invisible depuis la terre, qui s'ouvrait à marée basse au pied de la falaise. Le seigneur du Vitrezais ne pouvait y avoir accès. Jaufré se félicitait chaque jour que son assaillant fût si sot ! Grâce à ce stratagème, la ville pouvait tenir. Le seigneur du Vitrezais menaça de raser les faubourgs, embrasa le quartier Saint-Sauveur dont les gens avaient fui, mais Jaufré ne céda pas. La ville haute était imprenable.

Finalement, Jaufré se résigna à l'offensive. Il informa son suzerain et cousin Guilhem IV d'Angoulême, afin qu'il lui donne toute légitimité. Jaufré avait un jeune frère, Gérard, avec lequel il était brouillé et qui séjournait depuis quelques années à la cour d'Angoulême. À plusieurs reprises, Jaufré avait souhaité qu'il revienne à Blaye et le seconde tandis qu'il serait en route et en chemin. Cette fois encore, il l'appela à oublier leurs différends pour s'unir et préserver leur terre. Guilhem IV donna tout pouvoir à Jaufré pour régler ses affaires, mais Gérard ne vint pas. Lors, Jaufré se résolut à faire appel à son ami de toujours : Uc le Brun, seigneur de Lusignan.

Belliqueux et sans pitié, son compère régla vite la question. Il reconduisit les assiégeants à leurs frontières, non sans avoir décousu par l'épée ce bruyant voisin. Son cadet se montra plus raisonnable, s'arrangea des accords passés, mais Jaufré sentait bien que la menace persisterait. Ce sang bouillonnant ne rêvait que de conquêtes.

Rien ne put disperser sa tristesse devant les amas de pierres et de cendres. Blaye de nouveau était détruite, souillée, salie. Il fallait reconstruire. Dans un même élan, chacun se mit à l'ouvrage. Jaufré veilla à ce que tout rentrât dans l'ordre. Il était comme sa terre : meurtri. D'autant plus que, Gérard ayant refusé de revenir, il ne pouvait quitter ses gens pour me rejoindre. Malgré ses occupations, il se languissait de moi.

Nous entrions dans les premières chaleurs de ce mois de juin 1139. Depuis sa fausse couche, Aliénor demeurait fiévreuse au lever et avait perdu l'appétit. Elle ruminait sa rancœur comme un poison et cherchait à se venger de Suger qu'elle tenait pour responsable de l'accident. Pis, elle refusait toute caresse et avait congédié Denys, qui traînait sa peine comme un fardeau et passait ses journées en des entraînements épuisants à l'épée ou à la lance pour ensuite s'opposer aux tournois. Même à ceux-ci – il y en avait eu deux depuis Pâques –, la reine ne venait pas.

Louis ne savait que faire pour se racheter et craignait d'avoir perdu l'estime de son épouse avec le fils qu'elle avait porté.

Je passais donc une grande part de mes journées à essayer de la distraire tandis que Thomas Becket suivait avec intérêt les cours de ses maîtres. Comment en l'occurrence, occupée que j'étais à lui rendre le goût des choses et surtout de l'amour dont elle avait grand besoin, aurais-je pu m'inquiéter de ne plus recevoir de nouvelles de Blaye ?

Cela dura quelques mois. Aliénor ne décolérait pas. Seul Cadurc était autorisé à la voir. L'abbé lui conseillait la prière et lui lisait quelques passages de la Bible.

Ce matin-là, il s'annonça après l'office. Aliénor, victime d'un malaise, n'avait pu y assister. Je l'avais laissée depuis Pâques aux soins de l'apothicaire du palais mais, sa santé ne s'améliorant pas, j'avais décidé la veille au soir de prendre les choses en main et d'avoir recours à mes propres médecines. Dès que Cadurc fut dans la place, je descendis aux écuries. Il y avait, non loin de Sainte-Geneviève, un apothicaire qui faisait venir toutes sortes de poudres et de plantes des quatre coins du royaume et même d'Orient. Je trouverais chez lui les ingrédients qui m'étaient nécessaires pour le rétablissement de ma protégée. J'attendais que le palefrenier selle Granoë, appuyée négligemment contre un des piliers de la cour, lorsque mon regard fut attiré par un homme crotté qui tendait un rouleau de parchemin à un page de Béatrice. Les deux hommes ne m'avaient pas remarquée et parlaient librement :

– Remettez ceci à damoiselle de Grimwald. Aurai-je une réponse cette fois ?

– Non. Vous pouvez aller.

Je faillis bondir pour m'interposer mais je me retins. Abandonnant tous mes projets, je suivis le page à quelque distance. Comme je le pressentais, il se dirigea droit vers les appartements de Béatrice.

Je le laissai ressortir, cachée dans une encoignure, puis forçai la porte de la belle. Mon irruption la fit pâlir. Elle tenait en main le parchemin. Sans lui laisser le temps de se reprendre, je fonçai droit sur elle et m'emparai du document, l'œil mauvais.

– Vous permettez ?

Un coup d'œil sur la signature me renseigna. Jaufré ! Mon cœur bondit de rage. Béatrice redressa la tête :

– Comment osez-vous vous introduire ici ?

– Comment osez-vous subtiliser du courrier qui ne vous est pas destiné ?

– C'est une regrettable méprise. Je venais de me rendre compte que c'est à vous qu'il était adressé.

J'eus un rire mauvais et avançai d'un pas. Elle recula d'autant. Je lui faisais peur. C'était visible.

– Et je suppose que vous comptiez m'en avertir sur-le-champ ?

– Évidemment ! lança-t-elle en bredouillant, tentant désespérément de retrouver sa superbe.

J'en avais assez de ce petit jeu.

– Où sont les autres ? demandai-je d'un ton sans équivoque.

Elle redressa le menton crânement.

– Je ne vois pas de quoi vous voulez parler !

– Ne m'agacez pas, Béatrice. Je suis lasse de vos manigances et vous n'imaginez pas le quart de ce dont je suis capable.

Elle se força à rire d'un petit jet sec par bravade.

– Certes ! Je n'essaie pas d'empoisonner la reine, moi !

Je restai bouche bée, mais, supposant qu'elle tentait une feinte, j'esquivai :

– Si vous vous imaginez vous en tirer avec des accusations de cet ordre, vous vous trompez. Je sais que vous détenez d'autres courriers. Je les veux, Béatrice.

– Au diable ces balivernes ! Que penserait le roi de votre commerce avec la sorcière du marais ? Je suis sûre qu'il y verrait un argument à la mauvaise santé de son épouse, tout comme vos manigances avec Thomas Becket, quand on sait les alliances de Sa Majesté avec l'Angleterre !

J'étais abasourdie. Cette petite peste ne se mêlait que de me nuire. Cette fois, j'en avais assez. En deux pas je fus sur elle, et ma fureur l'obligea à se réfugier contre le mur, dans l'angle d'un meuble. Elle était décomposée. Je m'arrêtai contre son souffle alors qu'elle appelait à la garde d'une voix morte qui n'ébranla pas l'épaisseur de la porte. Je la dépassais d'une tête. Je lâchai entre mes dents, une furieuse envie de la gifler au bout des doigts :

– Croyez ce que bon vous semblera, sombre idiote. Cela m'indiffère ! Vous ne prouverez rien, jamais ! À présent, dites-moi où se trouve ce que je cherche ou je vous jure par Dieu de fracasser contre ce mur votre petite figure de madone.

Elle se liquéfia, bredouilla quelques mots que je ne compris pas et que je la forçai à répéter. Elle se contenta de tendre un doigt timide vers un meuble agrémenté d'une douzaine de tiroirs.

Je m'écartai tandis qu'elle se laissait glisser contre le mur, à demi évanouie. J'ouvris un à un les tiroirs et fouillai sans ménagement. Je trouvai dans le quatrième une dizaine de parchemins portant un sceau que je reconnus sans hésitation. Je m'en emparai, puis, me tournant vers sa forme avachie et au bord des larmes, je proférai comme une menace :

– Que je ne vous y reprenne pas ! Sans quoi je vous ferai rentrer dans la gorge jusqu'à la moindre de vos insinuations !

Tournant les talons, je la plantai là.

Enfermée dans ma chambre, je dévorai avec avidité l'écriture de Jaufré. Au fil des lettres, mon aimé me suppliait de lui répondre, me racontait ses contraintes qui l'empêchaient de me rejoindre et me disait son incompréhension devant mon silence. L'aurais-je remplacé ? Il se mourait d'amour. J'en fus bouleversée. Je me jurai de faire payer à cette peste le prix de sa souffrance. Armée d'une plume, je rédigeai sans tarder une réponse dans laquelle je lui expliquais tout et lui jurais fidélité éternelle.

Quelques heures plus tard, un messager dans lequel j'avais toute confiance partait vers Blaye, et je me dirigeai vers Sainte-Geneviève pour faire mes emplettes. Je pris bien plus de plantes que je n'en avais besoin afin de dissimuler dans le vaste choix celles qui me seraient utiles, puis, avisant que personne ne m'avait vue entrer et sortir, je jetai sur l'apothicaire un sortilège qui lui fit oublier jusqu'au moindre détail de ma visite.

De retour au palais, je préparai ma poudre, et il ne fallut pas plus de huit jours pour qu'Aliénor retrouve sa vitalité et sa force. Cadurc jura que c'était grâce à la prière, l'apothicaire à ses bons soins, et Béatrice imagina sûrement que c'était de m'avoir démasquée. Quoi qu'il en soit, personne, pas même la reine, ne sut que chaque verre que je lui servais dans l'intimité ramenait dans son corps la vigueur qui lui manquait.

Béatrice ne parut pas à la cour de quelques jours et le bruit courut qu'elle était souffrante. Je me réjouis de voir que j'avais eu sur sa vilenie un effet aussi grand, mais me promis de rester sur mes gardes. Cette diablesse était bien capable de s'en venger.

La réponse de Jaufré fut courte, et me combla :

« Comment ai-je pu douter de toi quand je te sens vibrer dans le moindre souffle du vent ? Je t'aime tant ! »

L'été 1139 et sa chaleur s'installant, la cour se déplaça vers le sud. Une escale à Châtellerault permit à Denys de revoir son père. Loriane était éteinte, ne parvenant pas à surmonter la mort de son dernier fils, Thierrey, emporté l'hiver précédent par les fièvres. J'aurais voulu pouvoir la réconforter, mais son regard était ailleurs, dans un songe permanent qui n'acceptait personne. Denys l'embrassa doucement sur la joue avec une profonde tendresse, elle ne broncha pas davantage.

Avant de s'enfermer dans le silence, elle avait reproché à son époux l'injustice d'un destin qui lui avait enlevé son fils au lieu du bâtard qu'elle avait dû élever contre son gré. C'était la première fois qu'elle osait faire grief au vicomte de son infidélité. Ce fardeau qu'elle avait traîné en secret dix-sept années durant autant que cet ultime coup du sort avaient épuisé sa raison. Loriane allait mourir. Je le savais et n'y pouvais rien faire. Le vicomte s'était résigné à cette fatalité qu'il pressentait aussi. Sans doute se sentait-il coupable. Il n'en montra rien. Cependant, lorsque nous nous éloignâmes le cœur gros, il recommanda en aparté à la reine de prendre soin de son « bâtard » qu'il aimait tant et de lui donner un titre, pour le protéger de la haine de ses frères aînés. Aliénor promit.

À Poitiers, heureusement, le ton changea. La délégation royale fut accueillie aux acclamations de « Noël ! » et « Montjoie ! ». Au milieu d'elles, s'élevait comme une injure le nom du roi, en place de celui de la duchesse d'Aquitaine. Aliénor blêmit et serra les dents.

159

Suger était responsable de la popularité de Louis en ses propres terres. Suger qui avait adouci le châtiment qu'elle exigeait lorsque les Poitevins s'étaient constitués en commune. Suger qui avait bravé sa loi, s'était interposé entre son mari et elle, entre ses vassaux et elle ! Suger ! Toujours Suger ! Elle se promit de le lui faire payer dès la première occasion.

Nous visitâmes aussi Bordeaux où Pernelle, plus jolie que jamais, coulait des jours heureux. Geoffroi du Lauroux, l'archevêque tant apprécié de leur défunt père, veillait sur l'éducation de la jeune fille et sur l'intendance du duché. Aliénor approuva ses registres, tout en enjoignant à sa sœur de se mêler au joyeux remue-ménage de la cour. Pernelle en fut enchantée, et bientôt ses malles et ses chambrières s'installaient à Poitiers, prêtes, dès l'été achevé, à nous accompagner à Paris.

Jaufré vint nous rendre de nombreuses visites. À chacune d'elles je brûlai, me consumai d'amour et de bonheur. Je lui appartenais corps et âme. Que n'aurais-je donné pour oublier qui j'étais et devenir sienne !

Quelques jours seulement après notre arrivée en Poitou, agacée par les Poitevins, Aliénor exigea que l'on se rende à Talmont pour voir de ses yeux la sentence infligée à son vassal Guillaume de Lezai qui, peu de temps après les événements d'avril, avait dérobé par bravade les gerfauts appartenant aux ducs d'Aquitaine. Louis lui avait tranché les pieds de ses propres mains, à son retour de Poitiers, pour tenter d'apaiser quelque peu la colère de son épouse. Mais cela n'avait pas suffi. Elle voulait constater que réparation lui avait été faite, et ne cilla même pas devant les moignons déchiquetés sur lesquels pendaient des chairs purulentes. Guillaume de Lezai mourrait certainement de ce mal qui faisait pourrir les membres sectionnés, mais elle s'en moquait. Aliénor était devenue cruelle. Comme si la perte de cet enfant avait réveillé en elle des instincts primaires de prédateur. Puisqu'on lui refusait le droit d'enfanter, elle allait montrer qui était la reine de France !

Je n'eus donc aucune difficulté à ranimer en elle la haine qu'elle portait à Alphonse Jourdain, comte de Toulouse, tout comme son père avant elle. Elle entendait revendiquer ses droits sur le comté par l'héritage de sa grand-mère, Philippa, que Guillaume le troubadour avait cloîtrée à Fontevrault, pour consommer une passion adultère. Il ne me déplaisait pas, depuis que j'avais appris qu'il était mon père, de venger aussi l'affront qu'avait subi ma mère. Guillaume avait chassé Philippa de même que Guenièvre de Grimwald, son amante de l'ombre. Il était normal qu'Aliénor, et moi à travers elle, récupère cet héritage.

Cette nouvelle lubie ne fut pas du goût de Louis. Attaquer le comte de Toulouse, vassal puissant, n'était pas une mince affaire, d'autant qu'il n'avait pas grand-chose à lui reprocher hormis sa richesse. De plus, Alphonse Jourdain passait pour un être cruel, sûr de lui et prompt à rassembler ses troupes, qu'il avait en nombre. Louis demanda l'avis de Raoul de Crécy qu'il avait rappelé à ses côtés, déçu par l'attitude négative et passive de Thibaut de Champagne. Raoul affirma que le jeu n'en valait pas la chandelle, et Aliénor dut le prendre en aparté afin de lui rappeler certaine affaire pour qu'il consente, en faisant la grimace, à modérer ses certitudes par un « toutefois, avec une bonne armée... ». Aliénor insista. Louis céda avec l'automne 1139 et notre retour à Paris. Il prendrait Toulouse.

Réunir une armée qui puisse tenir tête à celle des Toulousains n'était pas chose facile. Louis fit traîner autant qu'il put le recrutement des hommes et les alliances avec les grands de son royaume. Il fallut dix-huit mois, pendant lesquels on voyagea de baronnies en comtés, entraînant dans notre sillage une cour de plus en plus nombreuse. Un temps qui s'écoula telle une coulée de lave. Elle bouillonnait dans le sang d'Aliénor, étourdissait Louis, réduisait Béatrice à son état de dame de compagnie et diluait mon influence dans chaque recoin jusqu'au plus secret des âmes.

12

La douleur m'arracha un cri tandis qu'une peur incontrôlable me déchirait le ventre. Au-dehors la nuit était sereine, une nuit de pleine lune troublée par le hululement d'une chouette sur un arbre proche.

Le froid était là, à l'intérieur de moi, qui me fit remonter à pleines mains sur mes épaules la couverture de laine. J'étais dans mon lit. Seule. Je dormais paisiblement et puis il y avait eu cette image. Mère. Une large blessure sur sa tempe. Ses yeux sans vie et sa voix dans ma tête, sa voix comme un murmure :

« J'ai fini mon temps, Canillette. Souviens-toi de rester toujours telle que je t'aime ».

De grosses larmes roulèrent sur mes joues. J'eus beau me répéter que ce n'était qu'un cauchemar, quelque chose en moi savait qu'il n'en était rien. Comme si, brusquement, il me manquait une part de moi-même.

– Oh, mère, j'ai peur ! Je vous en prie, mère, répondez-moi ! Rejoignez-moi ! Ne me laissez pas ! Mère ! Mère !

Mais à mon cri ne répondit qu'un long, un douloureux silence.

Aliénor me serra contre elle avec tendresse. Mais je ne pleurais pas. Je n'y arrivais plus. Je m'étais vidée comme une outre pleine, d'un seul coup. La souffrance était ailleurs, plus violente, plus sourde aussi. Elle était advenue comme une sorte de rage en même temps que le messager.

L'accident s'était produit au matin même de ma vision. Le cheval s'était cabré, apeuré par le vide sur le côté du sentier à flanc de falaise. Au pied, les vagues de l'océan jouaient entre de solides rochers. Ils avaient accueilli la chute de Guenièvre. C'était le 11 avril 1141.

Je partis pour la Normandie, laissant Aliénor à Poitiers où, depuis quelques semaines, elle attendait le retour triomphant de Louis contre le comte de Toulouse.

À mon arrivée, je fus accueillie par le visage blême de Mathilde. Elle aussi avait mal et peur, je le devinais, de ces lendemains sans les conseils et le réconfort de mère. Elle aussi me serra dans ses bras affectueusement en m'appelant sa « chère petite ». Geoffroi avait changé. Ses cheveux roux s'étaient clairsemés et avaient blanchi, de même que sa barbe qui s'étalait en corolle autour de son menton. Il m'embrassa, me complimenta pour faire diversion. Puis marraine me conduisit auprès de Guenièvre, toute petite dans sa longue robe noire, sur les draps blancs au milieu des roses rouges. Quelqu'un avait déposé un crucifix de bois entre ses mains fines, et cela me fit sourire. Comme elle devait s'amuser de ce détail alors qu'elle n'aimait Dieu que pour satisfaire Mathilde. On avait essuyé le sang sur ses tempes et nettoyé la blessure, mais la plaie s'ouvrait large comme une main et son crâne ressemblait à un de ces melons d'Espagne éclatés par inadvertance.

Mathilde se retira sur la pointe des pieds. J'étais seule, seule avec elle, morte. Comme c'était étrange. Je n'avais pas mal de cette image. Je la savais ailleurs, ma mère des jours tendres, des larmes et des rires. Elle dormait dans ce monde des vivants dont je faisais partie, et j'aurais voulu recevoir ses bras autour de mon cou, entendre son rire comme une bouffée de printemps. En même temps, pourtant, le souvenir de Merlin drapé de sa puissance me la faisait sentir plus que jamais au creux de moi. Un instant, j'eus envie de me précipiter sur son grimoire et d'appeler, par quelque magie, son âme à mes côtés, de la retenir prisonnière, mais je n'en avais pas le droit.

Nous en avions parlé une fois. J'avais demandé pourquoi on ne rappelait pas les morts quand ils nous manquaient trop. Guenièvre avait répondu, de sa voix grave :

– Si leur mission est accomplie, leur âme redevient énergie pure, celle qui alimente toute vie, Loanna. Cette énergie doit se régénérer en permanence pour être redistribuée. Si tu brises un maillon de cette chaîne par égoïsme, tu affaiblis l'équilibre général, tu prives quelqu'un ou quelque chose de sa substance. Et il n'est rien de pire qu'un corps sans âme.

– Mais on ne peut pas vivre sans âme, mère.

– Si, Canillette, tout n'est qu'un amas de matière plus ou moins développé selon que tu es un grain de sable, un arbre ou un homme. L'âme, c'est l'étincelle en plus, celle qui te relie à l'univers.

– Sinon, on est un pantin articulé ?

– C'est un peu ça, Canillette.

– Mais vous, mère, vous n'allez pas mourir, dites ?

– Bien sûr que si, quand j'aurai fini mon temps. C'est dans l'ordre des choses, et même nous, druidesses, n'avons pas le droit d'y rien changer. Pis, nous devons protéger cet équilibre, sans quoi notre existence n'aurait aucun sens.

– Je ne veux pas que vous mouriez.

– C'est notre corps qui se détruit, Canillette, mais je demeurerai sous une autre forme, ailleurs. Le jour où je ne serai plus, je serai davantage, une étoile de plus dans ta propre énergie et au fond de ton cœur.

Une étoile au fond de mon cœur, dont le souvenir éclairerait à jamais chacun de mes moments de doute ou de solitude. Voilà ce qu'elle serait désormais. Elle m'avait tant appris, tant donné. Je me devais d'en être digne. Alors, résolument, je détachai mes yeux de ses paupières closes, de son visage abîmé par l'accident. Ce n'était plus mère, ce corps qui reposait en attendant le linceul. Ce n'était plus rien que de la matière dont la fonction était interrompue. On ne veillait pas un corps sans âme.

Dehors, la tiédeur du printemps me fit du bien. Mes forces revenaient lentement. Je n'avais plus peur. Comme pour me guérir tout à fait, une touffe d'épais cheveux roux se jeta contre mes jambes de toute la force du petit corps qui les soutenait, manquant me faire chuter à la renverse.

– Henri !

Ses bras emprisonnèrent mes jupes tandis qu'une bouille bar- bouillée de confiture tendait vers mon visage un sourire malicieux.

– Jour, Nillette !

Je détachai avec difficulté les bras de mes jambes pour tomber à genoux devant mon petit roi. Il entoura ma nuque de ses mains et je le serrai fort, fort contre mon cœur.

– Pleure pas, Nillette ! Je t'aime, moi !

– Je ne pleure pas, Henri. Je ne pleure pas.

– Si tu pleures ! C'est normal, t'es une fille !

C'était pourtant vrai qu'elles coulaient, ces idiotes de larmes ! Mais je ne savais plus, tout à coup, si c'était de chagrin ou de joie.

– Quand je serai roi, je giflerai le méchant Louis et j'épouserai Aliénor… Dis, Nillette, c'est forcé que j'épouse Aliénor ?

Henri siégeait du haut de ses huit ans dans le fauteuil des ducs de Normandie. Il avait dit cette dernière phrase d'un air soucieux, après avoir frappé du poing sur l'accoudoir comme il voyait faire son père quand il se querellait avec un vassal.

– Pourquoi ? Elle ne te plaît pas, Aliénor ? Elle est belle, tu sais…

– Aussi belle que toi, Nillette ?

Je souris en brossant sa tignasse d'une main tendre. Décidément, elle était de plus en plus difficile à dompter.

– Plus encore que moi.

– Ah !

Il poussa un long soupir et, quittant son fauteuil, vint s'asseoir sur mes genoux. Aussitôt, il blottit sa tête dans mon cou. Si Geoffroi le voyait, il se fâcherait assurément. Il y avait longtemps qu'Henri n'avait plus à se laisser materner par qui que ce soit ! Pour l'heure, il ne songeait pourtant à rien d'autre, et je retrouvai avec tendresse les moments où, tout petit, il venait de même. Lui non plus n'avait pas oublié.

Devinant qu'il était soucieux, je questionnai :

– Qu'est-ce qui te tracasse ?

Henri haussa les épaules et répondit d'une petite voix embarrassée :

– C'est que je préférerais t'épouser toi, Nillette.

Je ne pus m'empêcher de rire tout en le serrant contre moi. Il me lança un regard noir et frappa du poing contre mon épaule.

– Méchante ! Tu te moques !

– Eh là, grosse brute ! On ne bat pas une femme, encore moins quand on veut la demander en mariage ! grondai-je en me frottant l'épaule.

Ce gamin avait une force hors du commun et un manque certain de contrôle de ses pulsions, pour ne pas dire un manque d'éducation. Je me réservai un reproche à l'égard du frère Briscaut.

– Pardon, pardon Nillette, pardon !

Il m'embrassa les joues avec effusion, me les tenant à pleines mains.

– Suffit, messire, allons, suffit.

Il s'arrêta.

– Regardez-moi, messire Henri.

Il planta un regard amoureux dans le mien, et je m'attendris comme autrefois. Mais il fallait lui faire la leçon. Aussi je pris un air sévère et, comme mère le faisait avec moi, j'entrepris de lui expliquer :

— Tu ne peux pas te marier avec moi, Henri, tu es un futur roi et je n'ai pas de dot en dehors d'un petit domaine sur tes terres. Aliénor, elle, est riche, belle, intelligente, elle sera une bonne reine et je sais que tu l'aimeras.

— Ça se peut pas ! C'est toi que j'aime, Nillette !

— Le temps viendra, Henri. Le temps viendra.

— Quand je serai roi, je te donnerai des domaines et tu pourras m'épouser.

— Ce n'est pas si simple. Et puis mon cœur appartient à un autre.

Ses yeux se voilèrent de tristesse, puis un éclair de colère les balaya.

— Quand je serai roi, je tuerai celui que tu aimes, voilà tout !

— En voilà des façons ! Sûrement pas ! Sans quoi, je te change en asticot et te jette dans la fosse aux poulets.

— Tu le feras pas !

Je levai mes doigts au-dessus de sa tête et, prenant un air diabolique, je lançai :

— Essaie donc un peu pour voir. *Grundi fundi...*

Henri s'échappa en courant dans un grand éclat de rire, et je passai le reste de la matinée à jouer à cache-trouvé avec lui, dans cette aile du château à demi en ruine où il m'avait entraînée.

Quatre jours plus tard, je recouvris d'une poignée de terre la bière de Guenièvre de Grimwald. Mathilde n'avait émis aucune objection à ce que je m'occupe d'Henri en attendant les funérailles, espérant que cela me réconforterait un peu. J'avais respecté, pour ma part, la coutume et veillé le corps chaque nuit pour que les « esprits malins », comme disait frère Briscaut, ne puissent s'emparer de son âme avant qu'elle soit en terre. J'eus envie de lui répondre qu'elle était déjà diluée dans l'espace et reconvertie dans une autre substance, mais à quoi bon ! Il croyait en son paradis divin et ce n'était ni le lieu ni le moment d'entamer une controverse. Mère vivait en moi pour toujours.

Et c'était la seule vérité. *Ma* vérité.

Je demeurai encore quelque temps auprès des miens. Henri ne voulait pas que je parte et je m'apercevais chaque jour davantage à quel point il était impulsif et autoritaire, collectionnant les fessées qu'il comptabilisait par de petits cailloux blancs portés dans une bourse de cuir à sa ceinture. À aucune d'elles Henri ne pleurait ni ne se plaignait. Comme si chaque fois il remportait une victoire supplémentaire sur lui-même. Et la bourse de cuir s'alourdissait. Ce n'étaient ni frère Briscaut ni Bernaude, qu'on avait mariée et qui continuait à s'occuper de lui au milieu de deux autres bambins de trois et deux ans, qui en viendraient à bout. Mathilde était trop occupée à moucher son cousin, et Geoffroi le Bel, qui avait perdu sa superbe en gagnant quelques rides et un solide embonpoint, passait la plupart de son temps à guerroyer ou à traiter des alliances pour tailler à son fils aîné un royaume digne de lui.

Henri avait un jeune frère, Geoffroi, que je découvris avec curiosité. Il était en tout point son opposé. Aussi calme et posé qu'Henri était belliqueux, il subissait bon nombre d'injustices de la part de ce gaillard qui le dépassait de plus d'une tête. Henri serait grand, bien plus que son père, ses pieds et ses mains démesurés en attestaient. Pourtant, aussi étrange que cela paraisse, il se réservait le droit de blesser son cadet. Dès lors qu'un autre le menaçait, il s'interposait pour le défendre et prenait volontiers les torts qu'on lui reprochait à sa charge. C'était à se demander comment Mathilde avait pu donner naissance à deux êtres aussi dissemblables d'aspect et de caractère.

Après avoir appris que mon ami Thomas Becket était retourné en Angleterre début mars, sa formation achevée, et qu'il œuvrait de son mieux à l'avènement de Mathilde, je regagnai Poitiers.

Ce ne fut qu'au long du voyage de retour que s'insinua en moi une peur incontrôlable : celle du regard de Jaufré. Les dix-huit mois qui venaient de s'écouler l'avaient occupé souvent sur ses terres. Je me satisfaisais de ses courtes visites qui m'emplissaient tout entière. Une fois seulement, courant décembre 1140, il m'avait parlé de mariage. C'était à Bourges où la cour s'était retrouvée pour les fêtes de Noël. J'avais éludé la question. Il n'avait pas insisté. Mais, depuis lors, j'étais sur mes gardes. J'avais besoin de lui. Et tout à la fois je devais renier cet amour. C'était sans solution et d'autant plus inévitable depuis la mort de mère.

Aliénor était en rage. Non seulement elle venait une nouvelle fois de perdre l'enfant qu'elle portait au terme de quatre mois de gros ventre, mais, surtout, Louis était revenu penaud de Toulouse, sans avoir même fait verser une goutte de sang. La ville était imprenable, mieux gardée que la meilleure de ses places fortes et pourvue en hommes vaillants d'un nombre bien supérieur à celui de son armée. Encore une fois, Thibaut de Champagne appelé en renfort avait boudé la campagne.

C'était insupportable !

L'atmosphère au palais comtal l'était aussi, en conséquence. D'une humeur exécrable, Aliénor cinglait par des reparties acerbes quiconque plaisantait, voyant dans chaque discours une allusion à sa personne.

Je me retrouvai donc en plein cœur de ces batailles d'intérêts qui ne m'avaient apporté aucune véritable victoire.

Pour conforter mes craintes, Jaufré attendait mon retour, croyant pouvoir par sa présence soutenir mon épreuve. À quoi bon lui expliquer que le vide laissé par Guenièvre devait s'emplir de tout ce pourquoi elle m'avait mise au monde ? Je savais qu'il ne pouvait comprendre. Il lui aurait fallu entendre mes origines, et tout ce qui se transmet de bouche de druide à oreille de druidesse ; je n'en avais pas le droit. Pas encore.

Je me sentais désormais prisonnière de mon destin, sans échappatoire. Je n'aurais de cesse d'unir Henri à Aliénor et devrais œuvrer sans répit dans ce sens, et dans l'oubli de moi-même.

Je repoussai Jaufré malgré ma passion et sa peine. Je ne pouvais pas l'aimer sans me perdre. Le pire était de n'avoir aucun motif solide à lui donner. Tout mon être trahissait mon amour, quand ma raison hurlait le contraire. Il choisit la patience, mettant mon inconstance sur le compte de ma douleur. Elle était réelle. Non à cause du départ de mère, mais par trop d'amour pour lui. Désespérée, je me jetai à corps perdu dans l'intrigue.

Louis fut là, les bras ballants, le regard de chien battu. J'étais parvenue à calmer Aliénor. Toulouse attendrait. L'important était que Louis soit à sa botte. Il y aurait d'autres moyens de mater nos adversaires, et pour commencer ce Thibaut de Champagne qui nous portait sur les nerfs à l'une et à l'autre. Avec son soutien, le comte de

Toulouse aurait pu plier. Il payerait. J'en trouverais la façon avant qu'il ne soit longtemps.

Ma reine ouvrit le trésor ducal et offrit à Louis un vase taillé d'une seule pièce dans le béryl en gage de son affection, pour lui prouver qu'elle ne lui en voulait pas. La vérité était qu'elle espérait par son indulgence se faire pardonner sa grossesse perdue.

On décida de prolonger le séjour en Aquitaine jusqu'à la fin des beaux jours. C'est alors que se produisit un événement sur lequel je ne comptais pas. Pernelle, la jeune sœur d'Aliénor, était devenue une séduisante jeune fille et jetait des regards éperdus sur Raoul de Crécy qui eut pu être son père. Le comte de Vermandois se souciait peu de cette enfant, trop occupé à butiner les décolletés de quelques dames savantes en questions d'amour. Pernelle n'était pas encore en âge de se marier. Toutefois, je compris vite l'intérêt que je pouvais tirer de son attirance si elle se prolongeait. Je m'occupai donc à favoriser les rencontres de Pernelle et Raoul de façon tout à fait innocente. Au début septembre de cette année 1141, messire de Crécy se passait de mes services et faisait de longues promenades avec la sœur de la reine dans les vergers du palais.

J'appris ce même mois que Mathilde avait gagné. Elle siégeait sur le trône d'Angleterre et remplaçait Étienne de Blois qui avait commis bien trop de sottises avec les alliances qu'il avait contractées. L'Angleterre était à nous !

Jaufré se faisait discret, naviguant de ses terres à Bordeaux, de Bordeaux à Poitiers, nous rejoignant au cours d'une halte chez tel baron qui nous recevait et festoyait en compagnie des troubadours. Chaque fois que je croisais son regard, il m'obligeait à détourner le mien tant l'envie de me blottir dans ses bras voilait toutes mes résolutions. Lorsqu'il repartait, j'avais une pointe de métal piquée au creux de mes entrailles comme pour me retenir de courir vers lui.

Ce qui m'agaçait était de le voir passer du temps en compagnie de Béatrice. Cette fine garce, enjouée et attentive, ne manquait aucune occasion de se glisser à son bras et de l'entraîner vers des soubassements discrets pour « jouir de sa musique là où elle s'épanouissait le mieux ». La véritable raison était qu'elle s'ingéniait à me blesser, n'ayant rien perdu de ce que je m'évertuais à cacher. Jaufré se laissait faire. Peut-être pensait-il éprouver ma jalousie, et Béatrice était belle, douce, généreuse.

Je choisis d'ignorer ce que mon cœur hurlait. On ne pouvait désirer une chose et son contraire. Et puis, comme une sotte, j'avais confiance. Une confiance éperdue en l'amour que Jaufré me vouait.

L'île de la Cité nous accueillit au début de l'automne 1141. Suger rayonnait. Les plans de son abbatiale étaient avancés, dès février, l'on se mettrait à construire. Son goût du faste, que Bernard de Clairvaux lui avait reproché, trouverait dans cette réalisation son apogée. S'il se contentait de vêtements sobres pour satisfaire au désir du saint homme, nul doute que l'abbatiale de Saint-Denis serait pour lui une parure digne des plus grands. Jamais encore je n'avais vu autant d'éclat dans ses yeux bleus, enfoncés dans ses joues creuses. S'il œuvrait pour son ambition personnelle, il nous laisserait tranquilles. Je m'en frottais les mains.

— Je ne peux pas, Denys. Ne m'en veux pas, je t'en prie, je lui appartiens corps et âme.

Denys laissa retomber sa main qui jouait avec une mèche indisciplinée derrière mon oreille. Aliénor ne l'aimait plus depuis qu'elle aimait le pouvoir, et l'attirance qu'il éprouvait pour moi s'était renforcée de me voir rejeter Jaufré. Il se montrait de plus en plus empressé.

— Tu l'aimes et tu le fuis. Pardonne-moi de ne pas comprendre, Loanna !

— Tu es mon ami, Denys. Le seul qui ait risqué sa vie pour moi. Mais je ne peux rien te dire.

— À quoi bon, je sais déjà.

Je blêmis. Son sourire moqueur, si sûr de sa réponse. Un frisson me parcourut. Il m'attira contre sa poitrine massive, comme il le faisait fraternellement parfois. Je n'y prenais pas garde avant qu'il me fasse sa cour. J'eus un geste de résistance, mais la force de ses bras le noya dans le mouvement. Ne pouvant lutter, je m'abandonnai contre son torse. Il y avait si longtemps que personne ne m'avait serrée ainsi, caressant mes cheveux d'une paume tendre. J'avais la gorge nouée de me sentir ainsi protégée. Il murmura :

— Que peut donc intriguer la fille d'une sorcière auprès d'une reine de France ?

Je retins mon souffle, n'osant plus bouger. Denys poussa un soupir en resserrant son étreinte et poursuivit :

— N'aie crainte. Je ne suis pas ton ennemi. C'est dans leur acharnement à te perdre que j'ai trouvé les réponses. Il m'a fallu du temps et l'aide de Thomas Becket aussi.

Je le repoussai soudain, ayant peine à croire que Becket m'ait trahie, affolée d'être mise au jour. Mais Denys souriait tendrement, s'émouvant de mon visage de bête traquée, devinant sans doute mes angoisses. Avant que j'aie pu poser la question qui me brûlait les lèvres, il y répondit :

— Thomas ne pouvait regagner l'Angleterre sans être certain de laisser auprès de toi un ami sûr. Tu lui avais parlé de notre complicité. Il m'a mis à l'épreuve. Quelques jours avant son départ il me révélait tout, recoupant par là les informations que je possédais déjà. J'aurais pu te trahir cent fois auprès d'Aliénor, ma place à ses côtés m'en offrait l'avantage. Je ne l'ai pas fait, Loanna, et jamais, tu entends, jamais je ne ferai rien contre toi, contre ce que tu es, ce que tu représentes. J'ai trop d'estime, trop de respect, trop d'amour en moi pour te faire du mal. Je t'aime, Loanna de Grimwald.

Il accueillit mes sanglots sur son pourpoint de velours. Cela faisait si longtemps ! Si longtemps que j'étais seule avec ce secret. Sa voix murmurait tendrement au creux de mon oreille, ponctuant de baisers légers sur ma tempe chacune de ses phrases :

— Là, là, ma colombe. C'est fini. Je ne t'abandonnerai pas, je te le promets. Jamais tu n'auras ami plus sûr. Laisse pleuvoir, ma colombe.

Il me berça longtemps ainsi, jusqu'à ce que mes larmes sèchent sur mes joues, jusqu'à ce que je puisse enfin parler. Alors un seul mot me vint :

— Merci.

Son baiser sur mes lèvres salées me fit du bien. Il emportait dans son tourbillon les moments de doute, mes peurs et mon désespoir. Pourtant, je me dégageai de son étreinte.

— Puisque tu sais, alors tu dois comprendre pourquoi je repousse Jaufré. Pourquoi je ne peux prendre d'amant. D'autres que toi connaissent ma mission et feront tout pour que Louis et Aliénor restent unis. Ils pensent sans doute avoir gagné en ayant favorisé ces épousailles, ils ignorent encore que rien n'est joué. Je dois être attentive, prête à tout à chaque instant, me fiant à mes seules prédictions, à mes pressentiments ; il n'y a pas de place dans ma vie pour un amour, et celui de Jaufré me consume. Regarde comme Béatrice s'en sert pour me faire souffrir.

Le regard de Denys s'emplit de tristesse. Il savait quelque chose que j'ignorais.

– Quoi ? demandai-je, le cœur battant la chamade.

Denys eut un geste embarrassé, puis lâcha :

– Au fond, il vaut mieux que tu saches. Je me suis évertué à ce que cela te soit caché pour éviter tout triomphe à cette petite garce, mais... Jaufré s'est installé depuis peu dans une auberge de l'île. Quelques saltimbanques donnent de la tragédie en place du Châtelet, Jaufré s'est joint à eux.

– Et... ?

– Béatrice le rejoint dans sa chambre depuis quelques jours.

Je me laissai tomber dans un fauteuil, saisie d'un vertige. Je ne parvenais pas à y croire. Je n'avais rien vu, rien senti. Mes pouvoirs m'auraient-ils abandonnée ? Non, c'était impossible, Jaufré n'aurait pu.

Denys s'agenouilla et prit mes mains glacées dans les siennes.

– Ce n'est pas vrai, Denys. Il n'aurait pas fait cela.

– Pardon, ma colombe, mais j'ai plus de preuves qu'il ne m'en faut.

– Elle pourrait porter son enfant ? Oh, Denys, non !

– Je ne le crois pas. Regarde-moi, Loanna.

Mais il y avait un tel brouillard dans mes yeux que je le distinguais à peine.

– Béatrice a rendu visite à la sorcière du marais. La vieille lui a vendu une potion pour la maintenir stérile.

J'étais atterrée. Comment mes sens avaient-ils pu me trahir à ce point ? J'étais tellement sûre de moi. Encore une fois Denys me réconforta :

– Je la fais suivre nuit et jour, Loanna. Ce n'est pas Jaufré qu'elle veut. Elle ne l'aime pas. Elle brûle de passion pour Louis. Elle ne pourrait se permettre de porter gros ventre au regard de celui qui la voit comme une sainte. Elle n'aura jamais l'étoffe d'une reine, elle n'osera pas risquer de perdre celle d'une icône. Seule la vengeance l'anime. J'ai intercepté plusieurs billets anonymes qu'elle t'avait fait porter pour que tu les surprennes, elle et Jaufré. Elle cherche à te détruire et sait bien qu'il est ton point faible. Jaufré est vulnérable. J'ignore comment elle s'y est prise, mais il n'est pas difficile de montrer à quelqu'un l'intérêt qu'il aurait à susciter la jalousie pour réveiller quelque sentiment endormi.

— Alors il m'aime encore ? parvins-je à bredouiller comme un espoir infini.

— Plus, sans aucun doute, qu'aucun homme, et même moi, pourra jamais t'aimer, Loanna.

— Oh, Denys !

Je pris son visage à pleines mains. Denys m'était fidèle, je n'en doutais plus. D'ailleurs, en avais-je seulement jamais douté ? D'un seul coup, tout ce que j'avais refusé de voir m'apparaissait. Il fallait faire cesser ce jeu cruel, renvoyer Jaufré sur ses terres, utiliser Béatrice contre elle-même en la rapprochant de Louis, mais auparavant...

— Aime-moi, Denys.

Il marqua un temps de surprise, mais à présent mon sourire était franc. Je guidai ses mains vers ma gorge et ajoutai dans un souffle :

— Une fois. Une seule fois avant que nous ne soyons plus que des amis.

Fou de bonheur, il me souleva dans ses bras et m'étendit sur le tapis devant la cheminée flamboyante.

Les premiers frimas de novembre oxygénaient l'air vicié de la vieille ville. La ruelle, au triste nom de rue Brenneuse, était sombre, envahie de rats et de gros chats qui se faisaient une guerre misérable.

Nous avions monté l'embuscade avec l'aide d'un soldat nommé Duviol dont Denys avait fait son ami. Ses renseignements étaient exacts. L'office de vêpres était achevé depuis peu lorsque Béatrice parut, tout enveloppée d'une mante noire, escortée d'un homme que je reconnus être Barnabé de Monthoux, une fine lame dans l'ombre de Suger. Pas étonnant que le vieil homme l'ait mis au service de sa protégée. L'île de la Cité avec ses rues étroites abritait toutes sortes de coupe-jarrets.

Il ne fallut que quelques secondes. Sitôt engagé dans le passage, Duviol sauta depuis un appui de fenêtre sur le dos de Barnabé et frappa son crâne tandis que Denys saisissait la belle par-derrière. Béatrice poussa un cri de terreur, étouffé par un chiffon imbibé d'alcool de valériane appliqué contre son visage. Elle battit des bras comme un moulin par grand vent, puis s'écroula, inconsciente, dans ceux de Denys. Derrière eux, Duviol s'assura que Barnabé de Monthoux étendu à terre n'était qu'assommé. Ni l'un ni l'autre n'avaient eu le temps de voir le visage de leurs agresseurs. Un instant, l'envie me prit d'immoler Béatrice par la lame sur l'autel de ma vengeance, mais je n'en fis rien. J'avais d'autres projets pour elle.

L'auberge dans laquelle séjournait Jaufré était toute proche. Je débarrassai Béatrice de sa cape et la jetai sur mes épaules. Mon troubadour attendait une dame. Il ne fallait pas le décevoir.

Denys et son acolyte se chargèrent de ramener au palais la belle endormie, laissant pour solde de tout compte Barnabé de Monthoux se réveiller seul dans un recoin de mur discret. Les deux hommes ne s'appréciaient guère, et Denys n'était pas fâché de lui jouer ce méchant tour.

Je n'eus qu'à tourner l'angle d'une maison à quelques pas, pour découvrir l'enseigne au nom fameux du « Coucher du roi ». L'aubergiste, un homme ventripotent, essuyait ses grosses paluches sur un tablier qui avait dû être blanc. Je l'apostrophai d'une voix adoucie par la contrefaçon :

– Le sire de Blaye est-il là ?

– Non, la belle ! Mais il vous demande de l'attendre.

La chance me souriait. L'homme me tendit une clé, mais, au moment où j'allais m'en saisir, il la fit jouer autour de son doigt, me lançant dans une œillade langoureuse :

– P'têt'que j'pourrais vous aider à patienter…

– Ça ira, merci.

Mon ton sans équivoque lui fit hausser les épaules. J'attrapai la clé par son lacet de cuir et m'engouffrai dans l'escalier de bois. Sur le lacet était inscrit un 4. Trouvant la porte, je fis jouer le loquet. Une odeur de lys me prit au ventre. Ainsi c'était là ! La pièce était meublée sommairement : juste une chaise de bois, une table dans un angle, avec une bassine et un pichet d'étain, une malle dont une charnière pendait, tristement arrachée, et le lit.

Un frisson de douleur me descendit l'échine. Deux oreillers sur lesquels j'imaginais sans peine des visages tournés l'un vers l'autre. Des larmes me piquèrent les yeux, que j'essuyai d'un poing rageur. Allons ! Il n'était plus temps. Sur le chevet du lit traînait une bouteille à demi vide. Je mis le nez dessus. De l'alcool. J'en avalai une goulée pour me donner du courage. Puis j'allai coller mon visage sur le papier huilé de l'étroite fenêtre.

Jaufré ne tarda pas. J'entendis son pas dans l'escalier et retins mon souffle lorsque la porte s'ouvrit. Il posa la cithare sur la table et je devinai à ce geste brusque qu'il avait bu. En quelques enjambées, il fut dans mon dos. Je fermai les yeux, le cœur bondissant entre le plaisir et la douleur.

Je ne retrouvai ni sa douceur ni sa tendresse. Sans me faire face ni me déshabiller, il écarta les pans de la cape et ses mains fouillèrent mon corsage. La nuit était tombée dans la chambre et la chandelle éteinte.

Alors qu'il prenait à pleines mains ma gorge palpitante, il me lâcha et recula d'un bond. Je compris qu'il m'avait reconnue.

Incrédule, il se précipita et frotta un bâton de soufre. La lumière ranima dans un halo dansant les formes qui nous entouraient.

– Lo… Loanna ? bégaya-t-il en promenant dans mon dos la flamme.

Je fis glisser de mes épaules la cape qui portait le parfum de Béatrice et me retournai.

– Pour vous desservir, messire.

– Toi ? Ici ?

– Elle ne viendra pas. Elle ne viendra plus.

Mais déjà il était à mes genoux, les bras contre mes jupes, le front contre mon ventre. Un instant, je me demandai s'il m'avait entendue. Il empestait l'alcool. Ainsi donc Béatrice n'avait connu que cela. Ces étreintes sauvages d'homme à demi ivre. J'eus pitié soudain. Je ne lui en voulais plus. Ce n'était pas Jaufré qui avait aimé Béatrice de Campan, mais un autre, le descendant d'un de ces Rudel qui avaient, par leur brutalité, conquis ce sobriquet.

– Relève-toi, ordonnai-je pourtant.

Mais il n'écouta pas, il s'enivrait encore, si cela était possible, de mon odeur, caressant à pleines mains ma taille, mes hanches. Il pleurait comme un enfant heureux.

– Relève-toi, je t'en prie. Je t'en prie, Jaufré.

Alors il me fit face et me serra à m'étouffer, s'empêtrant dans des phrases sans suite :

– Pardon, pardon. Elle me poursuit, tu comprends. C'est ta peau que je cherchais, tes yeux, ta bouche. Tu me rends fou. Après elle partira. J'aurai honte, je ne dormirai pas. C'est toi que je veux. Toi. Oh, Loanna. Mon amour. Ma lumière, ma muse, ma lointaine. Je t'aime.

Il me couvrait de baisers sur le front, sur les joues, dans le cou.

– Tu es ivre ! murmurai-je

– Ivre de toi, aimée. Jusqu'au petit matin, après c'est l'autre qui sera là. L'autre que je n'aime pas.

Alors j'eus envie de balayer au diable mes grandes résolutions, pour que demain cette autre ait disparu. Qu'il n'y ait plus que moi dans sa folie d'ivresse. Juste lui et moi. Je l'attirai vers le lit et le laissai se noyer.

Son regard m'éveilla. Je l'avais senti peser dans mes rêves. Il pleurait sans bruit. Seulement de fines rivières qui traçaient des sillons depuis ses yeux gris. Il faisait jour, pourtant le soleil avait peine à se frayer un passage au travers du papier de la fenêtre. Comment lui, si fin, si généreux, si avide de belles choses avait-il pu s'oublier dans cette gargote infâme, indigne de l'homme que j'avais vu marcher dans les orangeraies de Blaye ? Fallait-il qu'il soit malheureux et désespéré ! J'étais responsable de cette déchéance. Je me détestais soudain. Il fallait en finir. Ou jamais plus je ne pourrais encore affronter un miroir.

Il appuyait sa tempe dans la paume de sa main, le visage ainsi surélevé pour mieux me contempler. Je voulus parler, mais il posa un doigt sur mes lèvres en chuchotant comme pour lui-même :

– Ne dis rien. Ne chasse pas mon rêve, pas encore. Il est trop beau. Il semble si réel que je n'ai pas envie de m'éveiller.

Je me contentai de sourire tristement, me troublant de cet index qui suivait le dessin de ma bouche tendrement. Je nouai mes bras autour de sa nuque et l'attirai vers ma bouche. Il m'embrassa avec tendresse. Jaufré était redevenu lui-même. De nouveau il m'appartenait. Alors désespérément, je m'abandonnai. Pour la dernière fois.

Il enleva avec douceur les vêtements que j'avais gardés la veille tandis qu'il me prenait bestialement dans une haleine d'alcool, et je retrouvai avec bonheur tout le savoir de ses caresses.

— Je t'aime, murmurai-je sur sa peau.

Et, follement, je le lui prouvai.

— Tu m'aimes, mais tu me chasses ; pourras-tu jamais me pardonner ? Je t'en prie, Loanna, elle ne comptait pas, tu le sais.

— Je le sais, mais je ne peux plus, Jaufré. Quelque chose est brisé.

— Je ne peux pas vivre sans toi. C'est parce que tu m'as rejeté pour Aliénor que je me suis perdu. Que devais-je dire, moi, quand tu trompais mon ventre avec le sien ?

— Tu savais avant.

Il eut un rire nerveux.

— Quelle différence cela fait-il ? As-tu jamais pensé à ce que je pouvais ressentir chaque fois que je t'imaginais dans ses bras ? Tout ce temps passé à espérer... Je ne dors plus, je ne vis plus depuis quatre années, Loanna, depuis que tu m'as conquis en assiégeant ma terre de Blaye, mieux qu'aucun de mes ennemis. Demande-moi n'importe quoi, même de ne plus chanter, mais ne me chasse pas.

J'avais mal. Mal à m'ouvrir les veines. Où trouver la force, après cette nuit ? Mais quelque chose cognait plus fort encore dans mon ventre, ce besoin de le protéger. Mes ennemis pourraient sans aucun scrupule, Béatrice l'avait prouvé, le détruire pour m'atteindre.

Il valait mieux qu'on le croie oublié, mort, banni de mon cœur.

— Vous partirez à l'aube. Vos gens vous réclament, messire de Blaye. Pour ma part, vous m'avez donné cette nuit votre dernière chanson.

— Je ne le crois pas ! Je sais que tu m'aimes autant que je t'aime.

Il posa la main sur le loquet de la porte, mais avant de l'ouvrir, murmura :

— Je pars sur l'heure, mais sache que rien ni personne ne me fera renier mon serment. Je jure par Dieu qu'aucune autre femme jamais ne sera mienne tant que je vivrai. Et qu'il ne se passera pas un jour, un seul, où je n'attendrai comme un chien misérable que ton pardon me rappelle. Souviens-t'en, Loanna de Grimwald. Souviens-t'en avant que la mort te prenne.

La porte se referma sur ces mots, les emmurant au fond de mon cœur. À mon tour, quelques minutes plus tard, je quittai l'auberge et rentrai au palais. Béatrice ne parla jamais de sa mésaventure, et je n'abordai pas non plus le sujet. Une nouvelle page de l'histoire était à écrire Elle le fut dans le sang.

13

Aliénor avait beau s'activer à repriser cette vieille étole qui avait appartenu à sa mère, elle ne parvenait pas à réduire l'usure du tissu. Louis l'avait rejointe, chassant poliment celles d'entre nous qui l'assistaient dans ces besognes, autour d'un foyer dans lequel crépitait un tronc entier de chêne. Il la regardait planter son aiguille avec détermination, s'acharnant sur son ouvrage qui lui permettait de garder le regard loin de celui de son époux. Avant qu'il entre, elle savait ce qu'il allait lui dire et ce qu'elle lui répondrait :

– Thibault de Champagne a demandé l'excommunication. Ce serait folie que de poursuivre pareil engagement, Aliénor.

– C'est ma sœur, Louis. Que Thibault aille au diable. Leur union a été bénie devant Dieu.

– Par des parjures ! Allons, ma reine, il faut se soumettre.

– Jamais !

Louis se mordilla la lèvre. Aliénor ne céderait pas, il le savait et ne pouvait aller contre sa volonté.

Tout s'était passé trop vite. Beaucoup trop vite. Pernelle aimait Raoul de Crécy et Raoul de Crécy, que le roi avait nommé sénéchal de France, aimait Pernelle au point de vouloir l'épouser.

Au printemps 1142, ils étaient venus plaider la cause de leur amour auprès de la reine. Répudier l'épouse légitime de Raoul avait été une simple formalité pour Aliénor. Il lui avait suffi de trois évêques déclarant que le mariage de messire de Crécy était caduc selon les lois canoniques. Les époux étaient de parenté trop proche. Dans les jours qui suivirent cette décision, soit le 25 mai 1142, ces prélats unissaient les deux tourtereaux avec la même désinvolture. Thibault de Champagne, l'ennemi juré de la reine, avait failli s'étrangler de rage.

L'honneur de sa nièce, l'épouse répudiée, était bafoué, et surtout il supportait comme une injure ce qu'il savait être une sordide vengeance.

Bien évidemment, Aliénor n'avait rien affiché de tel, mais elle avait vu tout de suite l'intérêt de soutenir l'amour de sa sœur. De plus, messire de Crécy était un allié fidèle depuis qu'on lui avait tapé

sur les doigts et se trouvait honoré d'appartenir désormais à la
« famille » royale.

Mais cela n'était pas suffisant. L'archevêque de Bourges s'était
éteint cette même année, laissant son siège vacant. Le candidat proposé par l'Église comme son légitime successeur était un proche de
Thibault de Champagne, dévoué à l'ordre des Chevaliers du Temple. Si je ne pouvais pas lutter contre leur influence, je pouvais au
moins empêcher qu'elle n'entoure de trop près Aliénor. Le fidèle
Cadurc m'était sympathique. Je le soupçonnais fortement d'aimer
davantage sa reine que son Dieu. Je n'eus aucun mal à persuader
Aliénor de récompenser son confident, en lui offrant le siège archié-
piscopal de Bourges. La nomination de Cadurc fut annoncée le jour
même de l'arrivée du protégé de la maison de Champagne devant les
portes de la ville, qu'il découvrit fermées. Furieux et vexé comme on
s'en doute, il s'en vint pleurer dans le giron de Thibault, qui, lui-
même, pleura dans celui du pape. Le Saint-Père ordonna au roi de
lever sa décision, Louis ne répondit pas. Aliénor, il est vrai, ne lui
avait pas laissé véritablement le choix. Il ne pouvait à la fois donner
raison à Aliénor, Pernelle et Raoul de Crécy contre Thibault de
Champagne et à Thibault de Champagne contre Aliénor.

Bourges fut mise en interdit. Louis trembla, mais, Aliénor soutenant sa main, il jugea que l'Église pardonnerait et une fois encore ne
broncha pas. Cadurc conservait son titre. Thibault de Champagne
s'engorgea de haine.

Il demanda une nouvelle audience au pape, fort de ses arguments
contre la couronne de France qui s'entêtait à légitimer un mariage
immoral. Il obtint pour ce faire le soutien de Bernard de Clairvaux
qui lui était redevable du don de la vallée de l'Absynthe sur laquelle
s'épanouissait désormais l'abbaye de Clairvaux. S'il n'avait eu à moucher que son agaçant vassal, Louis aurait porté beau, mais refuser
d'entendre la voix de Bernard, c'était comme jeter aux flammes de
l'enfer la croix d'or qui ne le quittait point. Aucun pape jusqu'à ce
jour ne s'était opposé aux sentences de Bernard. Louis tremblait
pour le salut de son âme. Pourtant, malgré cette angoisse qui le pliait
chaque nuit sur l'autel de ses prières, il ne trouvait pas en lui la force
de s'élever contre son épouse. Il se répétait pour sa défense que
c'était trop tard, que l'union avait été consommée, que non seulement les deux tourtereaux étaient heureux, mais que, huit mois après

leur hymen, Pernelle portait déjà gros ventre, signe que le Seigneur lui-même jugeait à son goût cette affaire. Car Aliénor voyait en cette grossesse un signe du destin. Elle devait soutenir sa sœur coûte que coûte pour avoir elle aussi un enfant. Que n'aurait-elle dit pour convaincre son époux et se convaincre elle-même !

Aliénor piqua rageusement l'aiguille dans son ouvrage.

– Il faut que Thibault de Champagne entende raison, Louis. Qu'il retire sa plainte auprès du Saint-Père et laisse Pernelle en paix.

– Vous en parlez aisément. Que proposez-vous ?

Louis ricanait. Aliénor releva la tête. Son regard se voila de tendresse et de violence à la fois. Pernicieuse, sûre soudain de son pouvoir, elle lâcha d'un ton froid, culpabilisant :

– Par deux fois vous m'avez offert des échecs, peut-être saurez-vous me donner une victoire sur ce prétentieux.

– Contraindre Thibault de Champagne ?

– Assiégez Vitry.

Louis blêmit :

– Comme vous y allez !

– Vous devriez déjà y être.

Il y fut le 16 février de cette même année 1143, avec le soutien de son propre frère, Robert de Dreux, qui lui aussi avait quelques griefs contre la maison de Champagne. C'était la première fois que le frère du roi soutenait la reine, Louis s'y laissa prendre.

Vitry-en-Perthois fut assiégée, mise à sac et pillée. Mus par une sorte de folie collective, les soldats à la fleur de lys incendièrent les toits de chaume, violèrent et massacrèrent. La population effrayée se réfugia dans l'église, mais cela n'arrêta pas les soudards. Louis se laissa déborder, malgré ses cris et ses ordres. Un prêtre sortit sur le parvis, pour s'interposer contre la démence des soldats, les bras ouverts, en hurlant :

– Paix, mes frères !

Une flèche l'atteignit en pleine poitrine. Tandis qu'il s'écroulait devant les archers amassés en demi-cercle autour du portique, il croisa le regard effaré de Louis, au milieu des jets de flammes qui convergeaient vers la maison de Dieu.

Abasourdi, Louis tenta de s'interposer à son tour, tandis que la charpente crépitait déjà. Agacé par les flammes et les rats qui fuyaient la bâtisse, son cheval se cabra. Le roi chuta de sa selle. Ce fut son frère qui le ramassa alors qu'il allait se faire piétiner par les sabots. Il était à demi inconscient. Une odeur âcre de fumée collait aux armures. Il y eut des cris, des appels au secours. Les portes s'ouvrirent sur des femmes, des enfants qui tentaient d'échapper au brasier. Une salve de flèches les cloua sur les marches. Robert de Dreux ne broncha pas. Ses hommes ne reculèrent que lorsque les flammes vinrent à bout de la charpente et qu'un parfum acide de chair brûlée vint s'ajouter à celui de la paille et du bois. L'église flambait et avec elle plus de mille fidèles qui y avaient trouvé asile.

C'est cette image que Louis reçut en ouvrant les yeux dans une mare de sang. Il hurla. Mais ce ne fut qu'un cri parmi tant d'autres.

Depuis une semaine, la fièvre collait les cheveux du roi sur son front tourmenté. Des images macabres tourbillonnaient autour d'une croix en flammes depuis laquelle le Messie tendait un doigt vengeur qui l'accusait. Mais il avait beau se traîner dans une boue putride, les mains jointes, mendiant son pardon, Louis ne recevait en ses rêves que la certitude d'avoir donné son âme au diable.

Plusieurs apothicaires se succédaient à son chevet, épongeant sans arrêt son visage, contraints de brûler dans la chambre des bougies et de l'encens pour chasser l'odeur âcre que dégageait la sueur maligne.

Laissant son frère terminer à sa place la guerre en Champagne en assiégeant Reims et Châlons, Louis était revenu quelques semaines après le drame, pitoyable et brisé, le corps secoué par des fièvres qui le laissaient à peine tenir debout. Aliénor avait entendu de sa bouche tordue par un rictus de dégoût l'horreur qui avait été commise. Des larmes lui étaient montées aux yeux. La reine n'avait jamais voulu ce massacre. Elle ordonna sur-le-champ que toutes les cloches des églises du royaume s'envolent dans une même supplique de pardon, mais aucune en Île-de-France n'osa braver l'interdit qui pesait depuis la décision papale. La fille aînée de l'Église était allée trop loin. C'était la troisième fois en un an qu'elle défiait le pape, bravait ses menaces et proclamait ses propres lois.

Les âmes des treize cents malheureux de Vitry avaient obtenu ce que la colère de Thibault de Champagne réclamait. Plus aucun office n'était célébré, et Louis se mourait.

Je ne savais plus que penser. Il s'était passé tant de choses depuis que j'avais chassé Jaufré de ma vie. Tant de choses dans lesquelles je m'étais investie jusqu'à m'oublier. J'avais cru en Mathilde lorsqu'elle avait mouché Étienne de Blois et conquis le royaume d'Angleterre. Cela n'avait duré que neuf mois. En juin 1142, celle que l'on avait acclamée était répudiée et rejetée comme une mégère. Sottement, elle avait puni ceux qui l'avaient bravée, allant jusqu'à faire incendier des châteaux et pendre des notables. Mère n'était plus à ses côtés et Mathilde s'était perdue. Cela faisait à présent une année qu'elle tentait de réparer ses torts, mais en vain. Elle avait trahi la confiance de ceux qui l'avaient soutenue, y compris la mienne. Sapé à la base tout ce que mère avait patiemment construit. Depuis lors, toutes mes manigances auprès d'Aliénor n'étaient que le reflet de ses caprices. J'avais cru qu'ils étaient le résultat d'une stratégie. Le drame de Vitry ravivait le doute. Je ne supportais pas l'idée d'être en partie responsable de cet holocauste. Depuis trois années, j'avais tissé une fine toile d'araignée dont chaque maillon était une clé de voûte. Une clé qui s'était effondrée sur des femmes et des enfants. Je n'étais pas venue au monde pour ça ! J'étais venue au monde pour servir l'Angleterre. Aujourd'hui, je n'avais plus que le sentiment désespéré de ne servir à rien ni à personne. Même plus à Jaufré que délibérément j'avais chassé. Je n'avais plus de ses nouvelles. Je m'étais habituée à ne pas penser à lui. C'est étrange comme on s'habitue à tout. Il me visitait seulement en rêve. Au matin, je me jetais à corps perdu dans l'intrigue. Tellement que tout ce que j'avais orchestré avait réussi. Trop bien réussi. Le roi se mourait.

Lorsque la missive arriva, j'en étais là de mes réflexions, écœurée de tout. Elle venait non pas de dame Mathilde, mais de mon ami Thomas Becket : « Ne vous découragez pas mon enfant, disait-il en gallois, songez que ce n'est point pour dame Mathilde que vous œuvrez, mais pour le futur roi. Si Mathilde échoue, Henri le jeune vaincra. C'est trop tôt. Bien trop tôt. Il n'est encore qu'un enfant. Songez à lui quand vous viendra le doute. Lors, je le sais, vous ferez en votre âme et conscience ce qui est bon pour l'Angleterre. Respectez-vous et vous ne vous perdrez point. Et plus que tout, chère enfant, chère amie, prenez soin de vous, d'Aliénor et du roi de France. »

C'était comme s'il avait pu lire dans mes pensées. Un instant, je songeai que Merlin peut-être avait inspiré sa plume. Plus que tout, ce furent ces derniers mots qui me réconfortèrent. Je devais sauver Louis. S'il trépassait, Aliénor se ferait enlever par quelque duc ou pis encore, et tout serait à recommencer. Je n'étais pas responsable de toutes ces vies sacrifiées. La folie des hommes seule était à blâmer. Ce siècle n'était fait que de barbarie. Je ne pouvais me rendre coupable de tous les crimes commis, qu'ils l'aient été au nom d'un Dieu, d'une terre ou d'une cause. Il y aurait toujours des victimes. Si, par mon action, un jour l'Angleterre était unifiée derrière Henri, alors j'aurais justifié mes actes.

J'implorai Aliénor d'envoyer quérir Bernard de Clairvaux. Lui seul pouvait guérir l'âme malade du roi. Mais Bernard de Clairvaux ne vint pas. Il dépêcha un messager : « Dieu seul à présent décidera de donner ou non Son pardon en épargnant Louis. » Aliénor n'avait qu'à prier. Elle pria. Béatrice, l'immonde Béatrice, pria comme jamais elle ne l'avait fait, à s'user les genoux de l'aube au couchant sur les pierres froides de l'abbatiale de Saint-Denis. Suger, après avoir condamné Louis, se condamna lui-même et pria pour la rémission de leurs fautes à tous deux entre deux ordres lancés à ses maîtres d'œuvre.

Je n'avais plus qu'une solution. Aider Dieu à faire son choix. Le lendemain de la réponse de Bernard de Clairvaux, tandis que les chapelets de repentir s'élevaient vers un ciel brumeux, je pénétrai dans la chambre de Louis en secret. Bernard le gras ronflait à grand bruit sur une paillasse au pied du lit. L'apothicaire avait eu une pensée charitable pour celui qui lui faisait porter du vin chaud. Sans supposer un seul instant qu'il pût contenir une drogue, il s'en était rassasié. Un sourire ravi s'épanouissait sur ses babines que retroussait le souffle régulier et bruyant du sommeil.

Louis était aussi blanc que les draps, le visage émacié, la respiration saccadée, les lèvres serrées desquelles s'échappaient parfois des plaintes. Il transpirait à grosses gouttes sur son front brûlant. Il portait la mort jusqu'au bout de ses ongles violacés. Nul doute qu'au matin il ne serait plus. Je desserrai avec difficulté ses dents et introduisis dans sa gorge quelques gouttes de liquide, puis appliquai le reste de ma potion sur ses tempes. Cela fait, je m'installai à son chevet.

Au chant du coq, la fièvre était tombée. Lors, je sortis une autre fiole contenant une décoction de pavot et lui en fis avaler une bonne rasade. Le gros Bernard commençait à s'agiter sur sa paillasse, claquant du bec sur des arrière-goûts de vin et de miel. Je quittai la chambre du roi sans que l'on me vît et regagnai mes appartements pour dormir à mon tour du sommeil du juste. Louis était sauvé.

Cette fois, malgré la crainte qu'inspirait le pape, les cloches de toutes les chapelles du royaume carillonnèrent, se répondant de village en village jusqu'à midi.

Louis avait ouvert les yeux sur le visage mâché de Bernard penché au-dessus du sien et, détournant son nez délicat, avait murmuré :

— Éloignez-vous, par tous les saints du paradis, vous empestez le vin.

Bernard avait manqué tomber à la renverse, appelant de tous côtés ses confrères. On avait redressé Louis contre un oreiller, il avait repris des couleurs et réclamait à manger et à boire. Aliénor et Béatrice avaient pleuré dans les bras l'une de l'autre, épuisées par l'espoir et la prière. Suger s'était attendri de cette scène, s'imaginant que Dieu avait choisi et qu'il allait entrer de nouveau en état de grâce à la cour de France.

De fait, Louis avait changé depuis sa résurrection. Il ne portait plus d'habits, mais une bure de moine dépourvue d'ornements et de bijoux. Il s'était fait raser le crâne et courbait sous une large capuche un visage tourmenté. Aucun, le croisant, n'aurait pu reconnaître le roi de France en ce personnage. Il passait de longues heures en compagnie de Suger, et la rumeur prétendait qu'on l'avait surpris au milieu d'artisans, clouant telle planche, portant telle pierre pour aider à l'achèvement de l'abbatiale.

Lorsque Aliénor émit le souhait de rejoindre Poitiers à l'approche des beaux jours, il refusa de l'accompagner. La reine ajourna son départ, considérant qu'il était peut-être trop tôt pour que le roi entreprenne un voyage. Mais elle sentait bien qu'il y avait autre chose.

Le pape ne levait pas son interdit : Louis tentait de racheter son âme. Raoul et Pernelle s'étaient retirés dans leur province, mais il fallait bien davantage pour que le roi obtienne le pardon du Saint-Siège.

Béatrice était où se trouvait le roi. On la voyait peu au palais. Suger l'avait réclamée à ses côtés, ne ménageant pas sa peine pour terminer son chef-d'œuvre. Et il était vrai que jamais encore on n'avait vu pareille splendeur. La nouvelle abbatiale s'élevait telle une dentelle de pierre dont il surveillait chaque détail, allant même, de sa frêle silhouette, jusqu'à choisir lui-même les matériaux ou les hommes.

La cour se réunit donc dans les plaines de Saint-Denis, tout près de ce gigantesque chantier, dès les premières chaleurs, pour mieux jouir du spectacle. On organisa des tournois et des pique-niques. De même que le roi, Béatrice n'y parut pas. Elle le suivait telle une auréole, épongeait son front et priait à ses côtés. Elle l'apaisait, le rassurait, l'éloignait des exigences de son épouse. Ravie de ce nouveau pouvoir.

Ce semblant d'équilibre dura jusqu'au début du mois de juillet 1143. Aliénor veillait à ce que ses malles soient faites selon ses ordres. La jeune femme qui remplaçait sa chambrière, clouée au lit par une étrange maladie qui lui avait ôté l'usage de ses membres, était un peu gauche et étourdie, mais Aliénor ne parvenait pas à lui en vouloir. La petite avait quinze ans et elle se retrouvait en sa fraîcheur.

Elle la chassa sitôt que je m'annonçai. Il faisait une chaleur crasseuse, et Aliénor ne tenait plus. La fraîcheur des jardins de l'Ombrière lui tardait. De plus, Pernelle y séjournait, car son ventre la forçait au repos. Tant pis pour le roi. Elle irait avec sa cour. Il resterait avec la sienne.

Elle se laissa tomber à la renverse, les bras en croix, au milieu des robes et des châles, sur son lit au dessus bleu brodé de lys blancs, en soupirant de lassitude. Je m'assis à ses côtés et caressai d'une main tendre un bout de cuisse que le mouvement de la robe avait dénudé. Aliénor commençait à en avoir assez des caresses trop douces. Son corps réclamait la brutalité d'un sexe d'homme que Louis ne lui donnait plus depuis Vitry. Elle avait bien accueilli en sa couche un de ses gardes, plutôt joli garçon, deux ou trois fois, mais craignait que sa réputation ne devienne un de ces piteux refrains de salle. Quant à Denys, il n'était plus question pour elle de le recevoir. Cela faisait trop longtemps, et elle avait failli l'aimer. Trop. D'ailleurs, il s'était consolé depuis le printemps dernier et s'affichait très souvent avec une cousine de Sibylle d'Anjou qui avait pour prénom Marjolaine. Ses confidences me disaient que pour la première fois et loin de ce qu'il avait cru être de l'amour, Denys était touché au cœur.

Les troubadours, Panperd'hu le premier, se seraient bien volontiers proposés pour combler l'ardeur de la jeune reine dont ils chantaient la vingtaine superbe, mais aucun ne lui plaisait vraiment. Et puis il y avait au-dessus de sa couronne cette sanction qu'elle croyait divine. Le trône n'avait toujours pas d'héritier et, si le roi s'obstinait à bouder sa couche, elle imaginait mal pouvoir lui en donner un.

— Sais-tu ce que l'on rapporte ? me demanda-t-elle, le regard perdu dans les peintures du plafond. Il se flagelle lui-même jusqu'au sang. Cela fait plusieurs fois qu'on le trouve gisant au pied de la croix, le corps abîmé de stries violacées et suintantes. Je ne sais plus que faire, Loanna. Il refuse de me voir. Ce matin, je me suis rendue à Saint-Denis pour lui faire entendre raison, Suger m'a barré le passage. Il prétend que le roi purge son âme et qu'il convient de le laisser expier tant qu'il le jugera nécessaire ; que ma présence ne peut que lui faire mal. As-tu jamais entendu pareille stupidité ? Je suis la reine, que je sache !

— Une reine qui a bravé l'Église, ne l'oublie pas.

— Pernelle le méritait.

— Je sais, ma douce.

Je m'allongeai à ses côtés, et elle vint nicher son visage dans le creux de mon épaule.

— Je l'envie, tu sais, d'aimer à ce point. Pour rien au monde je n'aurais voulu qu'elle soit contrainte comme moi à un destin qu'elle n'aurait pas choisi. Ce que Louis est devenu me fait horreur, quand j'ai tenu dans mes bras un être qui s'éveillait enfin à la superbe et à l'honneur. Je l'ai cru changé.

— On ne change pas un prêtre.

— Je m'en aperçois trop tard.

— Il n'est jamais trop tard.

— Je vais avoir vingt et un ans, Loanna ; notre union est stérile et nous sommes indifférents l'un à l'autre.

— Vous n'êtes pas indifférents. Louis t'écœure, et tu lui fais peur. Tout n'est pas perdu. L'amour renaît parfois de bien moins.

— Je ne sais plus que penser.

— Retourner à Bordeaux t'y aidera.

— Il n'y viendra pas. Béatrice non plus. Cette petite garce se plaît en prière. À croire qu'il reporte sur elle toute la béatification du monde. Et Suger ferme les yeux quand leur promiscuité seule me bafoue.

— Laisse donc tout cela derrière toi. L'île de la Cité devient étouffante et d'une puanteur extrême. Reviens chez toi. Tu y verras plus clair, je te l'assure. Louis ne te trompera pas. Il expie trop de fautes pour ajouter celle-là à son chapelet, et Béatrice n'aura jamais ton charisme. Les bruits de cour vont et viennent. À l'automne, il n'y paraîtra plus.

— Je voudrais pouvoir te croire.

Elle soupira de nouveau. Je passai une main tendre dans ses cheveux, laissant planer un silence qui suivait le fil de ses pensées.

— Nous passerons par Blaye, murmura-t-elle d'une voix ennuyée.

Ma gorge se serra.

— Je sais.

— Il te manque, n'est-ce pas ?

Je ne trouvai pas la force de répondre. Bien que je m'en défendisse, un rien réveillait la douleur au creux de moi, un accord de cithare ou de mandore, un parfum de lys qui montait des jardins, le bleu d'un regard, ou quelque accent qui sentait le Sud. Il vivait en moi telle une flamme insoumise, mais aucun homme depuis notre dernière nuit n'avait pénétré mon ventre. Cela faisait plus de deux années. J'avais eu tant à faire depuis !

— Tu pourrais y séjourner quelques jours si tu voulais, insista-t-elle.

— À quoi bon, Aliénor ? C'est toi qui avais raison. L'amour n'est que douleur, et je refuse d'être la sienne. De toute façon il est trop tard. Trop de temps a passé sur nos peines.

— Tu souffres ?

— Non, mentis-je.

— Je t'aime, Loanna de Grimwald.

Je ne cherchai pas à détourner mon regard du sien ; avec moi seule, elle était sincère, et je m'en voulus de ne pouvoir l'être aussi. Au fond de son iris dansait un visage qui pleurait. Le mien.

– Messire le comte de Blaye est souffrant, il m'a chargé de vous souhaiter la bienvenue.

L'abbé nous attendait aux portes de Blaye avec sa délégation. Aliénor avait écrit à Jaufré. Elle ne tenait pas à être reçue autrement que dans la plus grande simplicité et fut ravie de voir que tel était le cas.

La cour s'était scindée en deux parties fort inégales. Nombre de personnes avaient jugé prudent, étant donné la situation, de ne prendre parti ni pour le roi ni pour la reine et passaient l'été dans leur province. Louis restait à Saint-Denis dans une cellule aménagée à son intention depuis déjà quelques semaines. Pour ne pas avoir à le quitter, Béatrice s'était installée au couvent qui attenait à l'ancienne abbatiale, aidant les sœurs chargées de soulager les maux des ouvriers du chantier et de leur porter à boire à plusieurs reprises dans la journée. Bien évidemment, Louis constituait son principal intérêt. D'autant plus qu'elle avait remarqué combien souvent il la cherchait du regard lorsqu'elle tardait à s'affairer dans sa direction.

Quelques fidèles du roi, dont Thierry Galeran, qui espérait toujours malgré son grand âge regagner les faveurs du souverain, demeurèrent au palais de la Cité, pour tenir le roi informé des mouvements dans le royaume. En fait, ils ne voyaient que Suger.

Le reste, soit tout au plus une trentaine de personnes en comptant les pages et les écuyers, se rendit à Poitiers où nous passâmes quelques jours et s'annonçait ce jourd'hui à Blaye pour gagner Bordeaux par le fleuve.

Nous traversâmes la ville haute, elle me sembla triste. Les maisons au pied des remparts avaient été reconstruites depuis le dernier siège, et peu de choses en somme avaient changé en six années. Mais moi, je l'étais.

J'avais quitté Blaye le cœur serré, avec des souvenirs accrochés à mes jupons tels de petits démons malicieux. Je les avais combattus de toutes mes forces, pourtant, ce tantôt, ils me distillaient un froid glacial dans les veines. J'avais passé ma journée à redouter le moment où je croiserais son regard, où je devrais partager son pain. Aussi m'étais-je sentie soulagée qu'il ne fût pas là, prenant le risque de déplaire à sa souveraine.

On nous conduisit avec beaucoup d'égards dans la salle à manger où le couvert était dressé. Il y avait des bouquets de roses partout, sur les buffets, dans les recoins et les niches, en chemin de table. Jaufré n'avait pas failli à son bon goût, mais ils m'enivraient d'un souvenir qui me brûlait.

Un jeune garçon d'une quinzaine d'années s'inclina devant nous sitôt que nous fûmes installées. Une cithare l'attendait, qu'il pinça mélodieusement. Il avait une voix fine, un peu nasillarde. Aliénor eut un mouvement d'humeur. Elle allait s'impatienter, réclamer notre hôte. Discrètement mais fermement je retins son geste, lui glissant à l'oreille :

– N'en fais rien, je t'en prie. Oublie le protocole. Oublie que nous sommes là.

J'avais la gorge nouée. Je n'aurais pu supporter sa présence, sa voix, sa souffrance. Sa rage s'évapora.

– Pardon, murmura-t-elle.

Nous nous contentâmes de ce semblant de troubadour. Pour ma part, je ne pus rien avaler, les yeux rivés malgré moi sur la porte, redoutant et espérant à la fois voir sa silhouette s'y encadrer.

Mais Jaufré ne parut pas.

Le souper fort copieux achevé, on nous guida jusqu'à nos chambres et je ne fus pas surprise de retrouver le chemin de la mienne.

Elle était telle que je l'avais laissée. Avec son bassin d'eau de mélisse, ses flacons ouvragés et un damier de lys et de clématites sur le parterre.

Lorsque le page referma la porte derrière moi, après avoir allumé les chandelles, je tombai sur le lit, pleurant toutes les larmes que j'avais retenues depuis que je l'avais chassé.

J'avais dû m'assoupir, épuisée par trop de tension. C'est sa voix qui m'éveilla. Elle venait du dehors. La fenêtre était restée ouverte, et la lune éclairait le fleuve d'un reflet miroitant.

Jaufré se découpait de dos en contre-jour, assis au bord de la falaise ; je reçus sa chanson comme un coup de dague en plein ventre.

Lanquan li jorn son lonc en mai
M'es bèlhs dous chans d'auzèlhs de lonh,
E quan me sui partitz de lai
Remembra'm d'un amor de lonh...

« Lorsque les jours sont longs en mai,
Il m'est doux le chant des oiseaux lointains,
Et quand je suis parti de là-bas,
J'emportais le souvenir d'un amour lointain :
Je vais alors pensif, triste et la tête basse ;
Et ni chants ni fleurs d'aubépine ne me plaisent plus que l'hiver
gelé...
Mais je ne sais quand je la verrai, car nos pays sont trop loin-
tains ;
Il y a tant de passages et de chemins que je n'ose rien prédire.
Qu'il en soit donc comme il plaira à Dieu !
Jamais je n'aurai plaisir d'amour si je ne jouis de cet amour loin-
tain ;
Car je ne connais nulle part, ni voisine ni lointaine,
Femme qui soit plus gente et meilleure...
Il dit vrai celui qui m'appelle avide et désireux d'amour lointain ;
Car nulle autre joie ne me plaît davantage que de jouir de
l'amour
lointain.
Mais à mes désirs il est fait obstacle,
Car mon parrain m'a condamné à aimer sans être aimé.
Mais à mes désirs il est fait obstacle.
Maudit soit donc le parrain qui m'a voué à ne pas être aimé. »

Jamais encore je ne l'avais entendu chanter de cette façon. Avec
une telle souffrance. Mes jambes se dérobèrent quand j'eus envie de
dévaler l'escalier et de le rejoindre. Je m'écroulai à quelques pas de la
porte. Ensuite, ce ne fut qu'un trou noir.

Des coups sourds et répétés, entremêlés d'accents inquiets, me
tirèrent de mon engourdissement. Un soleil radieux caressait mon
visage, et il me fallut quelques instants pour prendre conscience que
je me trouvais par terre.

— Damoiselle de Grimwald, est-ce que tout va bien ? insistait une voix derrière le pan de bois.

— Je viens, parvins-je à articuler d'une voix pâteuse.

J'étais courbatue, mais je me redressai et ouvris la porte. Je ne me souvenais même pas de l'avoir barrée la veille. Camille, ma chambrière, me regarda comme si je sortais d'un tombeau.

— Entre, lui dis-je avec difficulté en reconnaissant sa frimousse.

Elle examina d'un œil inquiet mes vêtements froissés.

— J'ai eu un malaise sans doute. La chaleur...

— Voulez-vous que j'appelle un apothicaire ?

— Sûrement pas. Et je t'interdis d'en souffler mot à quiconque. Y compris à qui tu sais. Est-il tard ?

Camille soupira bruyamment pour montrer sa désapprobation. Elle avait suivi mes états d'âme comme des raz de marée depuis ma première arrivée en Aquitaine. Elle avait vécu mes rires ici autrefois. Et mes souffrances depuis. Je savais qu'elle n'était pas dupe. Sans doute avait-elle entendu comme moi la chanson de Jaufré. Elle n'en parla pas pourtant, se contentant de répondre :

— Vous appareillez dans moins d'une heure. Je n'osais pour ma part venir vous déranger avant que vous m'ayez réclamée, mais l'on s'est inquiété de ne pas vous voir descendre. La reine a déjà pris son matinel, et l'on charge le bateau.

— Aide-moi, ordonnai-je.

Cette nouvelle m'avait fait l'effet d'un coup de fouet. J'eus envie de lui demander qui s'était enquis de mon absence, mais je préférai m'abstenir. Il valait mieux que je n'en sache rien. Elle dénoua les lacets de ma robe. Quelques longues minutes plus tard, parée et coiffée, je descendais l'escalier. Un écuyer m'attendait dans la cour, tenant en bride Granoë fraîche et dispose. À l'instant où je posais le pied sur l'étrier, mon regard accrocha une fenêtre qui me faisait face. Jaufré s'y encadrait. Je manquai défaillir mais, emportée par le mouvement, je me retrouvai en selle sans savoir comment. Effrayée par la maigreur squelettique du visage, je talonnai ma jument, me persuadant que ce n'était que le fruit de mon imagination. D'ailleurs, il était trop tard. Bien trop tard.

Je retrouvai Bordeaux avec plaisir. Poitiers était une ville agréable mais le palais des ducs d'Aquitaine était trop grand et, à mon goût, trop riche. À l'Ombrière, je me sentais davantage chez moi. Sous ma fenêtre, la cour était de nouveau envahie d'herbes folles.

– Pourquoi ne prendrais-tu pas la chambre attenante à la mienne, ainsi il te serait plus facile de me rejoindre.

– J'ai besoin de solitude, Aliénor. J'aime cet endroit.

– J'ai parfois du mal à te comprendre, mais fais comme tu voudras. Dès demain, nous convoquerons les troubadours. Il y a un montreur d'ours dans la ville. Par sa bouche, la nouvelle de notre séjour ira vite. Tu n'auras pas le temps de t'ennuyer.

– Je ne m'ennuie jamais.

– Tu languis et c'est bien pire.

Je haussai les épaules, faisant rouler des dés sur le velours.

– Six ! J'ai gagné.

– Tu gagnes toujours. À croire que quelque magie te soutient.

– Va savoir ! souris-je tristement.

– Que t'arrive-t-il, Loanna ? Tu n'as pas dit un mot de toute la traversée ! Je te croyais aussi excitée que moi de revoir Bordeaux. Trois ans déjà ! (Elle soupira.) Que s'est-il passé cette nuit à Blaye qui t'ait bouleversée à ce point ?

Elle posa avec tendresse une main sur la mienne, soucieuse. Je n'avais pas bonne mine, je le savais pour avoir croisé mon reflet dans un miroir. Le jardin embaumait autour de la tonnelle croulant sous le lierre et les roses trémières, nous apportant quelque fraîcheur.

– Il ne s'est rien passé. Je ne l'ai pas même vu.

– Si ce n'avait été pour toi, je l'aurais fait amener et fouetter. N'importe lequel de mes vassaux serait venu me saluer et m'accueillir.

– Tu sais que c'est ma faute. Ne la rejette pas sur lui. Il t'est plus fidèle qu'aucun autre.

– Mais il ne m'aime pas, Loanna. Je sais même qu'il me hait profondément. Et cependant je ne parviens pas à lui en vouloir. C'est à toi que j'en veux.

Je redressai la tête, surprise :

– À moi ? Pourquoi donc ? Que t'ai-je fait ?

– Tu l'aimes comme jamais je ne pourrai aimer.

– Et alors ? C'est à tes côtés que je suis et non aux siens.

– C'est pour cette raison que je t'en veux.

Je la regardai sans comprendre. Aliénor recula sur le dossier de sa chaise et laissa tomber :

– Tu es présente chaque jour, il est vrai, mais ton âme est ailleurs.

– J'ai fait mon choix. Tu as tort.

– Je me sens coupable de t'avoir imposé ce choix qui te ronge.

– Tu ne m'as rien imposé.

– Si. Nous le savons toutes deux. J'ignore pour quelle véritable raison tu t'obstines à demeurer à mes côtés, mais je devine que ce n'est pas seulement par amour pour moi, Loanna. Ce que tu ressens pour lui est bien trop fort pour admettre de le perdre. Or, tu me l'imposes en te l'imposant à toi-même.

– Tu as raison, soupirai-je. Quelque chose de plus me retient à tes côtés.

Je laissai planer un silence qui fit écarquiller ses yeux de curiosité, puis lançai, malicieuse :

– Ton méchant petit caractère dont je ne pourrais me passer quoi qu'il arrive.

– Ne plaisante pas ! gronda-t-elle.

– Je ne plaisante pas, Aliénor ! Plus que Jaufré, c'est le pouvoir que j'aime et tu es le pouvoir. Déjouer les pièges qui se trament autour de toi, me servir des ragots pour affaiblir tes ennemis et faire de tes caprices des travers de grande souveraine, voilà ce dont j'ai besoin. Que ferais-je de mes journées, mariée à Jaufré ? Broder ou filer ? Chevaucher ses terres ? Chanter peut-être ? Une mandore à la main pour le suivre quand il serait en route, à moins que je ne retrousse jupon pour danser sur quelque table. Ce qui ne serait pas digne de l'épouse d'un seigneur, tu en conviens. Je devrais me contenter de l'attendre en tranchant quelques querelles de manants. En somme, rien de plus que je ne fais déjà. À la différence qu'à tes côtés je suis utile à ma reine. La raison doit l'emporter sur l'amour.

– Aliénor !

Le cri de joie nous fit lever la tête. Pernelle s'avançait dans l'allée bordée de roses, devancée par un ventre gonflé telle une outre. Si elle n'avait été aussi embarrassée, elle aurait couru vers sa sœur. Aliénor se leva et l'accueillit tendrement. La petite avait des yeux pétillants de bonheur. Elle était décoiffée et ses joues rebondies étaient écarlates tant elle avait monté vite les marches.

— Pernelle, Pernelle, que te voilà belle, fredonna la reine en posant avec plaisir ses pleines mains sur le gros ventre. Bouge-t-il bien ?

— Oui, fréquemment. Jusqu'à faire de petites bosses dans ma peau.

— J'en suis heureuse, ma chère sœur. Mais d'où viens-tu donc alors que la nuit s'avance ?

— De Belin ! annonça Pernelle en se laissant glisser sur une balancelle.

— De Belin ! répéta Aliénor, effarée. Dans ton état ? Mais es-tu donc folle, ma petite ?

Pernelle partit d'un rire frais.

— Cesse donc, Aliénor, je ne craignais rien. Raoul m'avait installée dans une voiture bien confortable et nous avons fait des étapes.

— Tout de même, ce n'est pas prudent.

— Fi ! Dites-lui, damoiselle Loanna.

— Elle a raison, Aliénor. Elle est presque à terme et de santé robuste. Et puis Belin n'est pas si loin.

— Là, tu vois ! argua Pernelle.

Aliénor me lança un regard incendiaire, mais je savais que la petite ne risquait rien. Elle mettrait au monde un beau garçon, cela ne faisait pas l'ombre d'un doute.

— Et quelle affaire justifiait pareil déplacement, dis-moi un peu ? demanda Aliénor en lançant un geste en direction du page qui attendait notre bon vouloir.

Aussitôt, il servit à Pernelle un verre d'orangeade. La petite l'avala d'un trait, puis essuya délicatement ses lèvres avec son mouchoir de dentelle, caressant la bosse de son ventre du plat de la main. Aliénor s'attendrit de ce geste, une lueur d'envie au fond des yeux.

— Nous étions de noces, voilà ! annonça la future maman en souriant d'aise. Tu te souviens de Camille, la fille de ma nourrice ?

— Bien sûr, répondit Aliénor en haussant les épaules. Cette petite peste passait tout son temps dans mes jambes, chaque fois que je guettais Raymond. Je lui ai plus d'une fois botté le derrière, tu peux m'en croire.

Pernelle éclata de rire.

— Elle a trouvé d'autres jeux à présent et a épousé tantôt le fils du meunier de Belin, le beau Célestin. N'est-ce pas lui que tu embrassais autrefois derrière la roue du moulin ?

— Si fait ! Mais tout cela est bien loin, petite sœur. Nous n'étions que des enfants, ajouta Aliénor, un brin nostalgique.

— Tout de même ! Avec le fils d'un meunier. Si père avait su ! renchérit la petite en secouant ses doigts.

— Pour sûr que j'aurais tâté du fouet !

Et, toutes trois, nous éclatâmes d'un rire joyeux. Lorsque l'ombre descendit sur la tonnelle, nous étions encore à échanger les souvenirs d'une enfance heureuse, juste avant que le destin d'Aliénor ne bascule avec mon arrivée en Aquitaine.

14

Avec octobre, il nous fallut regagner l'île de la Cité. L'année 1143 tirait à sa fin et septembre avait été si chaud qu'Aliénor n'avait pu se résoudre à quitter Bordeaux. Pernelle avait mis au monde un beau garçon au milieu du mois d'août et la reine, sa marraine, ne cessait de prendre dans ses bras ce nourrisson braillard. L'accouchement avait été difficile et les relevailles de Pernelle furent longues. Aliénor avait tenu à s'occuper d'elle autant que de son neveu. Le besoin de materner la tenait tout entière et elle resplendissait dès lors que l'enfant se trouvait contre son sein. S'en arracher pour rentrer à Paris lui broyait le cœur.

J'en arrivai à cette conclusion : Aliénor devait avoir un enfant. Elle en avait besoin. Mère avait dit : « Pas d'héritier. » Rien au fond n'empêchait Aliénor d'avoir des filles. Je me promis d'agir en ce sens.

L'autre événement qui retenait Aliénor à Bordeaux était un troubadour. Bernard de Ventadour, qu'on lui avait présenté quelques années auparavant, portait beau et chantait bien. Définitivement chassé des terres qui avaient vu sa jeunesse et ses hardiesses auprès de sa bienfaitrice, il s'était réfugié à l'Ombrière, passant par l'Aquitaine au hasard de sa route et trouvant l'aubaine à son goût.

Jaufré, quant à lui, ne parut pas et, curieusement, même Panperd'hu qui était son ami, ne dit mot à son sujet. Peut-être avait-il reçu de Jaufré quelque recommandation. Peut-être espérait-il ainsi que j'en vienne à réclamer des nouvelles. Plus d'une fois je dus chasser l'envie de le faire. Mais je tins bon et ne sus rien.

Le roi non plus ne donnait pas de nouvelles. Celles qu'on recevait démontraient qu'il n'était pas pressé de rejoindre son épouse. Lasse de lutter contre elle-même, Aliénor avait finalement cédé aux avances de Bernard de Ventadour. À Bordeaux, tout était facile. Chacun savait que la reine avait un amant et trouvait cela normal. Il était d'ailleurs de bon ton en Aquitaine de se laisser aller au hasard de l'amour, l'été se prêtant à merveille à quelques épaules dénudées et aux jeux de séduction.

S'afficher ainsi en Île-de-France n'était pas du même tonneau. Jamais Louis n'aurait supporté pareil comportement. Non seulement son éducation en refusait l'idée, mais il était profondément jaloux. Aliénor en était consciente et avait joué de la plus extrême prudence avec Denys. Il lui faudrait redoubler de vigilance, surtout si, à son retour, le roi persistait à bouder sa couche.

Le voyage se passa à mettre au point une stratégie. La rumeur se chargerait d'informer le roi de l'adultère de son épouse, il s'agissait de ne pas lui donner matière à vérifier ces dires.

Partis tôt le matin de Bordeaux, nous ne fîmes qu'une brève étape à Blaye, le temps de décharger les malles et d'en couvrir les mulets. Aliénor voulait gagner Châtellerault à la nuit, et Denys tenait à présenter à son père celle qui ne le quittait plus : Marjolaine de Monfort. Je ne vis pas davantage Jaufré qu'à l'aller.

À Châtellerault, le vieux comte nous reçut les bras ouverts. Il y avait fort longtemps qu'il n'avait eu le plaisir de recevoir la duchesse en son domaine. Il était vrai que nous n'étions allés en Aquitaine que trois fois au cours des six dernières années et que les visites chez les vassaux d'Aliénor avaient souvent été motivées par des raisons d'État. Chez certains, il était bon de faire peser l'autorité ducale. Chez d'autres, comme là, la fidélité se passait de sermon.

Loriane était morte de langueur l'hiver précédent. Denys en avait éprouvé un réel chagrin. Il l'avait aimée comme une mère sans pouvoir le lui dire, sans pouvoir le lui prouver. Elle ne lui en avait jamais donné le droit. Son père l'accueillit, les larmes aux yeux, et les deux hommes s'étreignirent avec la même émotion.

Ses fils aînés s'étaient mariés, et le vieil homme sentait grandir en eux la rancœur qu'ils lui portaient. Pas davantage que son épouse, ils ne lui pardonnaient l'existence de Denys. Cette faute qu'il avait commise en l'élevant au milieu des siens était pour eux la véritable raison de la folie de leur mère. Ils venaient rarement et, chaque fois, quelques remarques incisives fusaient.

Denys et son père parlèrent longuement. Nul ne sut ce qu'ils se dirent, mais Denys nous annonça que le vicomte l'accompagnerait auprès du baron de Monfort, le père de Marjolaine. Le connétable de la reine avait gagné les terres d'un petit baron lors d'un tournoi l'année dernière. Il n'était plus depuis un moins que rien sans fortune, sans titre, sans situation. À l'issue des joutes qu'il avait remportées devant les plus grands, le roi l'avait fait chevalier. En accompagnant son fils, le vicomte tenait à montrer qu'il avait aussi un père qui l'aimait.

Denys voulait épouser Marjolaine, qui l'idolâtrait. Elle n'était pas jolie, elle était plus que cela. Il émanait d'elle une douceur telle qu'à chacun de ses gestes on eût dit qu'un souffle de mai survolait l'espace. Elle riait de tout en dissimulant derrière ses longues mains blanches des dents comme deux rangées de perles étincelantes. Et, s'il se trouvait que Denys effleure son visage d'un doigt mutin, elle rougissait en levant vers lui de grands yeux noirs émerveillés. Ce que j'aimais le plus chez elle, au-delà de tout cela, était sa franchise et son intelligence qu'elle avait fine et modeste. Marjolaine ne trichait, ne raillait, n'enviait pas. Marjolaine était simplement elle-même. Denys ne pouvait espérer meilleure épouse. L'amie qu'elle était devenue avait feint de comprendre pour mieux les accepter les liens qui m'unissaient à son amant. Elle m'aimait sincèrement, comme une sœur. Il n'y avait pas de malice chez elle. Et c'était si rare et si précieux que je n'aurais pour rien au monde voulu gâcher leur complicité. Je les aimais tous deux éperdument, sachant bien au fond de mon cœur que si, Jaufré n'avait pas existé, c'est à Denys que j'aurais offert mon âme. Marjolaine valait mieux que moi.

Il fut décidé au cours de cette soirée que père et fils partiraient dès le lendemain pour demander la main de Marjolaine. Aliénor avait donné sa bénédiction et promis aux épousés des présents dignes de la confiance et de l'affection qu'elle éprouvait envers son connétable.

Nous laissâmes Marjolaine et Denys derrière nous, avec l'assurance qu'ils ne tarderaient point à nous rejoindre. La reine avait besoin de son protecteur et moi d'un ami sûr, le seul sur qui je puisse véritablement compter.

— Trois jours, trois jours que j'arpente les pavés de ce satané palais et il n'est pas même venu me saluer ! S'il ne s'annonce pas avant ce soir, je jure devant Dieu que j'ébranlerai les portes de l'abbatiale avec ma garde !

Aliénor était en rage. Il pleuvait sur Paris. Il faisait froid. Le roi ne s'était pas même déplacé pour l'accueillir. Pis, il lui avait fait souhaiter la bienvenue par Thierry Galeran. Agacée, mais disposée toutefois à passer sur cette offense, elle s'était rendue à Saint-Denis pour lui porter son affection. Suger lui avait sèchement signifié que Louis était souffrant et ne pouvait la recevoir. Souffrant ! Quelle ineptie ! On lui rapportait sans cesse qu'il lavait lui-même les mains des diamantaires chargés d'orner la croix de l'autel ! Souffrant ? Il n'avait aucune envie de la voir, voilà tout, et cela la mettait dans une colère hors du commun. Pour qui se prenait-il donc, ce petit paltoquet ?

– Il m'humilie, il me bafoue ! Avec la complicité évidente de Suger en plus ! C'en est trop, je vais lui dire ce que j'en pense. Et sur-le-champ, même !

– Allons, calme-toi !

– Non, c'en est trop, je te dis. Je suis reine de France ! J'interdis à quiconque de l'oublier. Gardes !

Elle ouvrit toutes grandes les portes de son cabinet et ordonna qu'on lui amène Thierry Galeran.

– Que vas-tu faire ?

Aliénor me faisait peur. Jamais encore, même dans ses pires moments, je ne l'avais vue aussi excédée. Elle ne se contrôlait plus, n'écoutait même pas. J'essayai de lui prendre le bras, elle me repoussa avec violence. J'attendis donc tandis qu'elle ruminait sa colère.

– Vous m'avez fait demander, Votre Majesté ?

Thierry Galeran s'inclina profondément, le visage marqué par la surprise. Aliénor était en nage, rouge sang, les poings serrés.

– Non, messire, je vous ai fait amener. Duvers !

Son secrétaire, un petit homme à peine plus haut qu'elle, surgit du cabinet attenant.

– Prenez note, Duvers.

L'homme se mit au bureau et saisit une plume.

– « Votre Majesté, considérant comme une offense votre obstination à ne pas me rendre hommage, je vous informe par la présente de l'arrestation sur mon seul ordre de votre ministre, messire Galeran, qui recevra à vêpres dix coups de fouet comme avertissement. »

– Aliénor !

Je m'élevai vivement. Son regard me cloua sur place. Thierry Galeran n'osait bouger.

– Je n'ai pas achevé. Continuez, Duvers. Notez : « Je souhaite vous voir avant cette heure, en foi de quoi je consentirai à lever cette sanction. Dans le cas contraire, dix coups de fouet seront administrés à chaque branle de l'horloge de Saint-Denis et ce, jusqu'à votre révérence. Vous êtes désormais seul responsable du sort de cet homme devant Dieu. » Duvers, vous ajouterez les formules d'usage. Gardes !

La porte s'ouvrit.

– Emmenez messire Galeran. Il est en état d'arrestation.

– Sur quel motif, Majesté ? osa le vieux ministre en redressant la tête, atterré par cette attitude.

– Je n'ai pas besoin de motif. Je suis la reine !

Le vieil homme serra les dents et passa la porte, encadré des hommes d'armes. J'étais bouleversée. Jamais je ne l'aurais crue capable d'une telle cruauté.

– Faites porter ce billet au roi sur-le-champ, ordonna-t-elle encore à Duvers, qui s'éclipsa en silence.

Ensuite seulement elle desserra les poings et s'alla servir une rasade d'eau-de-vie de prunelle qui traînait dans un flacon sur un buffet bas. Elle l'avala d'un trait.

– Et maintenant ? demandai-je.

– Maintenant nous allons attendre.

– Il mourra, et tu le sais.

– Nous le remplacerons.

– Très bien. Tu es la reine.

Je sortis à mon tour. Je ne pouvais cette fois, du plus profond de moi, couvrir cette injustice.

Contre toute attente, Louis céda. Moins de deux heures après, il s'annonçait dans ce même cabinet, Suger à ses côtés, l'œil réprobateur.

– Laissez-nous ! imposa Aliénor au vieil abbé avant même que le roi ait ouvert la bouche

Louis était livide. Suger, pour toute réponse, s'installa dans un fauteuil, soutenant le regard de la reine. Aliénor se trouva un instant décontenancée, puis, haussant les épaules, choisit de l'ignorer.

— Ne restez pas planté comme un benêt, Louis. Prenez un siège, à l'exemple de votre confesseur. Nous avons à parler.

Mais Louis ne parvint pas au fauteuil. Il s'effondra sans connaissance aux pieds de la reine.

La semonce de Suger fit son effet. Le roi était bel et bien souffrant. Il avait pris froid à œuvrer pour son repentir, et le jeûne autant que le travail qu'il s'imposait l'avaient affaibli. S'il n'y avait eu la menace d'Aliénor, il n'aurait pas quitté le lit. Suger le lui avait d'ailleurs interdit, arguant que la reine n'oserait jamais, mais Louis savait. Aliénor en colère était capable de tout. Et de bien plus encore.

Aliénor fit pénitence. Elle s'occupa elle-même de son époux avec ferveur et attention. Suger l'entendit en confession, et elle promit même de ne plus contrer les décisions du roi pour peu qu'il lui revienne enfin. Elle fit des excuses publiques à Thierry Galeran, qui se retira pourtant en ses terres pour digérer l'affront.

Malgré l'interdit qui pesait toujours sur le royaume, on pria. Cette fois, le roi se remit de lui-même. Mais il gardait rancune à son épouse de ce geste inconséquent et, sitôt qu'il eut retrouvé ses forces, il s'en retourna à Saint-Denis.

Aliénor se consola avec son troubadour, tandis que je redoublais de surveillance auprès de Béatrice. Elle devenait de plus en plus proche de Louis. Outre les prières, ils échangeaient de longues conversations pendant lesquelles il paraissait heureux. Louis aimait Béatrice. C'était flagrant. Mais il l'aimait d'amour pur, comme une sainte intouchable.

Denys revint, et Pâques 1144 vit ses épousailles avec damoiselle de Monfort. Je m'y rendis avec le roi et la reine, et ce fut une joyeuse fête. Aliénor céda à son connétable un fief en Guyenne dont le seigneur était défunt sans héritier et qu'elle avait réservé à cet usage. Marjolaine fut chargée de l'administrer, et Denys reprit son poste auprès des gardes de la reine. Il était transfiguré par un bonheur sans tache. Il ne parla pas davantage que Marjolaine des moments passés avec le vicomte de Châtellerault, mais celui-ci assista au mariage, bravant ses deux autres fils, qui jurèrent de venger cet affront. Ce fut le seul nuage de cette journée. Ou du moins presque : combien j'aurais voulu en cet instant de promesses pouvoir poser ma main sur le poing de mon troubadour !

Le printemps se passa à achever les préparatifs de l'inauguration de l'abbatiale prévue pour juin. Louis offrit à Suger le vase en béryl sur la recommandation d'Aliénor, et la jeune reine s'activa pour que chacun se souvienne aux quatre coins du royaume de ces festivités.

En mai de cette même année 1144, Le pape Célestin II leva l'interdit sur le royaume de France : l'épouse dite « légitime » de Raoul de Crécy venait de mourir. Le sénéchal du roi de France et Pernelle firent leur apparition au palais de la Cité, et Suger les convia aux fêtes de la dédicace.

Le conflit entre Thibault de Champagne et le comte de Vermandois s'achevait officiellement avec la levée de l'excommunication, mais rien n'était réglé pour autant. On n'enterre pas la haine en plantant une croix. Il y eut des accords, des révérences, mais l'on sentait derrière l'apparence planer une odeur de mensonge et de traîtrise.

Il fallait que quelque chose arrive. Quelque chose de grand. Quelque chose de puissant qui rassemble les foules et désorganise les querelles en unissant les bras.

L'idée m'apparut au matin d'un songe : Aliénor brandissant une bannière sous un soleil brûlant, une croix rouge sang flottant sur son épaule. Je lui en parlai le soir même, après qu'elle eut congédié Bernard de Ventadour.

— Bernard de Clairvaux t'a-t-il donné sa réponse ? interrogeai-je.

Aliénor sourit à pleines dents.

— Elle m'est parvenue ce matin même. Je me doutais bien que le cher homme ne manquerait pas cette occasion. Il viendra.

— Tu profiteras de sa visite pour lui demander audience.

— Et que lui dirai-je ? Que Louis ne m'aime plus, ne me touche plus, et que je dois me satisfaire des caresses de ma dame de compagnie !

— Tu oublies Bernard de Ventadour !

— Lui, c'est différent.

— Différent ?

— Je crois que je pourrais m'en passer si le roi revenait.

— Tu m'as dit, pas plus tard que le mois dernier, que Louis te faisait horreur ainsi.

Elle soupira :

— C'est vrai qu'il n'est pas bien affriolant avec sa maigreur squelettique, son crâne rasé et sa bure de prêtre, mais, depuis quelques jours, son regard brille d'un éclat surnaturel. De plus, il s'adresse à moi différemment. Peut-être a-t-il été frappé par la grâce.

Je ne pus m'empêcher d'étouffer un rire et me moquai :

— Voyez-vous ça ! Tu lui reprochais hier d'être un moine, voilà maintenant que tu rêves d'un saint... Tu risques l'enfer pour une telle perversion.

Elle bouda :

— Ne te moque pas. Louis est mon époux.

— Je ne me moque pas. Il est temps, je crois, de montrer à Louis que tu es son alliée, repentante et fidèle.

— Il faudrait un miracle.

— Bernard de Clairvaux en est un.

— Soit. Et ensuite ?

— Demande-lui un enfant.

— Il faudrait que Louis me touche.

— Plains-toi qu'il préfère le chapelet et insinue qu'un mariage que l'on ne consomme pas peut être annulé.

— Mais je ne veux pas me défaire de Louis !

— Non, pas encore..., ironisai-je.

— Jamais ! argua-t-elle en redressant la tête.

Cela m'amusa :

— Demande un enfant contre ton amendement. Suggère à ce saint homme que, pour obtenir le pardon de Dieu, tu es prête à tout, même à prendre la croix.

Aliénor blêmit. Elle bafouilla :

— Une croisade ? Tu as perdu la raison ?

— Que nenni. L'idée fera son chemin et, avant qu'il soit longtemps, Bernard de Clairvaux la fera sienne. Il vaut mieux que nos ennemis guerroient en terre lointaine que sous nos fenêtres. Et puis quoi ? Préfères-tu que ton cher époux finisse dans un monastère ou comme un chevalier, l'épée à la main et le teint bruni par le soleil ?

Je vis un large sourire éclairer son visage tandis que défilait devant ses yeux l'image du roi tel qu'elle le rêvait.

Elle s'avança vers moi et plaqua un tendre baiser sur mes lèvres, emprisonnant mon visage à pleines mains :

– Je t'adore, décidément, Loanna de Grimwald.

– Je vous aime aussi, ma reine.

Suger était aux anges, en ce jour du 11 juin 1144. Les fêtes de la dédicace du chœur de l'abbatiale venaient d'être proclamées ouvertes et en même temps qu'elles la foire du Lendit. Autant dire que tous les grands du royaume ou presque s'y pressaient. Depuis des siècles, la foire attirait la foule des provinces et pays les plus éloignés, qui y commerçaient. Aliénor avait fait preuve d'une ardeur infatigable et préparé au côté du roi ce que lui-même considérait comme l'événement du siècle. Et cela en était un : jamais en aucun endroit de France et d'Europe on n'avait pu voir pareil bâtiment. Tous y avaient contribué, du plus noble au plus faible, du plus respectueux au moins pieux.

Il avait été décidé que l'on partirait du palais, Suger et le roi en tête d'un cortège rassemblant plus d'un millier de personnes. Une fois encore, on ne voyait que Louis. Dans une magnificence d'étoffes, de bijoux, tant chez les grands que chez les ecclésiastiques, Louis portait avec simplicité une bure de serge beige et une croix de bois passée en pendentif sur une corde de lin. Suger avait eu beau insister, rien n'y fit. Plus que jamais, Louis souhaitait faire allégeance et réclama de porter le flambeau.

Les gens d'armes durent s'interposer à plusieurs reprises pour écarter la foule qui s'entassait à l'étouffement sur chaque bord du chemin. Tous voulaient voir le roi avant de suivre le cortège.

On se mit en selle pour traverser les marais, au pas, sur l'étroite voie. Il y avait des cris, des rires, des chants. Aliénor souriait, Suger souriait, Béatrice souriait, la foule souriait. Seul Louis regardait droit devant lui vers la dentelle de pierre, à en avoir les yeux rougis. Arrivé sur le petit tertre de la Montjoie, Suger prononça quelques mots avant de bénir la marée humaine qui colorait la colline.

Trois croix étaient plantées au bord du chemin, à l'endroit où les martyrs Denis, Éleuthère et Rustique avaient été décapités. Devant chacune d'elles attendait un énorme cierge. Louis les alluma en silence. On entendit des murmures dans la foule. Je perçus même cet échange curieux entre deux badauds :

– C'est qui donc le prélat qui rend hommage à saint Denis ?

– C'est le roi, eh, benêt !

– En v'là-ti une drôle d'allure pour un roi ! J'suis même mieux couvert que lui !

Quelque troubadour nous suivant en pinçant son instrument dut entendre lui aussi, car il ne fallut que quelques jours pour que nous retrouvions cette remarque dans une chanson.

On arriva enfin devant l'imposante basilique. Le roi, qui seul allait à pied devant les palefrois, s'arrêta et tous les grands mirent pied à terre. Des moines nous ouvrirent un passage suffisant au milieu d'une foule grouillante aux abords de la cathédrale. En premier plan des moines de Saint-Denis, Bernard de Clairvaux regardait avec une pointe de désapprobation cet étalage splendide.

Louis vint humblement s'agenouiller à ses pieds sur le parvis inachevé de la cathédrale. Un murmure courut parmi l'assistance. Bernard de Clairvaux le releva en souriant. Puis, lui posant paternellement une main sur l'épaule, ils pénétrèrent dans la nef escortés de Suger, de la reine et de tous les féaux de Leurs Majestés.

Suger célébra l'office, mais ce fut Bernard de Clairvaux qui prononça le sermon. Il rappela à chacun qu'une âme belle n'avait besoin d'aucun ornement et s'élevait, emplie de sa propre lumière, vers le royaume de Dieu. Que le luxe n'était que perversion et qu'il fallait chercher non point la mise mais ce qui se cachait derrière pour déterminer la valeur du bien ou du mal. Suger baissa la tête, mais, bien que directement concerné, ne se départit pas de ce regard fier qu'il arborait depuis le matin.

Il est vrai qu'il n'avait pas fait les choses à moitié. Des colonnes de marbre formaient vers le chœur une allée digne de son ambition. Il était allé les chercher jusqu'à Rome, dans ce qui restait des palais, des thermes de Dioclétien. Des vitraux d'une finesse extrême, qui avaient rassemblé à Paris les maîtres verriers les plus habiles, ornaient les ouvertures. Au fond du chœur, haute de plus de cinq aunes, la croix resplendissait d'or et de pierreries. Un Christ de marbre finement taillé y était crucifié, le regard empli de miséricorde tourné vers la foule. Pour ajouter à la féerie, plantés dans la paume de ses mains, des clous de diamants le transperçaient de lumière. Il n'était pas un grand dans le royaume qui n'avait puisé dans ses subsits pour offrir à saint Denis le pardon du roi avec cette croix prestigieuse. Suger en rayonnait de fierté, Louis de reconnaissance.

Bientôt, ce fut le moment que ce dernier attendait. Devançant les archevêques, il se présenta à la crypte pour recueillir lui-même dans ses mains les reliques sacrées de saint Denis.

Bien qu'Aliénor courbât la tête, je vis passer un voile de tristesse dans ses yeux. Louis s'habillait comme un moine, se conduisait comme un moine et montrait par ce geste qu'il serait désormais soumis à jamais à l'Église. Elle venait de prendre conscience que son influence était définitivement vaincue. Son regard chercha celui de Bernard de Clairvaux. Le vieil homme n'afficha aucune complaisance. Il était temps qu'elle s'abaissât à davantage d'humilité, devait-il penser. Lorsque la cérémonie fut terminée, la reine demanda un entretien privé au saint homme. Bernard de Clairvaux y consentit.

Je n'avais eu que deux fois auparavant l'occasion de le rencontrer. Sa dernière entreprise à Cluny, au cours de laquelle il condamna les amours d'Abélard pour sa jeune et jolie élève Héloïse, m'avait laissé un goût amer dans la bouche. Même les adeptes d'Abélard s'étaient vus, ce jour-là ébranlés dans leur conviction, tant l'homme était fascinant. Il portait Dieu comme d'autres l'épée. Dès qu'il haranguait, il était transfiguré. Lorsqu'on le regardait, on s'imaginait qu'allait sortir de lui une petite voix semblable à son image fluette et usée. Elle éclatait, grave et puissante, dans des poumons d'acier. On prétendait qu'il avait été en sa jeunesse la personne la plus séduisante du royaume. Il s'était consumé, ratatiné. Seuls ses yeux d'un bleu dur, métallique, donnaient encore une vague idée de sa beauté passée. Ce qu'il avait perdu en apparence, il l'avait gagné en superbe. Bernard de Clairvaux inspirait la crainte, l'amour, le respect et la foi. C'était un être dangereux.

Plus encore que Suger. Suger était parti de rien et s'était accroché au pouvoir dont il aimait le faste et le luxe. Son ambition s'arrêtait à sa seule personne. C'était pour lui seul qu'il avait relevé l'abbaye de Saint-Denis, reconstitué son patrimoine. L'abbé de Clairvaux, à l'inverse, aimait le pouvoir, mais au profit de Dieu. Il ne possédait rien, ne souhaitait rien pour lui-même. Seuls comptaient la puissance absolue de Dieu et son contrôle sur les âmes.

Lorsque Aliénor reparut, elle était sereine et l'abbé souriait.

Les fêtes durèrent une douzaine de jours, attirant, outre des marchands venus des quatre coins d'Europe, bon nombre d'attractions de toutes espèces. L'abbatiale de Suger faisait des envieux.

À leur terme, Louis se présenta à la porte de la chambre de son épouse, le cœur battant, la gorge sèche. Aliénor lui ouvrit les bras. Mais, au contraire de ce qu'elle avait prétendu, elle ne quitta pas pour autant son beau troubadour.

— C'est une fille, messire !

Louis écrasa un poing de rage sur le mur de pierre. Il avait espéré, espéré. Au mépris de cette rumeur. Dans tout le royaume, on racontait que l'enfant porté par la reine et qui, cette fois, semblait vouloir arriver à terme, était celui de son amant et non le sien. Pour donner davantage de crédit à ces ragots, il ne se passait pas un jour où Bernard de Ventadour ne vienne tenir compagnie à Aliénor.

— La reine vous réclame, Louis.

Suger s'avança en frottant comme à son habitude ses mains l'une contre l'autre. Louis ne broncha pas. Il regardait au loin les pointes de la cathédrale dont la construction se poursuivait depuis une année. Elles semblaient le narguer dans ce ciel limpide de la fin mai 1145.

— Dieu me punit, mon père. Une fois encore.

— Allons, mon fils, ne vous laissez pas gagner par la mélancolie. Je vous en prie, venez. Cette enfant est fort gracieuse et la reine tellement heureuse.

Louis fit face à Suger, en proie à une rage dont il ne se serait pas cru capable :

— Heureuse, dites-vous ? Le joli ouvrage, il est vrai ! Qu'ai-je à faire d'une fille quand le royaume attend un héritier ? Cela fait huit années, Suger. Et il y a pire ! On me ridiculise jusque sous mes fenêtres. Faites donc venir ce bâtard de Ventadour, qu'il emporte sa progéniture et aille au diable ! Jamais, vous entendez, jamais je ne verrai cet enfant. Ce n'est pas le mien !

Et, plantant Suger apitoyé, il s'élança comme un fou par-delà la porte. On ne le revit pas d'une semaine.

Aliénor était rayonnante du bonheur de serrer enfin son enfant dans ses bras, même si, comme Louis, elle regrettait que ce ne soit pas un mâle. Cela aurait résolu tant de problèmes entre eux.

Le roi n'était resté que quelques mois dans sa couche, le temps d'ensemencer sa terre, puis, prétextant qu'il fallait prévenir le malheur, il l'avait laissée porter gros ventre. Cette fois, la reine n'avait pris aucun risque. Elle s'était refusée à tout voyage, demeurant alitée ainsi que les apothicaires le lui recommandaient. Son enfant, qu'elle avait prénommée Marie, en hommage à la Sainte Vierge si chère au cœur du roi, dormait contre son sein lourd, une pointe gonflée entre ses lèvres fines.

On apprit bientôt qu'un visiteur annonçait son passage. Bernard de Clairvaux voulait bénir cet enfant, ce présent divin qu'Aliénor lui avait demandé en échange de son obéissance. Le roi se tenait à ses côtés. Apaisé. Recueilli. Bernard de Clairvaux avait parlé. Dieu avait envoyé un enfant ! Si Louis n'avait pas de fils, ce n'était que pour rappeler qu'il fallait être vigilant. Le temps viendrait, si le jeune couple maintenait sa promesse de demeurer raisonnable et respectueux envers l'Église. Quant aux ragots, Bernard ne voulut pas en entendre parler. Il était du droit du roi de faire régner l'ordre et de marquer sa puissance sur son territoire. Quoi qu'il fasse ou dise, cet enfant était le sien.

Aliénor reçut Louis en pleurant. Ils restèrent longuement dans les bras l'un de l'autre, l'enfant contre eux pour se souvenir de leur tendresse et de leur serment.

– Venez vite, Loanna ! La reine est furieuse et rien ne semble vouloir l'apaiser.

Sibylle d'Anjou, qui avait fini par épouser le baron des Flandres, était écarlate d'avoir couru. J'étais occupée à trier dans le jardin des simples dont les vertus étaient salutaires contre ces maux de ventre qui depuis quelques matins me tenaillaient.

La nouvelle était arrivée telle une flèche : Bernard de Ventadour avait été exilé par le roi, le matin même.

Je courus autant que mes sandales me le permettaient, traversant les brassées de jonquilles et d'iris qui fleurissaient les jardins.

La reine était alitée depuis une semaine. Ses couches l'avaient fatiguée, et l'apothicaire avait prescrit le repos pour ne point faire tourner le lait. Je m'engouffrai, haletante, dans la chambre. Aliénor, aidée d'une chambrière, achevait de se vêtir. Elle maugréait contre la pauvre enfant qui n'allait pas assez vite, s'y prenait comme une gourde.

– Ah, te voilà ! Cela fait plus d'une heure que je te fais chercher ! On se donne le mot dans cette maison pour blesser mon content ! Assez ! Tu me piques ! Dehors ! Dehors, j'irai plus vite sans toi !

La petite figure ronde de Marjorie se voila. Elle était au bord des larmes et tremblait comme un jonc.

– Laisse-nous, Marjorie. J'achèverai de parer la reine, lui dis-je posément.

La petite hocha la tête, la gorge nouée, et s'esquiva. J'entendis le bruit d'un sanglot derrière la porte. Je soupirai.

– Hâte-toi de serrer ces lacets. Je dois voir le roi !

Je croisai avec douceur les fils d'argent sous sa poitrine.

– Tu ne le verras pas, Aliénor, il ne sert à rien de te mettre en pareille sueur. Ce n'est pas bon pour l'enfant.

– Allons ! J'ai plus de lait qu'il ne m'en faut pour la nourrir. Que Louis le veuille ou non, je jure par Dieu qu'il me recevra !

– Sans doute… lorsqu'il reviendra, laissai-je tomber en ajustant sa taille.

Elle blêmit :

– Le roi est absent ? On ne m'en a pas informée.

– Il est parti il y a peu, au dire de Suger que j'ai croisé en accourant. Une affaire à régler à Chartres. Denys et quelques hommes l'accompagnent.

– Le fourbe, le traître, l'infâme !

Elle arracha d'un geste vif les lacets qui l'étouffaient dans sa colère.

– Calme-toi, ma reine, tu n'y peux rien changer.

– Il a reconduit Bernard lui-même pour que je ne puisse seulement lui dire adieu ! Il m'a bafouée, il m'a…

Elle éclata en sanglots convulsifs, en se jetant contre ma poitrine.

– Et que croyais-tu donc ? Qu'il allait ainsi laisser égratigner son honneur au fi de la rumeur grandissante ? Trop de gens savent ton affection pour Bernard de Ventadour et il ne se passe pas de jour où il ne vienne voir Marie pour lui chanter quelque berceuse. Louis a agi comme il le devait. Il s'est comporté en roi... Tu lui reprochais bien assez d'être un moine ! Te courrouceras-tu du fait qu'il se sente homme enfin ?

— Il ne me désire plus, il ne m'adore plus ! Suis-je desséchée au point de n'attirer plus le regard ? Bernard me chantait ma beauté de femme. Sa passion me nourrissait. Que me reste-t-il aujourd'hui ?

Je souris. Pour la première fois, ma reine était amoureuse. Je la serrai tendrement contre moi et répondis au creux de son oreille :

— Marie... Et un grand projet.

Elle redressa la tête, elle avait les yeux rouges et de gros sillons sur ses joues empâtées par la grossesse. Elle marqua un temps d'absence comme si elle cherchait dans ses souvenirs une raison de croire en demain. Quelque chose de plus violent que cette peur de solitude.

— Marie..., répéta-t-elle.

L'enfant dormait auprès du lit de sa mère. C'était un bébé joufflu d'un calme qui ne cessait de me surprendre, moi qui me rappelais surtout le caractère braillard et capricieux d'Henri. Les lamentations d'Aliénor n'avaient même pas eu raison de sa quiétude. Aliénor se dégagea et pencha sa tête au-dessus du berceau, un sourire attendri au milieu de ses larmes qui s'épanchaient toujours. Sa colère était tombée à présent. Je m'approchai aussi. La petite suçait son pouce, les rêves contents.

— Elle est belle, n'est-ce pas ? constata la reine.

— Très belle.

Je savais à quoi elle pensait. Ce grain de beauté sur la joue au-dessus de l'œil gauche de l'enfant, gros comme une pointe de plume de moineau. Bernard de Ventadour possédait la même marque au même endroit.

— Tu l'aimeras à travers Marie...

Elle leva son regard, heureuse de se sentir comprise. Elle tempéra :

— Cela suffira-t-il à ma pitance ?

— Sans doute pas. Mais le destin nous conduit, Aliénor. Prends patience. Bientôt, je te le promets, tu auras d'autres joies d'exister.

— Puisse Dieu t'entendre, murmura-t-elle dans un soupir las.

Les événements n'allaient pas tarder à me donner raison.

Quelques jours plus tard, on apprenait qu'Édesse, cité de Terre sainte, était tombée entre les mains de Zanki, gouverneur d'Alep et de Mossoul. Brandissant son courage comme un étendard, Aliénor rappela à Louis l'engagement qu'avait fait avant lui son frère aîné défunt, de défendre les terres de Dieu ; Louis n'y vit qu'un signe pour l'amener à rentrer en grâce. Lors des fêtes de Noël à Bourges, en cette année 1145, dressés en bout de table du banquet, les époux royaux annonçaient haut et fort leur intention de prendre la croix, soulevant un frisson de surprise dans l'assistance.

15

Étienne de Blois, roi d'Angleterre, s'inclina devant ce messager inattendu. Il avait pour habitude de recevoir un des moines de l'abbé Suger, qui le tenait informé des événements du royaume de France. Mais il ne savait brusquement quelle attitude adopter devant ce visage angélique et ce port de reine. Si Béatrice de Campan s'amusa de cette gêne, elle ne s'en troubla pas. Depuis quelques mois, Suger lui avait confié une autre mission, qui l'éloignait du roi certes, mais grandissait son influence. Elle intriguait pour *la* cause.

– Allons, Votre Majesté, servez-nous donc à boire. Une affaire d'importance m'amène, qui ne souffre pas de civilités intempestives.

– Vous m'en voyez comblé, dame de Campan.

Il saisit son eau-de-vie de prunelle qui désormais ne le quittait plus, où qu'il se trouve. Cette donzelle portait beau, mais il allait lui montrer la supériorité de l'homme. Il lui tendit un gobelet d'argent incrusté de pierreries, un sourire moqueur au coin des lèvres, qu'il ponctua d'un secourable :

– Votre beauté m'égare. Sans doute préférez-vous quelque liqueur plus douce au palais d'une dame. C'est que j'ai rarement en ce cabinet autre visite que celle d'hommes d'Église.

Béatrice prit avec grâce ce qu'on lui offrait.

– Ne changez rien, messire.

Levant son verre, elle l'invita à en faire autant. Étienne de Blois s'en amusa et posa ses lèvres sur le bord du gobelet. Il faillit s'étrangler à la première goulée. Béatrice avait vidé son verre d'un trait, sans le quitter des yeux, sans même sourciller, et, selon l'usage montagnard, passait d'un geste gracieux un revers de sa manche mauve incrustée de fils d'or sur sa bouche gourmande.

– Par tous les saints ! Vous m'impressionnez ! Est-ce au contact de ce vieux chacal d'abbé que vous avez ainsi conquis ce tempérament ?

– Que nenni, messire, que nenni ! Simplement un vieil oncle pyrénéen qui buvait à la régalade. Et de fait cet alcool est fort savoureux ! Permettez que j'en redemande ?

Étienne hocha la tête, encore sous le coup de la surprise. Béatrice s'empara de la bouteille et remplit à ras son gobelet vide.

– Là, messire. Cette course à cheval m'avait quelque peu défaite, et, à votre contraire, je ne promène pas ma gourde à chaque déplacement.

Étienne de Blois tiqua. Il savait que cette réputation, fort justifiée, avait transpiré par Suger, mais il n'aima pas cette bravade, d'autant plus que cette donzelle lui fouettait le sang par ses atours plus qu'alléchants.

– Venons-en au fait, voulez-vous ?

Béatrice lui fit face. Étienne de Blois était laid, vulgaire et rude, mais, sans qu'elle sût pourquoi, il lui plaisait. « L'ange et le démon », pensa-t-elle. Elle sortit un bref de son mantel, qu'elle tendit en souriant.

Le roi d'Angleterre le décacheta et s'approcha de la fenêtre pour le déchiffrer. Il venait de Suger, ainsi qu'il s'en doutait. Après une rapide lecture, l'homme éclata d'un rire mauvais.

– Ainsi ce vieux chacal s'est décidé !

– Je vous saurais gré, messire, de bien vouloir employer un autre qualificatif pour désigner un homme d'Église, qui de plus s'avère être mon tuteur et fort saint homme, modéra Béatrice.

– Eh bien, peste soit de ce saint homme qui réprime vertement toutes mes initiatives ! rétorqua le comte de Blois en ajoutant, l'œil vif : Il est desséché par l'ambition autant que je suis bouffi !

– Si vous usez de celle-ci comme de cette eau-de-vie…, lança Béatrice, appuyant son regard sans complaisance sur la silhouette flasque de son hôte.

Étienne de Blois vit rouge. Il se précipita sur elle dans un mouvement d'humeur qui fit chuter à terre la feuille de parchemin. Béatrice ne broncha pas. Elle avait l'habitude de ces tempéraments et carrures, elle avait grandi au milieu d'eux. Comme elle s'y attendait, d'avoir gardé sa position, le comte se trouva désemparé dès qu'il fut sur elle.

– Cessez ce jeu, messire, murmura Béatrice en posant son verre sur le coffre qui lui collait aux reins.

Tirant délicatement sur le fil de satin qui nouait les lacets de son corsage, elle ajouta, l'œil provocant :

– Nous avons mieux à faire, il me semble.

– Chienne ! siffla le comte entre ses dents, giflant d'un geste large la joue rosée par l'alcool.

Béatrice accusa le coup. Ce jeu l'excitait. Le comte poussa une jambe dans le siglaton rouge de la robe et culbuta l'impertinente sur le coffre. Elle n'eut qu'un cri de douleur lorsqu'il déchira son ventre après avoir retroussé ses jupes sur sa taille, mais cette violence même lui procura du plaisir. « Chienne ! » répéta Étienne de Blois en arrachant les lacets du corsage pour emprisonner un sein blanc et rond dans sa poigne. Béatrice ne le quittait pas des yeux, un air de défi et de supériorité dans la prunelle bleue qu'il avait envie de briser, de soumettre. Il pinça la pointe durcie entre ses doigts épais et s'activa entre les cuisses offertes.

Béatrice n'y résista plus ; arquant ses reins pour recevoir le brutal hommage, elle chavira. Étienne de Blois la gifla encore, maugréant entre ses dents serrées quelque chose qu'elle ne comprit pas, puis se libéra dans sa chair en un dernier coup de reins.

Il se rajusta sans la regarder et alla empoigner la bouteille d'eau-de-vie qu'il délesta de plusieurs lampées. Béatrice se releva et mit de l'ordre dans sa toilette. Sa joue gauche lui cuisait. Elle y devinait la trace des doigts boudinés comme une marque au fer rouge. Elle s'en grisa. Le roi Louis était un sot, pensa-t-elle, qui se flagellait à la moindre pensée obscène quand elle n'aurait demandé qu'à expier pour lui et sous le joug de son corps toutes les punitions divines.

Elle se présenta à son bourreau la mine calme et avança une main gracieuse vers la bouteille qu'il levait encore à sa bouche.

– Permettez ?

Il la lui tendit simplement. Décidément, cette donzelle lui plaisait. Béatrice se régala de plusieurs goulées et dans un même geste l'un et l'autre frottèrent leurs lèvres d'un revers de manche. Alors, par cette similitude, ils éclatèrent d'un rire commun.

– Ainsi donc, les chevaliers du Temple rassemblent leur trésor pour s'armer. J'avais eu vent de la chose en Normandie où, vous le savez sans doute, j'ai étendu leurs possessions. Ils contrôlent par le fait les agissements des comtes d'Anjou et les alliances que cette scélérate de Mathilde a pu renouer. L'Angleterre et la Normandie m'appartiennent, sang Dieu, et ce n'est pas une femme qui me les ravira, ricana le comte de Blois.

– Ne soyez sûr de rien, messire, sans quoi vous perdrez plus que vous n'imaginez, tempéra Béatrice, un sourire aux lèvres.

L'effervescence passée, ils s'étaient retrouvés amis et s'étaient alanguis dans de confortables fauteuils.

– Il n'est pas dans mes habitudes de dormir sur mes lauriers. Quoi qu'il en soit, cette idée de croisade me plaît. Mes rivaux seront affaiblis, quand je vais conserver une force de frappe en Angleterre. Je doute fort que beaucoup se soustraient à la voix de Bernard de Clairvaux.

– C'est aussi ce que pense l'abbé Suger. Cependant, pareille entreprise nécessite des alliances et des moyens. Il compte sur votre influence pour rallier à cette cause les féaux du roi de France qui possèdent quelques biens et sont sous votre protection.

– Qu'il n'ait crainte. On suivra mon bras, à la condition qu'on soutienne mes prétentions.

– Il me semble, messire, qu'en ce domaine le Temple a plus d'une fois montré combien il vous était reconnaissant de vos largesses.

– Certes. Toutefois, la mort de Guenièvre de Grimwald a bien servi mes plans sans qu'ils aient à intervenir.

– La puissance de Dieu, mon cher, ne saurait plier devant la magie.

– Il faudrait brûler ces sorcières, que leurs âmes soient consumées par les flammes de l'enfer, maugréa Étienne.

– Soumettez donc cette idée à Bernard de Clairvaux. Son précédent manifeste a fait des émules partout dans le royaume et dans toute l'Europe.

– J'exècre cette tradition anglaise à s'entourer de mages quand l'Église seule suffit à conduire les âmes. J'ai aboli cette coutume en prenant le trône qui me revenait et veillerai de mon vivant à ce qu'aucun jamais ne paraisse plus à la table ronde.

– Prenez garde, messire, vous parlez comme un moine, plaisanta Béatrice.

Étienne sourit et, saisissant une idée soudaine, interrogea :

– Qu'en est-il des relations de la reine avec cette damoiselle de Grimwald ? Quoi qu'en pense ce vieux « chacal » d'abbé, je n'aime pas savoir cette pucelle à la cour de France. Tant qu'il en restera une...

Béatrice sentit remonter sa rancœur.

– Son influence ne cesse de grandir, hélas, de sorte que je n'étais plus d'aucune utilité à mon protecteur auprès de la reine. Cette petite garce m'a éconduite sans autre forme de procès, et j'imagine assez qu'elle emploie quelque charme pour mieux asseoir son ambition.

– Est-elle dangereuse ?

– Bien davantage que Suger ne veut le reconnaître.

Étienne de Blois se leva et arpenta la pièce de long en large. Béatrice se garda de troubler sa réflexion. De longues minutes s'écoulèrent en silence, rythmées seulement par le bruit des pas sur le plancher de bois.

Le comte se planta enfin devant Béatrice :

– Il faut exterminer cette racaille diabolique ! Suger est trop tendre. Moult fois je lui ai suggéré de faire disparaître cette poison, il n'a osé qu'une tentative d'enlèvement, soldée par un échec. Ce vieux fou est bien trop accaparé par son abbatiale pour mesurer le danger. Quant à Bernard de Clairvaux, il se désintéresse de tout ceci. Il vit dans le dépouillement le plus complet, n'accordant des biens aux chevaliers du Temple que pour réaliser son rêve de toujours, cette croisade pour délivrer le tombeau du Christ. Les querelles d'intérêt ne le touchent pas.

– Avons-nous besoin de Suger et de Bernard de Clairvaux pour supprimer un cloporte ?

– Certes non.

Puis, comprenant que Béatrice avait déjà son plan, il se laissa choir dans son fauteuil et, étalant un sourire satisfait au milieu de sa barbe, il lança d'un ton apaisé :

– Eh bien soit, damoiselle de Campan, je vous écoute...

On se pressait par milliers aux portes de la ville. Bernard de Clairvaux attendait sans impatience que le concile soit achevé. La croisade avait été légitimée par le pape et il se préparait à haranguer une foule massive sur le tertre de Vézelay. Toute sa vie durant, il n'avait eu qu'une seule idée, reprendre aux Turcs le tombeau du Christ, pour dresser plus haut encore sa bannière et sa voix. Le fait que la reine de France eût souhaité deux ans plus tôt que vienne la délivrance lui était apparu comme un signe. Après avoir tant péché, cette idée ne pouvait lui être inspirée que par le Saint-Esprit lui-même. Il s'en était trouvé ragaillardi. La croisade rendrait à chacun l'humilité et la pénitence.

Bernard ajusta sa robe, aidé par les moines attachés à ses pas. Les religieux de Clairvaux qu'il avait lui-même ordonnés lui vouaient une sorte d'adoration qui le laissait de marbre.

Autour des remparts de la petite ville, il entendait se répondre des chants et des cris de joie. Il sourit et, un instant, eut la vision de Moïse debout sur la montagne étendant le nom du Père sur les ailes du vent.

– Allons, mes frères, ordonna-t-il d'une voix tranquille.

Le cortège s'ébranla.

None sonnait lorsque Bernard de Clairvaux parut sur une estrade que l'on avait dressée sur le tertre. Autour de lui, une centaine de moines portant les couleurs de l'abbaye de Clairvaux étaient agenouillés.

Le roi et la reine lui faisaient face, les genoux dans l'herbe. Derrière eux et du plus loin que portait le regard, sur les pentes de la colline, fleurissaient des visages recueillis, tendus vers sa silhouette, un murmure d'admiration sur les lèvres.

Jamais encore, je n'avais vu le saint homme ainsi. Il était transfiguré, semblait immense et baigné d'une lumière qui me parut aussi intense que celle de Merlin. Un instant, je me sentis désarçonnée.

Se pouvait-il que cette merveilleuse énergie soit une seule et même chose ? Je n'avais vu Dieu que comme un prétexte pour asservir les hommes faibles et c'était aussi l'enseignement que j'avais reçu. Au-delà de ce que les cléricaux en avaient fait au sein de l'Église, quelle pouvait être cette source si puissante, si apaisante, qui émanait de ces êtres exceptionnels nés et servant deux cultures aussi opposées ? Je n'avais pas de réponse. Merlin parlait d'amour et d'énergie créatrice. Dieu et l'Église m'avaient toujours semblé ne faire qu'un. Et si la réponse était ailleurs, bien au-delà de la mascarade, dans cette force même qui nous pousse impitoyablement à vivre ? Non, je n'avais pas de réponse. Mais Bernard de Clairvaux illuminait d'une aura surnaturelle ce jour de Pâques de l'an de grâce 1146…

Il parla, et sa voix descendit au plus profond des ornières de la vallée :

— Mes frères ! Allons-nous aujourd'hui lever nos regards impuissants vers le ciel et refermer nos bras sur des prières tandis que l'on massacre des chrétiens et réduit à l'esclavage les défenseurs du Christ ? Allons-nous attendre que Jérusalem soit mise à sac et son jeune roi Baudouin III piqué aux pointes des lances ? Allons-nous laisser incendier des églises et brûler des images saintes ? Non ! Non, mes frères, car nous sommes les humbles serviteurs de Dieu et qu'Il réclame notre foi comme délivrance ! Les chevaliers du Christ que nous sommes doivent lever l'épée pour combattre, avec la croix comme bannière. Levons-nous, mes frères, levons-nous et marchons sur l'infidèle, allons de ce pas solide et sûr qui délivrera nos âmes et amendera nos péchés ; allons reprendre pour Dieu et par Dieu ces villes, pour leur salut.

Un murmure parcourut l'assistance, tandis que la voix de Louis s'élevait à son tour :

— Qu'on me donne la croix et je la porterai dans mon sang !

— Que l'on me donne la croix, repartit Aliénor dans un même élan.

— Que l'on m'en donne aussi !

— Palsendiou, j'en suis de même !

— Et moi avec !

— Nous n'en ferons qu'une bouchée !

— Qu'elle soit gravée au fer rouge sur ma poitrine !

Les cris fusaient, les exclamations de la foule répondaient à présent à celles du roi et de la reine, se répandant comme une traînée de poussière.

C'est alors qu'il vint.

— Attendez, frères !

L'homme était petit, usé, vieux, mais sa voix portait loin. Il lui manquait un bras et son œil gauche n'était plus qu'une orbite creuse. Il brandit un bâton et se ploya devant les époux royaux, faisant face à la foule, qu'il harangua à son tour :

— Votre jeunesse vous égare ! Vous voulez vous battre contre les ennemis du Christ, mais vous ne savez rien de ce qui se passe là-bas ! Regardez-moi. J'en étais, de cette première expédition en Terre sainte !

Un silence de mort s'abattit sur l'assemblée.

– J'ai été pris aux portes d'Édesse et torturé, mais cela n'était rien parce que j'avais la foi. Ils m'ont arraché l'œil, et l'un d'entre eux, un géant au poil dru, l'a gobé en ricanant. Mais cela n'était rien parce que j'avais la foi. Ils ont décimé notre armée, affaibli nos espérances, violé nos compagnes, mais cela encore n'était rien car nous avions la foi. Nous sommes rentrés au terme de longues années de guerre, abandonnant plus des deux tiers d'entre nous dans des mares de sang, espérant trouver au pays ceux que nous y avions laissés. Mais là, malgré notre foi et notre repentir, il n'y avait plus rien ! Pendant notre absence, nos terres avaient été pillées, nos châteaux assiégés, nos gens massacrés au profit de ceux qui étaient restés. Voilà ce qu'il adviendra encore, et encore et encore, car il n'est que folie et massacre sur notre route.

– Faites-le taire !

– Non, il a raison ! Qui défendra nos terres ?

Le ton monta soudain. Bernard de Clairvaux leva une main au ciel et de nouveau le silence se fit ; le vieillard le regardait, sans rancune, mais avec l'assurance de ceux qui savent et n'attendent plus rien.

– Frères, tonna l'abbé de Clairvaux, ce qu'a dit cet homme est vrai !

Un frisson parcourut l'assistance, mais le saint homme ne laissa pas le temps à de nouvelles polémiques. Il apostropha le vieillard :

– Viens à mes côtés, mon fils.

Surpris par cette force sereine, le vieillard s'approcha et prit place sur la tribune. Bernard de Clairvaux posa une main sur l'épaule restante et poursuivit, s'adressant à la foule qui levait un nez hésitant vers la scène :

– Oui, c'est vrai et bien pire encore, car les ennemis du Seigneur n'ont aucune morale, aucun autre désir qu'écraser la chrétienté sous leur joug. Vous craignez pour vos terres et vos gens, qu'en sera-t-il si demain les Turcs prennent Jérusalem la Blanche ? Vaincu et humilié, bafoué sur sa croix, le Christ étendra sa main sur nos têtes et demandera pourquoi. Pourquoi avons-nous laissé s'abattre les démons sur nos vies ? Il se tournera vers son père et mourra une deuxième fois. Car je vous le dis, mes frères, si nous abandonnons nos reliques aux Turcs, plus rien ne les arrêtera. Demain, ils seront aux portes de France comme aujourd'hui aux portes d'Édesse. Ce que vous redoutez ce jourd'hui vous engloutira dans une mare d'un sang plus rouge que celui de cette croix qu'il nous faut porter. Allons, debout, mes frères ! Relevons-nous dans l'amour du Christ !

Sans autre forme de procès, Bernard de Clairvaux accrocha une croix de tissu sur le moignon du vieillard. Aussitôt, ce fut la cohue. Chacun voulut de même. Les abbés de Clairvaux ordonnèrent quatre files. Dans d'immenses paniers se trouvaient des croix qui furent distribuées aux nouveaux soldats de Dieu. Lorsqu'il n'y en eut plus, on tailla dans les bannières des seigneurs et de l'abbaye, et dans la chlamyde de Bernard de Clairvaux qui ne garda sur lui que sa bure.

Un chant de joie et d'allégresse roulait dans un alléluia sur les flancs de la colline, et les voix se répondaient, décalées en écho dans la fine brise.

Jamais encore on n'avait vu les cœurs aussi légers. Le vieillard semblait écrasé par la main du saint homme, et je ne parvenais à détacher mes yeux de son œil unique dans lequel se lisait une lueur de panique.

Lorsque enfin Bernard de Clairvaux le débarrassa de son joug, il prit le chemin qui conduisait aux portes de la ville, la tête basse. Il jeta un dernier regard sur cette effervescence puis, d'une poigne solide, arracha la croix piquée sur son épaule et la regarda s'envoler sans le moindre remords.

On apprit quelques heures plus tard qu'il avait été retrouvé mort dans un fossé. Une colée lui avait traversé l'échine de part en part.

— Damoiselle de Campan ! Quel bonheur de vous voir de nouveau en nos murs.

Le roi s'avança en souriant pour accueillir la jeune femme. Revenue la veille de sa mission qui l'avait éloignée quelques mois, Béatrice n'avait pu résister à l'envie de rendre hommage au roi. Son besoin de le voir la tenait tout entière depuis qu'elle avait franchi le Châtelet.

Elle s'inclina en une profonde révérence. Elle avait la part belle, Aliénor était en visite à Poitiers où elle prêchait pour la croisade.

— Vous aurais-je manqué, Sire ? demanda la belle avec impertinence

Louis n'y vit pourtant aucune malice et répondit de même :

— Vous le savez bien, fidèle amie.

Arrondissant son bras, il l'invita pour la promenade. Béatrice poussa un soupir de bonheur en posant sa main sur le coude de son souverain.

Les jardins du palais étaient verdoyants, les arbres s'ornaient de fruits aux parfums délicats.

— L'effervescence gagne tout le pays, annonça Louis, et je ne puis m'empêcher de penser avec émotion à notre armée brandissant l'oriflamme aux portes d'Édesse.

— On raconte que les Turcs sont d'une cruauté extrême, messire. J'ai crainte pour Votre Majesté.

— J'ai la main du Seigneur sur mon cœur, Béatrice. Il en sera fait selon Sa volonté, je n'ai pas peur pour le misérable pécheur que je suis.

Il marqua un temps de pause, puis saisit les deux mains de la jeune femme et lui fit face, l'air grave.

— Mais vous, chère enfant. L'abbé Suger m'a confié votre décision et j'en tremble encore. Il y a moult façons de servir Dieu. Je m'obstine à penser que votre place est ici et non sous la menace de dangers dont je n'ose imaginer qu'ils vous emportent.

Béatrice se sentit gagner par un bonheur indicible. Ainsi, Louis craignait pour elle. Il l'aimait donc.

— Où sera mon roi, je serai, murmura-t-elle.

— Folie, répondit le roi sans lâcher ni les yeux ni les mains de la dame.

— Alors, nous sommes tous fous, sire. Je ne serai pas la seule à me battre au nom de Dieu.

Louis soupira. Tenant toujours en la sienne la main blanche et menue de Béatrice, il l'entraîna vers un pommier superbe au tronc duquel était accolé un banc de pierre. Tandis qu'il écartait une branche basse pour lui faire un passage, il poursuivit en confidence :

— Il est du rôle de la reine d'accompagner son époux dans pareille entreprise. Rien ne vous oblige à faire de même.

— Au contraire, Majesté.

Ils étaient à présent devant le banc, Béatrice se tourna vers le roi, les yeux brûlants de larmes :

– Plutôt mourir sous la torture des Turcs que sous celle, mille fois plus terrible, de l'attente, à trembler chaque jour pour mon roi.

– Je ne saurais supporter l'idée que l'on vous fasse souffrir, murmura le roi en passant un doigt dans une mèche blonde qui descendait le long de la tresse de la belle.

– Alors, ne m'imposez pas de vivre loin de vous, car je n'y survivrai pas.

Les lèvres de Louis frémirent et se perdirent dans celles de la jeune femme. Poussé par son amour et la douceur de l'aveu, Louis n'avait pu résister et enlaçait avec tendresse son icône de chair.

Ils s'embrassèrent longtemps, puis ils s'assirent sur le banc, et Béatrice laissa tomber sa tête sur l'épaule du roi. Il se sentait en paix.

Béatrice murmura d'une voix tranquille :

– Je vous aime, Louis.

Il ne répondit pas, tant l'évidence de ses propres sentiments lui apparaissait. Il glissa une main autour des épaules de la jeune femme, puis ils se gorgèrent en silence de cet instant privilégié dont ils savaient l'un et l'autre qu'il ne se produirait plus.

– Je les ai vus, Loanna, comme je vous vois, enlacés de concert sous le gros pommier.

Sibylle de Flandres n'y tenait plus d'excitation. Elle me racontait pour la quatrième fois son périple. Elle se promenait paisiblement dans le verger, cherchant quelque douceur à ce soleil de septembre 1146, et avait entendu des bruits de voix. Curieuse, elle s'était demandé qui se cachait au banc des amoureux et avait surpris le tendre échange.

– Quel était donc ce beau galant que vous attendiez vous-même ?

La question la fit rougir.

– Est-ce bien le propos ? minauda-t-elle, puis, suivant le fil de son idée : Vous rendez-vous compte ? Et la reine qui pensait qu'il ne songeait qu'aux prières.

– Tout le monde a ses faiblesses, Sibylle, me moquai-je.

Il était notoire à la cour que celles de la comtesse de Flandres étaient les jeunes seigneurs pubères aux traits efféminés.

– Certes, certes ! Mais Béatrice de Campan ! C'est curieux, voyez-vous, je les imagine sans peine récitant quelques chapelets avant leur communion, plaisanta-t-elle.

J'en conclus que, sous peu, tout le palais apprendrait l'infidélité du roi par la bouche de cette pipelette. Or, Louis ne supporterait pas que l'on jase et joue de mots sur sa conduite, ce qui ne manquerait pas ; Béatrice serait éloignée et le roi malheureux.

Pour rien au monde, je ne souhaitais cela. Plus le roi passerait de temps avec elle, moins elle en aurait pour ses manigances. Je soupirai.

— Avez-vous soufflé mot à quiconque de ce que vous avez vu ?

— Évidemment non, repartit Sibylle en haussant les épaules, navrée. Vous êtes la première que j'ai rencontrée, gloussa-t-elle, sous-entendant qu'elle comptait remédier à cela au plus tôt.

Je souris et la saisis aux coudes, m'approchant comme pour une confidence. Elle ne se méfia pas :

— Eh bien, vous allez tout oublier. *Sylgram Louldris Divyl...*

Pendant quelques secondes, le regard de Sibylle ressembla à celui d'un bovin, puis une lueur s'y ranima, je la lâchai.

— De quoi parlions-nous déjà ? demanda-t-elle en portant un doigt à sa tempe.

— De ce galant que vous avez attendu sous le grand pommier et qui n'est pas venu, répondis-je, sans me départir de mon naturel.

— C'est cela en effet.

Elle marqua un temps d'arrêt, fouillant sa mémoire vide, puis éclata d'un rire gai :

— Peste soit-il ! Je l'ai déjà oublié !

16

– Pardonnez-moi, mon seigneur…

Jaufré se détourna avec surprise. Il ne voulait voir personne depuis quelques mois et ne trouvait son content que dans la contemplation du portrait qu'avait réalisé de mémoire Gabriel de Plassac, un jeune peintre talentueux qu'il avait envoyé à Bordeaux lors du dernier séjour d'Aliénor.

Son intendant avait des ordres pour qu'il ne soit pas dérangé pendant qu'il passait ses journées en bordure de la falaise, les pieds battant le vide, sa mandore couchée près de lui dans l'herbe tendre.

Devant lui se tenait un jeune garçon qu'il ne connaissait pas et qui chiffonnait son chapeau de ses mains tremblantes. Jaufré hésita entre la colère qu'il sentait sourdre au fond de lui et la fatalité de cette situation qui le prenait au dépourvu.

– Pardonnez-moi, mon seigneur, insista la petite voix hésitante.

– Que veux-tu ? J'avais demandé à n'être pas dérangé.

– Oh, je le sais bien, messire. On m'a éconduit plusieurs fois avant que je parvienne jusqu'à vous par quelque indigne ruse. Il m'importe peu que vous me fassiez battre ; il me fallait vous voir.

Brusquement, Jaufré ne sut que faire et que dire devant ce jouvenceau qui s'était soudainement agenouillé à ses côtés, les mains jointes sur son bonnet informe.

– Soit ! Allons, assieds-toi. Quel nom te donne-t-on ?

Le visage du jeune garçon s'éclaira d'un large sourire. Il posa à terre son couvre-chef et s'assit en tailleur aux côtés du troubadour.

– On me nomme Peyronnet, messire.

– Eh bien, Peyronnet, raconte-moi un peu comment tu as déjoué la surveillance de ce vieux Craquenel.

Le jouvenceau retint un rire. Le surnom de Craquenel donné par les manants seyait bien au vieil intendant, et il apprécia qu'il soit arrivé aux oreilles du maître de céans, sans que celui-ci s'en offusquât.

– Voyez-vous ce sentier à ras des flots ? demanda-t-il en désignant à Jaufré une mince trace entre les ajoncs découverts par la marée.

Jaufré opina.

– Je l'ai suivi depuis le port, j'ai ensuite grimpé à flanc de pierre sur votre gauche.

– Bigre ! s'étonna Jaufré. Montre tes mains.

Peyronnet avait les paumes écorchées, et le troubadour avisa que le chapeau était souillé de sang.

– Tu aurais pu te tuer, jeune fou !

Mais ce dernier éclata de rire.

– Par la barbe que je n'ai pas, il s'en est manqué de peu ! Une de mes chausses a fait choir un caillou sur lequel j'avais pris appui pour me hisser. Je me suis retrouvé les pieds battant le vide. Je n'ai dû mon salut qu'à une racine d'arbre providentielle que j'ai pu saisir au vol et qui m'a retenu. Je suis parvenu au sommet, les mains et les pieds tremblants. Là, j'ai rampé jusqu'à vous de buisson en buisson.

– Tu es téméraire. Encore heureux pour moi que tu ne sois pas un ennemi, dit Jaufré en souriant avec indulgence.

Malgré la sécheresse de son cœur, ce garnement lui plaisait. Il remercia le ciel qu'il ne se soit pas rompu le cou dans son ascension.

– Maintenant que te voici, me diras-tu ce qui méritait pareille obstination et acrobatie ?

– Vos vers, messire.

Jaufré laissa échapper un petit cri de surprise. « Tant de risque pour si peu », songea-t-il.

– Es-tu fou ?

– Que nenni, messire ! Que nenni ! Sans cesse depuis mes langes, j'entends dire autour de moi les louanges de notre seigneur le troubadour. Combien il est juste envers ses gens et surtout combien il plaît par sa chanson. Ma curiosité a grandi avec mes jambes et, dès qu'on m'en laissait quelque loisir, je me rendais au plus près du château pour vous entendre. Un soir, je me suis laissé surprendre par le sommeil dans les buissons que voici. C'est votre mandore qui m'éveilla. Vous chantiez, messire, tout dressé devant la lune, une chanson que, par Dieu, jamais je n'oublierai tant elle me retourna le sang. Vous pleuriez, messire, pour celle de ce portrait.

Jaufré regarda le visage qui souriait sur la toile, et des larmes vinrent brûler ses yeux. Il se souvenait de cette nuit. Il l'avait attendue, espérée, mais sa chambre était restée sombre et son cœur s'était tari à sa source.

Le jouvenceau saisit l'instrument et le tendit à Jaufré en suppliant :

— Apprenez-moi, messire. Par tous les saints du paradis, je jure
que vous n'aurez jamais élève plus attentif.

— Tu viens trop tard, petit, soupira Jaufré. Je n'ai plus d'âme, je
ne compose plus.

— Plus d'âme ? s'indigna Peyronnet en posant la mandore sur les
genoux de Jaufré. Si ce portrait vous l'a volée, jetez le portrait et
retournez chanter sous les fenêtres !

Jaufré regarda le jeune garçon avec curiosité. Il eût dû le réprimander pour son impertinence, mais il n'en eut pas le courage. Peyronnet avait de la colère dans les yeux, et cette rage lui réchauffait le
cœur. Il insista :

— Vivez d'amour, messire, au lieu d'en mourir !

Jaufré poussa un long soupir et caressa sa mandore.

— As-tu déjà aimé, Peyronnet ?

— Bien sûr, messire. Une pucelle de mon village qui a de fort jolis
yeux en amande et une taille de guêpe. Je veux croire qu'avant longtemps elle se pâmera de mes vers autant que les belles se pâment des
vôtres ! Par Dieu, avec un maître tel que vous...

— Ainsi donc, voici le véritable motif de ton entêtement, s'émut
Jaufré.

— Que nenni, messire ! Mon attachement à celle-ci est venu bien
après le vôtre.

— Bien ! Sache, mon jeune ami, qu'il ne naît rien de bon de passion trop téméraire. Vois dans quel état je suis d'aimer par-dessus
tout.

— Ne regrettez que votre allant, mon Seigneur. Pour le reste, il a
permis cette chanson plus belle qu'aucune autre, que seule la lune et
moi-même entendîmes. C'était, si je m'en souviens, il y a trois
années.

— Elle l'entendit aussi mais ne s'en émut point.

Peyronnet regarda Jaufré. Son seigneur lui causait pitié autant
qu'admiration. Il était en son jeune sang, il allait sur ses douze ans,
plus obstiné que la mule de son tuteur. Il demanda :

— Qu'en savez-vous, qui n'avez point vu briller de chandelle à sa
croisée ? Peut-être vous attendait-elle comme vous l'attendiez ?

— C'est impossible, murmura Jaufré.

– En avez-vous preuve pour affirmer ainsi qu'elle ait pu n'être point touchée au plus secret de son âme ? Je ne peux le croire, messire, j'ai bien trop pleuré sur ces vers. Vous insinueriez donc qu'elle n'ait ni cœur ni passion ? Si tel était le cas, vous ne chanteriez pas de même.

Jaufré tourna son regard délavé vers la frimousse fine du jouvenceau.

– Tu es loin d'être sot, Peyronnet. Et, il me semble, fort mieux avisé que la peste d'homme que je suis.

– Pour vous servir, messire ! éclata de rire le garnement.

Jaufré fit mousser sa main fine dans la chevelure d'ébène en bataille.

– Tu mérites récompense, galopin ! s'attendrit-il, sentant son sang se vivifier d'une force nouvelle.

Il saisit le portrait et le déchira d'un geste sec. Peyronnet cessa tout net de rire. Jaufré dispersa les bouts par-dessus les flots qui léchaient la berge rocheuse en dessous de ses pieds.

– Un si beau portrait, messire, se lamenta-t-il.

– Eh quoi, mon jeune ami ? N'est-ce point toi qui me reprochais de vivre de souvenirs ?

– Certes, mais…

Le jouvenceau voyait avec curiosité le visage du troubadour s'éclairer lentement.

– Tu as sans doute raison pour cette belle. Son sourire était figé, qui étincelle sous d'autres cieux que celui-ci. Avant longtemps, je jure par Dieu que je le boirai de nouveau sur ses lèvres. Mais, pour l'heure, nous avons à faire.

Et, sous les yeux ravis du garçon, Jaufré accorda sa mandore et gratta quelques accords. Quelques minutes plus tard, ils chantaient ensemble un vieil air de patois qui dansait gaiement sur la brise ; Peyronnet frappant deux cailloux l'un contre l'autre pour rythmer la cadence, Jaufré s'étonnant de la voix pure et chaude de son disciple.

Lorsque le jour se coucha, l'enfant et le troubadour juraient par-devant Dieu qu'ils ne se quitteraient plus.

– Ai, là ! Ainsi !

Jaufré affina les doigts de Peyronnet sur les cordes, tandis que celui-ci, tirant une langue démesurée, louchait sur l'instrument pour s'appliquer à satisfaire son maître. Cela faisait un mois qu'il bataillait, pestait contre ses doigts malhabiles, davantage habitués à tisser du chanvre avec sa mère ou à débourrer l'osier pour les paniers qu'elle confectionnait. Pourtant, il ne se décourageait pas et prenait un soin tout particulier de la mandore que le troubadour lui avait offerte. Depuis une semaine, et afin que le comte de Blaye pût mieux juger des progrès de son élève, ce dernier logeait au château. Jaufré ne doutait pas qu'avant longtemps ce brillant disciple pourrait aller par les chemins à ses côtés chanter à la régalade. Il avait à son contact retrouvé sa joie de vivre et songeait fortement à se rapprocher de la cour dès que possible.

À ce propos, il attendait un messager qui tardait à s'annoncer et qu'il n'avait pas revu depuis huit mois.

Le vieil Uc le Brun, seigneur de Lusignan, vivait cloîtré lui aussi depuis qu'un destin cruel lui avait ravi sa chère épouse. Elle s'était éteinte peu après les fêtes de Noël 1144, d'une maladie dont aucun apothicaire n'avait su la guérir et que l'on surnommait sommairement « le mal qui tue ». La pauvre femme avait souffert plus que de raison. Malgré les tisanes, elle avait épuisé son entourage de ses cris et de ses plaintes. Uc n'était plus qu'une ombre lorsqu'il s'était écroulé sur l'épaule de son ami après les funérailles. Il pleurait comme un enfant. Jaufré avait pleuré avec lui.

L'un et l'autre avaient sombré depuis dans une morne solitude et, aussi curieusement qu'il y paraisse, les dernières nouvelles avaient relevé Uc d'un sang neuf.

— Partirons-nous en Terre sainte, messire ? demanda soudain Peyronnet, faisant suite à l'idée qui trottait à présent dans la cervelle du troubadour.

— Je ne peux pas, mon jeune ami.

Il s'était posé la question à maintes reprises et chaque fois lui apparaissait cette évidence : qu'adviendrait-il de ses terres s'il s'égarait à la croisade ? Le nouveau seigneur du Vitrezais n'attendait qu'un faux pas pour s'approprier son bien. Jaufré ne pouvait laisser ses gens en proie aux chacals.

— Parbleu, il me semble, moi, que ta compagnie serait utile au pauvre fou que je deviens, tonitrua une voix grave.

— Uc ! s'exclama joyeusement Jaufré en s'avançant aussitôt à sa rencontre.

Les deux amis tombèrent dans les bras l'un de l'autre.

— Approche un peu que je te présente mon élève, le fort talentueux Peyronnet !

— Bigre ! pesta Uc en avisant la courbette du jeunot. Quel âge as-tu donc, mon garçon ?

— Douze années, messire !

— Tu t'y prends assez tôt pour avoir de l'avenir, constata l'ancien avec bonne humeur. Pointant un doigt sur la poitrine du troubadour, il enchaîna dans un large sourire : Garde-toi bien d'assurer trop tôt ta relève, jeune fou, sans quoi ce sauvageon te ravira les plus belles avec son minois de dentelle !

— Qu'il en fasse bon usage m'indiffère, tant qu'il m'en laisse une. Une seule ! répondit Jaufré. À ce propos, mon ami, puisque tu reviens de la cour, conte-moi de ses nouvelles.

Uc se laissa tomber dans un fauteuil et, s'adressant à Peyronnet, exigea :

— Sers-nous donc à boire et pose cet instrument de torture, c'est une épée qu'il te faudrait en lieu de maniement.

Peyronnet s'activa sans mot dire. Ce colosse l'impressionnait, et Jaufré lui-même avait du mal à reconnaître son vieil ami défiguré par le chagrin dans ce boute-en-train.

— Ta belle, mon ami, est plus radieuse que jamais et s'apprête avec la reine et ses compagnes pour le long voyage jusqu'aux royaumes de Terre sainte ! Et par tous les saints du paradis, je jure que j'en serai aussi. Si tu avais vu, Jaufré, Bernard de Clairvaux tout baigné de lumière, entendu claquer sa voix comme un coup de tonnerre ! Ah, jamais je n'avais senti Dieu comme en cet instant. Je me suis traîné, mourant de langueur, sur la colline de Vézelay, répondant à son appel par devoir pour la duchesse. Vois par quel miracle, j'en suis revenu ! Il n'est pas une seule âme dans tout le royaume qui n'affûte la lame et crache sur le fer pour la mieux polir. Tous, te dis-je ! Même les fous, les orgueilleux et les culs-de-jatte ! Tous sont gagnés par la même fièvre. Tous, sauf mon ami.

La voix retomba tristement sur cette constatation. Jaufré tendit un verre à Uc, qui le vida d'un trait.

— Je n'ai pour tenir mes gens qu'un vieil intendant à moitié sourd, Uc. Qui veillera sur mes terres ? Les prélats de Saint-Sauveur et Saint-Romain ? Ils ne pourront repousser mes ennemis.

– Au diable ces marauds ! Je t'alloue cent hommes et mon meilleur intendant, de ceux dont tu pourras compter comme sur toi-même. Viens avec nous, Jaufré ! Viens mériter le nom des Rudel ! Ton vieil ami te le demande et celle-ci l'implore.

Il tendit à Jaufré un pli cacheté de cire en clignant un œil complice. La main du troubadour se mit à trembler tandis qu'il décachetait avec empressement le parchemin. Il portait l'en-tête de la reine. Jaufré masqua sa déception d'un sourire, mais la lecture lui rendit sa bonne humeur :

« Mon cher ami, le temps nous dure de vos chansons et près de moi se languit une rose, qui sous ses épines nourrit un amour sans faille et sans reproche. Depuis que mon cœur soupire pour l'un des vôtres, je mesure à quel point il lui faut du courage pour renoncer à vous. Nous partons dans quelques mois et, si Dieu nous prête vie, reviendrons vainqueurs d'avoir délivré le tombeau du Christ. Nous ne pouvons porter l'épée et mourir sans quelque musique pour soutenir nos cœurs. Rejoignez-nous. Dieu vous le rendra. »

C'était signé : « votre reine », simplement. Jaufré comprit que ce bref n'avait rien d'officiel, bien au contraire, et son cœur se gonfla.

– Tu avais raison, jeune fou ! se mit-il à rire soudain en brossant, ainsi qu'il en avait pris l'habitude, la tignasse de son élève.

Peyronnet afficha un sourire benêt et, d'une toute petite voix, s'enquit :

– Est-ce à dire, messire, que vous allez vous pâmer sous ses fenêtres ?

– Mieux, mon ami, bien mieux !

Et, chiffonnant dans sa main la croix de satin rouge qui était jointe au message, il la lui lança au visage en riant. Peyronnet regarda l'étoffe, puis le comte de Lusignan qui hochait une figure satisfaite, puis Jaufré dont les prunelles brillaient comme des étoiles. Comprenant qu'il était désormais des leurs, il lança un « Noël ! Noël ! » de bonheur, se mettant à bondir, à faire la roue, bousculant tabourets et verrerie sur son passage.

Au petit matin, tous trois erraient ivres morts, chantant à tue-tête au bord de la falaise, Uc fouillant de l'épée les buissons, Peyronnet se battant au bâton contre un ennemi invisible, Jaufré faisant tournoyer sa mandore au-dessus de sa tête comme une massue.

Sous le regard des Dames Blanches incrédules, les trois compères s'endormirent en tas, les yeux vaporeux tournés vers le levant.

Le faucon fondit sur sa proie dans un buisson touffu, à l'autre bout du champ piqueté de frênes et de hêtres. Henri le jeune le suivit des yeux, une main en visière au-dessus des sourcils qu'il portait épais et roux. Puis, avisant que l'oiseau fouettait l'air, alourdi par sa capture, il talonna sa monture et partit au-devant de l'animal. Quelques secondes plus tard, le faucon tournoyait au-dessus du jeune homme et lâchait sa proie, un superbe lièvre, avant de se poser sur le poing ganté de cuir.

À cet instant, dans un soulèvement de poussière d'orge, la silhouette à cheval du comte d'Anjou parut. Il rejoignit d'un pas tranquille son fils, lequel avait mis pied à terre pour achever l'animal.

— Belle bête ! commenta Geoffroi le Bel.

— Il fait au moins dix livres !

— À n'en pas douter !

— Voyez combien j'ai été sage de marchander ce faucon, s'enorgueillit le jeune Henri. Vous le disiez trop malhabile !

— J'avais tort. Vous l'avez adroitement dressé, mon fils. Je suis fier de vous.

Henri redressa le menton avec arrogance. Il aimait que son père soit satisfait. À treize ans, il était aussi vigoureux que le comte, portait barbe et chevelure épaisses et bouclées, qui rappelaient un guerrier viking. Et il arborait surtout un caractère qui forçait au respect à défaut d'amour. Henri était coléreux, arrogant, autoritaire et borné, ce qui faisait beaucoup pour un seul homme. Souvent en butte à l'autorité de son père, qu'il estimait pourtant à sa juste valeur, il portait une adoration sans faille à sa mère, dame Mathilde. Il savait surtout qu'avant longtemps, comme elle y bataillait, il régnerait sur l'Angleterre et la Normandie, et plierait le roi de France à sa volonté. Henri entendait bien reprendre ce qu'on lui avait dérobé. Cette démonstration de dressage n'était qu'un prétexte pour montrer à son père qu'il était temps de le laisser prendre part aux affaires. Il avait réussi à convaincre Geoffroi d'assister à la première chasse de l'animal, et tous deux, au lever du jour, s'étaient avancés dans leurs terres.

Jetant le lièvre dans une besace de cuir qu'il attacha lestement à sa monture, Henri lança sans détour :

– Hier, je vous faisais mordre la poussière au combat d'épée à deux mains, aujourd'hui vous découvrez combien je sais être avisé. L'heure est venue, père, de cesser de me considérer comme un enfant.

Sur ce, il empoigna la bride de son cheval et l'enfourcha hardiment. Là, il planta son regard dans celui amusé du comte. Geoffroi le Bel s'attendait à cette diatribe et s'y était préparé. Bien que son fils soit entêté, il n'était pas encore aussi malin que lui. Il répondit donc, les deux mains appuyées sur le pommeau de sa selle richement ornée d'or :

– Je crois, en effet, que vous êtes à même d'épauler ma sagesse.

Henri sentit son cœur se gonfler. Il s'attendait à davantage de difficultés. Sûr de son fait, il lança dans le vent de mai :

– Alors c'est dit ! Je vous accompagne en Terre sainte !

Aussitôt, il piqua les flancs de sa monture, qui se cabra avant de partir au galop.

– Jeune impétueux ! grogna le comte attendri.

Ce garçon lui ressemblait tant. En quelques encolures, il le rejoignit et, se plaquant sur la crinière de sa monture, s'empara de la bride du cheval d'Henri. Il donna un coup de reins pour se redresser, freinant par ce geste les deux chevaux en même temps. Henri s'en agaça, mais ne dit rien, trop heureux d'avoir obtenu si vite ce qu'il souhaitait.

– Nous n'avons point fini notre conversation, il me semble, l'apostropha le comte. Vous êtes fort avisé en effet, mais bien trop jeune encore pour affronter les Turcs, mon fils.

Relâchant ses rênes, ce fut lui qui, dans un cri, talonna sa monture et bondit de l'avant. Henri sentit un sang mauvais lui cogner aux tempes. Puisqu'il en était ainsi, il allait lui montrer, à ce noble vieillard ! Il éperonna son cheval méchamment et s'en fut au galop.

Pendant un moment, les deux hommes se suivirent dans une course folle qui les entraîna par-delà les champs, sautant des barrières et des ruisseaux. Puis les bêtes se fatiguèrent, et le cheval d'Henri, poussé cruellement, rattrapa celui du comte.

Avide de marquer sa supériorité, le jeune homme se redressa sur sa monture et plaqua son père. Les deux hommes roulèrent à terre dans un buisson de genêts, se tenant par le col. Henri avait une force hors du commun qu'il maîtrisait peu lorsqu'il était en colère. Toutefois, jamais il n'aurait levé la main sur son père. Leur jeu se limita donc à quelques épines dans les chairs et quelques fleurs égarées dans les mailles de leur haubert.

Le museau dans la floraison jaune, Henri se débattit un instant, mais la poigne de son père qui lui tordait le bras le força à demander grâce. Geoffroi le Bel était loin d'être fini. Il lâcha son fils et s'assit à même la mousse tandis qu'Henri reprenait posture plus noble, faisant jouer son poignet en de petits cercles pour apaiser les courbatures.

– Fort, vous l'êtes sans doute, commenta le comte, mais à la lutte, mon garçon, il vous manque quelques années. Je vous apprendrai ! acheva-t-il en gratifiant d'une solide bourrade l'épaule robuste.

Henri poussa un soupir et s'installa près de son père. Les chevaux paissaient à quelques pas.

– Je veux me battre, père ! se lamenta Henri en extirpant de ses chairs les épines qui s'y étaient incrustées.

– Qu'adviendrait-il, selon vous, jeune fou, si vous tombiez en Terre sainte ? demanda calmement le comte.

Henri haussa les épaules sans répondre. Geoffroi répondit à sa place :

– Ce pour quoi nous luttons, votre mère et moi, n'aurait plus de sens. Votre frère Geoffroi n'est pas de taille à porter couronne. Sans compter que l'on a besoin d'une épée ici. Il n'y aura pas un jour où vous n'aurez à défendre à ma place votre royaume promis et votre héritage contre votre malfaisant cousin. Il est un temps pour tout, Henri. Chacun de nous doit suivre la route qui lui est tracée. La mienne est vers Jérusalem, la vôtre se tourne vers l'Angleterre. Quant à vous battre, je gage sans mentir que vous aurez plus à faire que jamais.

Henri regardait à présent son père d'un œil nouveau. Sa colère était tombée et même il se sentait joyeux. Son enthousiasme n'avait envisagé que le moyen de se couvrir de gloire auprès des croisés pour donner panache à son épée. Mais sa mission était bien plus importante aux côtés de sa mère qu'il faudrait défendre. Non seulement il s'en sentait capable, mais il envisageait le moment où son père ne serait plus et où il faudrait porter son nom comme une bannière.

– À quoi songez-vous, mon fils ? demanda le comte devant son air béat.

– À nous, père ! Et à notre belle entente !

– Voilà qui me plaît mieux !

– Et elle, père ?

La voix s'était faite timide, d'un coup.

– N'aie crainte, mon fils. Damoiselle de Grimwald veillera à ce que le roi Louis ne revienne pas de Terre sainte.

Henri soupira. Comment avouer à son père qu'il ne rêvait pas de cette reine de France qu'il n'avait vue que deux fois lors de cérémonies officielles et qui lui semblait bien lointaine. Son cœur battait pour sa fée à lui, même si elle ne l'aimait jamais que comme son roi. Loanna de Grimwald ! Il songea amèrement qu'il épouserait Aliénor pour sa dot et se rapprocherait de sa dame par la même occasion.

C'était en partie pour cette raison qu'il avait souhaité prendre la croix, pour se montrer à elle, non plus comme l'enfant qu'elle avait connu, mais comme l'homme qu'il devenait.

– Allons, Henri, il nous faut rentrer porter notre chasse en cuisine.

Tandis que le comte allait vers leurs palefrois, Henri se mit en devoir de chercher à quatre pattes son bonnet de feutre qu'il supposait s'être niché dans le buisson de genêts. Il le découvrit sans peine, accroché entre les fleurs jaunes. En tirant sur les branches pour le libérer, il ramena une tige couverte de fleurs piquée moqueusement sur le dessus. Au moment de l'enlever, il se ravisa et ajusta sur sa tête sa coiffe ainsi ornée. Il décida qu'il était son trophée. Ce jourd'hui, il venait de remporter sa première victoire. Il entrait dans le monde des adultes.

Il tourna un nez fier vers le comte qui revenait. Celui-ci, avisé et complice, lui lança d'un air entendu :

– Vous voici vous aussi plante à genêt, mon fils.

Henri approuva de la tête, voilà qui lui plaisait bien. Henri Plante à Genêt, comte d'Anjou, de Normandie, et roi d'Angleterre !

Quelques heures plus tard, jugeant que désormais il lui fallait se conduire en homme, Henri se rendit d'un pas décidé à la métairie de la Homquette, où il avait depuis peu remarqué le visage avenant de la fille de la maison, son aînée d'une année. Il la trouva dans la grange à brasser de lourdes envolées de foin à la fourche. Il la savait seule dans les parages. C'était jour de foire, et le père allait vendre ses cochons. Quant à la mère, occupée dans les champs, elle le laisserait tranquille.

Il se planta devant elle, une grimace perverse au coin des lèvres, et lui ôta la fourche des mains. Sans méfiance, Francine le laissa faire. Ils se connaissaient depuis l'enfance. Lorsque Henri la coucha dans le foin, elle tenta de le repousser en minaudant, croyant à un nouveau jeu. Mais Henri ne jouait pas. Il arracha avec frénésie les lacets du corsage, retroussa les jupons et, d'un coup de reins violent, écarta la chair tendre. La petite poussa un cri de douleur et se débattit à coups de poing contre le torse épais, mais le géant la couvrait tout entière.

– Cesse de geindre, vociféra-t-il, tu es engrossée par un roi !

Dès lors, la jouvencelle se contenta de pleurer à petits hoquets, la douleur dans son ventre, tandis qu'infatigable et cruel son maître la besognait, le front baigné de sueur, le visage d'une autre au fond des yeux, fixant sans le voir le bonnet au brin de genêt qui dansait au milieu de la chevelure blonde et défaite de sa victime.

17

Le bref de parchemin qu'Aliénor tenait entre ses mains fines la réjouissait. Jaufré lui annonçait qu'il serait des leurs, accompagné d'un jeune troubadour et d'un autre, échoué loin de la terre de France, cher au cœur de sa Majesté mais dont il préférait taire le nom.

La reine ne douta pas un seul instant qu'il s'agissait de Bernard de Ventadour dont elle savait par la rumeur qu'il était en Italie. Que Jaufré ait pu l'avertir et le convaincre de rejoindre les croisés lui parut tenir du miracle, mais elle voulait croire que, pas plus qu'elle, Bernard ne l'oubliait. De plus, Louis ne pourrait rien dire à son encontre hors du royaume et elle se réservait le plaisir, à défaut du droit, d'avoir son ancien amour à ses côtés.

L'autre nouvelle ranima des souvenirs lointains. La missive était de Raymond, son oncle, qui veillait sur Antioche depuis qu'il avait épousé la fille du roi Bohémond et espérait vivement que les époux royaux y séjourneraient. « La situation ici est inquiétante, disait-il, il ne se passe pas de couchant où l'on n'entende les chants des Turcs autour des enceintes de la ville. Hélas pour nous, ils sont comme des ombres et disparaissent à la lueur des torches. »

Raymond, songea Aliénor en soupirant. Elle le reverrait avec bonheur. On prétendait son épouse d'une beauté sauvage, brune de peau et de cheveux, aux yeux d'un ébène bleuté. Aimait-il toujours sa nièce après tant d'années, ou n'était-elle plus qu'un souvenir que lui avait ravi le corps chaud de sa ténébreuse ?

« Bah, nous verrons bien ! » Sur cette réflexion qui lui laissait en perspective les retrouvailles de deux amants du passé au lieu de l'ennui que lui promettait Louis, elle s'en fut le rejoindre dans la salle du conseil.

Autour de l'imposante table étaient assis Robert de Dreux, le frère du roi, Raoul de Vermandois, Geoffroi d'Anjou, le comte de Toulouse, Étienne de Blois, Thibaut de Champagne et bien d'autres. Une carte de l'Orient chrétien déployée au centre se piquait de pointes de fer surmontées d'une fleur de lys en divers endroits, ourlant un itinéraire qui prenait forme en fonction des appuis des souverains dont on devait traverser les terres.

Aliénor vit les têtes se lever à son entrée et, aussitôt après que ses vassaux furent debout, leurs fronts se courber en une révérence qui la rosit de plaisir. Elle salua chacun avec courtoisie et, magnifique, alla occuper son siège.

Louis n'avait émis aucune objection cette fois, lorsqu'elle avait annoncé qu'elle participerait aux préparatifs du voyage. D'ailleurs, depuis plusieurs semaines, sous le coup de cette agitation et de sa propre effervescence, il était devenu plus aimable à son égard et même plus entreprenant en sa couche. De sorte que leur relation était paisible. Pour l'heure, elle transmit à son époux le bref de Raymond. Louis grimaça en le commentant : les nouvelles de Jérusalem allaient dans le même sens. Ces infidèles rôdaient autour des murs, affaiblissaient le moral des soldats, pour, on s'en doutait, mieux attaquer lorsqu'ils jugeraient le moment opportun.

Louis avisa que Conrad, l'empereur d'Allemagne, s'était joint à son idée et que son armée, puissante et valeureuse, agirait de concert avec celle de France.

Ce jour, comme la veille, se passa à échafauder des plans, à soulever des questions de tactique et à envisager diverses manœuvres. Rien qui semblât bien nouveau à la reine, mais qui permettait toutefois de laisser le royaume dans une paix relative, puisque, ainsi rassemblés, leurs gens ne songeraient plus à leurs guerres, mais à *la* guerre.

Lorsque, au terme de cinq heures de palabres, on se sépara pour rejoindre la salle à manger, Louis disparut promptement derrière une tapisserie plaquée sur le mur du corridor. Le passage secret qui datait de la construction du palais menait à la petite chapelle. Béatrice l'y attendait. Il la serra affectueusement dans ses bras avant de poser sur ses lèvres douces un chaste baiser. Voilà plus de deux mois qu'ils se voyaient ainsi, loin des regards, se rejoignant en ce lieu pour prier. Il n'était pas question pour Louis de commettre le péché de chair avec celle qu'il vouait à la sainteté. Leur communion toute spirituelle le comblait. Béatrice et lui partageaient la même inspiration, la même flamme divine.

Du moins était-ce ce qu'il croyait. Sa belle se contentait par obligation de ces étreintes qui confortaient l'amour du roi, mais la laissaient pantelante de désir. Son rêve le plus cher aurait été de donner à Louis ce fils qu'il souhaitait tant et que la reine lui refusait. Elle se disait, pour garder patience, que son heure viendrait. Pourtant, lorsque la nuit se refermait sur le palais, une silhouette furtive se glissait jusqu'à sa chambre et forçait sa porte, exaltant tous les vices dont cette icône blonde était pourvue. Étienne de Blois la dégoûtait autant qu'il l'attirait, et c'est de cette perversion même qu'elle nourrissait son ventre.

— Montrez-nous encore, Denys !
— Voyez, vous fendez par la garde, ainsi !

L'épée partit vers l'avant, soulevant un « Ah ! » de satisfaction suivi d'une salve d'applaudissements.

— Damoiselles ! Voyons ! Nous se sommes pas au spectacle ! grondai-je d'une voix forte.

Depuis que les dames de compagnie d'Aliénor avaient décidé d'accompagner leur époux et surtout leur amant en Orient, elles suivaient un entraînement digne des meilleurs soldats du roi. Denys n'était pas vraiment ravi d'apprendre le maniement des armes à ces péronnelles qui s'inquiétaient surtout du meilleur angle pouvant les mettre en valeur. J'avais donc fort à faire pour combattre leur penchant naturel à jouer les séductrices et je comptais assez sur les talents de Panperd'hu qui, le soir venu, racontait de terribles récits sur les Turcs et la première croisade. Plus d'une de ces pimbêches avait des vapeurs à l'évocation de têtes tranchées et grillées au-dessus d'un feu de camp pour servir ensuite de mets de choix au chef barbare. Certaines même se pâmaient et poussaient des cris de terreur. Il m'était alors facile de leur rappeler qu'elles n'allaient pas en voyage d'agrément et qu'une seule erreur leur coûterait la vie, à moins qu'elles ne finissent violées et torturées, abandonnées ensuite dans quelque harem. Elles se mettaient à trembler, mais, le matin venu, s'inquiétaient davantage du physique superbe de Denys que des lointains Turcs.

Dès lors, je décidai qu'elles ne s'entraîneraient plus avec des épées de bois, mais avec de véritables lames et revêtues d'une cotte de mailles. Nombre d'entre elles eurent du mal à soulever de terre la lourde épée, suppliant Denys de se placer derrière elles pour les aider. Autant dire que les premières minutes furent enjouées. Toutefois, au bout d'une matinée d'entraînement, elles ne songeaient plus à jouer du cil, épuisées par l'effort. Et nous échangeâmes un regard complice avec Denys.

Cela faisait deux mois maintenant qu'elles suivaient un exercice régulier, et ces mesures commençaient à donner leurs fruits. Leurs muscles endurcis permettaient à présent l'apprentissage des rudiments guerriers, et ces dames perdaient peu à peu leur féminité outrancière au profit de râles et de cris dès qu'elles fonçaient, épée au-dessus de la tête, sur les quintaines accrochées par des filins aux poutres ou aux branches.

Ce jourd'hui était d'une autre facture. Denys nous montrait les rudiments du combat au presque corps à corps. J'avais passé une partie de la soirée, la veille, à répéter les gestes d'esquive et de feinte avec Denys, pour lui servir d'assistante, et j'étais plutôt fière du résultat. Après quelques démonstrations au cours desquelles il commenta chacun de ses gestes, je vins lui faire face, et notre prestation fut hautement applaudie.

– Nous donnerez-vous quelque protection, Denys ? demanda Sibylle de Flandres, que le contact du métal inquiétait.

– Point, damoiselle. Votre haubert est suffisant pour éviter toute blessure mortelle. Nous allons voir si mes leçons ont porté leurs fruits. Il vous restera bien assez de temps pour vous raccommoder avant le grand départ, ajouta-t-il avec humour.

Un frisson parcourut l'échine de ces dames. Aucune d'elles n'avait seulement envisagé la possibilité d'être blessée, pas plus au combat qu'à l'entraînement.

Denys saisit un panier que nous avions préparé à l'avance, dans lequel nous avions plié des morceaux de parchemin où se trouvaient inscrits les noms des « guerrières ».

Le sort désignerait ainsi les face à face. Lorsque Béatrice de Campan me nomma, je ne m'en inquiétai pas ; depuis qu'elle s'occupait du roi, sa rancœur me laissait tranquille. Mais, quand elle vint se placer devant moi, son regard accusait une lueur cruelle, qui transfigurait son allure de madone en un masque de gargouille.

Elle siffla :

– L'heure est venue de régler nos comptes, j'ai en mémoire quelque soufflet dont vous me devez réparation.

– En garde, damoiselles. Pour l'honneur ! lança Denys.

Béatrice se rua sans attendre, l'épée dressée dans un râle vengeur, et, si je n'avais été aussi agile, j'aurais été surprise par sa violence. Mon échappatoire ne l'émut pas. Elle chargea de nouveau, et l'idée me vint que sa haine l'épuiserait bien avant ma patience. Je la laissai donc se jeter sur moi à plusieurs reprises, me contentant d'esquiver d'un mouvement de jambes ou de buste ses attaques. Lorsqu'elle comprit ma tactique, elle poussa un grognement d'animal et chercha à croiser le fer.

Cela ne m'effraya pas. J'avais suffisamment d'entraînement pour parer ses coups. Nos lames se cherchèrent, puis s'entrechoquèrent avec un bruit métallique. La puissance du choc me désarçonna un instant, au point que mes poignets eurent du mal à l'encaisser. Béatrice était devenue laide, déformée par une haine implacable qui décuplait sa force.

J'aperçus Denys qui se tenait prêt à intervenir, mais le rassurai d'un regard ; je me sentais de taille à moucher cette prétentieuse.

Tandis que nos comparses baissaient peu à peu leur garde pour nous suivre des yeux, effarées de la violence de notre escarmouche, Béatrice continuait à me taquiner de sa lame tout en me faisant reculer vers les tribunes. Je frappais désormais aussi fort qu'elle et je la sentais peu à peu s'essouffler et diminuer d'ardeur. C'était un des enseignements de Merlin : se nourrir de l'énergie de l'assaillant pour grandir sa propre force. Je n'avais jamais eu l'occasion auparavant de le vérifier, mais je constatais avec plaisir que, pour une fois, mon savoir m'était utile. C'est au moment où elle mollissait et où je prenais l'avantage que mon pied gauche buta contre une racine qui filait à fleur de terre tout au long de la tribune. Déséquilibrée, je m'étalai de tout mon long en lâchant mon épée. Béatrice saisit sa chance. Je ne dus qu'à mon instinct de rouler sur le côté pour esquiver une colée qui démailla mon haubert de quelques rangs, soulevant un cri de terreur chez nos spectatrices.

Je me relevai prestement et sautai aussitôt sur l'estrade pour tenter d'atteindre ma lame qui avait chu entre deux rangées de bancs. Béatrice me suivit. Je n'eus que le temps de plonger. Sa lame s'incrusta dans le dosseret de bois du banc qui m'avait servi de refuge. Sans hésiter, j'empoignai ses chevilles et tirai d'un coup sec vers l'avant. Le résultat ne se fit pas attendre : elle culbuta par-dessus la rambarde de la tribune et atterrit peu gracieusement sur le sol, en contrebas, dans un nuage de poussière. Malgré sa vilaine posture, elle n'avait pas lâché son arme. Elle redressa son buste engoncé dans le haubert qui lui remontait jusqu'au mitan de la gorge en l'étouffant à moitié, pour demeurer assise, à demi étourdie, la coiffe en bataille, souillée comme moi de terre humide, la mine ridicule.

J'avais récupéré ma lame et la regardai à présent, l'œil moqueur, du haut de la tribune, un pied sur la rambarde, m'appuyant négligemment sur le pommeau de mon épée. Béatrice haletait de rage. Elle tentait de se redresser pour reprendre le combat, lorsqu'une main se tendit devant sa frimousse.

— Votre mérite, damoiselle, se satisfera de cette première échauffourée, voulez-vous ? demanda le roi, que ni l'une ni l'autre n'avions vu venir.

À ses côtés se tenaient Aliénor et Suger. Béatrice saisit cette aide providentielle, qu'elle eût maudite sans doute s'il s'était agi d'une autre, et s'inclina en une révérence poussiéreuse. Je fis de même, puis sautai d'un pied leste jusqu'au sol.

— Eh bien, dame Loanna, me complimenta le roi, je vois avec plaisir que vous savez user quand il faut de ruse autant que de hardiesse. Prenez exemple, gentes dames, sur ces deux guerrières de Dieu, là où nous allons il n'est pas de place pour les couards.

— Votre Majesté est trop bonne, répondis-je en m'inclinant devant lui une nouvelle fois.

Je lançai un œil vers ma reine et la découvris blanche, au bord de l'évanouissement. Je lui envoyai un sourire ; Denys s'approchait, suivi de nos compagnes qui commentaient l'affrontement à mi-voix.

— Belle démonstration, damoiselles, nous félicita-t-il, mais je savais qu'il n'était pas dupe. Ces dames ont été impressionnées, qui osaient à peine entrechoquer leur fer de peur de saigner, ricana-t-il en portant un doigt à mon épaule.

Je vis qu'elle était rouge et m'avisai que l'épée avait frotté, raclant une fine pellicule de peau malgré le gambison et le haubert. Béatrice avait repris son visage de madone. Posant mon épée dans les bras de Denys, je m'avançai vers elle et lui tendis une main faussement amicale.

— Nous en sommes quittes l'une et l'autre pour quelques contusions.

Elle se força à étreindre ma main, mais laissa échapper entre ses dents un « jamais » que je fus seule à entendre.

– Je suis inquiet, Loanna ! Je n'ai pas voulu intervenir tantôt pour ne pas affoler tes compagnes, mais cette Béatrice de Campan me donne du souci, fit remarquer Denys en balayant la salle d'armes d'un pas agité.

Je lui souris, puis, baissant de nouveau les yeux sur la lame de mon épée que j'étais occupée à graisser avec une tranche de lard rance, répondis négligemment :

– Bah ! Elle a profité de l'occasion pour venger son honneur, j'eusse sans doute fait de même à sa place.

Plusieurs heures s'étaient écoulées depuis l'escarmouche, et l'on sortait tout juste de l'office de none. Chacun y avait assisté dans un esprit de franche convivialité, comme si rien ne s'était passé. Je m'étais montrée la plus enjouée possible pour dissimuler mon malaise. Ce n'était pas la haine de Béatrice à mon encontre qui m'inquiétait ni la virulence de sa lame. C'était autre chose que je définissais mal. J'ignorais pourquoi ou pour qui, mais un voile de deuil m'oppressait les tempes. Sans aucune raison. Peut-être était-ce simplement le contrecoup ; une sorte de frayeur instinctive après la bataille qui brusquement fait comprendre ce à quoi l'on vient d'échapper. Car sans aucun doute, si le dosseret du banc n'avait arrêté la lame de la belle, elle m'aurait atteint le col. Denys n'avait pas jugé utile que nous portions des heaumes pour l'entraînement. Il n'avait pas pu ne pas voir cette colée fatale et s'en voulait sûrement. C'était la raison pour laquelle je l'avais rejoint dans la salle d'armes, comme je le faisais depuis quelque temps. Pour qu'il ne puisse penser que je lui reprochais une quelconque négligence.

Un soupir à fendre l'âme m'arracha à mes pensées. Denys continuait d'arpenter la pièce de long en large.

– Quand rejoins-tu Marjolaine ? demandai-je pour faire diversion.

Je savais qu'il ne passerait pas l'occasion de me parler de son aimée. Marjolaine devait enfanter bientôt et le temps pressait à Denys de la revoir. La pauvrette devait impérativement garder la couche depuis quelques mois déjà. Elle était demeurée dans leurs domaines tandis que, retenu par un départ proche autant que par sa fonction, Denys se morfondait à Paris, loin d'elle.

— Je partirai sous huitaine. Je regrette que son état l'ait empêchée de me retrouver ici. Elle me manque, soupira-t-il.

— Certes, mais avant longtemps, tu étreindras ton épouse et ce beau garçon dont tu es déjà si fier. À moins que le sort n'en fasse une fille, ajoutai-je, malicieuse, en passant une main tendre dans ses boucles.

Je les aimais tant l'un et l'autre ! Savoir Marjolaine fatiguée au point de ne pouvoir se lever m'attristait et m'inquiétait aussi. Ce voile de deuil… Non ! Je secouai la tête, déterminée. C'était simplement le contrecoup !

— Je ne peux être auprès de vous deux en même temps, se lamenta Denys.

— Je te promets d'être prudente, dès lors que tu ne seras plus dans les parages. Béatrice ne peut rien contre moi, Denys.

J'eus un instant envie de lui dire que l'on me protégerait au moins jusqu'à ce que j'aie donné une descendante à ma race, mais je m'abstins. Si Denys était au fait de bien des choses, il y en avait que je devais taire.

Je posai un affectueux baiser sur sa joue.

— Cesse de t'inquiéter. Promets-le-moi, mon ami.

— Pour tes beaux yeux, oui, je promets ! Toutefois, je ferai en sorte que les prochains exercices te mesurent à d'autres dames ; elles méritent quelques frayeurs. J'ignorais que tu étais capable d'autant d'adresse… pour une femme, ajouta-t-il d'un ton faussement condescendant.

Je frappai un poing boudeur sur son torse :

— Gausse-toi donc, maraud ! Et sur qui ai-je pris exemple pour ce faire, si ce n'est sur toi ?

— Vraiment, se moqua-t-il, j'ignorais présenter autant de prestance féminine.

— Attends un peu !

Je sautai sur le côté et m'emparai d'une épée sur la table.

— En garde, messire ! Vous me rendrez réparation pour vos railleries.

— Pitié, noble dame ! J'ai bien trop peur de servir de gibier à votre adresse.

Je pointai par jeu la lame en avant, l'air féroce, mais, avant même que j'eusse pu réaliser ce qui se passait, Denys m'avait désarmée. Se glissant derrière moi, il avait exercé une pression savante à hauteur de mon poignet qui m'avait fait lâcher le fer.

– Bigre ! commentai-je. Voici encore une chose qu'il te reste à m'apprendre.

– Cela attendra, damoiselle de Grimwald.

Nous nous retournâmes de concert vers la porte au fond de la salle. Aliénor, que nous n'avions pas entendue, venait d'entrer dans la pièce, l'air furibond. Denys s'avança pour lui prendre la main et la conduire devant moi, mais elle l'apostropha amèrement :

– Est-ce ainsi ce que vous apprenez à mes dames de compagnie, messire de Châtellerault, à se frotter museau comme de vulgaires ribaudes !

Et elle le planta sur place. Dans son dos, Denys me fit un geste qui signifiait son impuissance et ses regrets face à la déferlante.

Je ramassai la lame tombée à terre et la posai avec les autres sur la longue table.

– Bonsoir, Votre Majesté, dis-je d'un ton détaché en lui faisant face.

Elle avait les poings serrés. Je devinai que derrière sa colère se cachait la peur de ce tantôt. Lorsque Aliénor était mal, elle devenait odieuse.

– Vous amuse-t-il donc de vous donner en spectacle ? me lança-t-elle.

Denys s'adossa mollement à un pilier et, croisant les mains sur sa poitrine, me lança un sourire amusé. Je le maudis intérieurement de me laisser me dépêtrer de cette situation que je détestais. Je préférai la feinte à l'attaque pour mieux crever l'abcès :

– Je vous demande le pardon, Votre Majesté. Cela n'était qu'un exercice destiné à nous aguerrir, comme les preux serviteurs du Seigneur que nous sommes, contre la flamme de l'enfer vers lequel nous allons. J'ignorais que Votre Majesté pouvait en prendre ombrage.

Comme je l'avais espéré, au lieu de s'adoucir, Aliénor entra en rage :

– Cesse de te moquer de moi, Loanna ! Cesse de me donner du « Votre Majesté », et toi (elle pointa un doigt incendiaire vers Denys qui se retenait à grand-peine de rire), si tu oses encore ricaner dans mon dos, je te fais fouetter jusqu'au sang ! Mais enfin quelqu'un va-t-il me rendre le respect qu'on me doit dans cette maisonnée ?

Sur ce, elle éclata en sanglots, les bras ballants, comme vidée de ses forces. Je m'approchai et la pris contre moi doucement. Denys n'osait plus bouger, ne sachant que faire, dépassé par la tournure des événements.

– Va donc nous chercher de l'alcool de sauge dans le placard que tu sais, et veille à ce qu'aucun des gardes ne revienne.

Denys hocha la tête et disparut. Il ne fallait pas qu'un soldat puisse voir Aliénor ainsi vulnérable. Cela fait, je pris le menton tremblant entre mes doigts et posai de petits baisers sur ses lèvres. Entre deux hoquets, elle murmura, les yeux noyés :

– J'ai eu si peur ! J'ai cru que vous vous battiez vraiment, tu comprends. Il y avait ce sang sur ton épaule, et elle avait l'air terrible. Jamais je ne l'avais vue ainsi, jamais.

Je l'obligeai à s'asseoir sur un banc et lui tendis mon mouchoir.

– Ce n'était qu'un exercice, Aliénor. Rien de plus, je te l'assure. Il est bon que l'on se trouve en situation. Sans quoi nous serons de la chair facile pour les infidèles et une charge pour l'armée. Nous ne partons pas en Terre sainte pour jouir du paysage, mais pour répandre le sang de nos ennemis. La liberté est à ce prix. Tu le sais. Tu dois accepter de risquer de me perdre comme une loi de Dieu.

– J'en mourrai, murmura-t-elle.

– Tu mourras plus sûrement de la main d'un de ces redoutables Turcs, si tu refuses de te préparer à nos côtés. Les échauffourées contre tes vassaux n'étaient rien, Aliénor. Là-bas, il ne nous faudra compter que sur nous-mêmes.

– Tu penses donc que je devrais moi aussi venir à ces entraînements ?

– Plus que jamais, ma reine. Vois ce que deviennent tes amies. Elles se pâmaient hier pour une peccadille, elles osent aujourd'hui affronter leur peur. Louis a raison. L'Orient n'a que faire des couards.

Aliénor sourit à travers ses larmes et moucha une nouvelle fois son nez rouge. Elle demanda encore :

– Comment autant de beauté peut-elle cacher autant de haine ?

Je compris qu'elle parlait de Béatrice. Chacun ce tantôt avait pu voir sous un jour nouveau son âme que je savais sournoise et malveillante. Je mentis pourtant :

— Nous en avons tous. Et c'est en elle que nous puiserons la victoire.

Aliénor me regarda, l'œil vague.

— Bernard de Clairvaux parlait d'amour.

— Pour nos saintes reliques, sans doute. Pas pour ces païens que l'on ne peut évangéliser qu'en les passant par l'épée, murmurai-je à contrecœur en songeant, amère, aux druides et à mes ancêtres massacrés pour les mêmes raisons. Pardonne-moi de ne pas concevoir cette vindicte dans les mêmes termes que Bernard de Clairvaux.

— Tu ne l'aimes pas, n'est-ce pas ? demanda-t-elle, un sourire navré tirant ses joues mouillées.

— Bien sûr que si, la rassurai-je, mais, comme toi, je n'approuve pas certaines pratiques de l'Église. Voici Denys !

Profitant de ce qu'il revenait avec la liqueur que j'avais réclamée, je me levai et allai à sa rencontre. L'heure était mal choisie pour débattre de ces questions.

Denys m'assura à mi-voix qu'aucun de ses soldats ne nous dérangerait, et je l'invitai, à présent que l'orage était passé, à convaincre la reine de profiter de ses enseignements. Quelques minutes plus tard, nous devisions tous trois comme de vieux amis, en attendant que la frimousse apaisée d'Aliénor reprenne son teint sublime et fasse taire tout commentaire.

C'est ainsi que la relève, surprise, nous trouva occupés à graisser d'un même élan les armes de nos compagnes pour l'exercice du lendemain.

18

Nous abordions avril sous un ciel chargé de nuages bas qui crevaient par giboulées cinglantes et froides, achevant de dépouiller de leurs fleurs les mimosas tardifs.

Les grands du royaume ne restèrent que quelques jours dans l'île de la Cité. Les crédits passaient dans l'armement, et Louis ne tenait pas à dépenser en réceptions inutiles. Occupée à seconder Denys, j'avais eu peu l'occasion de les voir, si ce n'était aux quelques repas où le roi les conviait mais qui manquaient d'apparat. L'esprit était à la spiritualité, non à la débauche. Leurs avis pendant cette période avaient permis de donner à l'itinéraire de la croisade un tracé qui satisfaisait tout le monde ou presque, et de récents courriers en provenance de Constantinople assuraient aux armées française et allemande le soutien, le ravitaillement et les guides qu'ils demandaient. Le basileus Manuel Comnène semblait des plus engageants. Les féaux du roi n'avaient désormais guère de raison de séjourner à Paris, d'autant que leurs propres affaires les appelaient chez eux. Il fut convenu qu'ils se rejoindraient pour le grand départ, maintenu pour la Pentecôte

Avant qu'ils ne partent, Geoffroi d'Anjou demanda une audience privée au roi, qui lui fut accordée sans difficulté. Nul ne sut quel fut l'objet de l'entretien, mais il quitta le palais la figure rouge et l'œil noir, signe que cela ne s'était pas passé au mieux avec Louis.

Je n'avais fait que le croiser et échanger avec lui quelques banalités. J'aurais voulu en apprendre davantage sur Henri, sur dame Mathilde, mais, nous sachant l'un et l'autre épiés par nos ennemis, nous évitâmes de nous montrer trop complices. Il ne vint pas me saluer lors de son départ. J'en fus peinée sur le moment, puis, rendue à l'évidence que c'était en effet la chose la plus sensée à faire, je me consacrai tout entière à notre entraînement. Les autres invités du roi suivirent le comte d'Anjou de quelques encolures, laissant Louis d'excellente humeur. Suger, qui devait rester en France pour gérer les affaires du royaume en notre absence, s'activait à tout mettre en ordre avant le grand départ, tout en entretenant avec Bernard de Clairvaux une étroite correspondance. Par son intermédiaire, le roi apprit que le pape viendrait en personne bénir les armées à l'heure où elles s'ébranleraient vers l'Orient.

Avec le départ des vassaux, Aliénor, qui avait fait sa part de besogne, vint nous rejoindre tous les matins sitôt après tierce. Il ne lui fallut que deux jours pour apprendre à se servir d'une épée et d'une lance aussi bien que nombre de ses dames, tant elle avait mis un point d'honneur à rattraper son retard. Comme Denys l'avait promis, le sort ne me désigna plus Béatrice comme adversaire, laquelle fut bien obligée de laisser retomber sa fougue pour ne point blesser une autre donzelle.

L'après-midi se passait à se détendre dans les jardins, entre deux averses, ou dans la grande salle où nous tissions et brodions avec le même enthousiasme les gonfanons à la fleur de lys. Denys pour sa part retournait dans la Cité où il logeait, trouvant peu à son goût la chambrée commune que les gardes de Sa Majesté partageaient. Il avait hérité de la reine une petite échoppe, dans une rue tout près de Sainte-Geneviève, en remerciement de ses bons offices, dans un temps où il était souhaitable qu'on ne les vît point ensemble au palais. La reine lui avait laissé cet avantage, disant qu'ainsi il pouvait savoir ce qui se passait hors des murs de l'enceinte.

Cela devenait indiscutablement utile. L'agitation qui régnait n'était pas loin du désordre, et il fallait veiller à endiguer les débordements. Paris vibrait d'une âme chevaleresque. Tous, du plus petit au plus grand, se sentaient concernés par cette croisade.

Outre les maréchaux-ferrants, les tanneurs, les forgerons, les cordiers, les drapiers, les tisserands, les orfèvres, les tonneliers, les charretiers, les marchands de bestiaux qui redoublaient de travail, il y avait ces philosophes qui, devant Sainte-Geneviève, déclamaient des vers à grand renfort de théologie. Il n'était pas rare que les élèves achèvent leurs discours par quelques empoignades ou bien quelques légumes lancés sur leurs camarades. Et puis il y avait les autres : ces mendiants, bossus, boiteux ou difformes, qui avaient afflué en nombre pour alléger la conscience des bien-portants de quelques pièces. Et encore ceux, fourbes et noirauds, qui sortaient la nuit et détroussaient les notables cossus venus pour affaires.

Tout cela créait, dans un Paris déjà difficilement praticable en temps normal, un épouvantable remue-ménage de rues encombrées, où le ton montait très vite entre les gens bousculés, parfois foulés aux sabots des chevaux. La panique était journalière, remplacée, la nuit tombée, par des cris et des bruits de lutte. À cette heure-là, personne n'ouvrait plus ses volets ni n'éclairait sa chandelle, à moins d'être dérangé par quelque ivrogne pacifique chantant sous la fenêtre, que l'on décourageait en lui vidant sur le chef un bassin d'urine.

J'avais reçu un messager juste avant l'office de complies. Nous étions au surlendemain du départ de Geoffroi d'Anjou, et je le croyais déjà loin de Paris. Il n'en était rien. Se sachant surveillé par les espions d'Étienne de Blois, il avait feint son départ pour mieux me rencontrer en secret et me donnait rendez-vous, ce même soir, derrière le confessionnal de Sainte-Geneviève.

Je connaissais bien l'endroit pour y avoir, à plusieurs reprises, retrouvé un envoyé du comte. C'était un recoin blotti entre la paroi en bois du confessionnal et un gros pilier décoré de feuilles de lierre peintes en vert bronze rehaussées d'or. Deux personnes pouvaient s'y dissimuler à l'abri des allées et venues, dans la plus totale discrétion.

Geoffroi d'Anjou m'y attendait, recouvert d'une bure de lin beige qui le faisait ressembler à un des moines de Sainte-Geneviève. J'avais jeté une capeline sombre sur mes épaules pour me fondre dans l'obscurité et regretté de n'avoir pu aviser de cette entrevue Denys, qui s'était éclipsé sitôt l'office achevé. Il m'aurait certainement fait escorter dans ces rues dont il prétendait qu'elles étaient de moins en moins sûres. Pour l'heure, ne pouvant faire confiance à personne en dehors de lui, j'avais préféré venir seule, me dissimulant au mieux pour n'attirer aucune convoitise.

Je laissai Granoë à un bon moine qui veillait à l'écurie pendant les offices et gravis le parvis. L'église était déserte si l'on exceptait deux ou trois crânes tonsurés agenouillés de part et d'autre des rangs, recueillis sur un geste de prière muette. Aucun d'eux ne s'inquiéta de ma présence. Sans perdre un instant, je me glissai vers l'endroit indiqué.

Geoffroi m'embrassa avec tendresse. Il avait la barbe plus dure que jamais sur ma peau, mais je fus heureuse de cette marque d'affection.

– Ma douce enfant, me murmura-t-il en connivence, je ne puis m'attarder, vous vous en doutez, il me fallait pourtant vous voir avant notre folle équipée en Terre sainte et vous remettre ceci.

Il prit ma main, l'ouvrit et y plaça un gros anneau d'argent orné d'une améthyste en cabochon. Puis, refermant mes doigts sur le bijou, il continua, d'un ton à peine audible :

– Vous la remettrez au basileus Comnène dès que l'ost de France sera à Constantinople. Elle n'a qu'une valeur de symbole, mais cette pierre a pour ces gens la couleur de la trahison. Il vous prêtera l'oreille.

– Que devrai-je lui demander ?

– La mort du roi.

Je frémis. Ainsi le temps était venu ! Mais déjà Geoffroi poursuivait :

– Comnène est un fourbe qui a pris alliance avec les Turcs et fait du négoce avec eux. Cette croisade ne sert pas ses intérêts. Il est assez malin pour jouer sur les deux tableaux et vendre à bon prix à l'un ce qu'il a déjà vendu comme butin de guerre à l'autre. La mort du roi de France sera une bonne affaire pour cet homme, mais vous devrez insister sur ce fait : lui et lui seul. Usez de vos visions clairvoyantes pour déterminer l'endroit propice à une embuscade et menez-y l'armée en prenant soin qu'Aliénor et ses dames soient hors d'atteinte.

– Et si les Turcs ne respectent pas leurs engagements auprès du basileus ? Ils sont, dit-on, plus cruels et perfides que des bêtes sauvages, m'inquiétai-je.

Geoffroi poussa un gros soupir.

– Soyez prudente. Louis ne doit pas revenir vivant. Il n'est pas certain que je prenne finalement part à cette croisade, mais vous pourrez compter sur le soutien de Geoffroi de Rancon que vous savez dévoué à la reine. Ils sont quelques-uns comme lui à n'apprécier guère notre bon roi et ses Templiers en Aquitaine. Il va vous falloir du courage. Mais je ne crains pas pour vous.

– Pour Henri, murmurai-je crânement.

– Pour Henri, répéta-t-il.

Je le quittai sur ses mots qu'il ponctua d'un baiser sur mon front. J'étais troublée. Au cours de notre conversation m'était venue la sensation d'un danger proche, et je n'aimais pas cela. Il y avait longtemps que cela n'avait pas été aussi fort, malgré ce voile de deuil qui ne me quittait pas depuis quelques semaines. Je résolus de ne point céder à la peur. Elle était probablement absurde. J'aimais bien Louis au fond, et l'idée de le vendre froidement à la cruauté sanguinaire de ces sauvages me peinait. Ce devait être cela qui perturbait mes sens, oui, je m'étais habituée à sa face de carême, à sa voix de fille, à ses colères et à ses mains. « Tu te laisses attendrir, Loanna de Grimwald ! » me répétais-je en rabaissant davantage le capuchon de mon manteau sur les yeux.

Au sortir de l'église, il faisait nuit noire. Une de ces nuits sans lune que mère n'aimait pas. Malgré moi, un frisson me parcourut l'échine. Mieux valait ne pas traînasser dans la vieille Cité. Des bruits divers me parvenaient, de pas étouffés, de chuchotements, de rires de filles.

« Allons ! Tu n'es plus une fillette ! Si l'idée de perdre le roi te perturbe ainsi, mieux vaut renoncer sur-le-champ à ce pour quoi tu es venue au monde, Loanna de Grimwald ! » pensai-je avec force. La nuit n'avait jamais été une ennemie, que diable ! Bien au contraire !

Décidée, je m'engageai sous la voûte de pierre et m'avançai jusqu'à ce que son obscurité me recouvre, le regard droit vers la lumière des lampes extérieures qui m'attendaient avec Granoë. Je ne vis pas les ombres s'animer, pas davantage que je n'eus le temps de tirer ma lame. Je perçus seulement la douleur entre mes omoplates. Dans un cri sourd, je tombai à genoux sur le sol, un goût de sang dans la bouche, une brume devant les yeux.

– Finissons-en ! dit une voix qui me parut familière.

Malgré la certitude que j'allais mourir, je ne parvenais pas à bouger, à peine à respirer, pliée en deux sur mes genoux, le front bourdonnant qui s'abîmait sur le sol humide. Je devinai le mouvement de la lame au-dessus de moi prête à s'abattre. Mais, à sa place, il y eut un mouvement de panique parmi mes assaillants.

– Par tous les saints du paradis ! bégaya une voix effrayée.

Elle me força à redresser le buste et à ouvrir les yeux. Une lumière surnaturelle et aveuglante emplissait le porche. Deux prunelles immenses sans corps autour flottaient au milieu d'elle. C'était cette apparition qui avait déclenché leur peur. J'en compris l'origine :

– Merlin, murmurai-je désespérément en tendant vers elle une main tremblante.

– Filons ! cria une autre voix.

– Attends !

La lumière disparut d'un coup, avec le choc sur ma nuque. Je m'enfonçai dans une nuit glaciale dans laquelle je n'entendis plus rien.

Je ne sais combien de temps je restai inconsciente, perdant mon sang, mais c'est une chaleur douce sur mon front qui me rappela que j'étais là, couchée à même la terre, dissimulée aux regards par l'ombre du porche. J'ouvris les yeux et je la vis. Elle baignait dans une brume irisée, de celles qui pénètrent les sous-bois à l'aube.

– Mère, murmurai-je en reconnaissant son visage diaphane. Suis-je morte ? demandai-je difficilement, m'étouffant aussitôt dans une quinte de toux qui me laissa un goût de sang dans la bouche.

Elle secoua la tête, un léger sourire de tendresse sur son visage.

– Ne parle pas, Canillette. Ton heure n'est pas venue, c'est pourquoi je suis là. Tu as en toi la force. Trouve-la. Entends, me dit-elle encore.

Granoë hennit au même instant. Elle était toute proche. Je hochai la tête, mais aussitôt la douleur entre les omoplates me poignarda. Je n'eus pas le courage d'en dire davantage. Le visage de Denys me vint en mémoire. Il habitait tout près.

– Va, murmura mère en s'évanouissant dans la nuit.

Je voulus me redresser, mais mon corps n'était que souffrance. Je devais me battre contre elle. Je restai un moment à genoux et tentai de rassembler en moi quelques bribes de magie pour l'occulter un peu. Granoë piaffait sans relâche comme pour m'inviter à sa manière à l'atteindre. Je le pouvais. Il le fallait. Je devais me montrer digne. Il suffisait de le vouloir. De le vouloir vraiment. J'essayai de prendre appui sur mon épaule droite, mais c'était comme si quelque chose se déchirait en moi. Une nouvelle quinte de toux amena des larmes dans mes yeux.

« Allez, quoi, Loanna de Grimwald ! gronda dans ma tête ma propre voix. Oublies-tu qui tu es ? Tu ne vas pas rester ainsi à la merci d'autres marauds ! Tu vas te redresser et sortir de là ! Ton heure n'est pas venue ! Du nerf ! »

J'avançai mon bras gauche sur le côté en serrant les dents jusqu'à sentir le froid de la pierre sous mes doigts. Le mur était là, rassurant, sur lequel je pouvais m'appuyer. Je cherchai une aspérité du plat de la main pour m'accrocher et me hisser. Je finis par la trouver et y ancrai le bout de mes doigts gelés, de toutes les forces qui me restaient. Je me mis debout péniblement, les jambes tremblantes et des papillons devant les yeux. Le porche devait compter une cinquantaine de pas, j'en avais fait la moitié avant l'embuscade. M'aidant du mur, je progressai vers les torches. Le moine à qui j'avais confié Granoë devait être là. Il m'aiderait, me conduirait jusqu'à Denys.

J'eus l'impression que chacun de mes pas pesait double, tant je sentais se dérober le sol à chaque enjambée. J'avais conscience du sang qui coulait le long de mes reins, de mon bras et de ma nuque ; mes doigts en étaient couverts.

Enfin, je fus sous la lumière. Je cherchai des yeux le moine, mais ne le vis point. Je me dirigeai en titubant vers le box de Granoë. Relever le loquet de la porte me fut un supplice, j'y parvins pourtant au bord de l'évanouissement. Ma jument hennit doucement en fouillant de ses naseaux ma chevelure poisseuse.

– Viens, ma belle, articulai-je en lui prenant la bride.

D'instinct elle avait compris et s'avança paisiblement dans la cour jusqu'au perron. Je grimpai sur la pierre. Granoë ne bougea pas d'un pouce tandis qu'usant d'un effort qui me parut surhumain je l'enfourchais enfin. Je me laissai tomber sur son encolure et dirigeai ses pas d'une bride que je voulais ferme. Les lampions vacillaient devant mes yeux, noyant les silhouettes des échoppes dans un flou qui m'étourdissait.

Un instant, l'idée me vint que quelque malandrin voyant ma mine affaiblie pourrait profiter de l'aubaine pour achever la besogne de ses confrères, mais la rue était étrangement déserte. Je reconnus à grand-peine la façade de Denys. Granoë s'y arrêta, comme si elle avait été menée par une main invisible. Il faisait noir au travers de ses volets. Je passai sous la voûte et fus rassurée de voir que son cheval était là, de même que son chien, dressé à aboyer devant quelque inconnu. Que n'aurais-je donné à cet instant pour qu'il s'inquiétât de ma présence, mais il connaissait mon odeur, même si elle transpirait le sang, et se contenta de lever un museau et de secouer la queue en signe d'amitié. Je guidais Granoë vers l'escalier de bois et me laissai glisser jusqu'à terre.

Je posai une main sur la première marche pour la gravir du mieux que je pouvais, avec le sentiment que j'usais là mes dernières forces. Je vis l'escalier chavirer, mais peut-être était-ce moi. Denys ! pensai-je encore avec un sursaut de conscience, puis l'idée me vint que j'étais en train de mourir.

C'était comme un murmure, une sorte de liturgie à peine audible mêlée de chants d'oiseaux. C'était agréable. Je me sentais légère telle une brise de mai. Devant moi s'ouvrait une vallée superbe pavée de sable fin et brûlant. Un soleil au zénith répandait des vagues de chaleur sur une ville blanche aux toits en forme de coupole. En fond d'image, des montagnes se découpaient, ocre sur un ciel d'un azur extrême, sans nuage. Tout autour de la ville, des palmiers ployaient leurs feuilles de dentelle sous la caresse du vent, et, en m'approchant, je reconnus une orangeraie gorgée de fruits dorés.

Je voyais tout cela d'en haut, et non comme un voyageur qui parvient aux portes d'une cité. Je survolais l'endroit et il me rassurait tant il était beau, coloré et chaleureux. En arrière-plan de la ville, j'aperçus un bras d'eau. C'était vers lui que je me dirigeais. Sur la rive, au pied d'un mur blanc, une forme blanche agenouillée se tenait auprès d'un corps blanc lui aussi.

Je glissai jusqu'à eux et me posai à quelques pas. La silhouette leva la tête. Elle pleurait et je m'aperçus que ce visage défait par la tristesse, c'était moi. Curieuse, je m'approchai plus près. C'était un homme qui reposait, couché sur le dos, la tête sur les genoux de celle qui me ressemblait, les mains jointes sur la poitrine. Son visage était livide, et, en regardant mieux, je vis la plaie qui déchirait son cœur au milieu de la cotte de maille. Je compris qu'il était mort.

Alors seulement je le reconnus. Il portait une croix de tissu sur son épaule gauche. Je poussai un cri de douleur dans le vent.

– Denys !

– Là, là, ma belle, je suis là. Tout va bien, murmura la voix grave.

J'ouvris les yeux. Le soleil baignait une chambre que je connaissais bien. Il tenait ma main dans la sienne et souriait dans un visage aux traits tirés par la fatigue.

– Denys ! soupirai-je, des larmes au fond des yeux.

Il passa une main dans mes cheveux collés par la fièvre.

– C'est fini. Tu es sauvée, ma belle.

– Par tous les saints du paradis, ne me refais jamais pareille peur ou j'en mourrai ! dit une autre voix familière.

Je tournai la tête et vis le regard rougi d'Aliénor à mon chevet. Tous deux étaient pâles et de larges cernes noirauds creusaient leurs yeux. Peu à peu mon rêve s'estompait, chassé par le souvenir de mon agression.

– Depuis combien de temps ? demandai-je d'une bouche empâtée.

– Nous sommes au matin du neuvième jour.

– Neuf jours, répétai-je sans vraiment y croire. Je suis morte neuf jours et vous m'avez veillée.

– « Soignée » serait plus juste, rectifia Aliénor en souriant, avec l'aide de ce charlatan de Croquenaud auquel pourtant je vais devoir une reconnaissance éternelle.

– Croquenaud, répétai-je pour remettre à leur place les éléments d'un écheveau qui me semblaient épars.

Sa figure rouille me revint en mémoire. C'était un apothicaire de la Cité qui avait, disait-on, des accointances avec la sorcière du marais, de sorte qu'on le craignait plus qu'on ne le sollicitait et qu'il vivait chichement en vendant ses médecines. Il avait, pour son mérite, un choix étonnant de plantes et d'épices venus d'Europe et d'Orient dont il usait sous forme d'élixir. Je lui avais déjà rendu visite.

– J'ai paré au plus pressé, s'excusa Denys. Lorsque je t'ai découverte, je n'aurais pas parié sur ton devenir, et courir au palais aurait été en pure perte. Croquenaud tient boutique à une encolure à peine d'ici. Il est venu en hâte et a semblé, ma foi, fort bien inspiré.

Un voile de tristesse passa dans son regard et je crus y voir une larme, qu'il faucha en se levant pour me servir à boire. Un silence tomba, troublé par le bruit de l'eau qui coulait du pichet d'étain. Aliénor poussa un soupir résigné, et j'eus soudain la sensation que quelque chose d'important était survenu pendant mon « absence », quelque chose qui pesait sur leur bonheur de me voir sauvée.

Denys me tendit un gobelet en souriant, mais ce n'était pas un de ces sourires francs dont il avait l'habitude et qui faisaient briller ses pupilles.

– Il est arrivé un malheur…, laissai-je tomber en le fixant droit dans les yeux.

Mon rêve ne pouvait signifier que cela. J'en étais sûre. Aliénor ne broncha pas, mais le menton de Denys frémit et des larmes roulèrent sur ses joues. Il posa le gobelet sur la table de nuit et me prit les mains.

– Je vous laisse, murmura Aliénor, la tête basse, se dirigeant pesamment vers la porte.

Denys porta mes doigts gelés à ses lèvres et les embrassa doucement.

– Parle, je t'en prie, lui demandai-je, le cœur battant la chamade.

Mais avant qu'il ait pu dire mot, mon regard accrocha les manches de son bliaud à l'endroit du serrage. Un cordon de soie noire avait remplacé celui d'azur que Denys affectionnait. Je me mis à trembler.

– Marjolaine, murmurai-je comme une sentence.

Denys appuya son front dans mes mains, à genoux sur le plancher usé. Ses mots me martelèrent le crâne :

– C'est arrivé quatre jours après ton agression. Je devais la rejoindre lorsque le moment serait venu de l'enfantement. Mais, lorsqu'elle a su ce qui s'était passé et que tu te débattais chez moi entre la vie et la mort, elle m'a envoyé ce message : de vous deux, c'était toi, son amie, sa sœur, qui avais le plus besoin d'être soutenue et elle allait prier pour que tu vives. J'ai cru ce qu'elle disait, j'avais si peur de te perdre que je n'ai pas pensé…

Un hoquet interrompit son récit.

– Elle est morte en mettant notre enfant au monde, gémit-il.

– L'enfant ? demandai-je en retenant un souffle qui me manquait déjà.

– Je l'ai couché moi-même sur son sein dans le cercueil de chêne. C'était un garçon. Un tout petit garçon avec une tête plus fine que mon poing.

Il l'abattit sur le drap, ce poing, avec toute la rage de l'injustice, puis se mit à sangloter en serrant ma main à la broyer.

C'était la première fois que je voyais pleurer un homme. Je sentais couler la pluie sur mes joues en regardant ses épaules se soulever de désespoir et j'eus envie de mourir. J'étais coupable. Je pensai à mère, je l'entendais encore me dire, alors que j'assistais, enfant, aux funérailles de ma grand-mère :

— Ne pleure pas, Canillette, c'était son heure.

— Mais comment sait-on que c'est le moment, mère ?

— Parce que personne n'a offert sa vie contre la sienne.

— Je ne comprends pas.

— Si un accident survient avant que ton temps soit écoulé, et qu'il mette ton énergie vitale en péril, alors, seul l'amour de quelqu'un qui te sacrifie son âme peut te sauver. C'est une des lois druidiques, Canillette. La magie ne crée rien, elle transforme ce qui est.

— Pourquoi grand-mère n'a-t-elle pas pris une vie, alors ?

— On ne prend pas une vie, on la reçoit. C'est un présent unique et personne ne sait comment il en devient digne. C'est ainsi.

— Pourquoi n'as-tu pas offert la tienne pour grand-mère, ou moi si je l'avais su ?

— Le choix ne se fait pas ainsi, ce serait bien trop simple. Il faut qu'il y ait deux âmes en partance, si proches l'une de l'autre que l'une des deux se sacrifie parce qu'elle sait que c'est son rôle. Mais tu es bien petite encore, tu comprendras un jour, Canillette. Tu comprendras un jour.

Aujourd'hui, je comprenais, mais je n'admettais pas. Je n'étais pas meilleure que Marjolaine. Denys l'aimait tant ! Par deux fois, il m'avait sauvée et pour seule récompense je lui avais pris les deux vies auxquelles il tenait plus que tout au monde. Je me faisais horreur. Pour la première fois de ma vie, j'eus honte de mes origines, honte de ces pouvoirs qui ne me servaient à rien, honte de cette confiance qu'il m'avait accordée et que j'avais trahie par ma seule existence. Comme j'en voulais soudain à Merlin et à Mère de m'avoir conduite vers lui, quand il m'aurait été facile de mourir dans l'ombre. À cette heure, mon ami serrerait femme et fils dans ses bras. Je n'avais plus le droit de cacher la vérité. Et tant pis si, demain, il se mettait à crier à la face du monde que je n'étais qu'une sorcière, une intrigante, une parjure ! Tant pis s'il me haïssait, pourvu qu'il se pardonne de n'avoir pas été là, à ses côtés, à sa juste place. Tant pis si Henri n'épousait pas Aliénor. Tout cela, brusquement, n'avait plus d'importance. Jamais plus je n'aurais le courage d'affronter son regard, ni le mien, si à l'instant je me taisais. Il avait gagné le droit de savoir.

– Je te demande pardon, Denys. J'ai pris leurs vies en venant chez toi pour sauver la mienne.

Il leva ses grands yeux lavés et me sourit dans ses larmes.

– Ne te reproche rien, Loanna. Nous savions, elle et moi, que son gros ventre la mettait en danger. Elle était trop fragile. Ma présence n'aurait rien changé. Je n'aurais pu la retenir.

– Regarde-moi, mon ami, murmurai-je. Je vais te confier ce qui, depuis des générations, n'a été entendu par autre que ma famille. Deux fois ta main m'a épargnée. Aujourd'hui, par cet aveu, je te remets mon sort pour que tu puisses te sentir quitte et me chasser de ton cœur.

– Comment le pourrais-je ? De nouveau, je n'ai plus que toi.

– Te souviens-tu, Denys, de ce jour où, en riant des ragots, tu m'as demandé ce que pouvait intriguer la fille d'une sorcière à la cour de France ? Mon ami Thomas Becket ne savait qu'une partie de l'histoire, de mon histoire, celle qui faisait de moi une espionne au service du comte d'Anjou. La vérité est autre, et je m'en veux d'être ce que je suis.

Je parlai longtemps. Denys m'écouta sans mot dire, hochant parfois lourdement la tête pour mieux se convaincre. Lorsque je me tus, j'étais épuisée, au bord de l'évanouissement tant cet aveu m'avait coûté et libérée à la fois, tenaillant ma blessure et mon corps inerte depuis trop longtemps. J'attendais qu'il dise quelque chose, qu'il me frappe, peut-être. Mais il se leva et sortit sans se retourner. J'avais achevé ma confession par ma dernière rencontre à Sainte-Geneviève et ce qui en avait découlé à l'encontre du roi. Denys de Châtellerault tenait désormais mon destin entre ses mains. J'eusse sans doute dû avoir peur ; à l'inverse, cela m'apaisa, et je m'endormis le cœur léger.

19

– Parle, sinon je te donne ma parole qu'avant longtemps ton âme rôtira en enfer au lieu de profiter du paradis que te promet ton état.

– Sur la Très Sainte Bible, messire, je jure n'avoir jamais vu leurs visage, ni même ouï leur nom.

Denys sortit son épée et entailla le lobe de l'oreille du moine qui poussa un long gémissement de terreur.

– Tu mens, maraud ! Gare ! Ou je tranche ces outils qui ne te servent à rien.

– N'en faites rien, messire. Je cherche, je cherche…

Denys resserra son étreinte au collet.

– Je m'impatiente ! gronda-t-il.

Le moine se signa. Il transpirait d'abondance dans sa bure sobre. Denys l'avait crocheté au sortir des feuillets, alors qu'il resserrait sa ceinture sur son ventre obèse. L'endroit était aménagé entre deux piliers de soutènement de Sainte-Geneviève, juste derrière les écuries dont il avait la charge. Discret pour y déféquer, cet endroit providentiel l'était aussi pour s'y faire découdre. C'est ce qu'il avait cru tout d'abord, quand il avait vu ce gaillard à l'allure vindicative sortir l'épée du fourreau, tant, qu'il avait reculé en braillant et écrasé sous ses sandales l'objet de ses épanchements.

Denys l'avait attiré à lui d'une poigne ferme, profitant de l'endroit pour le molester et rafraîchir sa cervelle à propos de ce qui s'était passé en ce même lieu dix jours auparavant. Après avoir feint l'étonnement, il s'était vite rendu à l'avis que, son bourreau n'étant pas commode, il valait mieux ne pas le contrarier.

Denys avait ainsi appris qu'au soir de l'agression quatre hommes s'étaient montrés dans ce même lieu et, en échange d'une bourse généreusement gonflée, avaient conseillé à ce prêtre gardien de s'éloigner jusqu'à l'aube. Promesse qu'il avait respectée, les affaires des grands n'étant pas les siennes ; d'ailleurs, il ne songeait pas à mal, puisque cette somme rondelette irait rejoindre les troncs des miséreux de Sainte-Geneviève.

– Pitié, messire ! Je suis un couard d'homme d'Église. Croyez que, sur l'heure, je vous dirais bien plus que vous ne voulez en entendre si…

Denys poussa un soupir agacé. De toute la force d'une colère qu'il maîtrisait à peine, il repoussa sa victime. Déséquilibré par la surprise, ses jambes trop courtes et son ventre en avant, le moine tituba et se renversa, les jambes en l'air, à l'endroit des feuillets où il servait son office.

– Va au diable ! lui lança Denys en contemplant d'un air navré cette scène grotesque qui en d'autres temps l'eût fait rire.

Denys tourna les talons et le planta là. Il ne s'émut pas davantage du chapelet de jurons qui lui parvint aux oreilles dès qu'il ne fut plus dans la visée du lourdaud. D'un pas décidé, il se dirigea vers le porche et, servi par un jour de grand beau temps qui laissait passer suffisamment de lumière, commença son investigation. Il avait plu durant la semaine et la terre était lavée autant qu'imprégnée. Ce furent les traces de doigts sanguinolents sur le mur qui lui indiquèrent où il devait chercher. Il fureta du bout de l'épée, dénicha quelques piécettes, un bouton de nacre et autres babioles sans importance. Puis son regard accrocha contre la paroi le reflet brillant d'une dague que les sabots des chevaux avaient en partie enfoncée dans la boue. Au moment où il allait s'en saisir, un équipage s'avança à l'entrée du porche, dans l'intention probable de conduire ses palefrois à l'écurie. Denys se plaqua à la muraille et céda le passage aux deux voyageurs. Il identifia sans peine deux des proches de l'abbé Suger et rabattit la capuche de son mantel sur son front. Il ne lui semblait pas utile qu'on s'interroge sur ce qu'il faisait là.

Les deux hommes descendirent de cheval dans la cour et hélèrent leur confrère d'une voix forte. Denys jugea qu'il ne faudrait point trop de temps avant qu'ils le trouvent et qu'il valait mieux pour le connétable de la reine ne pas être associé à l'affaire. Il saisit prestement la dague, et, la glissant à sa ceinture sous sa tunique, allongea le pas jusqu'au parvis de Sainte-Geneviève.

Au pied des marches, un marché joyeux battait son allant, exhalant une odeur de poissonnaille et de basse-cour. Il se glissa au milieu des étals autour desquels se pressaient les ribaudes, panier d'osier au bras pour tâter tel légume, fruit ou jambonneau.

Denys jeta un œil au centre d'un attroupement et reconnut le joueur de flûte et son singe savant qui dansait en portant sa sébile sous le nez des badauds. Il récoltait quelques piécettes. C'était un habitué de la place. Non loin de lui, un jongleur lançait au ciel des bâtonnets enflammés qu'il maniait avec adresse, soulevant des « Oh ! » et des « Ah ! » d'admiration.

Denys sentit comme une pointe s'enfoncer dans sa poitrine. Brusquement lui était revenue en mémoire cette fois où il avait promené Marjolaine ébahie dans ce même lieu. Main dans la main, ils avaient acheté des oublies et croqué à pleines dents dans des pommes d'amour en regardant ces drôles. Le singe, attiré par les sucreries, avait grimpé prestement le long de la manche de sa belle, lui arrachant un cri de terreur, et s'était installé sur son épaule pour lui chiper sa pomme, alors qu'elle allait la porter à sa bouche. Cela n'avait duré qu'une fraction de seconde. Surprise, Marjolaine avait lâché le bâtonnet et son agresseur, agile, l'avait rattrapé avant même qu'il ne touche terre. Il s'était enfui pour le manger hors d'atteinte, niché sur une des gargouilles du portail de l'église.

L'instant de frayeur passé, ils avaient ri ensemble de cette farce et partagé tendrement la friandise de Denys. C'était avant. Un an à peine qui soudain lui sembla une éternité. L'œil triste, il tourna le coin de la rue et se fraya un passage au milieu des charrettes étroites, des passants et des chevaux.

Arrivé chez lui, il posa la dague sur la lourde table qui trônait au centre de la pièce et, avant de l'examiner, se servit un gobelet d'eau-de-vie. Puis il saisit un chiffon et revint vers l'objet maculé de salissures. Il s'aperçut que la lame était recouverte, outre la boue, de sang caillé. Il sourit de sa chance et entreprit de la nettoyer pour y chercher quelque indice.

Le bruit de ses bottes sur le plancher m'avait tirée du sommeil. Je ne l'avais pas revu depuis mon aveu, la veille, et m'étais résignée à mon sort. Aliénor était restée à mon chevet après son départ. Le jour suivant, Croquenaud s'était présenté et avait ordonné qu'on me donnât à manger et boire autant qu'il me plairait. Il ne se souvenait en rien de moi, mais paraissait content d'avoir ramené à la vie aussi proche parente de la reine. Il se disait sûrement que désormais les portes du palais lui seraient ouvertes, et je lui promis d'y veiller. Il m'expliqua que la lame était passée très près du cœur, avait perforé un poumon, et qu'il voulait croire au miracle autant qu'à son savoir pour expliquer que je sois encore de ce monde. J'avais en effet perdu beaucoup de sang, d'où mon état de faiblesse. Le moindre mouvement m'aurait été fatal jusqu'à ce que mes plaies cicatrisent. Il avait jugé bon de prolonger mon sommeil pour que je récupère.

Je l'en avais remercié chaleureusement. Lui parti, Aliénor m'avait interrogée sur ce qui s'était passé. Je demeurai évasive, arguant que mes souvenirs demeuraient confus, puis, comme elle insistait, je prétextai une migraine intense et subite. J'eus le sentiment qu'elle n'était pas dupe. Dans le doute toutefois, comme nous approchions de sexte, elle regagna le palais, comptant y avoir des nouvelles de Denys.

J'attendis un moment, en espérant qu'il viendrait de lui-même. Il y eut quelques mouvements dans la pièce voisine, puis ce fut de nouveau le silence. Je m'étais promis de ne pas intervenir. D'attendre son verdict. Mais, au fil des minutes, cela me devenait insupportable. Je devais savoir. Non pas ce qu'il comptait faire de moi mais comment il allait, lui. Je l'aimais tant. Je n'attendais pas de pardon, pas même qu'il me comprenne. Je voulais juste qu'il cesse de souffrir, retrouver son sourire et son regard pétillant de malice, même si jamais plus ils n'étaient pour moi. Alors, résolument, je me levai pour le rejoindre, découvrant avec plaisir que mes jambes, bien que faibles encore, me portaient sans faillir.

J'ouvris la porte avec précaution. Il me tournait le dos, assis face à la table. Je ne voyais pas ce qu'il faisait, mais il semblait si concentré qu'il ne m'entendit pas. Un frisson me courut l'échine. Oui, je l'aimais ! Non de cette passion qui me liait à Jaufré, mais d'une vraie tendresse, puissante et sereine à la fois.

– Denys ! l'appelai-je dans un murmure, le cœur gonflé soudain d'une confiance absolue.

Il se retourna, l'œil soucieux, mais il me sourit doucement et je compris que rien n'était changé. Comme je m'approchais, il gronda :

– Tu devrais être au lit !

– Je m'inquiétais de toi.

– Voilà bien raison stupide de femme !

Je m'assis à ses côtés. Le mouvement me fit grimacer.

– Là, tu vois ! répliqua-t-il en avisant ma mine.

– Ne discute pas avec une sorcière, plaisantai-je pour aborder le sujet, peut-être aussi pour me faire mal.

Son visage redevint grave un instant, puis il passa son bras autour de mes épaules et m'attira contre lui. De son autre main, il poussa la dague devant moi sur la table.

— Où l'as-tu trouvée ? demandai-je, complètement rassurée par son geste.

— Là-bas. Elle portait des traces de sang. Le tien sans doute. Je ne serais pas surpris qu'elle ait servi à cette boutonnière entre tes omoplates… Est-ce que tu connais ces armoiries ?

Je tournai et retournai l'objet entre mes doigts, et plus je le sentais, plus il me devenait familier.

— Tu ne crois pas à une attaque de brigands ?

— On t'aurait dépouillée. Or tu portais encore ta bourse et tes bijoux à ton arrivée.

— Ils n'ont pas eu le temps, murmurai-je.

— Merlin ou pas, un voleur aurait dérobé ce qui était à portée avant de s'enfuir plutôt que t'estourbir et te laisser pour morte.

Des images venaient, floues, fugitives, tandis que nous conversions. C'était la première fois que je laissais libre cours à la voyance en présence de quelqu'un.

Soudain, je poussai un cri. Je revoyais cette dague à la ceinture d'or d'un homme. Une main se posait sur la sienne, une main de femme baguée d'améthyste.

Je regardai Denys.

— Tu as raison. C'était un piège tendu par cet ignoble Étienne de Blois. Cette lame appartient à un de ses proches, je m'en souviens. Et Béatrice n'est point innocente à son jeu, je les ai vus ensemble au palais, plusieurs fois.

— Nous sommes sûrs d'une chose au moins, ces deux-là ne s'en tiendront pas à un coup d'essai. Bah ! Une sorcière avertie en vaut deux… s'amusa Denys en tapotant mon épaule.

Son ton narquois me fit rire, et je me pelotonnai contre lui.

— Pourquoi ne m'as-tu pas dénoncée ? demandai-je enfin.

— Dénoncer un complot contre le **roi** de France ! Avec des suppositions, aucune preuve et même pas d'attentat ? Bien au contraire, c'est toi que l'on manque d'assassiner. Malgré ma fonction de connétable de la reine, on m'aurait pris pour un fou, pire peut-être.

— C'est la seule raison, Denys ?

— Non, sotte !

Il ferma les yeux douloureusement.

– Je pensais te perdre à jamais, murmurai-je. Je m'en veux tellement pour ce qui est arrivé.

– À quoi bon ! J'ai écumé les tavernes toute la nuit pour trouver dans le vin des raisons de te haïr. Marjolaine savait. Elle a toujours su. Ce n'est pas toi, Loanna, qui as volé son âme. C'est elle qui s'est effacée par amour pour moi. Par amour pour nous. Je n'aurais pas survécu à ta perte, même avec elle et notre enfant à mes côtés.

– Je ne te mérite pas.

J'avais des larmes plein les yeux, qu'il ne pouvait que deviner.

– Tu ne nous mérites pas, rectifia-t-il.

– Nous ?

– Jaufré, laissa-t-il tomber d'une voix éteinte.

Je soupirai.

– Je croyais que ma mission te permettrait de comprendre.

– Comprendre n'est pas approuver, Loanna.

– Un jour peut-être…

– Lorsque la méchante sorcière sera devenue une gentille sorcière ? Je ne crois pas aux contes de fées, Loanna de Grimwald ! La vérité est que tu as peur. Regarde-moi.

Je tournai vers ses yeux un visage de pluie. Il me connaissait si bien.

– Je ne peux t'en vouloir de n'être pas à moi, ni même de ce que tu es, mais je ne te pardonnerai pas de continuer à le torturer.

– Le rappeler, c'est le détruire. Cette garce de Béatrice a tenté déjà. Ce n'est pas un homme d'armes comme toi.

– Mais tu le détruis plus sûrement qu'aucune autre ne le ferait. Parle-lui, Loanna. Si j'ai pu comprendre, alors il comprendra aussi. Tu as besoin de lui autant que lui de toi. Il n'est rien de pire que de penser n'être pas aimé. Jaufré est plus seul dans son comté que le plus miséreux des mendiants. Songes-y ! Je t'en conjure !

De ma vie, je n'avais rencontré homme plus digne, plus juste et plus généreux que Denys de Châtellerault et je savais qu'il n'en existait pas d'autre.

Aliénor revint après l'office de none pour m'apprendre les ragots. Peu de choses avaient bougé durant ma convalescence. Par mesure de précaution, Denys avait exigé de la reine qu'elle me prétende en visite chez des parents avant le grand départ. Cela surprit quelques personnes, mais on avait mieux à faire en ces temps que poser des questions. Quant au fait que la reine se rendît chaque jour depuis une dizaine dans Paris sans escorte, cela ne signifiait pour tous qu'une seule évidence : elle avait renoué liaison avec son connétable !

Aliénor s'amusait beaucoup de ce jeu. Toutefois, la tension montant au palais avec les préparatifs du départ, elle avait jugé prudent de tenir le roi informé de ma mésaventure pour qu'il ne prête pas l'oreille aux bruits de cour.

Je décidai pour ma part de ne rien dévoiler de ce que Denys avait découvert. Il valait bien mieux que la reine pensât à quelque malandrinerie en cette période troublée. Tout, d'ailleurs, portait à le croire.

Denys m'avait confié lui avoir dit que je me rendais chez lui le soir de l'embuscade. Je supposais qu'elle avait échafaudé des plans sur la nature de nos relations qu'elle savait déjà et depuis toujours bien particulières. Que j'aie omis de lui en parler devait blesser son orgueil, aussi ne demanda-t-elle rien de plus ce jour-là et je m'en tirai ainsi.

Croquenaud passa dans la soirée, jugea que j'étais définitivement tirée d'affaire, mais que la prudence s'imposait. En vertu de quoi, il me recommanda de garder le lit une huitaine encore.

– Un chaud et froid sur un poumon blessé, ma p'tit'damoiselle, et c'est la vermine qui s'installe, me sermonna-t-il.

Je savais qu'il avait raison. L'air vicié de Paris ne me vaudrait rien de bon, pas davantage que les murs froids et humides du palais de la Cité.

C'était encore ici que j'étais le mieux, choyée par ma reine, qui me portait des fruits mûrs, et par Denys entre deux services au palais. Le reste du temps, je le passais à lire et à penser. Ne rien avoir à faire laisse le temps pour ruminer. Je ne cessais de songer aux paroles de Denys concernant Jaufré. Toutes ces années ! Toutes ces années où il avait déserté la cour pour ne pas m'y croiser. Où il s'était effacé pour que je puisse exister. Où il s'était muré dans la solitude pour tenir son serment.

Quelle absurdité ! J'étais tellement persuadée qu'il m'affaiblissait, qu'il me rendait vulnérable… Je n'avais pas été davantage protégée par mes intuitions et mes prétendus pouvoirs au moment de l'embuscade ! Quelle leçon d'humilité ! Moi, Loanna de Grimwald, je m'étais trompée sur toute la ligne. Pis encore, je m'étais trompée sur moi-même. Je n'étais à la hauteur d'aucun des enseignements de Merlin. Il n'était pas trop tard pour demander pardon. Comme je l'avais fait avec Denys, il n'était pas trop tard pour me retrouver. Pour le retrouver. S'il voulait encore de moi comme désormais je voudrais de lui. Ce ne fut qu'après avoir pris cette décision que je me sentis véritablement guérie, libérée et légère.

Trois jours plus tard, Aliénor déboula dans ma chambre.

– C'est définitif, nous partirons au début du mois prochain. J'ai demandé une audience à Louis pour ce tantôt, et tu vas en entendre les ronflements de colère jusqu'ici. Nous y allons toutes ! Mais ce n'est pas tout, ces dames ne peuvent tenir sans leurs chambrières, leurs toilettes, leurs bijoux. Depuis qu'elles savent que le basileus, que l'on dit fort bel homme, nous reçoit dans sa ville blanche, elles refusent de s'y rendre en armure. Et je compte bien, pour ma part, lui montrer toute la splendeur de la France. Nos malles suivront donc et nos amuseurs aussi, jongleurs, acrobates, troubadours…

Elle marqua un temps d'arrêt, guettant ma réaction. Je me contentai d'un œil sévère tandis que mon cœur s'arrêtait un instant de battre pour s'accélérer ensuite. Aliénor vint se jeter à genoux pour presser ma main qui pendait mollement sur les draps de lin.

– Comment pouvais-je savoir ? s'excusa-t-elle, une pointe de colère feinte dans la voix.

Lorsqu'elle se sentait coupable, Aliénor jugeait plus opportun d'attaquer la première.

– Me voilà bien embarrassée à présent. Je pensais qu'il te serait doux de l'avoir à tes côtés, cela fait si longtemps. D'autant que sa voix est un plaisir que l'on me réclame souvent, tu le sais. Il aurait été le seul à ne point s'y rendre ? …

Elle me regarda sans finir sa phrase. Je souriais avec tendresse.

– Tu as bien fait.

– Vrai ?

Ses yeux pétillaient de malice.

– Vrai. Quand arrive-t-il ?

– Il s'est présenté hier aux portes du palais avec un jeune protégé qui possède une voix des plus prometteuses.

– Il a demandé après moi ?

J'eus peur soudain qu'Aliénor n'ait commis une bévue.

– Parbleu ! Il s'est étonné de ne point te voir au dîner et je lui ai fait même discours qu'aux autres. Appelée par ta famille à Angers, tu serais de retour à Paris bientôt. Mais que je t'en ai voulu, Loanna, de lui donner pareil mensonge ! Si tu l'avais pu voir, si maigre, si blanc, si triste soudain, alors qu'il paraissait léger comme un pinson en venant me rendre hommage. On eût dit que la vie s'en allait de son sang. Il a prétexté les fatigues du voyage et s'est retiré de fort bonne heure.

– Pourquoi lui avoir menti ? Il te suffisait de lui raconter ma blessure, murmurai-je doucement.

– Et que lui aurais-je dit ? Que sa bien-aimée se pâme depuis quinze lunes dans le lit de son amant ? Je croyais que nous n'avions nul secret l'une pour l'autre ! Et depuis quand vous cachez-vous à mes yeux ? J'aurais dû me douter de votre trahison quand je vous ai surpris dans la salle d'armes après l'escarmouche avec Béatrice.

Elle battait l'air de ses bras fins comme un moulin un soir de tempête, martelant de ses talons le bois du parquet ciré. Un sentiment de tendresse m'envahit.

Aliénor avait eu peur de me perdre, autant que Denys, mais elle s'était effacée pour ne pas montrer sa faiblesse, avait ruminé dans son coin des griefs imaginaires pour ne pas se laisser gagner par ce sentiment de fatalité qu'elle exécrait et qui la rendait vulnérable.

Derrière sa colère se cachaient toute son angoisse et son attente mêlée d'espoir. Et, plus fort que tout le reste, cet amour grand comme un royaume qu'elle me portait.

– Denys n'est pas mon amant, murmurai-je.

Elle s'arrêta net, essoufflée de mouliner du vent, les joues rouges, le regard hébété. Elle s'attendait à n'importe quoi, sauf à cela.

– Que dis-tu ? demanda-t-elle encore.

– Tu as parfaitement entendu. J'avais rendez-vous avec Denys ce soir-là, mais ce n'était pas pour lui causer badinage.

Elle s'approcha et s'assit à mon chevet au bord du lit.

– Et pourquoi donc, Seigneur ?

– Je voulais qu'il fasse surveiller quelqu'un dans l'entourage du roi, mentis-je.

Elle ouvrit la bouche, mais aucun son ne vint. Elle ressemblait à un poisson avec ses yeux ronds comme des assiettes. Un fort joli poisson que j'aimais. Je poursuivis, imaginant sans peine une suite à l'idée que j'avais lancée :

– J'ai saisi quelques bribes d'une conversation au détour d'un corridor. Il y était question du roi, et le ton employé semblait ouvert aux manigances. Je n'ai pu saisir le sens du propos, mais je me méfiais de l'homme et souhaitais que Denys s'en inquiétât.

– Et tu n'as rien pu lui dire. Fâcheux contretemps. Pour l'heure cependant, je n'ai eu vent d'un quelconque complot. Qui était cet homme ?

– Étienne de Blois.

– Voyons, Loanna ! Il est roi d'Angleterre ! Qu'aurait-il à faire de la mort d'un roi qui en plus le soutient dans son conflit avec l'Anjou ? Non, je doute qu'un danger vienne de lui. Tu auras sans doute mal compris. Peut-être tes sentiments à son égard ont-ils faussé ton jugement. Je sais combien dame Mathilde ta marraine est désenchantée de n'avoir pas été légitimée par son peuple. Dieu sait ce que tu auras entendu dans ton enfance sur cet homme considéré comme un ennemi, mais, pour l'avoir rencontré et écouté en diverses occasions, j'ai pu juger de sa valeur et de son intégrité. Tu te seras fait des idées !

– Sans aucun doute, soupirai-je. J'ai bien failli toutefois laisser mon sang dans ce coupe-gorge que sont les rues de Paris. Vois combien j'ai l'esprit fantasque, ma douce !

– Je t'interdis désormais d'oser pareil exploit ! Louis mérite ton attachement à sa royale tête, mais je tiens plus encore à la tienne.

Elle m'embrassa. Des boucles blondes frôlèrent mon front comme un vent d'été gorgé de soleil. J'eus envie brusquement de sa lumière, de son âme d'enfant qu'elle ne cesserait jamais d'être, et de ses cheveux épars sur mon ventre.

– J'ai envie de toi, murmurai-je en l'attirant contre moi.

– Crois-tu qu'il soit raisonnable, se plaignit-elle, pour la forme seulement, car, dans son regard piqueté de mauve, une étincelle s'était allumée que je ne connaissais que trop bien.

Je dégageai une place à côté de moi dans le lit. Avec un petit gloussement, elle fit glisser sa jupe de siglaton à terre et s'allongea. Je délaçai tendrement les fils qui retenaient son corsage serré jusqu'à la taille et dénudai ses seins tendus. Puis, la couvrant de baisers, j'aventurai une main fébrile entre ses cuisses.

– Cela fait si longtemps, hoqueta-t-elle en gémissant de plaisir.

Elle s'abandonna à mes caresses tandis que je me faisais la même remarque, aiguisée non seulement par ces jours d'immobilité mais aussi par la perspective grisante de retrouver Jaufré. Car je n'avais plus de doute désormais. Comme Denys, il pardonnerait.

Lorsque Aliénor rentra au palais ce même soir, elle eut plaisir à l'entendre chanter à la veillée. Après que chacun se fut retiré, elle s'entretint longuement avec lui. Elle lui raconta combien ces années m'avaient coûté, allant même jusqu'à prétendre que je me reprochais ma conduite à son égard mais que, par un orgueil stupide, je m'étais bornée à attendre qu'il fasse le premier pas. J'imaginai que c'était ce qu'elle croyait sincèrement. Quoi de plus normal que Jaufré le crût aussi. Aliénor n'avait pas sa pareille pour culpabiliser son prochain et faire d'un bourreau une victime. J'aurais dû lui en vouloir, étrangement cela me soulagea. Cette version me laissait la possibilité de ne pas tout dévoiler avant d'avoir accompli ma mission en Terre sainte. Ce qui importait était que, d'avoir ouï ces paroles, Jaufré s'était rasséréné et qu'il se languissait de l'instant où je reviendrais en ses bras.

Le dimanche suivant, avant la tombée du jour, je me présentai aux portes du palais de la Cité. Retrouver le contact de Granoë m'avait été plus qu'agréable et je savourai tout le long du trajet le plaisir de me sentir de nouveau vivante.

Denys me reconduisit jusqu'aux écuries du palais. Là, nous nous séparâmes, lui pour gagner la salle d'armes, moi mes appartements. Ce fut d'un pas léger que je gravis les escaliers du donjon. Il n'était pas question que je me présente devant Jaufré et la cour avec si pauvre mine. Je fouillai mes malles et extirpai une robe de samit d'un bleu profond que j'aimais beaucoup. Pour conforter son histoire qui me voulait en Anjou, Aliénor avait jugé prudent d'éloigner Camille, ma chambrière, sitôt après mon agression et l'avait placée dans un couvent, non sans lui avoir assuré que je me portais bien et qu'on l'enverrait chercher dès que possible. Je dus en conséquence me débrouiller seule et m'apprêtai avec plaisir, savourant cette attente merveilleuse qui précède les grands moments.

Lorsque je jugeai que ma mine était plus rayonnante et superbe que jamais, je me dirigeai vers la salle de musique. Aliénor et ses compagnes s'y tenaient, au dire des pages que j'avais croisés dans les couloirs. La voix de Jaufré me cueillit au seuil de la porte à deux battants. Ils étaient entrebâillés, et, en m'approchant, je pus le voir, assis sur un tabouret bas, sa cithare coincée entre les genoux, un parterre de soie et de dentelles à ses pieds. Alanguies sur des coussins à même les épais tapis de laine, ces dames levaient vers lui un regard bouleversé. Jaufré n'avait rien perdu de son charisme et, si son visage était plus marqué de rides, il était tel qu'en mon souvenir, humble et noble à la fois, illuminé par cette musique qui naissait de ses doigts et s'envolait par sa bouche. Mon cœur bondit dans ma poitrine à en déchirer les lacets de mon corsage. Comme il m'avait manqué toutes ces années ! Comme je l'aimais ! Alors, doucement, je poussai les portes et entrai. Aussitôt son regard accrocha le mien, figeant sur ses doigts les notes de musique. Et ce fut tel que je l'avais pressenti. Comme une vague immense qui submerge la plage et la fait sienne. Le même bonheur indicible de se savoir l'un à l'autre pour toujours éclaira nos traits d'un sourire qui se passait de commentaires. Tous les visages convergèrent vers moi, attirés sans doute par la transformation qui s'était opérée sur celui du troubadour.

Ma reine s'avança vers moi et me prit les mains.

– Loanna ! Que je suis heureuse de vous revoir parmi nous ! mentit-elle. Avez-vous fait bon voyage ?

– Excellent, ma reine, bien que je me sois hâtée vers Paris. Le temps me comptait sans vous.

Elle me conduisit telle une enfant devant Jaufré, qui s'était levé à son tour et me couvait d'un regard tendre. Tant que je ne pus m'en détacher. Il m'accueillit par une profonde et gracieuse révérence. Pourtant, ce fut à la reine qu'il s'adressa lorsqu'il releva le buste :

– Votre Majesté peut s'enorgueillir de posséder désormais le plus beau des parterres. Il est de ces fleurs rares et lointaines qui, lorsqu'elles daignent s'ouvrir, font d'un jardin le plus enchanteur des paradis. Que Dieu bénisse le jour où j'y fus convié !

– Que Dieu bénisse le jour où votre voix, tel le chant d'un rossignol, éveilla le printemps qui dormait en son cœur, messire de Blaye !

Nos regards se fondirent en un même accord, et je sus qu'il était inutile désormais que j'en explique davantage. C'était comme si le temps n'avait rien abîmé, rien sali. Et, tout au contraire, nous avait rapprochés encore.

Aliénor partit d'un rire joyeux et lança à la ronde, en battant des mains :

– Damoiselles, c'est un grand jour que ce jourd'hui ! Notre amie nous revient plus taquine que jamais, nous accueillons céans le plus grand troubadour de cette terre et dans quelques semaines, si Dieu le veut, nous apprendrons à ces maudits Turcs à se repentir de leur orgueil païen. Messire de Blaye, que votre chant d'amour lointain soit notre bannière pour la gloire de Dieu et du royaume de France !

– Pour la gloire de Dieu et du royaume de France ! reprirent en chœur les dames qui s'étaient dressées d'un même élan.

Oui, ce jourd'hui était un grand jour !

DEUXIÈME PARTIE

1

Les deux semaines qui précédèrent le départ ne furent qu'une suite ininterrompue de disputes entre Louis et Aliénor, tandis qu'une exaltation de plus en plus folle gagnait le palais, la Cité et le pays entier. On ne pensait plus, ne parlait plus, ne vivait plus que par la croisade.

Aliénor augmentait chaque jour le nombre des chariots. C'était tel coffret à bijoux oublié, tel présent pour le basileus Comnène à Constantinople, tel autre pour son oncle à Antioche, telle malle emplie de toilettes, telle personne recommandée pour sa bravoure ou ses multiples talents d'amuseur. Bref, de cent soixante-dix chariots, on en était passé à plus de deux cents en moins de vingt jours.

Louis était furieux. Il tempêtait, grondait, menaçait, pour finalement s'effondrer en prière et supplier Dieu tout-puissant de rendre à sa femme une raison qui lui faisait défaut. Pour comble d'orgueil, cette dernière avait fini par lui signifier que le Très-Haut Lui-même accordait grâce à ses prétendus caprices, puisqu'il ne manifestait aucun courroux à son égard. Mieux, Il avait facilité jusqu'alors leurs démarches. Louis était désespéré, désemparé et profondément vexé. Quoi de plus naturel en conséquence qu'il se tournât vers Béatrice de Campan. Elle se faisait de plus en plus présente auprès de lui et se faufilait dans ses pas. Aliénor ne disait rien. Bien au contraire ! Que cette gourde s'occupe de Louis lui laissait le champ libre pour ses retrouvailles avec Bernard de Ventadour.

Le grand jour arriva enfin !

En ce 12 mai 1147, la cour se rassembla une ultime fois dans l'abbaye de Saint-Denis. La foule se referma derrière elle telle une vague gigantesque qui interdirait à tout navire de rebrousser chemin.

Le pape Eugène III nous attendait auprès de Bernard de Clairvaux et de l'abbé Suger, qui rayonnait du poids de sa responsabilité. Il demeurait pour veiller sur la France. Ce fut une cérémonie à la mesure de la quête des Francs : sobre et somptueuse à la fois. Il montait une telle ferveur dans l'air ambiant qu'un immense élan d'amour et de fraternité gonflait les cœurs et les courages. Jamais on n'eût pu penser en découvrant pareille émulation que nous partions au-devant de la mort. Celle qui guettait nombre d'entre nous, et celle plus injuste que nous allions donner pour convertir les infidèles. Je ne pouvais m'empêcher de ressentir au fond de moi cette étonnante contradiction. J'étais gagnée autant que les autres par ce vertige, et tout à la fois révulsée par ce que je m'apprêtais à faire, complice de ce Dieu de mensonge qui associait l'amour à la boucherie, la punition à la Rédemption, le martyre à la vérité du Christ. Pour trouver un équilibre entre ces vagues qui tour à tour m'entraînaient du dégoût de moi-même à l'excitation, je serrais la main de Jaufré de toutes mes forces, me raccrochant à sa terre, comme un arbre qui sentirait la tempête le tordre pour le déraciner. Ma seule raison, ma seule excuse, c'était lui désormais, lui et l'Angleterre !

Et puis soudain, alors que j'en étais là de ces bouleversements inté-rieurs, survint la lumière. Eugène III avait remis la besace et le bourdon bénits aux époux royaux, et Louis s'avançait pour ramasser le gonfanon rouge et or brodé de fleurs de lys que, toutes, nous avions confectionné durant des jours. Bernard de Clairvaux en avait recouvert l'autel. Au moment où Louis se penchait au-dessus de l'étoffe, un prisme de couleurs semblable à un arc-en-ciel l'inonda tout entier. Un murmure roula dans l'abbatiale. Aveuglé par la lueur qui le nimbait, Louis prit l'étendard entre ses mains, se retourna lentement et l'éleva devant la foule. Jamais encore je n'avais vu pareille chose. Moi qui savais le moyen de créer la magie, j'étais éblouie par cette lumière qui avait suivi le mouvement du roi et transperçait à présent l'étoffe et ses mains en de multiples rayons jusqu'à terre, le baignant lui et la bannière d'une aura magnifique.

Je n'eus pas le temps de me poser davantage de questions sur la provenance de cette énergie. Elle disparut aussi soudainement qu'elle était venue. Mais, pendant un long moment, la robe de bure du roi resta pailletée de poussière dorée, tandis que son regard empli d'une douceur extrême semblait s'évaporer dans un songe merveilleux. Des voix autour de moi murmurèrent :

– C'est un miracle ! Dieu vient Lui-même de bénir sa bannière !

Si je n'avais bénéficié de l'enseignement de Merlin, sans doute aurais-je pensé la même chose. Pourtant, je n'y parvenais pas. Au milieu de toutes ces questions qui m'assaillaient était une certitude. La lumière n'avait pas cueilli l'étoffe, mais le roi lui-même. Était-ce pour me signifier que sa mort était une injustice ? Si ce n'était Dieu qui l'avait béni, était-ce Merlin ? Je n'avais pas de réponse. Je décidai de m'en remettre au destin. Si la mort du roi était une faute, Merlin ou mère n'aurait qu'à me le dire ! Ils avaient su l'un et l'autre apparaître sous le porche de Sainte-Geneviève pour me ramener à la vie. Ils étaient donc en mesure d'exprimer clairement quelle route je devais suivre. S'ils ne le faisaient pas, alors, je remplirais ma mission. Mêlant ma voix à celle de mes compagnes, j'entonnai le long chant du départ, le cœur gonflé de certitude et de paix.

Nous étions au beau milieu de la Hongrie, et Louis commençait à se mordre les doigts d'une lacune dans ses plans : lors de la première croisade, les Francs avaient eu soin de se frayer plusieurs itinéraires pour ne point être gênés par le ravitaillement. Or, Conrad, l'empereur d'Allemagne, parti quelques semaines avant nous, nous précédait sur la même route et l'on ne trouvait pour se nourrir que ce que son armée avait laissé et que les habitants marchandaient à prix d'or.

Louis rejetait la faute sur le grand nombre des parasites qui encombraient la suite de la reine, mais cela ne servait à rien. Force lui était de reconnaître qu'il avait commis une erreur. De fait, l'enthousiasme du départ avait cédé la place à une fort mauvaise humeur dans les rangs. Pour comble, les vassaux aquitains soutenaient leur duchesse et rejetaient sur lui toute la responsabilité de cette carence.

Geoffroi de Rancon, le seigneur de Taillebourg, s'était opposé à lui la veille. Ils étaient quelques-uns, et non des moindres, à avoir soutenu le projet de partir par la mer lors de la première assemblée à Étampes, acceptant par là l'offre généreuse de Roger de Sicile qui invitait les croisés à relâcher chez lui. Louis leur avait alors répliqué que celui-là était un fourbe, un « Normand », qui voulait exploiter cette alliance dans un but politique non avouable. La proposition avait été écartée après nombre de débats houleux au cours desquels, justement, Geoffroi de Rancon avait souligné le risque de mauvais ravitaillement. L'Aquitain avait ce jourd'hui la part belle ! Et, s'il n'appréciait pas plus que ses compagnons le luxe qui entourait les proches de la reine, il ne pouvait admettre que le roi rejette sur elle une erreur prévisible.

Pour l'heure, commis à l'approvisionnement de l'avant-garde, Geoffroi de Rancon ruminait devant une étable proche du campement des Francs. Quelques vaches dans l'enclos voisin levaient sur lui un œil brumeux, peu habituées sans doute à ces mantels de voyage qui couvraient les cottes de mailles. Plusieurs de ses compagnons, familiers du vocable local, négociaient fort cher des vivres à l'intérieur de l'édifice. La discussion se prolongeait, comme chaque jour depuis trois semaines. Geoffroi en avait assez. Il devait parler à la reine ! D'un pas vif, il pénétra sous la bâtisse et signifia à ses compagnons d'accepter la dernière offre. Tant pis pour les finances royales ! Il savait ne pouvoir de toute façon marchander beaucoup plus.

Plantant là ses amis chargés des derniers détails, il se dirigea pesamment vers le campement et s'approcha du feu gigantesque au-dessus duquel tournait un mouton entier. Assises sur un tapis épais posé à même le sol, la reine et ses dames suivaient d'un regard las les mouvements de la broche tout en se berçant des voix des troubadours qui se relayaient auprès d'elles.

Geoffroi de Rancon s'installa non loin, à côté d'Uc de Lusignan qu'il appréciait et qui, tout en graissant la lame de son épée, se réjouissait des chansons de Jaufré Rudel.

– Tu as mauvaise mine, mon ami, constata Uc.

– Nous nous faisons plumer comme de vulgaires poulets, maugréa Geoffroi.

– Qu'en pense le roi ? demanda Uc, qui trouvait lui aussi que les villageois abusaient largement de leur avantage, mais préférait éviter de sombrer dans la querelle.

– Il tempête, mais non contre Conrad et son armée ! Contre ça !

Il désigna d'un mouvement de menton l'attroupement des dames et ajouta d'un ton amer :

– Il n'a pas seulement adressé un bonjour à notre dame Aliénor depuis notre départ. Il rumine et, sitôt le bivouac établi, se retire dans sa tente pour y allumer des cierges et prier ! Bel exemple !

– C'est Dieu que nous allons chercher, Geoffroi !

– Certes ! Mais avec ça, mon bon ami ! Avec ça seulement !

Il passa un index sur le fil de la lame et y laissa une traînée de sang. Uc se contenta de sourire et de l'essuyer d'un revers de manche. Il savait que le sire de Taillebourg avait raison. Mais on ne changerait pas Louis. Du mélange du feu et de la glace ne pouvaient naître que des larmes.

Geoffroi suivait le fil de ses réflexions. Il ne voulait pas s'opposer à sa duchesse, mais il lui peinait qu'elle portât la responsabilité de la mauvaise marche de leur aventure.

– Il faut lui parler, Uc ! Il n'est point trop tard pour que ces dames rebroussent chemin.

– Essaie toujours, fol que tu es, s'amusa Uc de Lusignan.

Geoffroi se leva en soufflant comme un bœuf et alla s'incliner devant la reine, lui murmurant quelques mots à l'oreille. Aliénor hocha le menton et lui tendit sa main gauche pour qu'il l'aide à se relever. D'un geste gracieux du poignet, elle l'invita à entrer sous sa tente.

Ils y restèrent un long moment, leurs voix étouffées par la mandore de Jaufré qui glissait ses accords en une plainte savoureuse. Il me regardait en souriant tendrement, et, à chacun de ses gestes sur le manche de bois, un frisson courait le long de mes reins.

Quelques minutes plus tard, Geoffroi de Rancon ressortit de la tente le front soucieux, suivi d'une Aliénor aussi gaie que précédemment, ce dont je conclus que leur échange avait laissé chacun sur ses positions. Je n'appris que plus tard qu'il avait tenté de la convaincre de faire rebrousser chemin à une partie non négligeable des chariots inutiles au combat. Son unique souci, disait-il, était d'épargner à sa duchesse de souffrir le mécontentement du roi, ce à quoi Aliénor avait répondu avec son insolence coutumière : « Grand bien lui fasse ! Plus il sera rageur, mieux il maniera l'épée ! »

Le même refrain se répéta chaque soir pendant une semaine. Et puis un matin, au sud de Vienne, on fut rejoint par une troupe d'hommes couverts de poussière. C'était Bernard de Ventadour, avec une vingtaine de compagnons, bateleurs pour la plupart, italiens pour beaucoup, qui demandaient à se joindre à l'équipage. Le roi fronça du sourcil, mais ne trouva rien à objecter. Tous étaient de noble famille et voulaient occire du Turc. En outre, l'un d'eux, un nommé Felipe Fordio, avait en poche un message de Sa Sainteté

Eugène III en personne, qui recommandait sa lame agile et combative pour toute entreprise vouée à la Très Sainte Gloire du Seigneur.

Louis ne desserra pas les dents jusqu'à l'étape. Il avait surpris le coup d'œil du troubadour vers la reine et l'avait vue rosir sous le soleil de juin. Il n'était pas difficile de comprendre que ces deux-là s'aimaient toujours. Il se jura d'y mettre bon ordre et de faire surveiller le pavillon de la reine afin qu'il n'abrite pas d'amours illicites dont, de nouveau, il serait la risée.

Aliénor s'indigna comme il se doit de trouver un garde devant ses tentures dès que le campement fut monté et se précipita chez son époux pour lui demander des comptes. Louis la toisa d'un regard noir :

– Je crains pour vous, Aliénor. N'est-ce point le rôle d'un époux de protéger sa femme ?

– Et quel danger craignez-vous, par tous les saints ? demanda Aliénor, comprenant qu'attaquer de front ne servirait à rien.

Louis avait l'âme d'un prêtre, certes, mais avec ce regard-là, il était capable de tout.

– On rapporte que certains soudards avinés ont violé des dames de petite noblesse dans leur bivouac et ce, pas plus tard qu'il y a trois lunes. Je ne saurais tolérer qu'un pareil forfait vous atteigne.

Aliénor avait reçu elle-même la plainte de ces damoiselles qui, du reste, n'auraient rien trouvé à y redire si elles n'avaient fait l'objet d'une chanson de corps de garde dès le lendemain, qui n'épargnait rien des détails de leur résistance peu farouche. Il eût été de mauvais goût de minimiser l'incident auprès du roi, déjà agacé par ces mouvements de jupons dans le campement.

Elle se contenta donc de le remercier de sa présence d'esprit et s'inclina en une profonde révérence, qui exposa son décolleté avantageux. Piqué aux sens par la jalousie que lui inspirait la présence de l'ancien amant de la reine, il sentit une ardeur violente lui brûler les cuisses.

– Je serais rassuré, ma dame, si cette nuit vous dormiez à mes côtés.

Aliénor marqua un temps de surprise en redressant la tête. Ce n'était pas ainsi qu'elle avait imaginé ses retrouvailles avec Bernard. Elle objecta :

– Sire, cela fait si longtemps…

– Raison de plus pour me montrer votre attachement.

Le roi affichait un petit sourire cruel qu'elle n'aima pas. Pourtant, elle lui sourit et murmura avant de sortir :

– Votre Majesté ne pouvait me faire plus grand plaisir.

Resté seul, Louis saisit entre ses doigts un lacet de cuir et le fit claquer sur le sol à quelques pas de sa paillasse. Il gronda, en crispant ses doigts sur la lanière :

– C'est ce que nous allons voir, catin !

– Déshabillez-vous, Aliénor.

L'ordre la saisit à peine retombés les pans de toile. Une chandelle brûlait qui faisait danser l'ombre du roi sur les parois de la tente. Il était debout, face à elle, torse nu, sa croix d'ébène plombant sa poitrine blanche.

Un frisson parcourut l'échine de la reine. Elle n'aimait pas ce ton, mais décida dans tout son orgueil de ne pas y prendre garde. Depuis que Bernard était proche, elle se sentait vulnérable. Il lui fallait apprivoiser le roi pour mieux le rouler. Elle s'exécuta et se retrouva nue face à lui. Louis lui désigna le prie-Dieu.

– Agenouillez-vous.

Bien que surprise, elle obéit encore. Louis lui mit entre les mains un chapelet de cornaline, et Aliénor les joignit en une prière.

– Vous voulez me satisfaire, Aliénor ? Alors, priez ! Et qu'aucune autre plainte ne franchisse vos lèvres avant que j'en aie assez.

Et tandis que les Pater noster glissaient entre les dents de la reine, il enroula la lanière de cuir autour de son poing et la leva. Elle s'abattit sur les reins de la jeune femme en un sifflement aigu qui lui arracha un cri de surprise et de douleur. Elle ferma les yeux et serra les dents tandis qu'un second coup atteignait ses épaules.

Elle objecta d'une petite voix :

– Vous me faites mal, Louis.

– Vraiment ? La douleur est bonne pour le repentir, répliqua-t-il d'une voix cruelle en frappant plus fort.

Aliénor laissa échapper un cri. La lanière lui déchirait la peau. Elle tenta de se relever en s'aidant du montant du prie-Dieu, mais Louis l'en empêcha en appuyant de tout son poids sur ses épaules.

– Assez ! ordonna-t-elle en se tournant vers lui

Le visage du roi l'effraya. Il ressemblait à une de ces gargouilles au portail des églises et dans ses yeux brûlait un feu diabolique.

– Priez, Aliénor ! siffla-t-il entre ses dents. Ne m'obligez pas à appeler la garde pour vous y contraindre !

– Vous êtes devenu fou !

Il partit d'un rire gras. Aliénor sentit des larmes lui piquer les yeux. Louis, si fragile, si frêle, si dévot, lui faisait peur soudain, comme jamais elle n'avait eu peur. Elle cacha son visage dans ses mains et serra ses poings gelés sur les perles du chapelet. Elle se mit à prier de toute son âme pour que cela s'arrête. Mais Louis frappait, frappait et frappait encore tandis qu'elle ravalait ses larmes.

Il lâcha la lanière de cuir lorsque le dos blanc ne fut plus qu'une plaie sanguinolente. Alors, il retira ses derniers vêtements et vint s'agenouiller derrière elle. Il la pénétra avec la même violence en joignant ses mains sur les siennes pour mieux la tenir à sa merci et assouvit son plaisir malsain, le visage de Bernard de Ventadour crucifié devant les yeux.

Puis il se roula en boule sur sa paillasse et s'endormit aussitôt.

Aliénor attendit que des ronflements soulèvent sa poitrine pour oser bouger son corps mutilé. Elle se retint de gémir et rassembla ses vêtements en silence. Elle s'habilla de même et, se forçant à redresser la tête, parvint à regagner sa tente sans rien laisser paraître.

Là, humiliée, écœurée et meurtrie, elle se jeta sur ses couvertures et se mit à pleurer à gros sanglots.

C'est sa chambrière qui vint me prévenir à l'aube. Je la trouvai couchée sur le ventre, les yeux cernés. Elle me raconta tout, et je constatai que son humiliation avait fait place à un désir profond de vengeance. Ce qu'elle avait toléré d'un moine, elle ne le supporterait pas d'un bourreau.

Pour l'heure, j'allai chercher dans mes affaires un onguent contre les coups que j'avais eu soin d'emporter, pensant que ceux-ci ne manqueraient pas durant le voyage, et enduisis généreusement son dos.

Aussitôt apaisée, elle décida d'agir comme si de rien n'était. Le roi comptait sans doute la voir défaite et soumise, elle allait lui prouver que le sang aquitain n'était pas celui d'une brebis. Je l'aidai à s'habiller sans toutefois serrer les lacets de son corsage et, quelques instants plus tard, à l'office, elle s'agenouilla comme les autres devant la croix de bois de six coudées de haut qui symbolisait l'Église en tout lieu. Pour montrer sa supériorité, elle se plaça à gauche du roi et, sans seulement accuser une grimace qui eût pu trahir sa douleur, elle le toisa d'un de ces regards hautains dont elle savait jouer. Louis blanchit comme un linceul. Je me demandai un instant lequel des deux était véritablement la victime.

Les problèmes de ravitaillement se poursuivirent jusqu'en Bosnie. Chaque fois le même rituel se répétait : l'armée de Conrad avait épuisé les vivres des habitants, et il fallait marchander à prix d'or pour obtenir de maigres rations. Geoffroi de Rancon et quelques autres seigneurs proposèrent de modifier l'itinéraire plus en amont afin de mieux réorganiser leurs ressources, mais Louis s'y opposa, s'entêtant dans sa version : si l'on manquait de nourriture, c'était la faute de toutes ces bouches supplémentaires et inutiles, non aux Allemands ! « Que chacun et chacune en assume les conséquences ! » ajouta-t-il à la volée, se réjouissant des plaintes de jour en jour plus fréquentes que recevait la reine. De plus, même s'il présentait des inconvénients, ce tracé avait été établi avec l'accord de Conrad et des dirigeants des royaumes traversés. Les villes avaient été averties du passage des croisés et étaient préparées. Débarquer dans quelque endroit à l'improviste risquait d'être interprété comme un acte de pillage et de compromettre la bonne entente avec nos alliés. On ne changea donc rien.

Louis persista aussi dans sa surveillance. Chaque soir, un garde se plaçait devant la tente d'Aliénor avec ordre de ne laisser entrer quiconque. Bernard de Ventadour logeait avec ses comparses et nous-mêmes dormions à plusieurs dans la même tente. Seuls la reine et le roi avaient chacun leur bivouac. Quelques jours après l'incident, Louis s'annonça au pied de la paillasse de la reine. Aliénor, qui venait de s'y étendre, se mit à trembler. Son dos gardait encore de fines traces bleutées qui lui faisaient mal suivant ses mouvements. Mais Louis était calme :

– Ma mie, murmura-t-il, faisons la paix de Dieu, voulez-vous ?

Malgré le dégoût qu'il lui inspirait désormais, elle opina du menton, craintive.

Louis releva les couvertures et s'y glissa tout habillé. Il ne la toucha pas cette nuit-là, se contentant de sa présence, mais Aliénor ne put fermer l'œil tant elle craignait qu'un accès de folie ne le reprenne.

Le lendemain soir, elle avisa que le garde n'était pas à son poste. Elle songea un instant à faire quérir Bernard mais se méfia. Ce pouvait être une ruse du roi. En effet, il survint au milieu de la nuit. Il se dévêtit et chercha son ventre avec douceur. Aliénor réprima à grand-peine un haut-le-cœur lorsqu'il prit ses lèvres, mais se ressaisit aussitôt. Il était le roi et de surcroît son époux ! Elle se laissa aimer comme une de ces poupées de chiffon avec lesquelles jouait la petite Marie.

Dès lors, le roi fit transférer son prie-Dieu sous la tente de la reine et passa avec elle les nuits qui suivirent. Béatrice, qui avait espéré forcer sa porte au fil des jours, serra les dents avec colère.

Aliénor ne rêvait en ses nuits que d'une seule et même chose, cette cité de Constantinople qui se rapprochait tandis que nous traversions la Croatie, puis la Serbie, alourdissant à chaque halte la charge du voyage.

Dans les territoires du basileus Manuel Comnène, le roi avait pensé trouver meilleur approvisionnement, ce dernier l'ayant assuré de son soutien plein et entier, mais, là encore, il fallut se rendre à l'évidence : Conrad emportait tout sur son passage, et Louis força l'allure. Il lui tardait de découvrir la fraîcheur des jardins dont on décrivait la splendeur dans les récits des premiers croisés, mais aussi de rejoindre cet Allemand impétueux qui lui avait fraternellement promis son aide et le réduisait finalement à la mendicité. Il aurait deux mots à lui dire. Peu avant Andrinople, on dut laisser deux chariots trop lourdement chargés, qui brisèrent leur essieu sur une route caillouteuse. Louis décida que les réparer prendrait trop de temps et abandonna quelques tentes.

De trois par bivouac, nous nous retrouvâmes à cinq, ce qui augmentait la promiscuité et la chaleur. L'été et le début de l'automne s'étiraient en une canicule qui nous couvrait de poussière brûlante. La sécheresse sévissait dans les terres, et l'ordre était donné de n'utiliser l'eau que pour boire. Notre dernière véritable toilette n'était plus, au terme des cinq mois que durèrent notre cheminement, qu'un lointain souvenir. Les cheveux collaient à nos coiffes et, bien que brossés assidûment chaque soir, ressemblaient à des brins de paille poisseux.

Il était temps que cela s'arrêtât. Et s'il n'y avait eu quelques baignades providentielles, bien que tout habillées, dans des rivières au sud de Nis, Sofia et Andrinople, je peux affirmer que plus d'une, moi comprise, aurait lavé sa poussière d'un torrent de larmes.

Enfin, un matin, elle nous apparut derrière les collines. Un cri de joie courut dans les rangs. Constantinople ! Et, avec elle, l'assurance de quelques moments volés et interdits.

Aliénor et Bernard échangèrent un regard complice qui par grâce échappa au roi, et je fis rouler autour de mon index la bague ornée d'améthyste que m'avait confiée Geoffroi d'Anjou.

Quelques heures plus tard, la longue caravane que nous formions s'annonçait aux portes blanches de la ville de lumière.

Nous étions le 4 octobre 1147.

2

Allongée entre la mer de Marmara et le célèbre golfe de la Corne d'Or, Constantinople surplombait une étendue marine d'une transparence d'émeraude. Les rues étaient droites et fleuries en abondance. Les façades blanches aux lignes douces renvoyaient les couleurs des jardins comme autant de joyaux. Nous visitâmes le palais de Daphné qui comportait les appartements privés du basileus et de sa famille, la Porphyra où les impératrices mettaient au monde leurs enfants, et tant d'autres encore qui servaient aux audiences les plus solennelles. Chaque bâtiment était sublime de colonnes triomphales, de marbres décorés à la feuille d'or, de portiques et de dômes. Tous étaient reliés par une série de terrasses à la côte où le basileus avait son port particulier. Cet enchevêtrement d'édifices dominait le port de Boucoléon où grouillait une population sale et puante, mais qui ne parvenait pas à ternir la somptuosité de l'ensemble.

Quant à l'intérieur des palais, ce n'était qu'éblouissement, là des tapis si épais que l'on s'enfonçait jusqu'à la cheville, là des lustres en forme de dôme de cristal, là encore des tentures lourdes brodées d'argent et d'or, des rubis, des saphirs, des émeraudes enchâssés dans les moulures des meubles, des cassolettes d'argent dans lesquelles brûlaient des parfums aux accents de vanille et d'orange, et partout, partout comme une marée humaine, des serviteurs, eunuques pour la plupart, qui satisfaisaient à vos moindres demandes, empressés et silencieux.

Le basileus était aussi beau et racé qu'on le prétendait : de grands yeux noirs en amande dans un visage triangulaire aux traits fins, mais des épaules massives et un torse musclé sur des hanches étroites et des jambes bien plantées. Il avait épousé l'année précédente la belle-sœur de l'empereur Conrad, qui avait déjà repris la route, au grand désespoir de Louis. Cette jeune femme, Berthe de Sulzbach, sans grâce et massive, s'assortissait aussi mal avec le basileus qu'une chèvre avec un léopard.

Bref, après ces longs mois de poussière et de souffrance, tant morale que physique, c'était comme si brusquement nous entrions dans un paradis de grâce et de somptuosité. Nos compagnes avaient retrouvé dès leur arrivée le bonheur des bains parfumés aux huiles rares et suaves. Nous étions logés, ainsi qu'Aliénor et Louis, en dehors des murailles, dans une vaste résidence entourée d'un immense jardin qui faisait à la fois office de rendez-vous de chasse et de lieu d'accueil pour les visiteurs de prestige. Plus loin s'étendaient des bois dans lesquels moult animaux sauvages ramenés par le basileus agrémentaient les parties de chasse.

Le banquet offert à Louis par Manuel Comnène dépassa en magnificence tout ce que j'avais connu. Pas moins d'une douzaine d'entrées parmi lesquelles des grenouilles frites, du caviar, dont on faisait ici une incroyable consommation, du chevreau farci et maints autres mets arrosés de sauces onctueuses au coriandre et à la cannelle. Quant aux vins de Grèce, plus légers et parfumés que les vins de France, ils coulaient au palais en un enchantement qui nous laissait gaies et ravies. Il y eut même un de ces fakirs dont nous savions l'existence par quelque récit, mais que nous n'avions jamais vus. L'homme marchait sur un lit de braise incandescente, puis se couchait sur des tasseaux de verre pilé, soulevant de petits cris d'horreur puis d'admiration chez mes compagnes. Pour ma part, habituée que j'étais à la magie et aux substances employées pour de pareils artifices, je conservais plutôt un œil sur le maître de céans qui me semblait autrement plus intéressant.

Tout charmeur qu'il était, Manuel Comnène ne me fascinait pas comme les autres dames. Derrière son œil à la paupière de velours, il y avait un autre personnage, que je sentais vil, fourbe et malsain, qui s'entourait de fioritures pour mieux cacher sa perversion. Dès ce premier soir je sus que je devais me tenir sur mes gardes. Il me faisait penser à cette mosaïque enchâssée sur un des murs de Sainte-Sophie : elle représentait Satan penché au-dessus d'une jouvencelle effrayée qui serrait entre ses bras un nouveau-né.

« On ne pactise pas avec le diable ! » songeai-je en souriant.

C'était pourtant ce que je me devais de faire.

Pour l'heure, il divertissait à merveille Aliénor, qui ne songeait plus à regarder le triste Bernard de Ventadour convié avec ses comparses à cette même table. Manuel Comnène était un homme extrêmement cultivé, qui parlait sept langues, dont la nôtre. Passionné de théologie, de géographie et même d'études astrologiques, il excellait aussi dans le domaine de la médecine et faisait souvent référence avec un talent emphatique aux plus prestigieux philosophes grecs. Il ne lui était dès lors aucunement difficile de séduire Aliénor, qui n'avait eu depuis cinq mois d'autres conversations que celles, assommantes, liées à la question de survie quotidienne et les récriminations de ses dames de compagnie.

Une semaine s'écoula ainsi où nous fûmes pris dans un tourbillon de festivités grandioses. Ce qui nous avait semblé amusant dans les propos fleuris des hauts dignitaires commençait à nous agacer. Cette politesse exquise paraissait cacher quelque chose. Mais Aliénor et Louis ne s'en plaignaient pas. C'est à peine si Aliénor, feignant de succomber au charme du basileus pour détourner les soupçons de son époux, put rencontrer Bernard. Les recoins des jardins luxueux les masquaient aux regards, mais le temps leur manquait pour de plus longues étreintes.

Je me rapprochais insensiblement de Manuel Comnène grâce à Aliénor qui ne pouvait se passer de ma compagnie, et devisais autant qu'il m'était possible avec lui. Sa passion pour l'astrologie, qui rejoignait mes propres connaissances druidiques, était un merveilleux prétexte pour multiplier les tête-à-tête. Au cours d'un de ces apartés, je glissai d'une voix enjouée, en faisant tourner la bague d'améthyste autour de mon doigt :

— J'aurais grand plaisir à échanger propos d'autre nature avec personne aussi amène que vous, Votre Illustrissime, toutefois, cela ne saurait se départir de quelque discrétion.

Le basileus eut un sourire désarmant pour autre que moi, mais qui démontrait bien qu'il comprenait ma pensée. Il n'ajouta rien pourtant, et ce ne fut qu'au soir tombé, après un de ces interminables festins, qu'un eunuque se présenta pour me conduire en audience.

Je ne fus pas reçue dans les appartements royaux. Mon guide, à la stature imposante, me fit faire le tour du palais et pénétrer dans un bâtiment qui semblait s'enfoncer à l'intérieur des murailles de la ville. Depuis une petite fenêtre agrémentée de barreaux, je pus voir que nous surplombions la Corne d'Or et que se devinait un morceau de l'oasis environnante. Soulevant une épaisse tenture, l'eunuque s'effaça pour me laisser passer. La courtine retomba derrière mon dos, et j'entendis son pas s'éloigner. Il n'avait pas dit le moindre mot.

Je me trouvai seule dans une pièce assez petite compte tenu de ce qu'il m'avait été donné de voir depuis mon arrivée à Constantinople. Elle était richement meublée, surtout par un divan aussi large qu'un lit sur lequel trônaient des coussins aux couleurs chatoyantes et aux pompons dorés. Ils recouvraient presque entièrement le dessus de peau de léopard qui laissait mollement pendre une gueule ouverte sur le côté.

— Jamais ce lieu n'a autant qu'en cet instant servi d'écrin.

La voix doucereuse me fit sursauter. Le basileus était entré à son tour, discret comme un chasseur qu'il était, faisant à peine frissonner les lourdes tapisseries au mur. Je lui souris, frappée par son élégance. Il était habillé à l'orientale d'une vaste chemise qui dévoilait un torse viril et foncé, ceinturé par un de ces gilets courts rehaussés de fils d'or en arabesques. Un saroual vert pomme arrondissait des jambes musclées jusqu'aux pieds chaussés de babouches. Il était superbe.

— Il est vrai que je ne m'attendais pas à pareil accueil, murmurai-je tandis qu'il s'avançait vers moi.

— Asseyons-nous, voulez-vous ?

Le ton était enjoué, prometteur. Je dus me faire violence pour ne pas sortir de la pièce. Cet homme, malgré tout son charme, me répugnait. Je hochai la tête, mais au lieu de m'en remettre au moelleux de la banquette qui risquait fort de me perdre, je m'assis sur un tabouret aux pieds croisés en X. Le basileus s'amusa de ce qu'il prit pour quelque coquetterie française. Notre réputation était de jouer les précieuses pour mieux nous faire aimer. Dans un premier temps, cela me servait.

Je fis glisser de mon doigt la bague et la lui tendis en souriant.

— Quelqu'un m'a chargé de vous remettre ceci, qu'il supposait à votre goût.

Son sourire se figea un instant et je compris qu'il venait de saisir le véritable but de ma visite. Sa déception ne dura pas. Il saisit délicatement le bijou, laissant ses doigts s'attarder sur les miens, puis alla s'asseoir en tailleur sur le divan.

— Je vous écoute, murmura-t-il.

— Il semble, Votre Illustrissime, que des rumeurs courent jusqu'en nos murs et que vos alliances avec ces Turcs contre lesquels l'ost royal s'est mis en croisade ne font aucun doute.

— Bruits de corridor, se défendit-il en souriant.

Son regard glissa sans vergogne sur mon décolleté.

— Et s'il me plaisait, à moi, que ces termes soient exacts…

— En ce cas, je ne saurais risquer de vous déplaire, douce colombe. Qu'attendez-vous de moi ?

— Les Turcs ne vous pardonneront pas d'avoir approvisionné leurs ennemis, à moins de conclure avec eux quelque arrangement. J'ai dans l'idée que vous avez déjà dirigé l'empereur Conrad, votre illustre beau-frère, vers des territoires qui manquaient de sécurité…

Un éclair passa dans son regard, qui confirma mon propos. J'avais marqué un point. Le basileus devait se demander d'où je tenais mes informations, mais il se contenta de m'inviter à poursuivre.

— Il me paraît évident que cette croisade vous sert pour des raisons économiques, car vous vendez à prix d'or les marchandises dont nous avons besoin. Cependant, elle nuit à vos marchandages et, pis encore, à vos amis. Or il suffirait de peu pour qu'elle n'atteigne pas sa destination. Que le roi de France succombe briserait bien des élans, ne pensez-vous pas ?

— Quel intérêt y auriez-vous ? Vous, une fervente chrétienne ?

— Je pourrais vous retourner le compliment, Votre Illustrissime.

Il sourit de nouveau, dévoilant des dents d'un blanc de perles.

— Soit. Peu m'importent vos motifs tant votre beauté pareille à ces fleurs rares et délicates embaume le parterre de mes sens. Vous voulez la mort du roi de France, mais ce n'est pas chose aisée, vous en conviendrez.

J'avais déjà songé à cela et entrevu l'endroit propice à l'aide de quelque magie. Il ne se trouvait pas pour l'heure sur notre itinéraire, mais si j'ignorais encore pourquoi, je savais que nos pas nous y mèneraient. Ma réponse fusa aussitôt :

— Il est des défilés dans les gorges de Pisidie où il serait facile de tenter une embuscade. Je me fais fort d'isoler le roi avec l'arrière-garde. À la seule condition que vous m'assuriez la vie sauve pour la reine Aliénor et ceux qui franchiront la passe dans son sillage en avant-garde.

— Et qu'adviendra-t-il ensuite ?

— La reine et le reste de son armée rejoindront Antioche, d'où ils embarqueront pour regagner la France.

— Cela me paraît trop bien pensé pour une aussi charmante personne. Mais, douce et merveilleuse fleur au jardin de mes délices, qui vous permet de croire que les Turcs ont besoin de vos manigances pour défaire l'armée de votre bon roi ?

Il étalait un rictus de plaisir dans la fossette de sa joue droite. Je le cueillis avec une lueur de malice au creux de mes prunelles :

— Je ne doute point qu'ils soient à même de lui infliger quelques pertes sévères, quant à défaire le roi, il faudrait qu'ils puissent franchir sa garde et l'affaiblir par le flanc. L'armée de France est bien organisée. Non, Votre Illustrissime, vous savez que la tête de Louis VII est au prix de ma trahison.

— Que m'offrez-vous en échange de ce pacte ?

Un frisson de dégoût me parcourut.

— L'assurance que vous vendrez un bon prix à vos chers amis l'information que je vous donne.

Il se leva et s'avança vers moi comme un félin. Je me redressai de même et, drapée de toute ma résolution, ne bronchai pas lorsqu'il s'arrêta à quelques centimètres de mon buste. Sûr de son pouvoir, il m'enlaça tendrement et chercha ma bouche, mais je le repoussai fermement.

— Si l'honneur que vous me faites est bien grand, Votre Illustrissime, je n'ai pas pour habitude de mêler les jeux de l'amour aux affaires.

Et je me dirigeai résolument vers la porte pour sortir. Il me retint par le bras.

— Nous n'en avons pas fini, vous et moi.

Le ton était perlé de dureté. Le basileus n'avait pas coutume qu'on lui refuse quoi que ce soit. Je me retournai lentement et, armée de mon plus charmant sourire, lui lançai :

— Je m'en tiendrai à cet engagement qui mettra le roi à merci, je vous laisse soin d'en faire usage. Cela me suffit pour ma part. Il est fort tard, souffrez qu'après cette journée je prenne une nuit de repos.

— Si vous m'assurez de revenir quelque autre soir dès lors que je vous enverrai chercher.

Sa poigne me broyait le coude, et son regard brillait de colère, même si le ton demeurait trompeur. Sottement, je préférai l'honnêteté :

– N'insistez pas, Votre Illustrissime. Autant j'ai un immense plaisir à nos échanges de vues en matière d'astrologie ou de théologie, autant et contrairement à la réputation que l'on fait des dames de France, je n'appartiens qu'à un seul et ce ne peut être vous.

– Les Comnène prennent toujours ce qu'il désirent !

D'un geste violent, il m'attira contre lui. Ma main s'envola dans le même élan, et une gifle retentissante lui égratigna le visage. Surpris par la force que j'avais déployée, il me lâcha. Je reculai jusqu'aux tentures, et lui lançai effrontément avant de disparaître derrière elles :

– Apprenez qu'en France un arrangement ne vaut que lorsque les deux parties y ont intérêt. Que le sommeil vous soit doux, Majesté !

Je retrouvai sans peine mon chemin jusqu'au Philopation éclairé par une lune ronde comme une orange. L'aube ne tarderait point. D'un pas décidé, je me dirigeai vers l'endroit où étaient logés les troubadours. Cette fois, je voulais parler à Jaufré, mes actes étaient trop lourds pour moi seule, et il avait le droit de savoir.

Je n'eus pas besoin d'aller jusqu'à sa chambre. Il attendait, adossé contre un arbre, le visage sombre, sans doute inquiet de ce que je pouvais faire chez le basileus. Me reconnaissant, il sortit de l'ombre qui l'enveloppait. Je me dirigeai vers lui.

– Viens, lui dis-je doucement.

Mon cœur brûlait d'une infinie tendresse. Je lui pris la main et l'entraînai jusqu'au sommet de la falaise formée par les remparts. Le Bosphore à nos pieds ronronnait comme un jeune chat enveloppé de reflets d'argent et de pourpre. On eût dit une parure de pierres précieuses. Je m'assis, les pieds ballants, sur le parapet, il entoura mes épaules de son bras. J'étais lasse.

– Regarde, murmurai-je, le fleuve est dans un écrin de douceur. Le temps est venu où je n'ai plus à me taire, Jaufré. Je t'aime comme jamais je n'aurais cru que l'on puisse aimer. Jamais un autre ne pourra prendre cette place, jamais un autre ne pourra me donner plus de bonheur que ton regard sur mes joues et tes lèvres sur les miennes. Regarde-moi, prince de Blaye, chair de ma vie, et pardonne-moi de n'être pas celle dont tu fais tes chansons. Rien n'est ce que tu imagines, Jaufré. En vérité, je ne suis pas seulement une dame de compagnie de la reine. J'intrigue à la cour de France pour le comte d'Anjou et le royaume d'Angleterre. Ce soir, je viens de trahir mon roi.

Je m'attendais à des questions, à un mouvement de sa part, mais il ne dit mot. J'enchaînai dans un soupir résigné :

— Dans quelques semaines, Louis s'effondrera sous le glaive ennemi dans une embuscade commanditée par le basileus. Moi seule en serai responsable, pour libérer Aliénor du mariage et lui permettre d'épouser Henri Plantagenêt, comte d'Anjou, auquel elle est destinée depuis longtemps, bien avant que son père ne meure, empoisonné sur les chemins de Compostelle par un des soudards d'Étienne de Blois. Mes ennemis sont nombreux, Jaufré, parce que j'ai pouvoir sur Aliénor et influe sur ses décisions, mais aussi parce que je suis née d'une race dont l'origine se perd dans la nuit des temps. J'ai reçu l'enseignement des grandes prêtresses d'Avalon et des druides. Nous sommes peu aujourd'hui à détenir ce savoir millénaire hérité de nos pères, ces survivants de la très ancienne île de l'Atlantide. Mes croyances ne sont pas les tiennes, elles viennent d'une autre lumière que celle de ton Dieu. Elles savent toutes les magies du monde et comment les utiliser pour préserver notre lignée. J'appartiens à mon devoir, celui pour lequel je suis née, et rien ne doit m'empêcher d'accomplir mon destin. Pas même l'amour d'un homme.

— Pourquoi ne m'avoir rien dit ?

— Parce que t'aimer me rend vulnérable. À travers toi il était facile de m'atteindre. Lorsque Béatrice de Campan s'y est essayée, j'ai compris que je n'avais pas le droit d'exposer ta vie, pas plus que je ne pouvais risquer de te perdre. T'éloigner, c'était te protéger et me garantir aussi. J'avais tort, je le sais aujourd'hui. Pardonne-moi le mal que je t'ai fait. Tu ne peux imaginer quelle a été ma souffrance, combien de fois j'ai dû lutter contre mon cœur déchiré par l'envie de te rejoindre. Pas un instant je n'ai cessé d'avoir les yeux sur toi, tandis que je m'interdisais, au nom de ce que je suis, d'avoir seulement besoin de ton sourire et de ta voix. Pas un instant je n'ai cessé de t'aimer, repoussant sans relâche les autres hommes quand mon ventre appelait la caresse, pour ne pas cesser un instant, un seul, d'être tienne.

– Une fée…

– Qui fait du mal quand elle ne voudrait que le bien.

Il esquissa un sourire léger comme une brise. Il tourna vers moi son visage creusé, et je lus dans ses yeux les larmes que je n'avais pas senties couler sur mes joues. Je murmurai doucement, comme une prière :

– Je t'aime.

– Comment as-tu pu douter de moi au point de me cacher cela pendant dix années ? soupira-t-il douloureusement.

– Sans doute avais-je peur, au-delà de tout ce que tu peux imaginer. Peur que tu ne me rejettes, peur de n'être pas digne de toi ou encore de faillir à mon devoir. Peur de moi. Rien n'est jamais simple, Jaufré.

– Denys sait-il pour le roi ? demanda-t-il enfin.

– Oui.

– Il ne t'a pas trahie…

– Il sait que ma cause est juste.

– Et sur quoi se fonde-t-il pour déterminer si la mort d'un homme est juste ou non ?

– Sur l'acharnement de mes ennemis à me perdre, depuis qu'ils ont assassiné le duc Guillaume pour qu'il ne rende pas publiques les fiançailles de sa fille avec le futur roi d'Angleterre. Je dois à sa mémoire de lui rendre justice.

– Qu'en pense Aliénor ?

– Elle ne sait rien.

Il y eut un silence, dans lequel passèrent des cris stridents d'oiseaux de mer. Un son de corne déchira la lumière brûlante qui embrasait de sang l'étendue du ciel et de la baie. Puis il glissa un bras lourd autour de mes épaules et m'attira contre lui. Mon cœur se gonfla d'un bonheur sauvage.

– Faut-il que je sois fou pour accepter pareil héritage, dit-il à mon oreille. Faut-il que je sois fou pour t'aimer ainsi. J'ai toujours su que tu n'étais pas comme les autres, soupira-t-il en cherchant mes lèvres.

Sa bouche avait un goût de larmes, mais peut-être était-ce la mienne. Peu importait au fond. Plus rien désormais ne pouvait nous séparer. Je n'avais plus à mentir, à tricher. Le sourire de Denys vint cueillir ma pensée.

« Merci, pensai-je, merci mon doux ami, sans toi je n'aurais jamais eu le courage. » Très loin au-dessus des nuages il me sembla voir un visage qui nous regardait, celui de Marjolaine, dont les yeux pétillaient de tendresse, puis, aussi doucement qu'il était apparu, il s'effaça dans l'ovale grandissant du jour.

Manuel Comnène se montra courtois et attentionné, comme si rien ne s'était passé lors de notre entrevue. À l'exemple des jours précédents, il y eut des courses dans l'hippodrome, avec des chevaux superbes qui faisaient la gloire de la cité, de génération en génération.

Nous entamions le milieu de la deuxième semaine, sans que je fusse inquiétée le moins du monde par d'autres avances, lorsque nous eûmes la surprise d'accueillir un hôte de marque : Abū al-Walīd ibn Ruchd, plus connu en Andalousie arabe sous le surnom d'Averroès. Louis tiqua lorsqu'il le découvrit à la table du basileus. L'homme était musulman, et c'était là une insulte au fondement même de la croisade. Pis, presque un aveu du basileus concernant ses accointances avec les Turcs. Manuel Comnène ne se départit point de son sourire et expliqua à nos mines glacées le sort que l'on faisait en son pays au philosophe poussé par les docteurs coraniques ; le sultan local avait censuré ses écrits qui commentaient Aristote en le tirant vers le rationalisme et le matérialisme. Cela n'avait pas pour autant arrêté l'imprudent dont les livres avaient franchi les frontières dans le plus grand secret. Averroès s'était vu exiler et menacer de mort par les délateurs. Connaissant la merveilleuse bibliothèque de Constantinople, il avait demandé asile au basileus, promettant de se faire chrétien si on lui en ouvrait les portes. L'homme devait avoir mon âge à deux ou trois ans près et portait sur les êtres et les choses un regard droit, franc et lucide. Il me parut d'emblée sympathique, et, bien que je sache la fourberie du maître de céans, je lui accordai pour cette fois la plus grande crédibilité. Louis et Aliénor firent de même.

Ce soir-là, je reçus un billet du basileus qui ressemblait à un ordre : « Venez… » Pour toute réponse, je gratifiai l'eunuque chargé du message d'un sourire et d'une fin de non-recevoir avant de m'endormir dans les bras tendres de Jaufré.

— L'orangeraie est aux portes sud de la ville. Vous devriez y aller goûter quelques-uns de ces fruits qui portent en leur joviale rondeur un peu de ce soleil qui vous sied, Votre Majesté.

Le basileus s'inclina devant Aliénor en la conduisant devant la croisée d'où l'on apercevait le verger dont il lui parlait avec tant d'enthousiasme. Il était vrai que, depuis notre arrivée, elle n'avait pas eu loisir de s'y rendre, trop occupée par les festivités orchestrées par son hôte. Aliénor s'inquiéta pourtant :

— On rapporte avoir aperçu quelques turbans dans ces parages. Ne craignez-vous point que ce soient des Turcs ?

— Pas un de ces misérables chiens n'oserait s'avancer jusque-là, soyez-en sûre, Votre Majesté, ou sur ma vie je ne vous y convierais.

— Nous servirez-vous de guide ?

— Hélas ! Plusieurs affaires retiennent mon attention au palais, mais quelques-uns de mes serviteurs seront tout entiers à votre écoute.

— Je vais suivre vos conseils, à condition toutefois que vous gardiez mon époux en vos murs. Ces promenades le rendent nerveux et il gâcherait sans conteste un si merveilleux échantillonnage.

— Ainsi sera-t-il fait, Votre Majesté. Il est des fruits que la prudence doit éloigner de certains regards.

Sur ces mots qui en disaient long sur ce qu'il avait pu surprendre de la complicité entre la reine et son troubadour, il souleva la lourde tenture et disparut derrière.

Ainsi que l'avait promis Manuel, le roi fut convié à une partie de polo, réservé aux hommes, et, escortées de Jaufré, de Bernard de Ventadour et de deux ou trois eunuques, Aliénor et moi nous enfonçâmes dans les allées fraîches et parfumées de l'orangeraie. Berthe, l'épouse du basileus, déclina notre invitation à la promenade pour cause de migraine, de même que nos compagnes, occupées à une chasse au trésor. Tout cela s'orchestrait parfaitement, aussi, profitant de l'aubaine, Aliénor et Bernard nous abandonnèrent-ils pour quelque recoin discret.

Le bras arrondi autour de celui de Jaufré, je savourais à sa juste valeur notre intimité dans la douceur du lieu.

— Je n'aurai de cesse de percer toutes les vertus de ces arbustes et de leurs fruits, murmurai-je en détachant une orange grosse comme deux fois mon poing.

– Attends, m'arrêta Jaufré en m'enlevant celle-ci des mains pour croquer dans la peau juteuse et en détacher un lambeau.

– Est-il vrai que certains ici les mangent sans les peler ?

– J'ai vu en effet notre hôtesse planter ses dents et dévorer le fruit tel quel, mais, pour ma part, je trouve l'écorce bien plus délicieuse en entremets, confite, ou en zeste dans le sucre candi.

Il me tendit l'orange dont le jus coulait entre ses doigts fins, et je mordis dans la chair à pleine bouche.

– Il est certain qu'elle a bien plus de parfum que celles de ton pays de Blaye.

Une pointe de nostalgie nous saisit tous deux à cette évocation.

– Te souviens-tu, Jaufré, murmurai-je, de cette première nuit dans les draps qui sentaient bon ces parfums qui nous enivrent aujourd'hui ?

– Comment pourrais-je l'oublier, ma douce ?

– C'était la première fois que je découvrais les vertus des orangers et voilà qu'aujourd'hui ils nous font un dôme.

J'enroulai mes bras tendrement autour de son cou, dans une invitation à l'abandon, pendant que quelque part Aliénor et Bernard consommaient leur étreinte.

– Éloignons d'abord les eunuques, dit-il en m'enlaçant.

Je tournai la tête pour découvrir avec étonnement que nous étions déjà seuls.

– Bah, s'amusa Jaufré, ils auront sans doute compris que nous n'avions plus besoin d'eux.

Sa bouche prit la mienne si voluptueusement que je me sentis fondre de plaisir. De sorte que je ne pris pas garde au bruissement des feuilles autour de nous. Ce n'est qu'en entendant le choc que j'ouvris les yeux. Jaufré s'écroula comme une poupée de chiffon entre mes bras, m'arrachant un cri de frayeur. Cinq guerriers turcs solidement armés nous encerclaient. Avant que j'aie pu réagir, ils se saisirent de moi. En un instant je fus bâillonnée et jetée sur une épaule massive. J'eus beau me débattre, rien ne fit lâcher le géant, tandis que, talonné par ses complices, il allongeait un pas de course vers la porte qui s'ouvrait sur le désert.

Ballottée dans cette posture, je vis avec terreur le corps de Jaufré effondré à même la terre. J'aperçus encore les silhouettes d'Aliénor et Bernard qui accouraient, alertés sans doute par mon cri de terreur, puis mon regard éperdu n'accrocha plus que le sol. On me coucha en travers d'un cheval à la robe plus noire que l'ébène, et je vis s'éloigner, dans un halo de poussière de sable, les remparts blancs de la ville.

3

L'intérieur de la grotte était glacial. On m'avait adossée contre la paroi ruisselante et peu à peu s'infiltrait en moi la froidure de l'eau qui suintait. La nuit endormait lentement la plaine et, de ma posture malheureuse, j'en apercevais un filet serti dans des écharpes de brume. On n'avait pas desserré mes liens ni même ôté ce bâillon qui m'écrasait les lèvres. J'ignorais ce que ces hommes attendaient, mais cela faisait plusieurs heures qu'ils étaient assis en cercle, jouant à un jeu que je ne connaissais pas, sans plus se préoccuper de moi que d'un rocher. Il était évident qu'ils étaient turcs, mais pas un instant je ne doutai que leur initiative soit celle d'un seul homme. Et je devinais sans hésitation qui se cachait derrière cette traîtrise.

Je m'étais tout d'abord sentie désespérée. L'image de Jaufré m'avait poursuivie durant tout le temps qu'avait duré le galop effréné des chevaux, jusqu'aux montagnes. Une heure, peut-être deux, je n'en avais pas vraiment idée. Le sable qui voletait autour de mon visage m'avait obligée très vite à respirer par saccades, le front cognant sans relâche les flancs musclés et humides du cheval. J'avais eu peur, puis une certitude m'était venue. Jaufré était vivant, j'en étais sûre, et devait en cet instant s'effarer auprès d'Aliénor et de Bernard de la soudaineté de l'attaque. Ils en avaient sûrement rendu compte au basileus qui, les ayant assurés de son étonnement, avait mis en branle ses gens pour partir à ma recherche. Paroles de fourbe ! Il ne ferait rien d'autre que brasser du sable pour donner l'illusion. D'ailleurs, tout n'était qu'illusion à Constantinople.

La nuit était froide à présent et recouvrait entièrement le plateau. Un des sbires se leva et prononça quelques mots qui ressemblaient à des ordres. Lors, le groupe s'activa, comme si brusquement, après ces longues heures d'immobilité, il fallait se hâter. On me souleva comme un vulgaire fétu de paille et me jeta sur une épaule massive. L'odeur de cuir âcre qu'elle dégageait m'indiqua que c'était la même que précédemment. C'était le seul repère qui me restait. Ces hommes se ressemblaient tous par leur tenue et par ce tissu qui enveloppait leurs visages pour ne dégager qu'un regard sombre. De nouveau, on me coucha en travers de la croupe du cheval. La folle course reprit. J'étais gelée, courbaturée et meurtrie jusque dans l'âme.

Le temps me sembla aussi long qu'à l'aller, et, lorsque les chevaux ralentirent leur allure, je me mis à l'écoute des bruits environnants. Mon cœur bondit dans ma poitrine : mon instinct ne m'avait pas trahie. Les parfums et le clapotis de l'eau sur la coque des felouques me confortèrent définitivement. Nous étions de retour à Constantinople, au pied de la Corne d'Or, à moins que ce ne fût sur l'autre rive de la presqu'île.

Malgré l'obscurité, je devinai toute proche la masse imposante des remparts, et cela avait quelque chose de rassurant. Enfin on arriva à destination. L'homme me déchargea, au moment où une porte s'ouvrait à même la pierre.

Nous traversâmes un long corridor éclairé par des torchères et ponctué de toutes petites meurtrières destinées à renouveler l'air plus qu'à défendre la forteresse. Puis une myriade de parfums saisit mes narines ensablées. On me déposa dans une pièce richement décorée. Une femme voilée m'attendait, que je ne connaissais pas. Elle donna un ordre d'une voix dure, et aussitôt on défit mes liens. Je m'écroulai sur le sol, engourdie par le froid et l'immobilité. Le simple fait de bouger dardait dans tout mon être des milliers d'aiguilles, mais pour rien au monde je n'aurais lâché une plainte. La femme s'approcha et détacha mon bâillon. Les sbires se retirèrent. La femme me déshabilla avec des gestes délicats, elle me souriait et me parlait doucement avec un fort accent. J'étais épuisée, pourtant je parvins à comprendre quelques bribes. Son babillage était un mélange de grec et de latin avec une pointe de je ne savais quoi qui le rendait difficile à interpréter. Elle me disait de me détendre, de me laisser faire, qu'elle allait bien s'occuper de moi, que son maître lui avait demandé d'être à mes ordres et de me parer. Du moins était-ce ce que je compris.

Elle m'aida à entrer dans une bassine d'argent, puis fit couler sur mes épaules une eau chaude et parfumée, me débarrassant de toute la poussière qui me collait à la peau et aux cheveux, enfin me sécha vigoureusement. Ma nudité lui plaisait sans doute. Noiraude au possible, elle devait peu souvent avoir l'occasion de contempler un poil doré comme le mien. Elle me regardait avec convoitise, et m'invita à m'allonger sur un parterre de peaux. Je n'avais qu'une envie, lui obéir, tant j'étais éreintée. Elle entreprit de me masser les épaules, le dos et les cuisses, et je finis par m'endormir d'un sommeil sans rêve.

– Je ne crois pas un seul instant qu'il s'agisse de Turcs !

Denys frappa rudement du poing sur la table de bronze. Jaufré l'avait fait venir dès qu'on lui eut raccommodé sa blessure, un mauvais coup qui lui avait entaillé l'épiderme du crâne. Aussitôt après l'incident, les eunuques, réapparus comme par enchantement, l'avaient ramené au palais. On l'avait laissé aux mains d'un apothicaire, tandis que la reine fonçait, telle une furie, au palais de Justinien où le basileus recevait ses audiences. Elle avait hurlé si fort à la face de celui-ci que les murs en avaient retransmis la clameur dans tout l'édifice, habilement aidés par les témoins de la scène. Fol inconscient avait-il été de les envoyer en pareil endroit, il devait réparation à la couronne de France de la perte immense de son amie, et Aliénor ne repartit qu'avec l'assurance que tout serait mis en œuvre pour la retrouver au plus tôt. D'ailleurs, Manuel Comnène ne comprenait pas comment on avait pu de la sorte forcer la porte Pêghé et s'introduire dans l'orangeraie. Une enquête serait menée sur-le-champ, et les coupables, qu'ils soient turcs ou non, seraient décapités sans autre forme de procès.

Aliénor avait averti Louis, et, sous le coup de l'émotion, toute la délégation française s'était retirée dans ses appartements pour prier. Jaufré ne songeait pas, quant à lui, à attendre l'aide du basileus. Il ne faisait confiance qu'à un seul : Denys.

– Si ce ne sont les Turcs, qui ? demanda-t-il au connétable dont le front soucieux marquait une ride de colère.

– Comnène. Ce fourbe ne recule devant rien pour posséder ce qu'il désire. Il se sera servi de ces chiens pour l'obtenir et nous rouler.

Jaufré se laissa tomber sur un banc. Il se sentait responsable. Denys posa une main fraternelle sur son épaule.

– Ne te reproche rien, mon ami, lui dit-il, devinant ses pensées, je m'attendais à quelque traîtrise, mais faisais confiance à sa prescience. Il semble qu'elle se soit laissé berner. C'est dire si l'homme est dangereux.

– Si seulement j'avais porté quelque arme à cet instant.

— Tu es son cœur et moi son bras. Si quelqu'un doit se reprocher quelque chose, que ce soit moi, de n'avoir pas été là, quand j'avais fait promesse de veiller sur elle. Mais il ne s'agit plus de se lamenter. Tu vas parcourir Constantinople avec tes amis troubadours. Certains d'entre eux parlent et comprennent la langue locale. Qu'ils prêtent l'oreille. Si Comnène l'a fait enlever, nul doute qu'il cherchera à la rejoindre ; lors, je serai là avec quelques hommes sûrs pour trouver l'endroit où il la détient prisonnière.

— Et s'il lui venait l'envie de la découdre ? demanda Jaufré d'une voix troublée par l'angoisse.

— Pour l'heure, je crains davantage pour sa vertu que pour sa vie, murmura Denys. Et Loanna n'est pas femme à se laisser assassiner sans rien tenter !

Jaufré leva vers Denys un regard curieux. Il découvrait soudain combien j'avais eu raison de me reposer sur lui tant de fois. Il semblait tellement sûr de lui, tellement protecteur, que cela le réconforta.

— N'aie crainte pour ta belle, elle est mieux armée que toi et moi, et quand bien même, je te fais serment que nous la retrouverons, dussé-je y laisser la vie. Allons, nous avons à faire et chaque minute compte. Sonne le rassemblement de ceux que tu sais fidèles, mais que la reine reste en dehors de nos engagements. Elle est trop vive, et risquerait fort de déclencher un incident en déboulant avec des accusations plein la bouche. Il vaut mieux que le basileus ne se doute de rien.

Je m'éveillai avec la sensation d'un regard sur mes reins qu'une légère fraîcheur me rappela nus. Je me retournai brusquement et vis le basileus, assis à mes côtés avec désinvolture. Une sourde colère m'envahit, avivée par le repos réparateur. D'un geste vif, je remontai sur mon corps les fourrures qui m'entouraient et le cueillis d'un œil noir. Il éclata de rire et, saisissant une coupe sur une table, y versa un vin de cannelle.

— Voilà une heure que je regarde frémir cette croupe aussi somptueuse que celle d'un de mes meilleurs pur-sang. Vous êtes encore plus belle avec cette seule robe que parée de tous vos joyaux, damoiselle.

Le ton était moqueur et vexant. Manuel avait toujours eu plus de considération pour ses chevaux que pour les femmes. Il me tendit la coupe en révélant dans un voluptueux mouvement du menton tout l'éclat de ses dents de perle. J'avais soif. J'acceptai son présent.

– Vous ne paraissez pas surprise, délicieuse fleur de mes plus beaux jardins.

– En quoi le serais-je ? Il y a déjà longtemps que je sais votre fourberie. Que comptez-vous faire de moi ?

– Vous aimer, jusqu'à vous perdre. Ensuite, je vous rendrai à vos gens, qui seront alors convaincus de ma bonne foi et s'en iront sur des chemins difficiles, comme ce cher Conrad.

Je le toisai d'un regard de défi :

– Vous ne me posséderez pas davantage aujourd'hui qu'hier. Ou vous mourrez !

– Que nenni, belle dame. Vous avez bien trop besoin de moi pour accomplir vos noirs desseins. Et je vous dompterai quand bon me semblera comme la plus insoumise des juments, soyez-en sûre.

Un frisson me parcourut l'échine tandis qu'il avançait une main pour déplacer une mèche de cheveux qui couvrait mes seins. Je le repoussai résolument, les dents serrées. Il éclata d'un rire mauvais et se leva en dépliant ses longues jambes.

– Ce soir, tu seras mienne et tu crieras comme une jeune chienne !

Sur ces mots, il s'en fut soulever la lourde tenture et disparut derrière. J'ignorais combien de temps je m'étais assoupie, mais la pensée de quelque répit jusqu'à ce qu'il revienne me rassura. J'avais ainsi loisir de préparer à ce maudit quelque tour de ma façon. Un pas léger me fit sursauter. La jeune femme qui s'était occupée de moi était là de nouveau, sans que je l'aie vue entrer. Je n'avais pas quitté des yeux le passage par lequel avait disparu le basileus. Il en existait assurément un autre. Je me promis de vérifier et de chercher le moyen de sortir de ce trou. Elle tenait entre ses mains une splendide robe orientale de couleur orangée, toute de voile brodé de fils d'or et d'argent. Je la laissai me vêtir. Tout était préférable à cette nudité qui m'exposait aux fantasmes de son maître. Cet homme était malsain. Que n'avait-il jeté son dévolu sur Béatrice ! Elle n'aurait fait aucune difficulté à se laisser pervertir. Elle était aussi noire que lui.

Cette petite peste devait jubiler à cette heure d'être enfin débarrassée de moi.

Depuis que nous avions quitté la France, elle avait été obligée de se tenir tranquille mais je savais qu'elle ressassait sa haine et attendait son moment. De plus, elle n'avait eu aucun tête-à-tête avec le roi avant notre arrivée ici, où, la nuit, elle le rejoignait dans les jardins. Par hasard un soir, Jaufré l'avait aperçue s'enfonçant dans un fourré, et Aliénor m'avait assuré que Louis n'était pas venu en sa couche cette nuit-là, prétextant le besoin de prier à Sainte-Sophie. Je ne savais trop si elle était finalement devenue sa maîtresse ou s'il se contentait de l'aimer à sa façon, avec le cœur et les yeux, mais il me paraissait évident que cette garce ne perdrait aucune occasion de le gagner à sa cause. Si elle avait pu se douter un instant, un seul, que par là même elle faisait mon jeu, sans doute s'en serait-elle abstenue.

Pour l'heure, j'avais faim et encore soif. Je demandai à rester seule et, s'inclinant pour me signifier qu'elle était à mes ordres, la jeune femme s'effaça derrière les tentures. Je lui emboîtai le pas et aussitôt se croisèrent en travers de mon chemin les lances de deux solides colosses qui m'interdisaient le passage. Puisque j'étais prisonnière, je n'avais plus qu'à reprendre des forces. Une coupelle emplie de fruits juteux et mûrs à souhait m'attendait, ainsi que bon nombre de pâtisseries huileuses qui ressemblaient à des dentelles. Plusieurs vins aux arômes différents se bonifiaient dans des carafes. Je m'en rassasiai jusqu'à éprouver le sentiment d'être en pleine possession de mes moyens.

Je fis ensuite le tour de la pièce. À certains endroits, de l'eau suintait des murs sur lesquels des tapisseries montraient le basileus dans des scènes galantes, entouré de femmes et de jouvenceaux. Il ne semblait pas y avoir de passage dans la muraille, mais j'avisai plusieurs ouvertures rectangulaires qui amenaient de l'air. Je plaquai mon œil sur l'une d'entre elles. La mer scintillait sous la lumière d'une journée radieuse. Nous étions près du port, j'entendais les clapotis contre les coques et des voix qui se répondaient. Mais quel port ? Celui de Boucoléon, ou celui qui servait aux navires marchands ? Je tentai de trouver d'autres indices, mais la même image se répétait à chaque meurtrière.

Je pouvais bien sûr utiliser ma magie pour sortir, mais je la savais de courte durée. Me rendre invisible aux regards aurait suffi pour franchir les lances, mais ensuite, si je m'étais heurtée à quelque muraille ou porte secrète, il n'était pas sûr que j'aie la force de conjuguer différents sortilèges. Je craignais d'être prise au piège. Le basileus avait raconté quelques jours auparavant le sort réservé à une sorcière qui se servait de charmes pour envoûter ses amants. On lui avait arraché la langue, puis on l'avait brûlée vive sur l'hippodrome, face à une foule venue nombreuse la maudire. Si quelqu'un ici découvrait ce que j'étais, nul doute que le basileus me ferait le même sort. Je résolus donc de n'utiliser la magie qu'en dernier recours. Il devait y avoir un moyen d'obliger Comnène à me relâcher.

J'avisai une petite dague recourbée qui servait à éplucher les oranges. Elle n'était pas tranchante, mais cela pouvait s'arranger. Je passai un doigt sur le fil de la lame et murmurai :

« Que l'acier polisse et polisse encore jusqu'à devenir miroir à la coupure plus fine que le plus fin cristal. »

Un instant plus tard, j'avais contre mon sein une arme plus acérée que toutes celles de l'ost royal. Puis, me laissant tomber sur les peaux de bêtes, je me concentrai lentement jusqu'à avoir devant les yeux le visage de Jaufré, un bandeau autour de la tête. J'en fus rassurée. Ainsi, mon instinct ne m'avait pas trahie. Denys m'apparut lui aussi. Ils étaient tous deux à ma recherche. Une confiance infinie m'envahit, lors, je m'enfonçai une nouvelle fois dans un sommeil réparateur. J'allais avoir besoin de toutes mes forces.

Lorsque je m'éveillai, je compris qu'il ne me faudrait point attendre trop longtemps. J'étais seule encore, mais un coup d'œil dans les renfoncements de pierre me montra une eau rouge sang. Le soleil déclinait.

Le basileus ne tarderait pas. Je vérifiai que la dague était contre moi, puis songeai qu'elle serait plus discrète dans les plis des fourrures. Je n'aurais qu'à faire semblant de dormir et patienter. Lorsqu'il se pencherait vers moi, je glisserais l'arme sous sa gorge et l'obligerais à me relâcher. Cela semblait simple, trop, soupirai-je.

« Mère, pourquoi est-il plus facile d'entrevoir le destin des autres que le sien ? »

Bientôt, le murmure de pas feutrés me parvint. Mon cœur s'accéléra. J'étais prête. Je m'allongeai sur le ventre, serrant de toute ma force le manche du poignard. Les lourdes tentures retombèrent.

Manuel s'assit près de moi.

– Tu ne dors pas, je le sais.

Il posa une main impertinente sur mes chevilles et remonta les voiles de la robe pour dénuder mes jambes d'une caresse. Mon cœur battait à me faire mal. Il remonta encore et dévoila mes fesses. Les doigts tracèrent des arabesques sur leur courbe, puis, sans que rien m'y prépare, une claque retentissante les empourpra. Il n'en fallut pas davantage pour enflammer ma colère. D'un bond, je me redressai et lui plaquai l'arme sur le col.

Surpris, il eut un mouvement de recul vite maîtrisé, puis éclata de rire. Je sifflai :

– Ce petit jeu est terminé, sale pourceau. Nous allons sortir d'ici ou je tranche sans hésiter cette gorge infâme !

– Sais-tu, exquise tigresse, que j'ai pris souvent grand plaisir à mater de la main quelques-uns de ces félins. Leurs griffes sont bien plus acérées que les tiennes, s'amusa-t-il.

J'enfonçais d'un geste déterminé la pointe de la lame et fis jaillir une perle de sang.

– N'en sois pas si sûr.

– Ah non ?

Avant que j'aie pu seulement imaginer la parade, je me retrouvai couchée sur le dos, le poignet ganté d'une main d'acier. Le basileus ricanait. Je n'étais pas de taille à lutter, il le savait. Mon autre main restait libre. J'avisai dans un dernier sursaut de rage la coupe vide qui traînait encore sur le lit. Je m'en emparai au moment où ses doigts faisaient tomber des miens la dague inutile et en cinglai le visage ricanant. Le verre se rompit sous l'impact, entaillant la joue droite du basileus de la tempe à la commissure des lèvres. Il poussa un grognement de rage et, tandis que son visage s'inondait d'un flot de sang frais, me balança une gifle qui me coupa le souffle. Puis, maugréant quelques mots incompréhensibles, il m'arracha le verre brisé avant de se redresser de tout son orgueil. Le sang coulait de sa blessure et gouttait sur les voiles de ma robe. Il porta une main à l'estafilade et en testa la profondeur. Nos regards s'affrontèrent un instant. Le sien me fit peur. Il était devenu froid et cruel. Portant à ses lèvres ses doigts sanguinolents, il les lécha avec un sourire de chasseur.

Je n'osais plus bouger, quelque chose en moi implorait la magie pour qu'elle vienne à mon secours, mais je ne trouvais ni les mots ni le sortilège pour échapper à cet homme. Comme si quelque chose en lui me fascinait malgré tout. Peut-être ce sentiment étrange que nous étions à présent unis par le sang. Celui de Louis et le sien se mélangeaient tout à coup. Peut-être était-ce là le prix de ma trahison. Je murmurai, les dents serrées :

– Qu'on en finisse. Vite !

– Et ensuite tu mourras, ajouta-t-il froidement avant de se coucher sur moi.

La douleur m'arracha un cri tandis qu'il fouillait mes cuisses molles, mais je fermai les yeux et songeai à Jaufré. Partir loin, loin, ne pas me laisser souiller par ses grognements de bête, ne pas me laisser prendre l'âme à son jeu. N'être qu'une paillasse sans vie qui ne lui apporterait rien de ce qu'il avait pu imaginer.

Sa besogne achevée, il se leva et saisit sur une table un de ces voiles de soie qui servaient à essuyer les fruits avant de les croquer. Il sécha sa plaie d'un geste furtif. Je ne bougeai pas. J'avais appris à m'extraire des événements lorsqu'il le fallait. Réintégrer mon corps me ferait mal. Je ne voulais pas qu'il s'en aperçoive.

Le silence pesait sur nous comme un ciel plombé. Il sortit comme il était entré, sans plus un mot ni un regard. Je poussai un long soupir de soulagement. Mais je savais aussi que la sentence était tombée avec les plis des tentures. Je devais m'enfuir au plus vite. Je n'étais pas de taille à lutter contre lui.

La jeune femme apparut comme par enchantement, portant un broc rempli d'eau fumante. J'eus soudain la certitude qu'il existait une autre entrée que celle visible ; elle n'était pas dans la pièce pendant qu'il me violait. Consentirait-elle à m'aider ? Elle s'approcha et épongea mes cuisses de leur souillure. Mon ventre me faisait mal. Mais cela n'avait aucune importance. Le temps m'était compté. Je me glissai dans le baquet d'argent et la laissai me frictionner. Puis, plantant mon regard dans le sien, je murmurai comme une prière, dans un grec approximatif :

– Je vais mourir. Aide-moi.

Elle secoua la tête, et je perçus une larme dans ses yeux. M'aider, c'était se condamner aussi, sans doute. Le basileus ne pardonnerait pas. J'insistai pourtant :

– Montre-moi la porte. Ensuite va-t'en.

Elle me désigna du menton l'issue drapée par laquelle on allait et venait, mais je secouai la tête.

– L'autre. Je t'en prie.

Elle baissa les yeux, puis lentement me tourna le dos et souleva une tapisserie. Une de celles qui montraient le basileus en ardente compagnie de plusieurs femmes. Elle disparut derrière.

– Merci, murmurai-je.

Elle ne m'entendait plus. Je sortis du bain et me séchai sommairement. Je m'avançai jusqu'à l'endroit désigné, mais ne trouvai qu'un mur derrière la toile. Je passai mes doigts sur l'aspérité des pierres et fis bouger l'une d'elles, qui découvrit un passage. Un long corridor s'enfonçait dans la muraille. Je revins vers la couche et enfilai la robe que la servante y avait déposée en partant. Il fallait que je sache ce qui m'attendait au bout du tunnel. Je me risquai derrière la tapisserie.

Je marchai longtemps sans croiser âme qui vive, puis j'entendis des rires et des bruits. Une meurtrière dans le mur laissait filtrer de la lumière. Je plantai mon regard dans l'ouverture et soupirai de découragement. Une dizaine de gardes du basileus jouaient aux dés et buvaient à la régalade dans une pièce sur laquelle sans aucun doute s'ouvrait le passage. J'étais prise au piège. Je pouvais essayer de disparaître derrière quelque enchantement, mais j'ignorais ce qu'il y aurait après cette salle. Une porte barrait mon regard. Je me résolus à garder les yeux braqués dessus pour tenter d'en voir davantage. Un long moment s'écoula. J'étais gelée. Enfin la porte s'ouvrit sur une femme vêtue de voiles qui riait aux éclats en se pendant au cou d'un garde du basileus. L'un et l'autre étaient ivres. De la musique me parvint, et, tordant le cou à me briser la nuque, j'aperçus loin derrière eux un coin de comptoir, et quelques gueules. Une taverne ! C'était une taverne. Une de celles du port sans doute. Je ne savais si je devais me réjouir ou non, mais d'être brusquement si proche d'un monde connu me réconforta. Ne me restait plus qu'à trouver le moyen de m'y glisser et de m'y fondre.

– N'y pense pas, murmura la voix derrière mon dos.

Je frémis jusqu'à la pointe des pieds. Je ne l'avais pas entendu venir, mais c'était devenu une habitude ; le basileus était un félin. Je me retournai. Sur son visage que masquait la pénombre se lisait ma signature dans un mince filet. Il ne saignait plus, mais la cicatrice persisterait. Je ne dis rien. D'ailleurs, qu'aurais-je pu dire ? D'un mouvement galant du poignet, il m'invita à refaire le chemin inverse. J'obtempérai. Il fallait gagner du temps. Je revins dans ma prison sans un mot. Une table y avait été dressée et des poulardes rôties côtoyaient caviar et cuisses de grenouilles. Quelques artichauts étaient disposés dans des coupelles garnies de crustacés. Je me rendis compte que j'avais faim et aussi que l'heure n'était pas encore venue de mourir. Manuel Comnène laissa retomber la tapisserie derrière lui. La lumière me fit plisser les yeux. Je m'étais habituée à ce tunnel sombre.

– Assieds-toi, ordonna-t-il

J'obéis et m'installai face à lui, à même le tapis moelleux.

– Tu dois avoir faim, mange, insista-t-il, affable.

Du prédateur de l'instant passé il ne restait rien. Manuel Comnène était redevenu le séducteur. Sans doute, pensai-je, n'a-t-il pas eu satisfaction. Je décidai d'en apprendre davantage. Je plongeai mes doigts sur une fourchette à deux dents et me servis copieusement de caviar. Manuel versa dans un gobelet d'or une rasade de vin d'orange. De voir qu'il avait banni le verre de son service me fit sourire et je saisis le gobelet avec un petit air amusé qui alluma une étincelle dans son regard. Il passa un doigt sur sa joue et prit le parti de sourire à son tour. Il avait compris.

– Qu'allez-vous faire de moi à présent ?

– Te tuer.

Il avait dit cela calmement, sans haine, en déchiquetant une cuisse de poularde.

– La mort ne m'effraie pas.

Il éclata de rire, puis frappa dans ses mains en se tournant vers la porte voûtée. Un des gardes entra, portant un plat d'argent recouvert d'une cloche qu'il déposa devant moi. Le basileus continuait de ronger à petites bouchées son morceau de viande. Je soulevai la cloche et y découvris avec horreur la tête tranchée de la jeune servante. Ses yeux grands ouverts traduisaient encore la soumission à son sort. Un haut-le-cœur me prit, que je contins avec peine. Je reposai la cloche. Mes mains tremblaient. Je me sentais pâle, mais je soutins le regard du bourreau. Manuel semblait indifférent. Presque moqueur. Je repoussai d'une main que je voulus ferme ce plat qui me bouleversait et m'obligeai à prendre une cuisse de poularde et à y planter mes dents, comme si de rien n'était. À ce jeu-là, je refusais qu'il soit vainqueur. Je demandai simplement, d'un air faussement détaché :

– Pourquoi ?

– La désobéissance est toujours punie.

Encore une fois il n'avait pas de haine. Il respectait sa loi, et profitait du fait pour me montrer qui était le maître.

– Elle n'avait pas désobéi, mentis-je, je l'ai surprise à entrer par là.

– C'est sans importance. Cela n'aurait pas dû être.

– Je vous croyais juste, mais je ne vois en vous que traîtrise.

– C'est ainsi que tu me désirais lorsque tu es venue à moi, ne l'oublie pas.

– Quand dois-je subir le même sort que cette malheureuse ?

J'avais besoin de savoir, pour me préparer.

– Lorsque j'en aurai assez de te prendre, répondit-il d'une voix neutre.

Je portai avec dédain la coupe à mes lèvres. Cette idée ne me plaisait pas, mais elle me donnait au moins le temps d'échafauder un plan. Soudain, il se pencha vers moi et saisit mon poignet. Je ne me dégageai pas. Cela n'aurait servi à rien. Il y avait du désir dans ses prunelles, et aussi une prière, qu'il laissa échapper dans un murmure :

– Sois mienne et je dépose à tes pieds cette vie que tu méprises. Je te veux, Loanna de Grimwald, mais non comme une morte. J'aime trop l'amour pour forcer un corps sans âme. Laisse-toi séduire.

– Ce n'est pas avec de tels procédés que vous y parviendrez. De plus je n'appartiens qu'à un seul, je vous l'ai dit.

– Ce troubadour insipide ? Je doute fort qu'il sache te faire jouir !

– Davantage que vous ne le pourrez jamais.

– Alors, il mourra.

Mon cœur se mit à cogner furieusement. Toucher Jaufré, c'était pire encore que de subir toutes les injustices. Mais je ne voulais pas qu'il sache qu'il pouvait m'atteindre à travers lui. Je répliquai en souriant :

– Est-ce là la seule manière que vous connaissiez pour vous faire aimer ? Je vous plains, seigneur Comnène. En France, les hommes ont des arguments bien plus tendres et convaincants. Mais sans doute la chevalerie n'est-elle pas de votre monde.

– Je t'accorde une nuit pour réfléchir. Lorsque je reviendrai, tu seras mienne, totalement

– Si je refuse ?

– Je t'amènerai ton troubadour et l'émasculerai devant toi ; ensuite, je te prendrai une dernière fois tandis qu'il se videra de son sang. Enfin je trancherai ta gorge et placerai ta tête sur ce guéridon, face à lui, pour qu'il contemple toute sa détresse avant de mourir.

– Puisse Dieu vous pardonner.

– Si Lui ne le fait pas, Allah le Grand le fera !

Il se leva et me salua, puis rejetant sur ses épaules l'ample cape de soie verte qui recouvrait son torse nu, il sortit.

Je n'avais plus le choix. Je devais m'enfuir d'ici, mais je ne pouvais le faire seule. Je saisis la coupelle dans laquelle reposaient les œufs noirs d'esturgeon et les répandis sur le sol en un cercle suffisamment grand pour que je m'installe à l'intérieur. Je m'agenouillai en son centre et murmurai doucement des incantations. Il ne restait plus qu'à espérer que Jaufré soit à l'écoute et que personne ne me surprenne.

– Entends-tu ?

Jaufré posa sa main sur le bras de Denys pour lui intimer de se taire.

– Quoi donc ? demanda celui-ci en prêtant l'oreille.

Mais, autour d'eux, seul le bruit de l'eau contre la coque des felouques dérangeait leurs pas.

– Il m'a semblé, comme un murmure, entendre sa voix ; je deviens fou, se lamenta Jaufré.

– Allons, courage.

Jaufré hocha la tête, l'air malheureux. Ils avaient sillonné la ville, questionné, fouillé dans les recoins les plus malfamés en vain. Pourtant, ce soir au dîner, un espoir fou l'avait submergé lorsqu'il avait vu apparaître leur hôte, le visage tuméfié par une méchante blessure. Aux questions de son épouse, il avait répondu que c'était la caresse d'un félin avec lequel il avait voulu jouer, et il dut raconter son aventure à ces dames qui tremblaient en buvant ses paroles. Mais Jaufré était certain que l'homme mentait. Aliénor avait osé reprocher au basileus de passer plus de temps avec ses fauves qu'à chasser l'infâme gibier qui lui avait ravi sa dame de compagnie. Sans se départir de son sourire, Comnène avait assuré que ses meilleurs hommes parcouraient la contrée et qu'avant longtemps elle serait ramenée. Puis, comme s'il s'était agi d'une sentence, il avait ajouté : « Prions Dieu, Majesté, pour qu'elle soit vive encore lorsque cela viendra. » Jaufré avait frémi. Tout de suite après le dîner, il s'était faufilé sur les traces du basileus, qui avait rejoint ses appartements et semblait ne plus devoir en bouger. Denys ensuite avait conforté son impression. Le basileus, qu'il suivait comme son ombre, n'avait pas quitté les Blachernes de la soirée. Ce n'était donc pas un tigre qui l'avait ainsi marqué. Cela ne pouvait vouloir dire qu'une chose : que j'étais tout près de là, cachée habilement. Il suffisait de savoir où.

Pour l'heure, ils se dirigeaient vers le port où Geoffroi de Rancon, Uc de Lusignan et leur interprète les attendaient. Ils avaient appris que des gardes du basileus avaient décapité une jeune femme dans une ruelle, abandonnant contre un mur ce qui restait de son corps et s'en retournant avec leur trophée dans un sac à grain en direction du palais. Un jeune garçon, témoin de la scène, s'était enfui en courant de peur qu'on ne s'en prenne à lui et avait atterri, horrifié, dans les jambes de l'Aquitain avant de raconter, contre quelques pièces d'or, sa sinistre aventure. La pauvre femme, une autochtone, n'avait pas même crié, se contentant de se signer et de tomber à genoux. Lorsque Geoffroi de Rancon arriva sur les lieux, guidé par la main tremblante du jouvenceau, le corps n'était plus là ; seule une flaque de sang attestait ses dires.

C'était bien faible pour envisager une quelconque relation avec leur affaire, mais, faute d'indice, toutes les directions étaient bonnes.

Les deux hommes reprirent leur marche en silence. Jaufré s'était armé par prudence, les ruelles sales du port étaient des coupe-gorge idéaux, d'autant plus que la pression ne cessait de monter entre les Français et les Byzantins. Il ne se passait pas un jour sans que des incidents se produisissent, et l'enlèvement de la veille n'arrangeait rien.

– Encore, dit Jaufré. Écoute !

– Je n'entends rien, je te l'assure. La brise s'est levée. Sans doute est-ce son souffle qui te joue des tours.

Mais Jaufré s'était arrêté et semblait tout entier possédé par ce qu'il percevait. Il saisit le bras de Denys et lui fit face :

— Elle est là tout près. Je l'entends qui me parle. Je t'assure, Denys. Sa voix coule en moi comme une source. Elle est en danger. Attends.

Denys à présent faisait silence. Lui revenaient en mémoire les pouvoirs de cette magie dont il ignorait l'origine.

— Viens, lui dit Jaufré. Allons chercher nos compagnons. Elle est quelque part dans une des tavernes du port. Elle nous enverra un signal.

— Si ce que tu dis est vrai, il faut prévenir Geoffroi de Rancon. Qu'il prête l'œil au moindre détail. Hâtons-nous.

Prenant leurs jambes à leur cou, ils se dirigèrent vers le lieu du rendez-vous.

Je voyais leurs visages défiler dans la nuit, comme portés par le vent.

« Presse-toi, mon amour, mais sois prudent », murmurai-je.

Je faisais corps avec lui, et son esprit me répondait sans que les mots aient besoin de franchir ses lèvres. Je devinais où ils se trouvaient à présent et pouvais les guider. Mais comment repérer la taverne qui me dissimulait parmi les dizaines qui se côtoyaient sur le port ? Une idée me vint, qui m'obligerait cependant à briser le cercle et à perdre tout contact avec Jaufré. Tant pis. L'aube ne tarderait pas, il fallait en finir. Vite. Je laissai Jaufré et Denys atteindre Geoffroi de Rancon, Uc de Lusignan et Bertrand de Monfaucon près de la jetée, et lui soufflai une dernière fois :

« Affirme-leur que vous avez eu des informations par une servante du basileus. Un des gardes royaux sortira d'une taverne. Entrez-y, vous y verrez une porte basse en bois dans un mur de pierre, probablement à droite du comptoir. Plusieurs sbires sont en faction dans la pièce. Vous devrez sans doute entrer en force. Les Byzantins ne vous soutiendront pas. Je vous attendrai là. Soyez prudents, mais hâtez-vous. »

Je quittai lentement ma léthargie et repris contact avec la réalité. Rien n'avait changé dans la pièce. Les gardes derrière les tentures restaient égaux à eux-mêmes, fidèles serviteurs qui ne voyaient ni n'entendaient rien. Ils devaient me supposer endormie. Je sortis du cercle en dénouant mes jambes endolories par la transe et pris soin de rassembler en un petit tas le caviar dont je m'étais servie pour m'isoler. Il ne fallait surtout pas que le basileus puisse se douter de mes origines.

Je fus bientôt devant l'autre issue secrète. Dans la pièce, les hommes n'avaient pas bougé. J'eus simplement l'impression que la garde avait été renforcée, certainement parce que j'avais découvert le passage. J'appelai de toutes mes forces.

Presque aussitôt, je me trouvai face à un sbire qui pointait sur moi une épée fine et légèrement recourbée.

– Que fais-tu là, chienne ! Retourne dans tes appartements !

L'homme était peu commode. Je pris un air enjôleur et lui glissai en confidence :

– C'est que je souhaiterais parler à ton maître. J'ai réfléchi à son offre et suis prête à me soumettre à son désir. Je ne sais comment l'appeler à moi. Il serait satisfait pourtant de me rejoindre. Ne pourrais-tu le faire prévenir ?

– Va ! Retourne d'où tu viens !

La muraille se referma sur ces dires. Je glissai un œil contre l'ouverture. L'homme lança quelques mots, qui furent aussitôt suivis d'un rire gras et collectif dont je préférai ne pas imaginer la haute portée. Puis l'un d'entre eux se leva et sortit. Nul doute qu'il s'en allait rendre compte au basileus de mes résolutions. Il me restait à espérer qu'il passerait par le port et non par quelque autre chemin secret dont cette ville semblait regorger.

– Là !

Bertrand de Monfaucon pointa un doigt en direction d'une porte qui venait de s'ouvrir.

– Laissons-le s'éloigner, ordonna Geoffroi de Rancon.

L'homme ne les avait pas remarqués. Lorsqu'il partit au grand galop sur les chemins pavés du port, les cinq hommes s'avancèrent à visage découvert. Comme de bons camarades, ils entrèrent dans la taverne en riant et plaisantant, essuyant les regards hostiles et quelque peu surpris des marins byzantins qui se trouvaient là. Faisant mine d'avoir déjà trop bu, ils allèrent se vautrer sur quelques divans d'où ils pouvaient embrasser d'un coup d'œil la pièce étroite et longue. Une putain au trémoussement langoureux s'avança pour leur servir du vin de cannelle. Ils la repoussèrent fermement, puis s'employèrent à vider leurs verres. Ils attendirent que les regards curieux se détournent d'eux et, au bout de quelques minutes, profitant de l'effet de surprise, bondirent de concert, l'épée au gant. En deux enjambées ils atteignirent la porte. Uc de Lusignan se campa, l'œil dissuasif, devant les mines étonnées des marins tandis que ses compagnons ouvraient la porte et pénétraient dans la pièce. Les gardes du basileus eurent à peine le temps de dégainer leurs armes que déjà les Français étaient sur eux. Mon cœur bondit à la vue de Jaufré qui faisait tournoyer son épée tout en me cherchant du regard. Je frappai de toutes mes forces contre la pierre, hurlant ma présence dans la meurtrière. Soudain, le passage pivota et je me retrouvai dans la bataille.

Denys était aux prises avec l'homme qui m'avait apostrophée précédemment et semblait commander la petite troupe. Les éclats métalliques des lames qui se frottaient avec violence projetaient des étincelles, quand il m'aperçut enfin. Tout en esquivant un coup habilement porté à son flanc, il hurla à l'attention de Jaufré :

– Emmène-la ! Vite !

Bertrand de Monfaucon nous fit un rempart de sa lame. Il restait quatre hommes sur les sept que j'avais pu compter dans la pièce, mais tous se battaient avec acharnement. Me laisser partir signait leur arrêt de mort par la main de leur maître, aussi déployaient-ils toute leur énergie pour s'assurer la victoire.

– Viens ! cria Jaufré, et ensemble nous pénétrâmes dans la taverne.

Les marins s'étaient levés et certains avaient sorti coutelas et poignards courbes. D'autres avaient brisé des bouteilles et présentaient leurs tessons en guise d'arme. Ils étaient peu nombreux, six à peine, mais avaient l'expérience des mers où constamment ils devaient défendre leurs navires contre les pillages. Ces hommes savaient se battre. Pour l'heure, ils entouraient Uc qui, avec son air sauvage et son épée massive, les empêchait d'avancer.

– Nous n'en sortirons pas, grogna Jaufré.

Leur haine des Francs et cette tension qui montait depuis notre arrivée dans la ville trouvaient dans cet affrontement une raison de vengeance, même s'ils en ignoraient le fondement.

Uc appela à la rescousse et aussitôt Bertrand de Monfaucon s'annonça, qui fonça au milieu du rempart humain en hurlant :

– Que Dieu reconnaisse les siens !

Tandis que tous deux mataient les marins, j'avisai un passage entre les belligérants. Dessinant de toute la force de ma pensée une aura protectrice sur nous, j'entraînai Jaufré vers l'extérieur.

– Fuyons ! me lança celui-ci en déboulant sur le quai.

Je courais derrière lui jusqu'à la rue suivante, quand un frisson me glaça l'échine, figeant mon pas :

– Que se passe-t-il ? interrogea Jaufré en s'arrêtant à son tour.

– Denys, gémis-je, les larmes aux yeux.

J'esquissai un mouvement pour revenir en arrière, mais Jaufré me retint :

– Non, ce serait folie ! D'ailleurs, les voici.

Trois hommes accouraient en effet vers nous, et je devinai une forme sombre sur l'épaule massive de Geoffroi de Rancon. Mes jambes se mirent à trembler.

– Pressons, implora Jaufré, il faut nous cacher !

Mais je ne pouvais bouger. J'étais pétrifiée par cette douleur qui me prenait le flanc.

Bertrand de Monfaucon arriva le premier. Il était pâle. Il murmura :

– C'est Denys.

Mais je savais déjà. Geoffroi de Rancon s'avança à son tour et déposa son fardeau à mes pieds. Je tombai à terre pour amener délicatement sur mes genoux sa belle tête si blanche soudain dans l'écarlate du sang. Un silence de mort succédait à la folle cavalcade. Denys haletait, les yeux fermés. Son crâne avait explosé sous l'arme de son adversaire. Un instant d'inattention à regarder en arrière pour surveiller ma fuite et c'était à présent lui qui fuyait, l'âme détachée de tout.

J'éclatai en sanglots. Avec une rage dont jamais je ne me serais crue capable, je secouai son corps inerte :

– Non, tu ne peux pas m'abandonner ! Tu n'as pas le droit, pas encore ! Je t'en prie ! Mère, hurlai-je dans le vent qui se levait, épargne-le ! Merlin, aide-moi !

Mais rien ne répondit à mes larmes. Les hommes n'osaient plus prononcer un mot, pourtant Jaufré me prit par les épaules et chuchota :

– Tu ne peux rien à présent. Il faut partir. Je t'en prie.

Je serrai dans mes bras avec toute la force de cette vie que l'on m'avait transmise celui qui ne me protégerait plus tandis que son souffle se saccadait. Il ouvrit les yeux, et je perçus sur ses traits l'ébauche d'un sourire. Je me penchai vers son souffle et recueillis comme une plainte ce dernier sursaut :

– Je t'aime...

4

Tout était allé très vite. J'avais refusé qu'on abandonne le corps de Denys à ces fourbes. Geoffroi l'avait chargé sur ses épaules, tandis que l'on m'entraînait dans les ruelles sombres qui remontaient vers la ville. Un instant, on avait dû se cacher, des sabots de chevaux piétinaient les pavés en nombre. Le basileus avait sans doute découvert ma fuite et la tuerie dans l'auberge. Nous étions parvenus au Philopation grâce à l'habileté de Geoffroi de Rancon qui avait étudié de près la cartographie de la ville. Là, on me couvrit d'un mantel sombre et, escortée de mon escouade, je gagnai le campement de l'ost, alors que le jour se levait sur Constantinople.

Au milieu de l'armée royale, j'étais à l'abri de tout danger. Le corps de Denys fut déposé sur un lit de peaux. De peur que le basileus ne cherche à se venger de ma fuite sur Jaufré, je l'implorai de rester à mes côtés. J'étais anéantie. Non par ce que j'avais enduré en captivité, mais par cette mort que je refusais. C'était comme si une partie de moi s'était détachée à jamais. Pour la troisième fois, Denys m'avait protégée. Trois, comme le chiffre des anciens rites : l'eau, l'air et le feu unis sur la pierre du temps. Trois, comme cet enchevêtrement d'amour que nous formions, Jaufré, lui et moi. Trois, comme ces vies que l'on avait reprises pour que j'aie le droit d'exister. Je me faisais horreur !

Je n'eus pas le courage de faire le récit de ma séquestration aux chevaliers, qui le réclamaient comme une preuve, enfin, de la traîtrise du basileus. Je n'avais plus envie de rien, si ce n'était de quitter cette contrée au plus tôt. Je demandai à Geoffroi de Rancon de prévenir Aliénor. Qu'elle vienne. Il fallait éviter tout incident diplomatique. Pour l'heure, nous avions encore besoin de Comnène. Il savait que les Francs ne risqueraient pas de compromettre cette entente.

Je restai au chevet de Denys. Ce que je n'avais pas voulu pour mère me brûlait les entrailles pour lui. J'avais beau me répéter qu'il n'était plus qu'un corps sans âme, je n'arrivais pas à le quitter, comme s'il pouvait me protéger encore par sa seule présence physique. Je ne parvenais pas à penser, comme je le sentais par la magie de mère, qu'il serait toujours là, près de moi. Jaufré me laissa seule. Avec les amis du connétable, il s'en alla prier. L'on fit prévenir les deux frères de Denys. Ils ne manifestèrent pas le moindre chagrin. Je n'en attendais pas moins de leur haine, mais je songeai au vieux vicomte, en France, que la nouvelle poignarderait.

Aliénor vint aux alentours de sexte, m'apportant des vêtements. Elle avait dû prendre sur elle pour ne pas monter à l'assaut des Blachernes et pourfendre l'infâme. Le roi l'avait fait taire. Geoffroi de Rancon avait trouvé les mots. Il fallait abréger le séjour, prétexter que l'on n'avait que trop tardé. Le basileus ne s'y tromperait pas, mais, enrobée de phrases fleuries et de compliments, cette décision paraîtrait naturelle. Pour ce qui était de moi, feindre que nous n'avions aucune nouvelle était la meilleure solution. Il suffisait de prétendre que l'on s'en remettait à la diligence du basileus pour me retrouver. D'ailleurs, il ne restait nul témoin vivant de l'échauffourée de la nuit précédente qui eût pu impliquer les Francs.

La fourberie avait ici son royaume, il fallait user de ses armes.

– Loanna, ma douce…

Je tournai vers Aliénor mon visage défait. Les larmes ne coulaient plus, mais elles avaient laissé leurs grands sillons de sel sur mes joues. C'était à l'intérieur qu'elles s'épanchaient, à l'intérieur que j'avais mal.

Aliénor vint s'agenouiller à mes côtés et posa avec tendresse un baiser sur les mains jointes de Denys, puis, m'entourant de ses bras, elle se mit à pleurer contre mon épaule. Nous nous berçâmes longtemps de ces mouvements instinctifs de roulis. Elle avait mal aussi, je le savais. Elle avait aimé Denys, pour la vie qu'il m'avait épargnée et aussi pour toutes ces nuits où il l'avait aidée à supporter l'indifférence du roi.

Lorsque Louis entra à son tour, quelques longues minutes plus tard, c'est ainsi qu'il nous trouva, unies par la même souffrance. Il ne dit mot, traça un signe de croix dans l'air, puis s'en alla se faire raconter tous les détails de cette nuit tumultueuse par nos compagnons d'infortune. Il demanda ensuite qu'un office soit célébré sous la croix immense que les chariots avaient apportée jusqu'ici, et qu'au pied de cette croix dressée, laissée comme un emblème de notre passage, on enterre le connétable de la reine.

Je ne pus dire un mot avant que le corps de Denys, enveloppé dans des peaux, ne fût recouvert de ce sable doré et chaud.

Alors seulement, je demandai à voir le roi, seule à seul.

– Parlez, damoiselle de Grimwald.

C'était la première fois que j'étais seule avec lui. Louis VII me regardait avec pitié et admiration aussi, je le découvrais sans gloire.

– Sire, peu importe ce que le basileus a fait avant ce jour. J'ai payé de ma chair le désir que je lui inspirais, mais je n'ai pas en moi celui de la vengeance. J'implore Votre Majesté de ne pas compromettre vos relations avec cet homme, pour la bonne poursuite de notre entreprise. Ma modeste personne appartient au Seigneur. Il a choisi de nous éclairer par ce fait sur la traîtrise de notre hôte, que Ses enseignements nous préservent et ne nous égarent point.

– C'est vous, damoiselle, qui me parlez de Dieu en ces termes ?

Louis me fixait curieusement, comme s'il savait depuis toujours qui j'étais. J'affrontai son regard. Quelque chose de différent émanait de lui en cette heure. Mais sans doute était-ce ma douleur qui me faisait sentir la sienne, permanente, impalpable, de n'être pas véritablement à sa place sur le trône de France.

– Peu importe l'opinion que vous avez de moi, Majesté. Je suis votre servante. Toutefois, le mal qui par ma faute a été commis ne doit pas rejaillir sur les nôtres.

– Vous n'êtes pas responsable de l'abomination de cet homme. Je m'en méfie depuis le premier jour. N'ayez crainte. Nous partirons après-demain. J'ai vu le basileus ce matin et lui ai fait part d'une escarmouche qui avait éclaté dans la nuit ici même, au campement des Croisés. J'ai prétendu que les chevaliers n'en pouvaient plus d'attendre et de s'amollir, justifiant ainsi ma présence et celle de la reine pour apaiser les esprits. Pour l'heure, reposez-vous. Le moment venu, ce chien paiera, soyez-en sûre.

– Puisse Dieu vous entendre, Votre Majesté.

Il en fut fait ainsi. Je ne revis pas Manuel Comnène, et deux jours plus tard, soit ce 30 octobre 1147, la longue caravane embarquait sur des barges à fond plat pour gagner Nicée. La veille du départ, Comnène avait annoncé avoir reçu des nouvelles de Conrad ; il venait, à ses dires, de remporter une éclatante victoire sur les Turcs en Anatolie. L'ennemi avait perdu plus de quinze mille hommes. Louis sembla enchanté, mais n'en crut pas un mot.

Alors que nous accostions sur la rive opposée à Constantinople, mes yeux accrochèrent une colonne de fumée noire qui montait comme un if dans le ciel dégagé de cette fin d'octobre. Elle provenait de notre ancien campement. Jaufré à mes côtés croisa mon regard, et c'est à l'intérieur du sien que je pus lire l'horreur. La croix de bois que nous avions plantée solidement brûlait en un bûcher gigantesque. L'odeur fétide qui s'en dégageait avait un odieux parfum de chair humaine brûlée. Pas un instant je ne doutai que ce fût le corps de Denys, déterré de son tombeau de sable comme une injure portée à la foi chrétienne. Un acte de vengeance sordide, de fourberie, de cruauté et de sadisme. Une longue plainte me poignarda le ventre. Un silence de mort s'abattit sur l'ost tandis que, pétrifié, chacun suivait l'envol des volutes de fumée dans notre direction. Manuel Comnène nous indiquait le chemin. Il était pavé de sang.

Nous approchions de Nicée à petits pas, constamment sur nos gardes. C'est à ce moment que notre chemin croisa celui de Conrad et de ce qui restait de ses hommes. Les Allemands avaient été abandonnés par leurs guides byzantins alors qu'ils étaient engagés dans des défilés interminables, en plein désert d'Anatolie. Ils avaient essuyé pendant trois semaines les attaques répétées des Turcs, sans ravitaillement, puisqu'on leur avait assuré qu'il suffisait de huit jours à peine de nourriture pour arriver à bon port. Ils avaient bien réussi à glaner quelques vivres dans des villages isolés, mais trop peu pour satisfaire la faim et la soif. Conrad avait donc rebroussé chemin avec ses troupes exténuées et affamées. Il se préparait à interrompre la croisade. De la prétendue victoire annoncée par Comnène, il n'y avait trace. S'il fallait une preuve encore de sa connivence avec les Turcs, on l'eut avec ce spectacle affligeant.

Louis s'empressa de réunir son conseil. Je suggérai à Aliénor d'y participer et de proposer un itinéraire plus long mais qui nous garantissait des fourberies du basileus. On passerait par Pergame pour ensuite atteindre Éphèse, Laodicée et le port d'Adalia. De la sorte, on éviterait ces gorges désertiques où l'armée de Conrad avait laissé sa bannière. C'était une sage décision, d'autant plus que, vu le nombre de nos bagages, il ne fallait pas songer à disperser les troupes sur une trop grande longueur. On cheminerait désormais le plus près possible les uns des autres, en rangs serrés, ce qui permettrait d'offrir plus de résistance à l'ennemi. Louis s'étonna un instant de la stratégie de son épouse, puis, jugeant qu'elle était empreinte de bon sens, l'approuva, aussitôt suivi par la majorité du conseil. Ainsi fut fait. Au mieux de mes intérêts, car, sans le savoir, Louis signait avec cet accord son arrêt de mort.

Le comte de Maurienne et Geoffroi de Rancon eurent en charge l'avant-garde, dans laquelle nous nous trouvions avec la reine quelques dames, et les troubadours. Et, ainsi que ma vision l'avait annoncé, nous nous avançâmes vers les gorges de Pisidie, près du mont Cadmos. Nous les atteignîmes ce jour de l'Épiphanie 1148. Louis surveillait l'arrière-garde, et ordre fut donné de redoubler de vigilance. On s'apprêtait à passer dans d'étroits défilés où à tout moment les Turcs pouvaient nous attendre. Si Manuel tenait son pacte, avant la lune nouvelle Louis ne serait plus.

Geoffroi de Rancon guida son palefroi près du mien. Depuis la mort de Denys, il était proche de moi. J'ignorais ce qu'avait pu lui dire mon ami avant de mourir, mais c'était comme s'il se sentait en devoir de me protéger, et il ne se passait pas un jour qu'il ne vienne prendre de mes nouvelles. Je savais pouvoir désormais compter sur lui. Je profitai de l'aubaine pour suggérer :

– Nous ne devrions pas nous attarder dans ces gorges. Franchissons-les avec la reine avant que la nuit nous prenne. Les Turcs ne se méfieront pas. Ils ne sont pas prêts à nous voir partir de l'avant à bride abattue. Il faut mettre Aliénor en sûreté.

Il eut un sourire complice, puis murmura afin que seule je puisse l'entendre :

– Pourquoi donc pensiez-vous que j'aie demandé ce commandement, lorsque j'ai su notre itinéraire ?

Je lui lançai un regard surpris. Il ajouta :

– Denys n'aurait pas voulu que vous ne teniez point vos engagements, et une reine suffit à l'Aquitaine.

Sur ce, il talonna sa monture et lança le mot d'ordre. Moins d'une heure plus tard, notre groupe s'élançait au grand galop dans les gorges au risque de briser les jambes des chevaux, amputant d'une grosse partie de ses hommes l'armée royale. Avisant cela, alors qu'il n'était prévu de franchir le défilé que le lendemain, Louis s'empourpra. D'autant plus que, déboussolé par notre initiative et ralenti par les bagages, le gros de la troupe pensa qu'il fallait suivre et s'avança à son tour.

En moins de temps qu'il ne faut pour le dire, il fut cerné d'une horde de Turcs et pris sous une pluie de flèches sans pouvoir seulement adopter une position de repli. Les dames hurlèrent de terreur, et je pris un plaisir malsain à regarder en arrière tandis que nous sortions du défilé sains et saufs. Dans ce groupe assailli se trouvait Béatrice qui, souffrante depuis deux jours, voyageait dans l'un des chariots. Louis ne manquerait pas de venir à son secours et là…

J'avais payé assez cher le prix de sa mort et de ma trahison. Ainsi je serais libre.

– Il faut retourner en arrière ! Il est arrivé quelque chose, je le sens !

Aliénor s'insurgeait à l'encontre de son commandement. L'aube pointait dans un ciel clair. Des vautours tournoyaient au-dessus des gorges que nous avions quittées, jetant des cris stridents dans un ciel de flammes. Nous étions seuls, isolés du reste de l'armée. Geoffroi de Rancon donna l'ordre de faire demi-tour. J'avais hâte de constater de mes yeux la mort du roi.

Le spectacle nous souleva le cœur. Les chariots gisaient, roues brisées, toiles déchirées, renversés pour certains au milieu du charnier à ciel ouvert. Les hommes valides assistaient leurs compagnons blessés ou tentaient de protéger les mourants et les défunts du vol en piqué des charognards. Ceux-ci se précipitaient alors sans vergogne sur ces Turcs couchés que nul ne songeait à leur interdire. C'est à cet instant que je le vis se détacher du groupe. Mon sang se figea. Louis était blême, blessé, mais vivant !

Aliénor sauta de cheval et se précipita vers lui. Pourtant, il la repoussa du plat de l'épée. Autour de lui des hommes se rassemblèrent, l'arme au poing. Aliénor recula.

– Que signifie, Louis ?

– Veniez-vous vous assurer de mon trépas, ma dame ? Constatez qu'il n'en est rien.

Louis ! bredouilla la reine, désemparée et effrayée.

Geoffroi de Rancon s'avança et fut aussitôt assailli par quatre seigneurs haineux qui le bloquèrent au bras, lui piquant leurs lames sous la gorge et criant au traître. Aliénor cria, les larmes aux yeux :

— Assez ! Assez, pour l'amour de Dieu ! Que s'est-il passé, Louis, pour que vous nous teniez en disgrâce ? Nous vous attendions sans savoir et étions morts d'inquiétude. Je vous retrouve sain et sauf par Dieu tout-puissant et vous voilà prêt à occire vos frères ! La folie se serait-elle emparée de votre âme ? Je n'en puis rien croire !

— Vous nous rendrez compte devant Dieu ! hurla Benoît de Montbassion, tandis que Robert de Dreux s'avançait à son tour, le visage empreint d'une expression cruelle.

— Voyez ceux que vous avez condamnés.

Il désigna d'un doigt accusateur les corps que l'on transportait vers les chariots pour les extraire de ce lieu. Aliénor porta une main à sa bouche. Elle venait de reconnaître dans les bras d'un soldat de Dieu Clothilde de Mareuil, la plus jeune de ses dames de compagnie. Elle se mit à trembler, puis, sous le coup de l'émotion, s'effondra d'un bloc.

— Portez les sels ! ordonna Louis, tandis qu'on asseyait la reine contre une roue de charrette.

J'étais accourue à son chevet, désemparée. Louis vivant ! Comment se pouvait-il ? Avais-je donc payé pour rien ? C'est alors qu'une petite voix que je connaissais bien appela :

— À l'aide ! Un homme est pris au flanc, il faut le tirer de là !

Et Béatrice parut, la coiffe en bataille, le pourpoint maculé de sang. C'est à peine si elle nous jeta un regard. Des soldats accoururent et s'efforcèrent de dégager l'homme écrasé par une roue de chariot.

Louis ordonna qu'on relâche Geoffroi de Rancon et apaisa les quelques seigneurs, dont son frère, qui exigeaient qu'on le décapite sur-le-champ pour haute trahison. Il estimait qu'il fallait sortir de ce coupe-gorge où les Turcs réorganisés pourraient de nouveau tenter de les anéantir.

— L'heure des comptes sonnera ! affirma-t-il en reprenant sa place.

Aliénor revenait lentement à elle. Elle pleurait toujours. Louis me lança un regard dont je ne pus déterminer s'il était un reproche ou un repentir. Il avait changé, mais je n'aurais su dire ce qui dans son attitude me permettait de l'affirmer. Je ne l'appris que plus tard, lorsque, trois heures après avoir chargé nos morts et rassemblé les chariots récupérables, nous gagnâmes les hauteurs de notre campement de la nuit. Louis ordonnait à présent d'une voix ferme, et pas un n'aurait eu le front de lui tenir tête. Les blessés furent soignés et apaisés par les dames qui avaient retrouvé leur courage, et l'on put boire chaud autour d'un feu afin de réconforter les âmes.

C'était Panperd'hu que Béatrice avait fait dégager à notre arrivée. Il avait une jambe abîmée et n'avait dû la vie sauve qu'à la toile du chariot qui lui avait couvert le corps en tombant, lui laissant seulement les yeux pour témoins entre les rayons de bois de la roue. Il nous raconta la scène tandis que nous lui installions quelques coussins derrière les omoplates :

– Le roi a forcé l'allure pour vous rejoindre avec l'arrière-garde. Dame Béatrice, qui était dans le chariot derrière le mien, criait à qui voulait l'entendre que la mort ne l'aurait pas. Elle a dressé son épée et a bondi sur un Turc qui s'approchait d'elle. Malgré la force de l'homme, elle lui a tranché la nuque, tournoyant autour de ses épaules où elle avait accroché ses jambes. Elle hurla encore en sautant à terre, appelant à la rescousse tout ce que les dames avaient acquis de courage. Certaines défendirent leur vie, d'autres se laissèrent massacrer, paralysées par la terreur ; l'une d'entre elles fut même emportée sur un cheval, je n'aurais su dire laquelle, car à ce moment le chariot a basculé et je me suis trouvé pris. J'ai d'abord tenté de me dégager, puis me suis résigné, d'autant que le roi était à présent engagé dans la bataille-là, devant mes yeux ébahis. Le moine soudain n'existait plus. Il maniait l'épée à tour de bras et nul ne pouvait le distinguer des autres, car il avait jeté bas tout ornement. Il ne portait que sa cotte de mailles, son épée et son bouclier, et sans doute les Turcs ne le reconnurent-ils pas. Un instant, ils furent côte à côte avec la dame de Campan et ils semblaient tous deux rayonner d'une lumière surnaturelle. Leurs lames tranchaient tant et tant que l'ennemi recula. Dame Béatrice se sépara de lui pour aller prêter main-forte à quelqu'une. C'est alors que le roi se trouva isolé, face à moi, coupé de ses hommes. Huit Turcs l'entourèrent et le forcèrent à prendre position sur un rocher en surplomb. Si vous l'aviez pu voir, ma reine, jamais vous n'eussiez pensé qu'il s'agissait du même homme. Il saisit des branches d'arbres qui pendaient à sa hauteur et d'un coup de reins les balança pour qu'elles fassent ressort et l'aident à sauter sur ce roc. Adossé à la paroi, il tint tête à ses assaillants, plus nombreux de minute en minute, que l'étrange lumière émanant de lui attirait. Il trancha des têtes, coupa des bras, perfora des torses, esquivant sans seulement s'en rendre compte les coups qu'on lui portait. Et puis, soudain, un rayonnement bleu tomba du ciel sur son épée. Ce fut la débandade dans les rangs ennemis. Abasourdis, ils détalaient comme du gibier que nos hommes, aiguillonnés par la main de Dieu, poursuivaient jusque sur les hauteurs. Pour sûr, Majesté, que, sans cette intervention divine, nous n'étions plus rien. Notre bon roi peut s'enorgueillir de cette faveur.

J'avais besoin d'être seule. J'avais cru Panperd'hu dans notre groupe de tête et ne me pardonnais pas qu'il fût blessé par ma faute. J'abandonnai Jaufré et Aliénor en sa compagnie. Cette dernière semblait désemparée. Elle m'avait confié tout à l'heure qu'elle ne comprenait pas ce qui s'était passé et ce que Louis lui reprochait. Elle avait pleinement confiance en Geoffroi de Rancon et l'oncle même du roi, le comte de Maurienne qui nous avait suivis, était au-dessus des soupçons dont on les accusait. Je prétendis n'avoir pas de réponse.

Je m'éloignai du groupe et trouvai refuge à quelques pas contre un rocher creux qui me masquait au reste de la troupe. Le spectacle était pitoyable. L'armée avait subi de lourdes pertes, bien moindres que celles de Conrad, mais c'était déjà trop. Des larmes me vinrent, que je cachai dans mes genoux. J'étais lasse d'un seul coup, lasse de ne plus savoir. Panperd'hu prétendait que Dieu avait sauvé le roi. Où était alors cette vérité qui était la mienne et celle de ma race ? J'étais venue au monde pour servir l'Angleterre en croyant à la légitimité de ma mission, et aujourd'hui la chrétienté triomphait. Je ne savais plus. Denys était mort pour rien. J'avais été violée pour rien. Je m'étais perdue.

– Nul n'a le droit de prendre une vie. N'était-ce point ce que tu souhaitais pourtant ?

La voix douce et sereine me fit lever la tête. Devant moi, une chaude lumière encerclait une forme indistincte, dont je sus qu'elle ne m'était pas familière.

– Qui êtes-vous ? demandai-je d'une voix timide, m'attendant presque à quelque aïeul en colère.

– C'est sans importance, Loanna de Grimwald. Je suis venu t'apporter la paix. Tu détiens la clé des savoirs anciens, cherche en eux les réponses mais jamais ne te fourvoie dans cette démarche de haine et de mort que les vils admettent. Si tu n'y renonces pas, alors la punition de Dieu sera sur toi.

– Êtes-vous ce Dieu des chrétiens ? demandai-je, interloquée.

– Je suis cette force que tes pères ont créée, par leur savoir et leur amour des hommes. Ma voix n'est que la leur, car au tout début était le verbe.

– Mais l'Église…, bredouillai-je. N'est-elle pas trahison de cet amour ?

– Les hommes sont folie et périront de leurs actes. Toi, tu es différente, par ce que tu sais ainsi que les tiens. Ne trahis pas ce qu'ils t'ont enseigné.

– Je ne sais plus rien de ce que je suis.

– Reviens aux origines et tu retrouveras ta foi.

– Quelle foi ? Celle du Dieu des chrétiens ou celle des druides ? Sans parler de cet Allah vengeur que brandissent les Turcs !

– Celle de ton cœur, celle qui croit en l'homme et ne se sert pas d'un Dieu pour excuser ses faiblesses. L'univers est construit de force et d'énergie. Tu es une partie infime de cet univers. Quel que soit le nom que tu lui donnes, son énergie est au service de l'homme, tant que l'homme ne l'utilise pas pour se détruire et détruire ses frères.

– Et Louis ?

– Louis a fait appel à cette force, et c'est lui-même qui l'a générée pour empêcher la mort de celle qu'il aime. Ne sous-estime pas le pouvoir de l'amour. Ne te perds pas, Loanna de Grimwald, ou c'est la mémoire de cette terre qui sera perdue.

La lumière s'évanouit doucement, et je restai seule face à mes doutes.

– Je te cherchais. J'étais inquiet.

Jaufré fut là soudain. Il s'assit à mes côtés et me prit la main. Sa chaleur me fit du bien.

– Quelle était cette lumière ? Je ne te trouvais pas et soudain j'ai vu cet endroit qui semblait rayonner de soleil. J'ai su que tu étais là. C'est comme si quelqu'un m'avait guidé.

– Je t'aime, répondis-je simplement en me souvenant des dernières paroles de mon visiteur.

– C'est un peu court comme explication, s'amusa Jaufré, mais je m'en contenterai.

– Je me suis égarée, j'ai mis un pied dans la laideur du monde. Mère n'est plus et l'Angleterre est un port que dame Mathilde cherche à atteindre non plus au nom des anciennes traditions et pour le bien de son peuple, mais pour sa seule ambition. Je n'aurais jamais dû accepter que la mort de Louis en soit le prix. J'ai manqué de discernement. J'ai trahi les miens. Et perdu Denys.

– Mais je suis là…

Jaufré me regardait avec amour et tendresse. Je lui souris :

– Tu es là ? mon aimé, mais sais-tu seulement le poids de mon engagement ? Je ne pourrai être libre de mes choix que lorsque mon destin sera accompli, et celui-ci a basculé dans ces gorges. Aliénor est toujours l'épouse du roi de France quand l'Angleterre attend qu'elle lui donne un héritier.

– Crois-tu que ce soit véritablement là la route qu'elle doive suivre ?

– L'enfant se nommera Richard, et ranimera au cœur des hommes la bannière d'espoir qui manque à son peuple, je le sais depuis toujours. Mais sans moi, rien, tu entends, rien ne peut se construire.

– Alors, faisons confiance à la foi qui te porte.

– Quel qu'en puisse être le prix ? demandai-je doucement.

– Tu as déjà payé, me rassura Jaufré en posant un baiser sur mes lèvres.

Mais quelque chose en moi ne parvenait pas à le croire.

Nous restâmes cinq jours sur ce plateau d'où l'on pouvait voir venir toute attaque, mais les Turcs ne se montrèrent pas. On enterra nos morts et soigna les blessés, afin qu'ils puissent reprendre la route. Geoffroi de Rancon prit sur lui seul la responsabilité de l'initiative qui avait failli perdre l'armée chrétienne, expliquant tant bien que mal qu'il y avait eu confusion et qu'il était persuadé que l'ordre avait été de passer avant le lendemain. Le roi refusa qu'on le condamne. Il avait besoin d'hommes d'action, et le condamner c'était monter les Aquitains, en nombre dans les rangs, contre les siens. Cela aurait été une erreur de tactique qu'il ne pouvait se permettre. Toutefois, l'on garda rancune à Aliénor et à ses féaux d'avoir, par leur initiative malheureuse, manqué perdre le roi. Le Nord et le Sud étaient revenus à leurs anciennes querelles. Louis ignora Aliénor, et, pendant ces jours où chacun eut à faire pour réparer les dégâts, ils ne se croisèrent que par obligation ou hasard. Par contre, sur ses traces sans cesse, Béatrice de Campan suivait, silencieuse. Elle semblait transformée. Peut-être cet étrange ancêtre avait-il eu raison de me rappeler de ne point sous-estimer l'amour. Par lui seulement les choses devaient être. Entre Louis et Aliénor, il ne restait que le devoir. Et lui seul ne pouvait suffire désormais. Je me sentis apaisée. Rien n'était encore perdu pour l'Angleterre.

La longue route reprit. Le 7 mars 1148, nous arrivâmes à Adalia où Louis prit la décision de se rendre à Antioche par mer. Jamais avec un convoi aussi lourd nous n'aurions pu traverser par la terre. À contrecœur, il envoya des messagers à Constantinople pour obtenir des vaisseaux. Comnène lui en promit, mais une fois encore ne livra que la moitié de ceux prévus et payés. Il expliqua que les autres allaient suivre et, force étant de se plier au dire de ce fourbe, l'ost se scinda en deux groupes. Le roi, Aliénor et la plupart des chevaliers s'embarquèrent. Les autres, éreintés et affaiblis, choisirent d'attendre. Sibylle de Flandres fut de ceux-là pour demeurer auprès de son époux blessé.

Avec Jaufré, Geoffroi de Rancon, Béatrice de Campan, ainsi que cinq cents autres dont les troubadours si indispensables au cœur d'Aliénor, je fus du premier voyage.

En voyant les mains de nos compagnes escorter notre départ de grands gestes chaleureux depuis le quai, j'eus le sentiment que nous ne les reverrions pas. Mais avions-nous le choix ? Cela faisait déjà cinq mois que nous avions quitté le basileus. Nous ne pouvions tarder davantage.

Je m'installai à côté d'Aliénor et détachai mon regard de la côte. Nous voguions vers la Syrie et je savais qu'elle n'avait en cet instant qu'une seule pensée : son oncle Raymond. Raymond qui l'attendait à Antioche.

5

Antioche était un jardin. Un somptueux jardin de délices. Raymond de Poitiers y avait implanté un peu de la superbe des siens, avec cette chaleur propre aux gens du Midi. Aliénor s'y sentit tout de suite chez elle. Quant à leurs retrouvailles, elles furent à la mesure de son attente. Raymond avait mûri, ses épaules s'étaient élargies et, pour ne l'avoir connu que dans le souvenir d'Aliénor, je décelai sans difficulté en lui l'homme qui l'avait fait se pâmer. Son épouse, cette Constance qui lui avait servi d'échappatoire, était jolie, assurément. Même Aliénor fut obligée de le reconnaître. En outre, elle était fine et intelligente. Il n'avait pas dû être difficile de s'y attacher.

Pourtant, il suffisait de regarder Raymond à la dérobée pour se rendre compte que, sous son apparente légèreté, il vibrait de chacune des œillades qu'Aliénor lui lançait au cours d'une conversation des plus protocolaire. Non, Raymond n'avait pas oublié, ni le goût, ni la verve, ni la passion qu'il sentait sous cette gorge qui avait pris de l'ampleur. Quant à mon amie… Je connaissais trop cette fossette au coin de sa joue et cette étincelle dans sa prunelle.

En cet instant où nous étions attablés et discutions de politique, Aliénor se demandait combien de temps il faudrait à Raymond pour gommer en lui jusqu'au nom même de Constance. C'était comme si toutes ces années étaient effacées d'un coup par le souvenir de ces jeux d'enfant où elle poursuivait Raymond dans les couloirs de l'Ombrière, traquant le moindre de ses souffles pour s'en faire aimer. Le jeu reprenait, peut-être parce que depuis trop longtemps Aliénor avait cessé de vibrer, peut-être parce qu'elle sentait sous le torse épais de son oncle brûler la même passion qu'autrefois.

Bernard de Ventadour était un bon amant, mais trop sage, trop courtois. Elle l'aimait, certes, mais jamais elle n'avait ressenti pour aucun homme que Raymond ce sentiment bestial qui pousse un corps vers un autre. Et je savais qu'elle ne partirait pas d'Antioche avant de l'avoir assouvi encore une fois.

Je n'étais pas la seule à guetter les signes de cette complicité. Béatrice allait de l'un à l'autre, et, fine comme elle l'était, je compris qu'elle aussi savait. Louis l'avait fait installer non loin de lui et se tournait aussi fréquemment vers elle que vers la reine, donnant plus de chaleur dans ses propos à l'une qu'à l'autre. De sorte que, si l'on n'avait su qui était la reine de France tant son panache était étincelant, certains auraient pu se méprendre.

À mesure que la soirée s'avançait, un plan germait dans mon esprit avec cette voix qui ne me quittait pas et qui répétait : « Ne sous-estime pas les pouvoirs de l'amour. » Plus le temps passait sur elle et plus j'en comprenais le sens. Louis n'aimait plus Aliénor et même, depuis cette algarade qui avait failli lui coûter la vie, il la détestait, c'était visible. Ignorer la place que Béatrice avait prise dans son cœur, c'était manquer de discernement, pourtant mon instinct me disait qu'elle n'était encore que sa maîtresse spirituelle.

Je m'entêtais à croire qu'elle ne savait rien de mon rôle véritable auprès d'Aliénor. Elle me détestait, soit, tout comme Étienne de Blois qui savait l'origine druidique de mère et les coutumes de la Grande-Bretagne, mais n'avait aucune preuve véritable que je pratiquais encore leurs rituels. Tous deux voulaient ma perte, l'une parce que j'avais pris sa place auprès de la reine, l'autre pour avoir été envoyée par Mathilde auprès d'Aliénor. Or, s'ils jouaient en apparence le même jeu, il était un facteur qui les dissociait, c'était l'amour que Béatrice portait à Louis. Cet amour vrai qu'elle-même ne pouvait contrôler et qui devait être le seul sentiment sincère que cet être fût capable d'éprouver. Et Louis se refusait. Par respect pour l'engagement nuptial qu'il avait contracté au regard de l'Église, mais aussi parce qu'il exécrait cette faiblesse de sa chair à rechercher le plaisir.

Il me suffisait alors de réunir Aliénor et Raymond et de donner ainsi à Louis les derniers arguments qui lui manquaient pour faire sienne Béatrice. Je me frottai les mains avec satisfaction. Ma rivale allait me servir de pion pour atteindre mon but. Quelle ironie ! Quant à Étienne de Blois, son esprit étroit ne lui permettait même pas d'imaginer que Louis et Aliénor pussent se séparer et que, dans l'ombre, Henri attendait son heure. Quelle belle vengeance au fond que de piéger ses ennemis avec leurs propres faiblesses !

Lorsque je m'endormis cette nuit-là dans les bras de Jaufré, j'avais le cœur léger. Et, pour la première fois depuis sa mort, je ne rêvai pas de Denys hurlant de douleur dans un ciel de flammes, mais de son sourire tendre et moqueur. Il serrait Marjolaine contre son cœur.

Aliénor partit d'un rire frais en repoussant sur sa joue la mèche dorée qui lui balayait le visage. Raymond et elle s'étaient éloignés du groupe qui pique-niquait aux abords de la Grande Bleue. Innocemment, Aliénor avait demandé à s'approcher de l'eau et à mettre à la course ces chevaux qui piaffaient à force de s'engourdir sous le chaud soleil de juin, effrayant le flot incessant de mouches et de guêpes qui leur tournoyaient autour. Seul Raymond avait répondu à son offre. Les dames craignaient une insolation et se cachaient derrière de larges ombrelles. Savourant avec bonheur de n'avoir plus leur séant sur quelque monture, elles s'abandonnaient à une torpeur délicieuse. Les chevaliers faisaient rouler à terre quelques dés, la poitrine dénudée sous le joug du soleil.

Ici, avait affirmé Raymond, sur les terres de sa province, on pouvait se relâcher sans crainte. Pas un seul Turc ne s'était approché depuis des mois. À croire qu'ils avaient disparu. À ces mots, Louis avait laissé échapper un rire agacé. N'était-ce point Raymond qui écrivait aux croisés qu'ils devaient hâter leur départ, tant il redoutait pour sa ville, jusqu'à entendre le frémissement des narines turques sous les remparts ? Louis commençait à croire que ces phrases n'avaient été que fables dans le seul but de les attirer à Antioche, et la raison n'était pas difficile à imaginer. Pour autant qu'il pouvait en juger depuis trois jours, Raymond et Aliénor ne se quittaient pas. Simples retrouvailles, avait-il pensé tout d'abord. Mais il avait surpris malgré lui quelques attouchements, une main qui relevait une mèche, un regard qui s'appuyait sur une bouche, sur une gorge. Cela l'aurait sans doute laissé indifférent s'il n'avait pas entendu quelques murmures dans son dos. Ceux du Nord n'aimaient pas Antioche, ils se sentaient prisonniers de ces gens du Midi qui une fois déjà les avaient trahis devant l'ennemi. Que penser de la reine qui s'affichait ainsi ? N'était-elle pas capable de les perdre une deuxième fois ? Louis était sur ses gardes. Pourtant, il ne broncha pas lorsque, enfourchant leurs chevaux, Aliénor et Raymond s'éloignèrent seuls. D'ailleurs, comme une promesse, la main délicate de Béatrice venait de se poser sur son bras. Il aurait été bien incapable de résister à ces fers-là. Mais un frisson de colère le saisit en entendant le vent lui porter leurs rires.

— L'aimes-tu ?

Aliénor avait posé la question qui lui brûlait les lèvres depuis son arrivée. Ils tenaient à présent leurs chevaux par la bride et marchaient pieds nus sur la plage, laissant l'eau jouer entre leurs orteils.

— C'est une femme merveilleuse, répondit Raymond.

Il savait bien où voulait en venir sa nièce. Il avait toujours su ce qu'elle attendait de lui.

— Ce n'est pas ce que je te demande.

— Cela a-t-il vraiment de l'importance ? Ce n'est pas cela que tu veux savoir.

Aliénor soupira profondément. Comme il la connaissait bien malgré toutes ces années !

— Alors dis-moi, exigea-t-elle doucement, comme une prière.

Raymond figea son pas et la laissa s'éloigner un peu, pour mieux juger de sa silhouette fine encore malgré sa précédente grossesse. Aliénor se retourna. Le soleil lui fit cligner des yeux, et elle dut mettre une main en visière. Raymond secoua la tête en se mordant la lèvre, puis d'un geste déterminé il lâcha la bride de son cheval. En deux enjambées, il fut devant elle et glissa une main souple autour de sa taille. Aliénor rosit de plaisir. Ils s'affrontèrent un instant du regard tandis qu'elle nouait sans pudeur ses bras autour de la nuque puissante, puis Raymond l'attira vers sa bouche avec violence.

— Oui, dit-il simplement lorsqu'il la repoussa.

Aliénor éclata d'un rire léger.

— Oui quoi ?

— Oui, je t'aime encore, ma sauvageonne, et pas une ne t'arrive à la cheville.

— Pas même Constance ?

Il la souleva de terre et la porta dans ses bras comme un fétu de paille, tandis qu'elle s'accrochait à son cou de ses doigts noués.

— Pas même Constance…

— Et encore, ajouta-t-elle tandis qu'il la posait avec délicatesse dans un renfoncement de roche, au creux d'un lit discret de sable fin, tu n'as rien vu.

— Présomptueuse ! gémit-il.

Mais déjà il se perdait dans les lacets du corsage, furetant à pleines mains entre ses cuisses ouvertes que la jupe relevée découvrait avec impertinence au soleil. Aliénor cambra ses reins musclés par ces longues chevauchées et enserra à les broyer les mains épaisses entre ses jambes. Raymond se cabra et de nouveau leurs regards s'affrontèrent, puis il partit d'un rire joyeux et força les muscles à céder sous sa poigne de fer. Alors seulement, elle s'abandonna, jusqu'à n'être plus que cette enfant qui n'était pas encore une reine.

Louis la gratifia d'un regard ironique qu'il appuya d'un cinglant :
— L'air du large vous a fait grand bien, ma reine, vous avez le teint fort vif !
— Et du sable dans les cheveux, s'empressa d'ajouter Béatrice perfidement, en modulant sur le même ton : Sans doute ce vent du large qui se joue des coiffes les plus serrées.
— Vous auriez dû nous accompagner, dame Béatrice. Cela vous aurait fait grand bien aussi, lui lança la reine, feignant d'ignorer qu'elle avait encore le feu aux joues et au corps.
— Dieu m'en préserve, Majesté, s'inclina celle-ci. Pour rien au monde je n'aurais voulu défaire ce chignon qui, comme me l'a si agréablement fait remarquer notre bon roi, maintient ma nuque fraîche.
Louis pâlit. À quoi donc jouait sa dame de cœur ? Il se promit de réprimander Béatrice pour ce ton de défi qu'il n'aimait pas. Comment pouvait-il reprocher quoi que ce soit à la reine, si elle laissait supposer quelque connivence entre eux ? Il ne pipa mot tout le reste de la journée et se tint loin de l'une et de l'autre jusqu'au soir.

Le lendemain, une dramatique nouvelle nous parvint. La centaine de nos compagnons laissés à Adalia avaient disparu. Comnène avait tenu parole, et nos gens s'étaient embarqués pour nous rejoindre. Hélas, une tempête soudaine s'était abattue sur le navire non loin des côtes, et tout portait à croire qu'il avait sombré au large de la Syrie. Raymond d'Antioche fit célébrer une grande messe en la cathédrale Saint-Pierre, à la mémoire des martyrs, et nombre d'entre nous s'en furent se recueillir sur la tombe de l'évêque Adhémar du Puy qui avait guidé les premiers combattants vers la reconquête des Lieux saints. Un voile de tristesse s'abattit sur l'ost royal. Chacun de nous avait perdu un être cher. Je ne pouvais quant à moi m'ôter de l'idée le visage souriant de Sibylle de Flandres. Et l'étonnante sensation qu'elle était encore en vie. Sans doute parce que je m'étais attachée à ses petits cris de terreur que les entraînements de Denys avant le départ avaient transformés en grognements de rage, comme à ses jeux de mots délicats qu'elle ponctuait de carmin sur ses joues diaphanes.

Quoi qu'il en fût, cette révélation nous laissa maussades et amers.

– Qu'y a-t-il, Loanna ?

Je m'étais redressée dans ma couche, réveillant Jaufré à mes côtés. Le bruit avait dû se répéter, pour en arriver à me tirer du sommeil. C'était comme un raclement tout près de ma porte. Je me levai, bien décidée à déterminer ce qui le provoquait. Je passai un vêtement sur ma peau nue et ouvris la porte, qui grinça sur ses gonds. Le corridor était sombre. On avait mouché toutes les torchères sauf une, qui répandait un halo vacillant sans toutefois pénétrer l'obscurité jusqu'à moi. C'est alors que quelque chose m'agrippa les chevilles, m'arrachant un cri de surprise.

La pression n'avait duré que quelques secondes, et, tandis que Jaufré surgissait à mes côtés, je découvris le malheureux étendu au seuil de ma porte.

– Aide-moi, ordonnai-je à mi-voix.

Tous deux, nous traînâmes le corps d'épaisse stature jusqu'en ma chambre. Jaufré se hâta d'allumer les chandelles, me dévoilant les traits du visage qui râlait. Un frisson me glaça l'échine.

Aldebert de Montreuil, un des proches d'Étienne de Blois ! Que diable venait-il faire dans cette aile ? Si près de ma porte ? Il avait reçu une méchante blessure au flanc. L'homme était perdu, il n'était même plus assez conscient pour raconter sa mésaventure. Je reçus le dernier de ses râles contre mon épaule.

– Il est mort, dis-je simplement.

Je ne comprenais pas ce qui avait pu se produire. Il y avait peu de dangers ici, à Antioche. Quant à supposer que cet homme m'ait voulu quelque mal, qui en ce cas aurait eu la fâcheuse idée de le découdre devant ma porte ?

– Il faut prévenir la garde, avisa Jaufré.

Des bruits de pas s'amplifièrent dans le corridor. Quelqu'un venait. Au même instant, une pensée me traversa l'esprit, mais je n'osai y croire. Les pas s'arrêtèrent. Il est trop tard, pensai-je en avisant le sang qui couvrait ma tunique. Des coups violents frappés à la porte nous saisirent tandis qu'une voix tonitruante grondait :

– Par saint Denis, ouvrez au nom du roi !

Nous échangeâmes un rapide regard.

– Va ! lui glissai-je.

Jaufré ne bougea pas tout de suite, alors je murmurai dans un souffle :

– C'est un piège, va !

La voix reprit en même temps que les coups :

– Ouvrez, damoiselle de Grimwald, ou par saint Denis nous enfonçons cette porte !

Jaufré me lança un œil inquiet, mais, se fiant à mon instinct, il ramassa ses vêtements d'une main leste et ouvrit la fenêtre. Une lune pâle éclaira l'intérieur de la chambre. Nous étions logés au deuxième étage, au-dessus des douves. J'entendis un plongeon. Jaufré était bon nageur. À cet instant, la porte s'ouvrit et Robert de Dreux s'avança, l'épée au poing.

Je l'apostrophai calmement :

– Rangez ceci, mon ami. Vous arrivez trop tard !

On m'autorisa à me changer derrière un paravent, pour que la vue du sang ne choque pas les âmes sensibles, et je me rinçai abondamment les mains dans un baquet d'eau. L'aube n'allait pas tarder à faire chanter les coqs. Je poussai un soupir de fatigue.

Je m'étais fait piéger, c'était évident, mais dans quel but ? Et par qui ? Étienne de Blois ? J'en doutais. C'était trop gros, et pas véritablement dans ses pratiques. Il lui aurait suffi de me surprendre pendant mon sommeil avec quelques hommes de main. Un corps balancé ensuite dans les douves, et c'en était fini. Non, cela sentait trop la mise en scène et celle-ci avait une autre raison.

Je me présentai devant le frère du roi, l'air grave mais nullement coupable. S'il faisait partie du complot, il n'écouterait aucune de mes explications. Aussi, je m'abstins de commentaire.

– Allons-y, voulez-vous ?

Je sentis dans le ton de sa requête que je n'avais pas vraiment le choix. On avait enlevé le corps du malheureux, seule une large tache de sang témoignait encore de sa réalité.

Encadrée par les seigneurs de France, je fus conduite dans une pièce sans fenêtre où l'on m'enferma à double tour. Je me doutais de ce qui allait se passer durant ma captivité. On préviendrait Raymond, puisque nous étions en ses murs, puis le roi et la reine, et un tribunal d'exception serait constitué sur l'heure, pour assassinat certainement, et trahison sans doute, les deux allaient de pair.

Il me restait un peu de temps avant l'aube. Assez pour réfléchir et trouver une défense. Si on s'était donné tout ce mal, c'était que l'on avait suffisamment d'arguments pour me faire condamner. Par chance, ils n'avaient pas envisagé que Jaufré puisse être avec moi. Il était vrai qu'il ne venait me rejoindre qu'à la faveur de la nuit et repartait au petit matin. Il n'était pas bienséant chez les chrétiens d'étaler au grand jour ce que l'on savait et tolérait dans l'ombre.

Je m'installai confortablement dans un fauteuil et m'abandonnai à mes réflexions. Curieusement, je n'avais pas peur. Depuis que nous étions partis de France, trop de choses s'étaient produites. De plus, j'avais foi en la justice et en Aliénor.

Le roi et la reine siégeaient côte à côte, dans la grande salle de réunion où la veille encore la discussion avait tourné à l'aigre entre les partisans d'Aliénor et de Raymond, et ceux de Louis. Les premiers souhaitaient la reconquête d'Édesse ; les seconds se rendre à Jérusalem. Un bref de Conrad était arrivé sur ces entrefaites. L'empereur d'Allemagne avait réorganisé ses troupes et de nouveau s'engageait dans la croisade. Malgré cela, Louis n'en démordait pas. Il voulait se recueillir sur le tombeau du Christ. La discussion avait été houleuse, et un froid glacial avait salué chacun des partis en guise de bonsoir. Pour l'heure, on n'y songeait plus. Raymond était assis sur un trône de cuir recouvert de peau de léopard et avait l'air grave. Que l'on assassine impunément sous son toit ne semblait pas l'enchanter. Quant à Aliénor, elle me fixait avec de grands yeux perdus et inquiets. On me fit asseoir sur une chaise en face d'eux, et je reconnus sur le côté les chevaliers qui avaient pénétré dans ma chambre le matin même. Ils portaient sur le visage un rictus de satisfaction qui ne me disait rien qui vaille.

Raymond soupira de lassitude. Visiblement, cette situation l'ennuyait, d'autant plus qu'il me savait proche de la reine. Il ne s'adressa pas à moi comme je m'y attendais, mais à Robert de Dreux :

— Vous nous dérangez pour un fait gravissime, messire. Parlez. Il me semble que damoiselle de Grimwald a le droit de connaître les motifs de votre accusation.

Robert de Dreux s'avança, une rage sourde barrant les rides de son front. Il lança aigrement :

— Ce serait supposer qu'elle-même n'en sait rien.

— C'est le cas en effet, répondis-je en me redressant. Et, si Votre Majesté le permet, je serais heureuse de lui donner récit de ma mésaventure de cette nuit. Ensuite, j'entendrai ce dont on m'accuse.

Louis hocha la tête. Il ne pouvait empêcher que je livre les faits à ma façon, d'autant plus que, depuis notre entretien à Constantinople après la mort de Denys, j'avais eu l'impression d'être remontée dans son estime, et même que son regard s'était fait plus amical.

Je racontai les événements, n'omettant dans mon récit que la présence de Jaufré à mes côtés. Il n'était pas nécessaire qu'il soit impliqué dans cette affaire. Le frère du roi se récria :

— Elle ment, messire ! Voyez cette épée que nous avons ramassée dans sa chambre et que la reine elle-même a reconnu être la sienne. Elle est couverte de sang.

Je me mordis la lèvre. Ces chacals avaient bien monté leur coup. Et Aliénor aurait eu mauvaise grâce à mentir, mes initiales étaient gravées sur le pommeau, cette épée était un présent de Denys.

— Alors, damoiselle de Grimwald ? me lança le roi en plissant des sourcils.

— Pourquoi aurais-je tué cet homme ? Je le connaissais à peine et n'avais pas eu loisir d'échanger quelque discussion avec lui.

— Parce qu'il avait fait projet de vous dénoncer au roi.

Étienne de Blois s'avançait à présent. Je tournai vers lui un regard plein de curiosité. Qu'allait-il inventer, celui-ci ? Il s'inclina devant le roi et me désigna du doigt.

— Notre compagnon est venu nous voir il y a quelques jours. Il disait attendre quelque messager de Constantinople qui lui confirmerait ses soupçons. Il nous a affirmé que damoiselle de Grimwald n'avait pas été enlevée par le basileus Comnène ainsi qu'elle le prétendait, mais écartée par celui-ci afin de mieux trahir la couronne. J'en tiens pour preuve cette embuscade où nous autres tombâmes tandis qu'elle et la reine, ainsi que ces Aquitains de malheur, se sortaient vifs et sereins. Ce matin, notre défunt compère nous a assuré posséder les preuves qui lui faisaient défaut jusque-là et nous a remis cette bague. Vous ne pouvez nier, damoiselle de Grimwald, qu'elle vous appartient.

Il me la brandit sous le nez et je reconnus l'anneau au superbe cabochon d'améthyste que j'avais offert au basileus. J'allais devoir jouer serré !

– Je la reconnais en effet, affirmai-je en haussant les épaules, mais de quel droit vous avisez-vous d'en faire une preuve de culpabilité à mon encontre, messire de Blois ? Cette bague était restée à Constantinople, il est vrai, ainsi qu'un autre bijou que le basileus lui-même m'arracha au cours d'un affrontement où il me ravit certain bien plus précieux que tout l'or du monde. Votre Majesté, vous en avez personnellement reçu la confidence en son temps, lors, permettez que je ne m'y attarde point. De plus, vous n'avez pas oublié, je pense, la mort de Denys de Châtellerault que j'avais en estime et qui tomba pour me délivrer de l'enfer, de même que cet entretien sur son mouroir où je suppliai Votre Majesté d'éviter les représailles pour ne point risquer de compromettre les enjeux sacrés de notre combat spirituel. Quel être cruel et fourbe aurait ainsi sacrifié celui qui par deux fois déjà lui avait sauvé la vie ? Quant à prétendre, messire de Blois, que j'aurais pu livrer aux Turcs quelque renseignement concernant cette échauffourée où nos frères tombèrent, il eût fallu que je possède une connaissance infaillible des lieux où cela se produisit, en quoi je serais fin stratège et digne de commander vos troupes, ajoutai-je avec un sourire ironique. Mais aussi que Sa Majesté ait conservé l'itinéraire choisi quand nous étions à Constantinople. Or cette décision ainsi que le nouveau tracé de notre route, c'est vous-mêmes, messires de Blois et de Dreux, ainsi que d'autres avec Sa Majesté qui en décidâtes la nécessité après notre rencontre avec ce qui restait de l'armée de Conrad. Et, pour autant que je sache, aucune femme de la suite de la reine n'a été conviée à donner son avis ; pour finir, j'ignore quelle est la source de ce complot, mais je jure par devant Dieu que j'en suis innocente.

Pendant un court instant, il y eut un silence qui me laissa à penser que j'avais fait mouche. Le roi se grattait la barbe et Aliénor avait retrouvé quelques couleurs. Mais c'était compter sans Étienne de Blois, qu'avait rejoint le grand maître de l'ordre du Temple, Bertrand de Blanquefort. Ce dernier était donc aussi de mes accusateurs !

— Tout cela est en effet superbement mené, damoiselle de Grimwald, c'est la raison pour laquelle nous pensons que vous avez été aidée par quelqu'un de proche qui pouvait en tout état de cause influer sur les décisions du roi.

Je m'exclamai dans un rire agacé :

— Mais par Notre-Seigneur tout-puissant, qui, messire ?

— Sa Majesté la reine.

Un froid glacial couvrit la salle, me laissant bouche bée. Ce fut comme si tout s'était figé, puis Aliénor se dressa, revenue de sa surprise, et toisa Étienne de Blois d'un regard de haine :

— Comment osez-vous ?

Raymond avait blêmi et le roi lui-même tremblait, je le devinais, face à la détermination de ses féaux. Robert de Dreux et Bertrand de Blanquefort souriaient d'aise derrière Étienne de Blois. En un éclair je compris l'ampleur de cette machination. Ce n'était pas moi qui étais visée, ce n'était pas mon procès que l'on était venu faire, mais celui de la reine et, avec elle, de l'Aquitaine. Cette Aquitaine indisciplinée, vindicative, détestée par ces gens du Nord qui la voyaient de jour en jour devenir plus puissante et plus hautaine, cette Aquitaine qu'il fallait briser. Si Aliénor était accusée de traîtrise et condamnée, elle serait enfermée dans un couvent à notre retour en France, moi sans doute exécutée pour l'exemple, et le roi, débarrassé d'une épouse gênante, n'en conserverait pas moins la richesse de sa dot. Il ne resterait plus qu'à mater cette race superbe qui les insupportait de jour en jour davantage et laisser l'ordre du Temple piller ce qu'elle possédait de richesse.

Un haut-le-cœur me saisit. J'étais seule à pouvoir infléchir ce doute qui salissait la reine. Je savais qu'il suffirait de peu pour que le roi se range finalement au dire de ses barons. Lui aussi en avait assez de sa province et de ses emportements. Il était un juge qu'il ne remettrait pas en question : ce Dieu auquel il vouait sa vie.

Je m'allai agenouiller aux pieds du roi.

– Tout cela n'est qu'ignominie, Votre Majesté. J'ignore les véritables raisons pour lesquelles cet homme a été assassiné. Peut-être voulait-il m'avertir de ce complot même et l'a-t-on fait taire. Pour ma part, vous conviendrez qu'il ne s'agit plus seulement de mon innocence, mais de l'honneur de Sa Majesté la reine à l'égard du peuple de France et de la croix que nous portons tous. Aussi, afin de laver les souillures de ces paroles à jamais, j'en appelle sur mon front à l'épreuve de Dieu.

Il y eut un murmure derrière moi. Le visage de Louis s'éclaira d'un large sourire. Moi sur le compte de qui couraient les bruits les plus fols, j'en appelais à la justice divine. Fallait-il que je sois sûre de moi pour oser braver la peur. Il se tourna vers la reine qui s'était laissée tomber dans le fauteuil, pâle comme un linge. Aliénor sentait que c'était elle plus que moi que je voulais protéger, et cela la bouleversait. Raymond d'Antioche ne disait rien, mais son embarras faisait peine à voir. Quant à nos ennemis, je n'aurais su dire s'ils étaient satisfaits ou pas. Pour autant qu'il m'en souvienne, aucune femme encore n'avait été confrontée à ce jugement. Mais n'étais-je pas de la race qui créait les précédents ?

Louis se dressa et me releva d'une main qui était redevenue ferme. Je m'écartai pour recevoir sa sentence. Sa voix porta haut et clair :

– Damoiselle de Grimwald, votre souhait me réconforte et, puisque vous en appelez à Lui, je ne doute pas que vous serez lavée des soupçons qui pèsent sur vos épaules. Moi, Louis, roi de France, déclare que la sise dénommée Loanna, Bénédicte de Grimwald subira sans contrainte et de son plein aveu, en ce jour de grâce du 26 mars 1148, l'épreuve de Dieu à sexte précise, en présence du Seigneur d'Antioche, des dignes représentants de l'ost royal, et de toute personne qui en émettra le désir. Pour l'heure, nous vous laissons aller, mais considérez que vous êtes sous la très sainte garde de notre Créateur.

– Qu'il en soit fait selon Sa loi, approuvai-je sereinement en saluant leurs altesses.

Puis, avec dignité, je toisai mes accusateurs et passai la porte.

Mon premier souci fut de savoir si Jaufré avait pu regagner sans encombre ses appartements. Je me glissai donc jusqu'à l'habitation blanche où étaient logés les troubadours. La rumeur de mon arrestation s'était propagée très vite. Je croisai avec amusement certaines œillades appuyées sur mon passage, auxquelles je répondis courtoisement par un salut de la tête. Il n'est de pire accusation que de se sentir coupable. Or, même si je l'étais, j'avais encore plus d'un tour dans le sac de mes ancêtres. Jaufré se précipita et m'entraîna à l'écart.

– On entend depuis l'aube les pires nouvelles, et te voici ! Que s'est-il passé ?

Je le lui racontai par le détail, mais, au lieu de se rassurer, il frémit :

– Nous sommes perdus !

– Regarde-moi, comte de Blaye, et ose penser que moi, Loanna de Grimwald, aie pu implorer les dieux sans être sûre de leur réponse.

Il poussa un soupir dont je ne savais s'il était de soulagement ou de résignation :

– Ai-je d'autre choix que de mourir de crainte sans cesse ?

Je serrai tendrement sa main dans la mienne, et murmurai, complice :

– Oui, mourir d'amour…

Il sourit et j'en fus rassérénée. Puis j'avisai un filet de sang au-dessus de son oreille, à l'endroit où sa blessure provoquée par le coup de cimeterre à Constantinople avait cicatrisé.

– J'ai été un peu sonné en plongeant, s'excusa-t-il en voyant mon visage inquiet. Fort heureusement, l'eau était froide et j'ai repris tout de suite assez de présence d'esprit pour regagner la rive. Sans doute quelque branche m'aura-t-elle égratigné dans ma chute. Tu serais étonnée de voir tout ce qui croupit dans cette eau…

– Comment es-tu rentré ?

– J'ai attendu l'aube dans les fourrés, puis, lorsque le pont-levis s'est abaissé pour laisser entrer les marchands et que le va-et-vient journalier a repris, je me suis mêlé au mouvement. Si certains se sont étonnés de me voir humide, pas un ne m'en a fait la remarque. Cette ville est une véritable passoire. Je commence à penser que la rumeur est fondée. On attendait davantage la reine que les Turcs par ici.

– Avant longtemps, crois-moi, j'aurai regagné la confiance du roi et mouché nos ennemis. Mais pour l'heure, repose-toi, mon aimé. Tu es pâle, et je ne voudrais pas que par ma faute tu aies attrapé quelque mal.

– Sois sans crainte. J'étais seulement fou d'inquiétude. Cela ira à présent.

Il m'embrassa tendrement, puis je m'éloignai. Il valait mieux qu'on ne nous voie pas trop ensemble jusqu'à l'exécution du jugement. S'ils se sentaient désarmés, nos ennemis risquaient fort de compromettre avec moi tous ceux qui m'approchaient.

J'étais bien trop préoccupée alors par le sort que l'on me réservait pour m'apercevoir de la véritable faiblesse de Jaufré. Depuis l'aube, une migraine lancinante ne le quittait pas. Confiant en mes pouvoirs, il alla s'étendre et dormit d'un sommeil peuplé de cauchemars, dont je n'appris que le lendemain qu'il était sorti migraineux.

Pour l'heure, une seule pensée m'obsédait et un désir inédit me conduisit aux portes de la cathédrale Saint-Pierre devant laquelle avant peu se tiendrait mon tribunal. Pour la première fois depuis que j'étais venue au monde, j'y pénétrai de mon plein gré et seule. Ce n'était pas tant cette image d'un dieu crucifié sur une croix que j'y venais chercher, mais quelque chose que je n'avais rencontré qu'à Brocéliande et derrière ce rocher dans le désert, cette énergie brute, puissante, des forces de la terre et du cosmos tout entier.

L'église était vide, des cierges étaient allumés dans de gros candélabres d'argent posés un peu partout dans les niches creusées à même les parois. Je me laissai guider par les rayonnements de l'énergie qui vibrait autour de moi. Confiante en ce que je ressentais, je tombai à genoux. Ce jourd'hui, j'avais besoin de cette énergie cosmique pour ne pas avoir peur à l'instant fatal, pour retrouver en moi tout ce que j'avais appris, pour éviter de me perdre une fois encore. Je savais qu'en anticipant les événements on parvenait mieux à les contrôler. Le jugement de Dieu reposait essentiellement sur la maîtrise de soi.

– Va-t-il mourir, mère ?

La question m'était venue spontanément. Nous étions sur la grand place de Rouen, et des gens se pressaient pour tenter de voir l'homme, un manant épais et chevelu, qu'on accusait d'avoir détroussé des voyageurs dans une auberge. Personne n'avait retrouvé le fruit de son larcin, mais des témoins l'avaient vu s'enfuir, et bien qu'il niât le fait haut et fort, se prétendant marchand et présentant ses titres de négoce, la présomption était importante et l'homme avait été conduit devant Geoffroi d'Anjou. J'allais sur mes dix ans alors.

Geoffroi le Bel avait réclamé pour cet être le jugement de Dieu : s'il disait la vérité, il serait gracié, s'il mentait, il périrait par les flammes selon la volonté divine. L'épreuve était simple : l'homme devait s'avancer au-devant d'un brasier à l'intérieur duquel était une croix de métal. Lorsqu'elle n'était plus qu'une tache rougeoyante, on la sortait et la suspendait à un piton sur un mât, à hauteur de la bouche du condamné. Alors, l'homme devait jurer son innocence par trois fois sur la Très Sainte Bible et poser sa langue au centre de la croix. S'il portait ensuite trace de brûlure, il était perdu, car c'était preuve de sa trahison. Si au contraire, il n'avait aucune marque, alors on l'innocentait.

Je sentais ma petite main trembler dans celle de mère. Nous étions au premier rang. Mathilde avait prétendu que ce n'était pas la place d'une enfant, mais mère avait insisté. Il était rare que l'on fasse appel à ce tribunal, et cela pouvait m'instruire.

– Regarde, Canillette. Que vois-tu chez cet homme ?

Je le détaillai autant que je le pouvais, il me semblait fier et fanfaron. Je le lui dis.

– Ne vois-tu point ces cheveux collés au front et cette goutte qui glisse le long de sa tempe ?

– Si fait, mère. Il fait très chaud près du brasier.

– Ce n'est pas la chaleur qui en est responsable, mais la peur. Vois comme, malgré son assurance, il racle sa gorge. En cet instant sa bouche est plus sèche qu'un puits tari, et seule l'eau peut éteindre le feu. Il est perdu.

– Alors Dieu l'a condamné, mère ?

– Non, Canillette, il se condamne lui-même par le remords, car il redoute que Dieu ne sache la vérité. Il n'y a rien de divin dans cette épreuve, mais qui, à l'instant suprême, n'a pas eu peur de lui-même ? S'il était innocent, il aurait l'âme libre, ne craindrait pas le regard du Tout-Puissant, et sa salive ferait barrière à la brûlure, car il n'en manquerait point. Cet homme va mourir, peut-être est-il innocent de ce crime, mais il en porte d'autres qui le condamnent à son propre jugement.

L'homme porta la marque et, tandis qu'on l'attachait au mât, il se mit à vomir sur l'assemblée une foule de jurons et d'imprécations, puis un prêtre s'avança, bénit d'un grand signe de croix ce diable qui gesticulait malgré ses liens, et l'on déposa des sarments de vigne à ses pieds. Le feu du brasier se propagea et l'enflamma comme une torche.

– Je suis bien aise de vous trouver ici.

Je tournai la tête et, dans un mouvement de flamme, reconnus le roi qui s'était agenouillé à mes côtés. J'avais du mal encore à chasser de mon esprit la vision de mon souvenir, mais je me forçai à lui sourire.

– Pardon de vous avoir dérangée dans vos prières, mais, lorsque je vous ai vue agenouillée et comme auréolée de lumière, j'ai éprouvé le besoin de vous parler.

C'était inattendu, comme le fait de me trouver en ce lieu qui était plus sa maison que la mienne. Je m'aperçus avec stupeur que mes mains s'étaient jointes et que je devais donner effectivement l'impression d'être en prière.

– Votre Majesté ne trouble rien en mon âme qui puisse avoir à réclamer le pardon. Mais je suis honorée que vous vous en inquiétiez.

– Nous n'avons pas souvent eu de ces moments, vous et moi, et je ne suis pas certain que nous soyons même amis.

– Vous êtes le roi.

– Un roi seul. Victime de son aveuglement et de sa trop grande foi. Qui selon vous a intérêt à me nuire ?

Je le regardai fixement. Il était sincère, préoccupé. Mais pourquoi diable me demandait-il cela à moi et en pareille circonstance ?

– Nul ne veut vous nuire, Majeste Mais vous conviendrez avec moi que Sa Majesté la reine et vous-même n'êtes plus très proches l'un de l'autre.

Il secoua la tête, comme s'il ne comprenait pas.

– Certains dont j'ignore le nom ont intérêt à ce qu'elle reste à Antioche et vous abandonne ses terres. J'avais eu vent d'un complot de cet ordre à Paris avant la croisade et j'ai été sauvagement agressée alors, vous en savez la mésaventure.

– On m'a assuré qu'il s'agissait de malandrins…

– Certes, Majesté, pour ne point vous alarmer car je n'avais aucune preuve, mais une enquête menée par Denys de Châtellerault nous prouva le contraire. J'ignore, messire, qui se cache derrière cela, mais le but est clair, par la suspicion on essaie de diviser le peuple de France, et, lorsque cela sera, d'une part la croisade de Dieu sera achevée dans le sang, d'autre part sur vos terres régneront l'anarchie et la guerre. Vous pouvez empêcher cela.

– Comment ?

– Ce soir, je ne doute pas que Dieu Lui-même vous donnera réponse.

– Je suis las, murmura Louis comme pour lui-même en baissant son front sur ses mains jointes.

Le silence retomba lourdement sur nos corps agenouillés côte à côte. Il me fit pitié tout à coup. Au fond, qu'avais-je à lui reprocher sinon cet amour de Dieu, si grand qu'il lui interdisait tout autre ? Fallait-il que je sois liée à la Grande-Bretagne pour nier la grandeur de cet homme ! Je posai avec douceur une main sur son bras. Il leva vers moi des yeux angoissés, comme si ce simple geste l'avait brûlé.

– Je ne crains pas le châtiment de Dieu, mais je suis inquiète pour Sa Majesté la reine.

– Si le Seigneur tout-puissant vous innocente, nous trouverons les coupables.

– Une fois encore, Majesté, je vous demande de n'en rien faire. Cet homme est mort, paix à son âme. Laissons la justice divine châtier les coupables. Si vous-même mettez à merci vos féaux les plus fidèles, c'en sera fini de l'unité des Francs. Elle est l'enjeu de ce complot. N'en faites pas le jeu, je vous en conjure.

– Tout criminel doit être puni, quel qu'il puisse être, grimaça Louis.

– Alors vous devrez aussi punir la reine, murmurai-je.

Il me lança un regard effrayé.

– Serait-ce...

Je ne lui laissai pas le temps de terminer sa phrase.

– Non, Majesté. Si elle est coupable, c'est de ce sang fier et noble qui est le sien, et d'amour aussi...

Je vis les belles mains blanches trembler tout à coup, comme prisonnières d'une fièvre que ses yeux trahissaient. Il demanda toutefois d'une voix ferme :

– D'amour, dites-vous... Souhaiterait-elle demeurer à Antioche ?

Son visage traduisait l'effort que lui avait coûté cette question. Je secouai la tête.

– Je l'ignore, Votre Majesté, mais des liens profonds unissent Aliénor et Raymond, intolérables, hélas.

– Je vous croyais son amie...

Il me dévisageait sans comprendre. J'eus un pâle sourire. En cet instant, je n'étais plus l'amie que du royaume promis.

– Je le suis, répondis-je amicalement. Mais je suis aussi la vôtre, Majesté, et, quoi qu'on ait pu dire et médire, je sais le prix d'un aveuglement. Aliénor devra oublier Raymond et regagner la confiance de ses vassaux.

– Je n'ai point de preuve de la trahison de la reine.

– Vous en aurez, Majesté, et dès lors je compte sur votre magnanimité pour écarter toute médisance.

– Je suis le roi ! me lança-t-il comme pour montrer qu'il resterait inflexible.

Mais je le cueillis d'un sourire narquois et ajoutai simplement :

– Peut-on condamner l'amour Majesté ? Vous-même en savez la souffrance et la joie.

Il laissa échapper un souffle de résignation. Enfin, comme s'il avait épuisé à l'intérieur de lui tout ce qui restait de volonté, il se signa, puis se leva gauchement en tanguant sur ses jambes trop longtemps pliées. Il me tourna le dos, sans autre mot, et je laissai pesamment retomber mon visage dans mes mains.

– Qu'ai-je fait, mère ? J'ai trahi ma meilleure amie.

Au même instant, une voix s'insinua dans mes oreilles, venue de nulle part et de partout à la fois :

– Mais tu ne t'es point trahie.

Alors une immense paix s'empara de mes bras, de mes jambes et de mon corps tout entier, tandis que carillonnaient à toute volée les cloches de la chapelle.

Le feu brûlait haut sur le parvis de la cathédrale Saint-Pierre, montant droit dans l'obscurité de cette fin de jour. Sur les marches du parvis trônaient les robes blanches des moines et des abbés qui encadraient Raymond, assis sur un siège haut. À sa droite se tenaient l'évêque d'Antioche et ses ministres. À sa gauche, le roi et la reine. Aliénor avait repris des couleurs. Comme je m'approchais fière et droite, laissant la chaleur du brasier me gagner, je pus me rendre compte que son assurance était factice. Elle avait dû pincer et repincer au sang ses joues blêmes pour les rosir.

Un frisson me parcourut et, cédant à une impulsion, je me retournai. Jaufré s'était frayé un passage dans la foule et me dévisageait tendrement. Il y avait tant de confiance dans ses yeux gris que mon cœur s'en trouva gonflé d'amour et de lumière. Mon tendre, très tendre aimé. Lui seul savait désormais. Je brûlais d'un feu plus vivant que celui duquel on extirpait à présent la croix rouge et fumante. Je la regardai sans peur, puis m'avançai vers le roi, qui s'était dressé à l'invitation de Raymond.

Louis me toisa et je m'agenouillai sur la première marche à ses pieds :

– Loanna de Grimwald, on vous accuse de crime sur la personne d'Aldebert de Montreuil. Êtes-vous prête à jurer sur les Très Saintes Écritures de votre innocence et à braver le regard de Dieu, ou plaidez-vous coupable au regard des hommes et vous en remettez-vous à leur justice ?

Sans hésitation, je lançai d'une voix que le vent porta jusqu'au sommet des flammes :

– Que Notre Seigneur tout-puissant me marque de son sceau si j'ai menti.

Je posai la main gauche sur la Bible recouverte de cuir et ornée de brochures d'or que me tendait l'évêque, et poursuivis, droit dans les yeux d'Étienne de Blois qui se tenait un pas derrière le roi avec ses acolytes :

– Que la volonté de Dieu s'accomplisse et clame mon innocence devant tous, et qu'elle emporte dans sa justice ceux-là mêmes qui sont les véritables assassins.

Étienne de Blois blêmit et se détourna aussitôt de mon regard comme s'il l'avait brûlé plus assurément que cette croix qu'un jeune novice me présentait maintenant au bout d'une lance.

J'eus un sourire confiant pour Aliénor, qui se signa, puis je m'approchai du symbole rougeoyant. Ma langue s'y posa sans crainte. Une seconde seulement, le temps de sentir s'assécher la salive au contact du feu. Puis je m'avançai vers mes juges et la leur tendis avec désinvolture.

L'évêque l'examina et s'en retourna chuchoter à l'oreille du roi, qui se leva à son tour pour vérifier ses dires.

Aliénor tremblait. Elle s'efforçait de garder son calme, mais je devinais ses efforts pour ne pas défaillir.

Louis me couvrit de ce sourire qu'il réservait à ses meilleurs jours, et je compris que mon instinct ne m'avait pas trompée. D'une voix forte autant que satisfaite, il annonça le verdict :

– Le Très-Haut a rendu Son jugement. Damoiselle de Grimwald ne porte aucune trace de mutilation. En foi de quoi je déclare, moi, Louis septième du nom, roi de France, que celle-ci est innocente des crimes dont on l'accuse. Dieu tout-puissant, j'en appelle à Ta loi ! Avant que ces cendres soient froides, que le véritable coupable soit châtié de Tes mains ! Qu'il en soit ainsi, pour la gloire de Dieu et le salut du monde !

Il y eut une clameur de joie dans l'assistance, et des bonnets furent lancés haut dans le ciel piqueté d'étoiles. Triomphalement, je me tournai vers la foule et, trouvant le regard de Jaufré dans lequel dansaient les flammes du brasier, je murmurai pour lui seul :

– Je t'aime.

Au moment où je rejoignais les proches de la reine, une silhouette voûtée recouverte d'un mantel nauséabond m'accosta pour s'effondrer aussitôt dans mes bras. Comme je tentais de la redresser, son capuchon tomba en arrière, découvrant sa chevelure emmêlée et ses yeux hagards. Je poussai un cri de surprise et d'effroi :

– Sibylle !

Ce fut seulement le lendemain que la comtesse de Flandres nous raconta. Ceux que nous avions laissés à Adalia dans l'attente d'un navire avaient été trahis. Lorsqu'un soir un émissaire se présenta pour les convoyer jusqu'au port, ils le suivirent sans méfiance. Sur les quais, de nombreux navires étaient accostés. Le temps de s'inquiéter de celui qui devait les prendre, ils étaient cernés de Turcs. Les hommes tirèrent l'épée et tentèrent de protéger leurs compagnes, mais ils furent vite submergés par le nombre. Sibylle comprit la première ce qui les attendait. Nombre de tonnelets s'entassaient sur le port, prêts à être chargés. L'ombre d'un bateau la dissimulant un instant aux regards ennemis, elle en profita pour se faufiler au milieu d'eux. En s'agenouillant pour se cacher, elle avisa à sa droite un fût renversé, vidé de son contenu. Elle s'y glissa en retenant son souffle. Les Turcs ne la cherchèrent pas. Elle entendit les hurlements de ses compagnes, se demanda pourquoi les quais étaient déserts, pourquoi personne ne répondait à leurs appels. Puis il y eut du mouvement sur un navire et elle comprit qu'on les embarquait. Un bruit de ferraille lui fit supposer qu'on levait l'ancre. Ensuite ce fut le silence, balayé par le mouvement de l'étrave fendant l'onde.

Elle resta longtemps sans bouger. Elle allait se décider à sortir, lorsque des voix lui parvinrent. Plusieurs hommes s'interpellaient, l'un d'eux annonça qu'il fallait jeter les corps à la mer, afin que ne subsiste aucune trace. Sibylle retint un cri, tandis que les « plouf » se succédaient. Pas un homme n'avait réchappé. Elle savait que l'un de ces corps était celui de son époux. Elle était transie de peur, de froid et de chagrin. De nouveau ce fut le silence. Long, interminable silence. Lorsque l'aube pointa, elle se risqua hors de son abri. Elle ne savait où aller. Que faire. Alerter ceux d'Adalia ? Et si c'étaient eux qui les avaient vendus ? Les Turcs étaient venus sur le vaisseau affrété par le basileus et repartis de même. Titubant, elle avait renoncé à paraître. Elle fouilla les alentours et trouva un vieux mantel dans lequel des rats avaient niché. Surmontant sa répulsion, elle s'en était couverte pour dissimuler ses atours, puis s'était cachée de son mieux, s'éloignant dès qu'on s'approchait d'elle. Par chance, le tonneau qui l'avait cachée avait contenu du poisson et l'odeur qu'elle dégageait n'attirait guère. Au bout de deux jours, elle ressemblait à une de ces mendiantes qui hantent les rues. Comme elles, elle tendit la main, fouilla dans les ordures pour se nourrir, l'oreille aux aguets. Une seule pensée l'obsédait : atteindre Antioche ! Une semaine s'écoula ainsi, puis, un matin, elle entendit deux marins parler de leur embarquement pour sa Terre promise. La nuit venue, elle se glissa dans les cales du navire qu'on avait chargé et s'oublia.

Elle n'était plus que l'ombre d'elle-même lorsqu'elle parvint aux portes de la ville. Nous rejoindre lui avait coûté son dernier effort. À présent, c'était comme si sa raison se perdait dans cette confession. Comme si de l'avoir baignée, toilettée et nourrie avait d'un seul coup annihilé son instinct de survie. Elle pleurait en poussant des cris qui nous glacèrent d'effroi. Puis elle sombra dans un délire où son corps secoué de spasmes fiévreux nous amena à attendre le pire. Deux jours passèrent ainsi. Lorsque Sibylle recouvra son calme, son regard n'était plus que vide et oubli. Elle nous reconnaissait à peine. L'apothicaire de Raymond insista sur un long repos et beaucoup de patience. Elle avait été choquée au-delà du possible. Il faudrait du temps.

Durant ces deux jours, je m'occupai davantage d'elle que de Jaufré ou de moi. Ce fut le roi qui me l'annonça : Étienne de Blois s'était écroulé sur son assiette la veille. Une méchante fièvre le clouait au lit, mettant ses jours en danger. Louis avait ponctué sa nouvelle de ces mots terribles :

– Qui sème le vent récolte la tempête !

Curieusement je les pris à mon compte. Qu'avais-je semé à Constantinople pour avoir signé l'arrêt de mort de tous ces malheureux ? Le basileus avait-il cru m'enlever avec nos compagnes ? Avait-il agi par pure vengeance, puisque ni le roi ni moi n'étions morts ? Ou avait-il simplement vendu un bon prix ces peaux blanches et ces minois rieurs dont se repaissaient désormais les Turcs dans leurs harems ? On nous avait servi une méchante fable en prétendant la nef du basileus disparue corps et biens. Tout n'était que fourberie. Quel rôle avait pu jouer dans tout cela l'homme qu'on avait assassiné à ma porte ? Il avait en sa possession la bague de ma trahison. L'avait-il reçue en échange de la sienne pour perdre nos compagnes ? Toutes ces questions me torturaient d'autant plus que je savais que jamais je n'aurais de réponse. Il était temps de partir d'Antioche. L'atmosphère y devenait empoisonnée. Pour comble, Aliénor s'était mis en tête de rester auprès de son oncle. Folie ! Tout n'était que folie !

6

Béatrice tournait et retournait, écrasant sous ses pas agacés le luxueux tapis qui s'ornait d'une scène de chasse au faucon. Elle avait fait venir l'homme de main d'Étienne de Blois dans sa chambre, mais depuis qu'il était là, prêt à prendre ses ordres, elle ne savait plus lesquels donner. Elle avait tant compté sur le jugement de Dieu pour m'écraser définitivement qu'elle se sentait désarmée, comme si le Tout-Puissant Lui-même désavouait sa vengeance. Les nouvelles étaient mauvaises. Étienne de Blois n'allait pas mieux et il avait fallu que Sibylle réapparaisse.

Mais cela n'était rien. Louis ne l'avait pas mandée depuis ce fameux jour ; pis, il semblait l'éviter. Agacée, elle l'avait fait suivre et avait découvert qu'il se rendait souvent au chevet de la comtesse de Flandres où je me trouvais aussi. J'avais gagné des faveurs qu'elle-même n'avait plus.

Des larmes de colère lui montèrent aux yeux. Elle en avait assez !

Brusquement résolue, elle se planta devant le balafré et, serrant les poings à en avoir les jointures des mains blanches, elle grommela entre ses dents de perle :

– Amenez-moi Loanna de Grimwald !

Un frisson me parcourut l'échine lorsque je vis s'avancer vers moi la haute stature de mon tourmenteur. Anselme de Corcheville m'inspirait toujours le même sentiment de panique. Davantage encore depuis la mort de Denys. Désormais, je devais me défendre seule. Ici pourtant je ne risquais rien. Nous étions en train de jouer au criquet dans le jardin somptueux d'Antioche, et j'étais entourée de gens.

Il s'inclina devant moi, puis sur un ton de fausse courtoisie me convia à le suivre auprès de Béatrice qui me demandait de lui faire la grâce d'un entretien. J'eus un instant d'hésitation. Il était peu dans les habitudes de la belle de faire exécuter ses caprices par une aussi désagréable figure. Toutefois, me souvenant qu'elle n'avait pas paru à la cour de Raymond depuis deux jours, j'en conclus qu'elle devait souffrir de quelque maladie la mettant dans l'incapacité de se déplacer. Prenant mon courage à deux mains et, me convainquant que mes pouvoirs magiques pouvaient me sauver s'il le fallait, j'acceptai l'invitation.

Il m'escorta jusqu'à la porte de la chambre de Béatrice, sans un mot. L'un comme l'autre n'étions pas dupe de la haine qui nous liait.

Béatrice était pâle dans sa robe d'un bleu lavé qui rappelait la couleur de ses yeux. Je pensais la trouver férocement digne, elle m'apparut lasse.

— Vous vouliez me voir ? demandai-je d'un ton affable.

Mais, comme moi, elle ne pouvait s'y méprendre. Je ne l'aimais pas, et c'était réciproque. Elle opina de la tête sans bouger du siège dans lequel elle était assise négligemment.

— Asseyez-vous, dame Loanna.

Le ton était résigné. Curieuse, je m'exécutai. Le silence se posa entre nous comme une barrière invisible, puis elle inspira profondément et leva son regard vers le mien. Je tressautai. Là brillaient des larmes que je devinai sincères. Elle se ressaisit aussitôt. Puis, s'enfonçant dans le dossier du fauteuil, elle murmura d'une voix qui tremblait un peu :

— Vous ne m'aimez pas plus que je ne vous aime, aussi irai-je droit au but. Je vous propose un marché. Rendez-moi Louis et je promets de ne plus me mêler de vos affaires ni d'essayer de vous nuire.

Elle déglutit péniblement et je compris que cet aveu lui coûtait.

— Ce que vous pensez de moi m'importe peu. J'aime le roi plus que moi-même et je ferais n'importe quoi pour ne pas le perdre…

Je la dévisageai en silence. Où était cette ennemie farouche qui œuvrait à ma perte ? Je n'avais devant mes yeux qu'un animal blessé, au visage marqué par la peur. Et en cet instant, malgré toute la connaissance que j'avais de la fourberie des êtres, je me laissai prendre à sa souffrance. Je ne connaissais que trop le désarroi d'avoir dû éloigner Jaufré. J'approchai de ses doigts crispés sur l'accoudoir du fauteuil une main amicale et la posai sur son poignet. Elle tressaillit et se détourna, comme si elle s'attendait à ce que je la terrasse du verbe, mais je n'en avais pas envie. Jamais je n'avais pu piétiner mes ennemis à terre.

— Louis ne m'appartient pas, Béatrice, murmurai-je amicalement. Il vous aime au-delà de toute raison et, bien que celle-ci m'échappe, je ne ferai rien, je vous l'assure, pour contrarier cette passion. Je n'ai jamais éprouvé d'estime véritable pour Louis, pourtant depuis quelques lunes, j'ai senti grandir en lui une force nouvelle qui est celle d'un grand roi. C'est dans l'amour qu'il l'a puisée. Le vôtre et celui de Dieu. Nous sommes devenus amis, je crois, puisqu'il m'a fait l'honneur de prendre en considération par deux fois mes suppliques, mais elles ne vous concernent pas.

Béatrice avait repris quelques couleurs et me considérait à présent avec curiosité. J'enchaînai dans un sourire :

– Nous ne serons jamais amies, vous et moi, cependant je vais vous aider, parce que j'aime la reine et qu'elle doit se ranger à la réalité de son rôle. En échange, je vous promets que Louis sera vôtre, même si jamais il ne fait de vous une reine.

– Si vous n'avez rien à marchander, pourquoi m'aideriez-vous ? demanda-t-elle d'une petite voix où la surprise n'était pas feinte.

– Parce qu'à votre contraire, Béatrice, je répugne à voir les gens malheureux.

Elle baissa la tête, et du rouge glissa sur ses joues, qu'elle se hâta de dissimuler.

Je poursuivis hâtivement, au rythme de cette idée qui me venait et me semblait fort à propos .

– Ne croyez pas que je n'aie rien à y gagner. J'attends de vous en retour une promesse sur cette Bible que vous dressez comme une vertu.

Son œil un instant se fit cruel. Le serpent n'était qu'endormi, pensai-je, mais j'étais désormais maître du jeu et comptais bien utiliser ce providentiel avantage.

– Jurez par Dieu et tous les saints qu'à dater de cette heure vous vous tiendrez loin d'Étienne de Blois et de ses manigances.

Elle objecta, un brin de colère dans la voix :

– Je n'ai rien en commun avec cet homme !

Je la fis taire d'un geste las :

– Il suffit, Béatrice ! Gardez cela pour le roi ! Je sais, quant à moi, la noirceur de vos vices et combien cet homme vous attire par le démon qui est en lui. Si Louis venait à l'apprendre, il vous chasserait à jamais de son cœur, et il me semble que son amour prévaut sur vos bas instincts.

Elle me poignarda d'un regard de haine. Comment avais-je pu me laisser endormir par sa souffrance, pensai-je. Le loup ne devient agneau que pour pénétrer à l'intérieur du troupeau...

Elle se leva prestement et s'alla servir une rasade d'eau-de-vie de rose qui reposait dans un flacon de verre taillé aux reflets chatoyants. Un autre de ses vices, me dis-je en souriant intérieurement. Elle avala d'un trait son verre plein, puis me fit face, menton relevé en signe de défi.

– Soit ! Je jure sur le Très Saint Livre de ne plus intriguer d'aucune sorte avec cet homme. Cela vous convient-il ?

Je me levai à mon tour et lui souris de connivence. Mais je ne reçus en réponse qu'un visage fermé.

– Je ne vous aime pas, Béatrice, cependant je ne ferai rien pour vous nuire, si de votre côté vous cessez de vous acharner à ma perte. Considérons donc que nous ouvrons une trêve. Demain après l'office, Aliénor doit rejoindre Raymond dans le pavillon de chasse de celui-ci. Le roi doit rencontrer, quant à lui, un envoyé du comte de Toulouse qui, paraît-il, rejoint nos troupes pour poursuivre la croisade. C'est de ce répit dont vont profiter les deux amants. Il serait bon que Louis, et Louis seul, les surprenne et mette un terme à cette relation. Nul doute qu'après avoir vu sa femme en aussi galante posture, Louis ne jette ses remords au panier et ne vous prenne dans sa couche... C'est bien là ce que vous souhaitez, je crois, ironisai-je.

– Je dois vous remercier, je suppose, me lança-t-elle d'une voix aiguë qui traduisait son agacement.

– Inutile. Nous savons, vous et moi, que nous y gagnons toutes deux.

Comme je m'avançais déjà vers la porte, elle me cingla d'un légitime : « Moi qui vous croyais si proche de la reine ! » qui me fit mal.

Sans me retourner et parce qu'elle avait atteint un point sensible, je murmurai simplement :

– C'est pour cette raison que j'agis ainsi. Mais ce sont des choses qui vous dépassent.

Sur ces derniers mots, je sortis de la pièce. Quelque chose à l'intérieur de moi me donnait la nausée.

– Rhabillez-vous sur-le-champ et suivez-moi, ma dame !

Aliénor remonta sur ses seins la couverture de laine que ses ébats avec Raymond avaient rejetée au pied du lit. Elle était blême. Son amant affichait un regard gêné, mais nullement offusqué. Que Louis les ait surpris ainsi l'ennuyait, c'était évident, mais en même temps le soulageait. Pour autant qu'il aimât Aliénor de toute son âme, il savait que cette folie n'amènerait rien de bon dans son entourage, surtout depuis qu'Aliénor manifestait le désir de rester pour gouverner à ses côtés. Louis lui faisait désormais horreur, et à Antioche elle se sentait chez elle. De plus, Constance, courroucée par ces coucheries, avait diplomatiquement fait ses bagages et emmené ses enfants dans sa famille. Intelligente, elle avait jugé sans doute que c'était une passade dont il valait mieux taire les éclats. Raymond avait les mains libres, et Aliénor s'en était trouvée ragaillardie.

Et voilà que Louis était là, dressé devant elle dans tout son orgueil bafoué, même pas rouge de colère, si calme qu'elle sentait monter en elle la peur, cette même peur qui l'avait prise après qu'il l'eut fouettée au sang dans sa tente. Elle se serra un peu plus contre Raymond, espérant qu'il allait lui faire un rempart de son corps et de son amour, mais celui-ci s'écarta mollement.

– Obéissez, ma dame ! Votre époux est le roi de France.

Elle le dévisagea sans y croire. Ainsi Raymond la rejetait après l'avoir couverte de promesses et de caresses.

Elle lui lança un regard noir, puis, jugeant qu'il n'était plus temps d'accroître le ridicule de la situation, rejeta loin d'elle la couverture. Indifférente à leurs yeux baissés, elle revêtit sa robe de soie bleue, cette même robe que Raymond avait amoureusement fait glisser sur ses hanches. Elle frissonna, envahie soudain par un froid glacial. Mais peut-être n'était-ce que le souffle du silence qui pesait comme une menace, davantage encore que ne l'auraient fait des cris ou des injures. Louis attendait et Raymond ne bougeait pas.

– Allons-y, Sire, jeta-t-elle à Louis en retenant des larmes amères de désillusion.

Une fois de plus, Raymond l'avait abandonnée. Sans un regard vers lui, elle sortit du pavillon de chasse qui depuis deux semaines abritait ses amours interdites. Comme elle allait regretter l'asile de ces murs de torchis ! Louis lui saisit le bras ; elle se laissa entraîner au-devant du sentier, redressant fièrement la tête, serrant les dents.

Après tout, elle était toujours reine de France. Allait-il dégainer cette épée qu'il portait au fourreau et la transpercer au plus secret de l'ombre ? Elle sentait sourdre en lui une rage profonde.

Louis arrêta son pas dans une clairière où les attendait son cheval. Aliénor remarqua que le sien, qu'elle avait rentré dans l'écurie de la bâtisse, était attaché par les rênes à un arbre. Cela la fit sourire. Ainsi, Louis avait eu le courage de se soucier de ces détails avant de les interrompre. Pourquoi leur avoir laissé le temps de s'aimer quand il aurait pu faire irruption dans la pièce et empêcher que cela n'arrive ? Depuis combien de temps était-il là, tapi ? Les avait-il regardés ? Cette pensée la fit rougir. Comme avait dû lui paraître bouillante cette union, quand il n'avait avec elle consommé que des lambeaux de plaisir ! Elle se dit qu'il devait souffrir de n'avoir pas su lui apporter ce que Raymond lui avait donné tantôt. Elle éprouva le besoin de le plaindre soudain et lui fit face.

– Louis, murmura-t-elle, dans un élan de spontanéité qui amena des larmes dans ses yeux.

Mais elle ne reçut en échange qu'un regard froid et dur comme l'acier, qui la fit reculer. Louis ganta d'une main de fer son coude droit et le serra à lui broyer l'os.

– Taisez-vous ! Votre seule voix m'horripile ! Demain, nous quitterons Antioche pour gagner Jérusalem ! Priez, ma dame, pour que la vue du tombeau du Christ apaise ma colère et vous accorde le pardon. Pour l'heure et jusqu'à nouvel ordre vous resterez dans votre chambre.

Moins d'une heure plus tard, tandis que se refermaient sur elle les lourdes portes de sa chambre, Aliénor entendit les gardes du roi croiser leurs guisarmes dans le corridor. Elle était bel et bien prisonnière. Sa tension se libéra d'un coup, et un spasme lui contracta l'estomac. Les yeux brûlants de larmes, elle se laissa tomber sur le lit en se tordant de désespoir.

Louis vint me trouver après avoir consigné la reine. J'étais occupée à filer avec les dames de Constance auxquelles j'apprenais l'art de manier le rouet, que mère m'avait enseigné merveilleusement. L'entrée du roi fit taire les commérages des dames qui, de France ou d'Antioche, avaient en commun le goût des intrigues amoureuses et des médisances, choses que j'écoutais d'une oreille distraite.

– Puis-je vous entretenir un instant ? me demanda-t-il sur un ton qui se voulait courtois mais résonnait comme un ordre.

Les regards des femmes se braquèrent sur moi et, curieusement, je me sentis gênée de l'approche de Louis. Il avait si peu l'habitude de s'annoncer ainsi. Je posai ma bobine dans le panier qui attendait à mes pieds.

– Votre Majesté me fait trop d'honneur.

– Voulez-vous que nous vous laissions, Sire ? demanda en bégayant d'émotion une duchesse proche de Constance qu'Aliénor avait promis d'emmener à la cour de France.

Il ne fallait pas être futé pour comprendre qu'elle s'était éprise du roi. Mais celui-ci balança sa main en un geste agacé.

– Inutile. Dame Loanna doit se rendre auprès de la reine. Je crains fort qu'elle ne puisse demeurer plus longtemps en votre compagnie.

– Par tous les saints du paradis, s'exclama une vieille femme plus ridée qu'une prune sèche, notre bonne reine serait-elle au plus mal que vous vous avanciez jusqu'à nous en place d'un serviteur ?

Louis la dévisagea comme si soudain lui apparaissait l'incongruité de sa démarche. Fallait-il qu'il soit troublé pour n'avoir rien perçu d'étrange dans son comportement ! Il se força à sourire et, me prenant le coude pour m'entraîner vers le corridor, répondit d'un ton qu'il voulut léger :

– Certes, non ! Elle se plaint simplement d'une affreuse migraine et ne supporte en cet état que la compagnie de dame Loanna pour l'aider à faire ses malles. De fait, je tenais à lui donner personnellement quelques consignes.

Il s'enlisait. Je coupai court :

– Majesté, vous êtes le roi.

Cela seul justifiait tout acte et verbe. Aussitôt les museaux s'abaissèrent sur les rouets et les bobines. S'effaçant d'un geste de la main pour me laisser courtoisement passer dans l'embrasure de la porte, Louis me lança un regard reconnaissant.

Quelques minutes plus tard, j'étais dans un cabinet que Raymond avait mis à sa disposition, afin qu'il puisse s'entretenir à loisir avec ses féaux. Raymond avait beau être le seigneur d'Antioche, il lui restait au cœur les serments d'allégeance de sa jeunesse, de sorte qu'il se sentait encore aujourd'hui obligé envers celui qui avait été son roi. D'autant plus, sans doute, qu'il se sentait coupable de son amour pour la reine. Louis me parla sans détour, comme si ce secret lui brûlait la langue autant que l'esprit :

— Je vous sais gré de vos informations. Aliénor est désormais sous bonne garde dans sa chambre et n'en sortira que pour prendre la route dès demain. Vous n'êtes pas sans savoir que le conseil hier soir a décidé de l'issue de la croisade. Raymond s'est obstiné et la reine avait choisi de le suivre avec ses maudits Aquitains. Elle a même été jusqu'à prétendre que notre mariage était nul selon les lois canoniques. Grâce à vous, j'ai pu retourner la situation et prétendre qu'avant le départ de l'ost royal pour Jérusalem la reine aurait retrouvé ses sens et choisi de suivre son roi. Si je n'avais été certain de la surprendre avec Raymond, je n'aurais pas été aussi affirmatif. Je sais désormais ce que je vous dois. La reine repartira contrainte et forcée avec l'ost. Je compte sur vous pour la ramener à la raison. Il faut qu'elle convainque ses féaux de se rallier à elle. Il est hors de question qu'une stupide amourette ampute la bannière du Christ d'une partie de ses armes, déjà affaiblie par nos pertes.

— Il en sera fait selon vos désirs, Majesté. Je peux vous assurer que la reine sera docile. J'ai toutefois une faveur à vous demander, la dernière…

— Je vous écoute, marmonna Louis, considérant sans doute qu'il avait suffisamment pris sur lui pour la journée.

— Messire de Saldebreuil, votre chambellan, rapporte dans ses écrits le récit de notre périple avec une fidélité qui est tout à son honneur. Pourtant, je pense qu'un voile de pudeur sur ces événements serait plus à propos. Certaines vérités ne sont pas bonnes à écrire, et encore moins à figurer dans l'Histoire, Sire.

Un large sourire éclaira son visage tendu, tandis que je m'inclinais pour le saluer.

Il me releva d'une main ferme et me gratifia d'un généreux :

— Peut-on à ce point se tromper sur ses proches que j'aie tant prêté oreille à ces calomnies vous concernant ? Allez, dame Loanna, et soyez assurée de ma reconnaissance et de ma discrétion.

Comme je m'y attendais, je trouvai la reine en pleurs. Elle se jeta dans mes bras, secouée de soubresauts et de hoquets. Je patientai jusqu'à ce qu'elle s'apaise, vidée de ses larmes.

– Là, ma douce, c'est fini. Que croyais-tu donc ? Pouvoir t'installer ici, de façon illégitime ? Devenir la maîtresse attitrée de Raymond ? Qu'aurait fait l'Église, selon toi, devant pareille obstination ? Regarde-moi, Aliénor.

Elle leva vers moi de grands yeux éplorés, en reniflant. Elle n'était plus qu'une jouvencelle, une toute petite jouvencelle. D'un doigt tendre, j'essuyai une larme sur sa joue.

– Tu savais dès le premier instant que cela ne pouvait être. Pas davantage qu'hier, Raymond n'a le droit de t'aimer.

Elle murmura, comme pour se raccrocher à son rêve illusoire :

– Il avait promis...

– En sachant combien c'était inutile et parce que l'un et l'autre aviez besoin de croire, mais je refuse l'idée que tu ne l'aies pas su. Raymond fait désormais partie du passé, tu dois l'admettre. Et il y a plus grave. T'obstiner risquerait d'amener la guerre au sein même des chevaliers. Pense à ton peuple, Aliénor. Tu es reine de France, ton devoir est de protéger les tiens et de les unir. Ceux du Nord n'attendent qu'un prétexte pour laisser parler leur rancœur. Je t'en supplie, ne te laisse pas égarer davantage, alors que tant de choses dépendent de toi.

Je marquai un temps d'arrêt, puis, lui relevant le menton qu'elle avait baissé à mes paroles, je me servis de mon dernier argument :

– Et il y a Marie...

Une étincelle s'alluma dans son œil tandis qu'elle répétait d'une voix blanche :

– Marie... Marie, ma toute petite... Oh, Loanna, qu'ai-je fait ? Crois-tu que Louis me l'enlèverait si nous nous séparions ? Il aime si peu cette enfant.

– Je l'ignore, mais c'est possible. Tant de choses sont possibles. Je t'en conjure, ma douce, demande pardon à ton époux et fais serment d'allégeance à ton roi. Derrière toi, l'Aquitaine se ralliera à sa bannière et nous serons victorieux devant le Seigneur.

– Mais Louis s'obstine à vouloir gagner Jérusalem sur l'instance de sa reine Mélisende alors que nous devrions aller délivrer Édesse, notre but initial. Il se fourvoie. Cette femme est redoutable ! On ne peut pas lui faire confiance. Je crois Raymond bien mieux informé que Louis pour juger de la suite à donner à notre expédition.

— Certes, mais Louis ne changera pas d'avis et toute rébellion te sera inutile.

— Je pourrais faire valoir le droit canonique… murmura-t-elle encore en baissant les yeux.

Cette idée n'était pas pour me déplaire, mais en d'autres temps et lieux. Pour l'heure, il fallait coûte que coûte qu'Aliénor s'éloigne d'Antioche et de Raymond. Aussi, poussant un long soupir, je répondis d'un ton ferme :

— Il suffit, Aliénor. Tu ne penses pas ce que tu dis. De toute façon, de gré ou de force, Louis t'emmènera d'ici. Encore une fois, ma reine, je te supplie de te rendre à la raison. D'autant plus que tu n'aimes pas véritablement Raymond !

Elle releva le nez, une lueur de rage dans les yeux.

— Qu'en sais-tu ?

— Je te connais bien, Aliénor d'Aquitaine. Ce qui te plaît en lui, c'est tout ce que tu as perdu en devenant reine de France, le parfum de l'interdit, ces longs échanges sous les oliviers en terrasses qui te rappellent ton Midi. Ce sont ces mains chaudes, fougueuses comme celles des gens de ta race, ces lèvres brûlantes sur ta chair. Ce que tu aimes en Raymond, c'est tout ce qui te manque, mais ton âme, ton âme, Aliénor, où est-elle ? J'ai vu l'autre soir à table le regard de Bernard de Ventadour croiser le tien tandis qu'il entonnait une ballade si triste que chacun en a été ému. Ce que j'ai lu dans tes yeux n'a certes pas le brûlant de ta passion pour Raymond, mais une tendresse plus précieuse que tout. Tu l'aimes encore, autant qu'il t'aime toujours.

Des larmes douloureuses grossirent au coin de ses paupières. Lorsqu'elle ouvrit la bouche, son menton tremblait de nouveau :

— Bernard… Je l'ai trahi. Comment pourrait-il m'aimer encore ?

— Tu as porté son enfant, Aliénor. Et il est de ces hommes qui n'aiment qu'une femme de toute leur vie. Comme Jaufré.

— Je ne pourrai plus supporter l'étreinte de Louis, chuchota-t-elle dans un dernier sursaut.

— Une autre se chargera de le satisfaire, confiai-je malicieusement.

La surprise agrandit son regard. Il était temps de lui dévoiler la relation du roi et de Béatrice. Je l'attirai tendrement contre moi.

Aussitôt, elle abandonna sa tête sur mon épaule, résignée. Lors, je glissai au creux de son oreille :

– Cette nuit même, le roi se couchera sur le sein de Béatrice de Campan et dès lors, ma reine, tu n'auras plus à craindre ses assauts.

Elle se cambra, comme piquée par quelque aiguillon.

– Béatrice ?

– Allons, ne me dis pas que tu ignorais ce que tout le monde a deviné depuis longtemps. Si Louis ne l'a prise jusqu'alors, c'est qu'il se refusait à te croire adultère. La preuve que tu lui as donnée ce tantôt a ravivé en lui des ardeurs de vengeance et de désir. Si tu boucles ta porte cette nuit, il les satisfera au creux d'une autre chair. Et je ne doute pas du pouvoir de Béatrice pour le garder en sa couche.

– Pour l'heure, oui, mais qu'adviendra-t-il lorsque nous serons de nouveau en France, murmura-t-elle en frissonnant. Louis désire tant un héritier... Et il est de mon devoir de reine de France de le lui donner.

– Chaque chose en son temps, ma douce. Chaque chose en son temps...

Je la berçai en caressant ses cheveux dorés dans lesquels s'accrochait la lumière qui entrait par la fenêtre ouverte. Antioche et son ciel d'azur, ses couleurs et ses parfums ! Comme je comprenais qu'elle veuille les faire siens après avoir connu la tristesse de la vieille Cité de France. D'une voix hachée par l'émotion, elle me demanda :

– Aide-moi, veux-tu ? Puisqu'il me faut partir... porte un billet pour moi à Raymond, qu'il sache que je ne lui en veux pas et que je le garde à jamais au fond de mon cœur.

Elle s'approcha d'un secrétaire et, saisissant une plume et un parchemin, inscrivit quelques phrases d'une main tremblante. Puis elle trempa une de ses bagues dans un bain de cire et cacheta le bref. Délicatement, elle y posa un baiser et me le tendit, le regard vide. Je l'embrassai affectueusement sur le front avant de sortir.

Raymond me reçut sans cérémonie, après qu'un serviteur noir comme de la suie m'eut conduit à lui dans la vaste salle du conseil. Je lui remis le parchemin, respectant le silence qui enveloppait la pièce tandis qu'il lisait. Son visage ne laissa rien paraître. Lui aussi s'était résigné, sans doute depuis le premier jour s'était-il inconsciemment préparé à cet instant où il lui faudrait renoncer à sa nièce une deuxième fois. Lorsqu'il releva le front, je m'enquis simplement :

– Voulez-vous que je lui transmette une réponse ?

– Dites-lui que je n'ai jamais aimé et n'aimerai jamais qu'elle, mais qu'elle a fait le bon choix en ne bravant pas son roi. Dites-lui encore...

Mais il se mordit la lèvre et se reprit :

– Non, rien. Ne lui dites rien. Il vaut mieux qu'elle me croie indifférent. Elle oubliera plus vite. Mais, je vous le demande, veillez sur elle, elle est si fragile...

Je hochai la tête, je m'inclinai légèrement et le laissai à sa solitude. En passant devant le majestueux miroir encadré d'ébène qui ornait tout un pan de mur du couloir, je m'arrêtai sur ma silhouette. Le reflet qui s'y dessina me glaça le sang : Une petite femme noiraude mordait à pleines dents dans un cœur palpitant ! Je me retournai, mais j'étais seule dans le corridor. Devant moi, à quelques pas, s'ouvrait une salle de musique d'où sortaient des rires et des chants. Je frissonnai de la tête aux pieds et regardai de nouveau dans le miroir. Mais cette fois, il ne me renvoya que l'image de ma face troublée et effrayée.

Quelle était cette vision ? Était-elle un signe ou le pâle reflet du remords qui me rongeait l'âme ? Je me sentis brusquement désemparée et, réalisant que je n'avais pas vu Jaufré depuis l'aube, j'allongeai mon pas vers la musique.

Jaufré se trouvait là, assis sur un tabouret de bois avec son disciple Peyronnet, Panperd'hu et Bernard de Ventadour. Autour d'eux s'était formé un cercle de dames, assises sur de moelleux coussins à même le sol. On aurait dit un parterre de fleurs luxuriantes tant les robes éparpillées en corolle autour d'elles se mêlaient à merveille. Je restai un instant sur le seuil, appuyée au chambranle afin de reprendre un visage serein.

Au centre du cercle, un personnage vêtu d'une tunique cramoisie semblait recueillir toute l'attention des troubadours et de ces dames qui ne le quittaient pas des yeux. Son visage eût été beau s'il n'avait pas été grêlé de cicatrices qui laissaient supposer d'anciens et profonds boutons de petite vérole. L'homme avait une quarantaine d'années et parlait avec un accent propre aux gens de la contrée.

– J'assure n'avoir jamais vu de ma vie plus belle princesse, disait-il d'un ton enjoué. Elle possède des yeux aussi violets que ces iris venus des montagnes et une peau plus fine qu'un cendal. Quant à ses cheveux, noirs comme l'ébène, ils s'ornent de reflets d'un bleu comme personne n'en peut seulement rêver. Elle a une taille si fine que mes deux mains réunies pourraient en faire le tour. On jurerait que Notre Seigneur le créateur de toute chose a mis ici tout Son savoir et Sa passion pour réussir pareille merveille.

– Vous nous rendez affreusement jalouses, messire Taliessin, murmura une voix féminine.

Mais l'homme poursuivit avec un sourire :

– Que nenni, belles et gentes dames, car il est des mystères que l'homme ne peut sonder. D'ailleurs, la princesse Hodierne de Tripoli n'en aime qu'un. Ô bienheureux compagnon béni des dieux, ce troubadour ci-présent qu'elle m'envoie chercher pour qu'il l'abreuve de musique et d'amour.

Je me figeai. La main s'était envolée dans un geste gracieux et désignait à présent l'élu : Jaufré. Il y eut une salve d'applaudissements quand mon troubadour se leva et s'inclina devant ces dames, se glorifiant de son aubaine. Se redressant, un sourire comblé aux lèvres, il m'aperçut, et sans doute étais-je livide car son regard marqua une surprise angoissée. Je crus un instant que j'allais défaillir.

Se pouvait-il que Jaufré, mon Jaufré soit attiré par une autre, après tout ce que nous avions partagé ? Était-ce là le prix de ma trahison et la signification du présage ? Se frayant un passage au milieu des robes, il s'avança vers moi. Tous les regards nous suivirent, tandis qu'il me prenait la main et m'entraînait vers le devant de la scène. D'une voix haute et ferme qui me parut bizarrement lointaine, il s'exclama en me présentant à l'assemblée :

– Que la princesse de Tripoli se console, mais à mes yeux, aucune n'a plus de beauté et de grâce que cette dame même pour laquelle je soupire…

Je n'entendis pas la fin de la phrase. Soudain, il y eut un trou noir devant mes yeux, la corolle de couleur sembla comme aspirée à l'intérieur d'un brouhaha, et le sol se déroba sous mes pieds. Basculant dans une nuit d'encre, je perdis connaissance.

Je m'éveillai avec un goût amer dans la bouche. Des visages dansaient devant le mien et des voix me parvenaient, lointaines. Quelque chose força mes lèvres à s'entrouvrir, et je reconnus l'âpreté d'une liqueur de noix vertes. La chaleur se répandit dans mon corps, et peu à peu je repris conscience. Jaufré posa le verre à mon chevet en murmurant :

— Jamais plus je ne te ferai pareille déclaration si tu dois défaillir ainsi, Amour.

Puis il glissa un bras derrière mes omoplates et m'aida à me redresser. Des questions fusèrent dont je n'entendis qu'un marmonnement, mais j'en devinai le sens. D'une voix qui me parut étrangère, je rassurai cet entourage d'un audible :

— C'est passé, tout va bien.

— Es-tu sûre, Amour ? demanda encore Jaufré discrètement, alors que je prenais appui sur son autre bras pour me lever.

Lorsque je fus sur mes jambes, chancelante, mon champ de vision se rétablit.

— J'ignore ce qui m'est arrivé, mais c'est terminé.

Une voix glissa, insidieuse :

— Il est toujours désagréable de savoir son prétendant convoité…

Mais, aussitôt, la perfide reçut un léger coup de coude dans les côtes qui lui fit pousser un petit cri. Jaufré m'observait, et je lui souris pour achever de le rassurer. Reprenant un vouvoiement de bienséance, il insista, haut et clair cette fois :

— Voulez-vous que je vous raccompagne à votre chambre ? Vous êtes encore si pâle.

Mais je secouai négativement la tête pour affirmer sur le même ton :

— N'en faites rien. Je vous assure que tout est rentré dans l'ordre, mon ami. Charmez donc ces damoiselles tant que le temps s'y prête. Demain, nous reprendrons la route au côté du roi et, lors, elles devront se pâmer sur d'autres vers.

Il y eut un mouvement de surprise. Panperd'hu, qui se tenait tout près de Jaufré, interrogea :

— Que dites-vous là, damoiselle ? La rumeur prétendait pourtant que notre duchesse comptait séjourner davantage en ces murs et laisser Louis partir devant avec ses féaux pendant que nous autres Aquitains suivrions sa bannière au côté de notre hôte. Nous nous faisions un honneur justement de profiter de ce répit pour répondre à l'invitation de la princesse Hodierne par l'intermédiaire de son messager Taliessin que voici.

L'homme me salua courtoisement d'une courbette. Je me dressai presque sur la pointe des pieds pour que ma voix porte, et répliquai d'un ton que je voulus neutre :

– Eh bien, il vous faudra y renoncer ou rester en arrière, mon bon ami. Aliénor m'envoyait justement quérir Geoffroi de Rancon pour faire hâter ses chevaliers lorsque votre musique m'a attirée en cet endroit. La rumeur est une chose, Panperd'hu, qui souvent varie, de même que la nature féminine, ajoutai-je d'un air entendu à l'intention de Bernard de Ventadour, dont le regard soudain s'illumina.

Se tournant vers ses compagnons, Jaufré ouvrit ses bras pour embrasser d'un geste son auditoire et d'une voix chantante annonça :

– Et voici comment s'achèvent deux semaines de délices, gentes dames et damoiselles. Pour mon fait, je me sens bien trop attaché à la bannière de ma reine pour lui être infidèle. Vous devrez donc malgré votre déchirement me laisser aller chanter les victoires du Christ. Mais que seront doux les joyeux babillages de vos lèvres dans mes souvenirs ! Allons Peyronnet ! Partons de l'avant tous deux. Tu voulais étriper du Turc, mon jeune ami, et composer une ode, ce moment est proche. Hâtons-nous ainsi que le veut la plus noble des reines.

À sa voix aussitôt se rallièrent ses comparses, en un seul cri :

– Vive la reine !

Me saisissant le coude d'une poigne tendre, Jaufré nous fraya un passage au milieu des jupes. Lorsque nous fûmes hors de portée, il ordonna à son disciple de s'en aller préparer leurs maigres bagages. Puis il se planta devant moi et, gravement, mit un genou à terre. Je voulus le relever, mais il prit ma main cérémonieusement dans la sienne. Plongeant son regard dans le mien, il murmura, éperdu :

– Par Dieu, je jure qu'il n'en existe aucune autre que toi dans mon cœur et que la mort seule me délivrera du serment que je t'ai fait.

Il marqua un temps de silence, durant lequel je savourai le bonheur de ses paroles qui effaçaient d'un coup mes doutes les plus fous, puis il enchaîna hardiment :

– Épouse-moi, Loanna de Grimwald.

C'était comme si de nouveau le sol se dérobait. Un spasme de surprise et de bonheur m'arracha un petit cri. Je me trouvai désemparée. À cet instant, les troubadours apparurent à quelques mètres et la voix tonitruante de Panperd'hu me tira d'embarras :

– Voyez, messire Taliessin, combien l'infortune de votre princesse est grande, riait-il. Ces deux-là n'ont que faire d'une pièce obscure pour se dire leur amour. Il est comme ce soleil qui entre et se reflète dans ce miroir, il est aussi pur et violent que la lumière. Non, mon compère, chantez plutôt mes louanges à votre belle, et je jure par Dieu, qu'elle n'y perdra pas au change !

Jaufré se redressa en souriant et l'apostropha à son tour :

– Il dit vrai, messire Taliessin ! Et avant qu'il soit longtemps, je serai l'homme le plus heureux de cette terre.

– Pour l'heure, messires, bredouillai-je, profondément troublée, je dois m'en aller remplir la mission que ma reine m'a confiée. Je n'ai que trop tardé.

Sur ses mots, je m'enfuis aussi rapidement que le permettaient mes jambes frémissantes.

Cette nuit-là, Jaufré ne put me rejoindre, Louis ayant suggéré que je dorme dans la chambre d'Aliénor pour éviter toute tentative d'évasion. Qu'aurais-je pu répondre à Jaufré après pareille demande ? Tout mon être brûlait de porter son nom, mais j'avais tant à accomplir encore avant de pouvoir accepter. Il était si patient ! Plusieurs fois déjà, Aliénor m'avait sermonnée, insistant elle aussi pour que j'épouse mon troubadour. On jasait cruellement sur notre relation, et la morale chrétienne, je le savais, désapprouvait qu'une femme non mariée se livre ainsi à un amant.

Après l'incident avec le basileus, le confesseur du roi avait même suggéré à celui-ci de me donner en mariage à un de ses vassaux le plus rapidement possible, car, si j'avais porté un enfant, nul n'aurait pu m'en tenir rigueur, alors que dans ma situation de célibataire…

Fort heureusement, il n'y avait pas eu de grossesse après ce viol, et j'avais éludé en affirmant que la période n'était pas propice. En fait, j'avais seulement l'avantage de savoir user du pouvoir des simples. Mais les plantes dont j'avais besoin pour me garder stérile s'épuisaient. J'avais pu renouveler mes réserves à Constantinople où s'échangeaient nombre d'épices et d'herbes venues des quatre coins du monde, mais ici, à Antioche, certaines me manquaient cruellement et je savais qu'avant longtemps j'en serais dépourvue. Je n'aurais plus alors d'autre recours que de compter les cycles de la lune, ainsi que mère m'avait appris à le faire.

Et puis il y avait Aliénor. Tant que Louis se tenait écarté d'elle, elle n'utilisait pas le philtre que je lui avais recommandé, mais pouvais-je être certaine qu'elle l'avait bu après chacune de ses unions avec Raymond ? Si elle se trouvait enceinte à présent, ce serait une catastrophe, d'autant plus que l'idée qu'elle avait semée prenait corps dans mon esprit. De retour en France, il faudrait examiner avec soin cette notion de droit canonique et s'en servir à bon escient. Ensuite, faire se rencontrer Aliénor et Henri serait un jeu d'enfant.

Henri ! Me retournant dans mon lit, j'eus soudain la vision de ses yeux sombres et de sa tignasse flamboyante. C'était un homme à présent. Il plairait à Aliénor, j'en étais certaine. Il ne me faudrait pas longtemps pour la convaincre de troquer un royaume pour un autre, tout en préservant à ses côtés l'homme qu'elle aimait. Oui, cela semblait si facile que mon cœur se mit à bondir joyeusement dans ma poitrine. Si la mésentente de Louis et d'Aliénor se renforçait, alors je pourrais me laisser passer au doigt l'anneau du mariage et donner une fille à ma descendance et un fils à celle de Jaufré. Je caressai amoureusement mon annulaire autour duquel ne s'enroulait nul anneau et, souriant d'aise, je sombrai dans un sommeil paisible.

– Vous, damoiselle ?

Louis venait d'ouvrir la porte de sa chambre et découvrait avec une surprise non feinte Béatrice, menue et fragile, une chandelle à la main, qui, parée de ses atours de la soirée, se tenait dans l'encadrement. Tandis qu'il s'effaçait pour la laisser entrer, en prenant soin de vérifier que personne ne l'avait vue à l'exception des gardes qu'elle avait su persuader de l'importance de sa démarche, elle murmura d'une toute petite voix :

– Il me fallait vous voir, mon roi. Vous m'avez semblé si lointain à table tantôt, goûtant à peine les plats et parlant si peu, que je m'inquiétais et vous imaginais souffrant. Mais sans doute les événements de l'après-midi sont-ils plus en cause que la nourriture trop riche, insista-t-elle en lui jetant un regard enflammé et contrit.

À ces mots, Louis sentit monter en lui la rage qu'il avait contenue à grand-peine durant la soirée, tandis qu'il répondait à qui voulait l'entendre qu'Aliénor souffrait d'une affreuse migraine. Raymond n'avait pas été dupe mais avait joué en maître de son aplomb naturel, insistant devant tous pour qu'elle se repose avant de prendre la route puisque telle était sa décision. Louis avait bien remarqué les regards de suspicion des vassaux d'Aliénor réunis autour de ce dernier repas et il avait dû prendre sur lui pour ne rien afficher de sa mauvaise humeur. Enfin, tous avaient fait leurs bagages et les chariots étaient prêts à se mettre en branle peu avant l'aube.

– Sire ?

La voix de Béatrice le ramena à la réalité. Elle avait posé avec délicatesse une main chaude sur son avant-bras. Il la contempla d'un air absent, tout encore à son souvenir de la soirée, puis parut ressentir la brûlure de ses doigts et les regarda, plein de tristesse et de surprise aussi. Elle était si douce. Il lui prit la main comme on cueillerait un oiseau sur une branche. Béatrice levait vers lui ses yeux purs emplis d'amour et de plénitude. Elle s'inquiéta encore, la voix brisée par un désir qu'elle ne cherchait pas à dissimuler :

– Voulez-vous que je vous laisse, mon roi ?

Alors il l'attira contre lui et écrasa sur sa bouche un baiser qui l'alanguit tout entière. Nouant ses bras autour du cou de l'homme qu'elle chérissait, Béatrice se laissa soulever avec ferveur et poser sur le lit.

– Je t'aime, murmura-t-elle, tandis que le souffle de Louis se perdait dans le sien.

7

Jérusalem la blanche, la douce, la paisible nous accueillit telle une terre fraternelle. Louis n'avait pas desserré les dents de tout le voyage et Aliénor se garda bien de rompre ce silence douloureux. C'était désormais flagrant dans nos rangs, il n'y avait plus une armée, mais deux. Ceux du Sud et du Nord ne se mélangeaient plus. Si les Aquitains avaient accepté de mauvaise grâce d'appliquer la décision de leur duchesse, ils persistaient à considérer que le roi avait tort.

Louis s'en fut se recueillir sur le tombeau du Christ sitôt notre arrivée et insista sur le fait que seule sa foi dictait ses actes. Aussi, lorsque le jeune roi de Jérusalem, soutenu par sa mère Mélisende, proposa d'assiéger Damas qui narguait depuis longtemps leur cité, Aliénor s'indigna. Pourquoi Damas et non Alep ou Édesse ? Louis la fit taire d'un ton sec et la renvoya dans sa chambre. Elle rengorgea ses larmes et s'en fut la tête basse. Elle brûlait de le souffleter, de lui cracher au visage, de s'enfuir loin de lui, mais elle n'avait plus le goût de rien. Il la faisait surveiller jusqu'en son sommeil, telle une prisonnière. Louis voulait montrer qu'il était le maître. Et Aliénor avait peur. Peur que ce conflit ne réduise à néant la raison même de cette croisade, unir autour d'un même but ses deux peuples. Elle se tut donc, et, au bout de quelques mois de préparation, les armées conjointes des Francs, des Allemands et des Hiérosolymitains se mirent en marche vers Damas.

Mieux préparés à nous recevoir qu'on ne le pensait, les Damasquins ne firent qu'une bouchée de cette ardeur guerrière. L'armée de Conrad et du jeune Baudouin battit en retraite, nous laissant tenir un siège contre toute raison. Louis refusait de s'avouer vaincu ! Lors, d'assiégeants, nous nous retrouvâmes assiégés. Les Turcs rôdaient aux alentours, redoutables. Telles des ombres furtives, ils s'infiltraient partout, jusqu'en notre camp à la faveur de la nuit pour ravir des otages, sans qu'un seul guetteur les aperçoive.

Au matin, souvent nous découvrions les traces de leur passage. Puis cela commençait : les hurlements des nôtres qu'ils avaient livrés aux Damasquins. On les torturait durant des heures sur les remparts de la ville. À en devenir fou d'impuissance. Enfin venait la délivrance, lorsque ces sadiques jetaient en riant les corps dépecés par-dessus les murailles. Louis avait beau brandir la croix, invoquer Dieu à s'en user les lèvres, pleurer des larmes de sang, rien n'y faisait. La victoire l'avait abandonné dans son entêtement à vouloir suivre son orgueil.

Ce ne fut qu'au bout de deux semaines qu'il consentit enfin à admettre qu'il s'était fourvoyé. Nous levâmes un camp qui ne res-semblait plus qu'à un champ de ruines pour retourner, misérables vaincus, à Jérusalem.

À peine arrivé, Louis s'effondra sur le tombeau du Christ. Mais, contrairement à ce qu'il avait cru, il n'y trouva pas la paix. Alors, dans un ultime geste de soumission, il exigea qu'on le flagelle en public, pour offrir son repentir à tous ceux qu'il avait égoïstement sacrifiés. Il nous fallut plusieurs semaines pour réapprendre à dormir sans tressauter au moindre bruit, sans hurler de terreur lorsqu'une ombre couvrait un mur blanc.

Louis se terrait dans la basilique, pleurait au pied de la croix, criait, suppliait pour que reviennent la justice et la paix. À lui aussi il fallut du temps. Puis, un matin, il sembla réagir. Était-ce par ven-geance ? Toujours est-il qu'il décida de renouer alliance avec l'ennemi de Raymond et du basileus Comnène : ce Roger de Sicile dont nous avions refusé l'hospitalité avant notre départ. Rentrer en France semblait peser à Louis, comme cette mission inachevée, comme le regard d'Aliénor qui ne se baissait plus devant le sien depuis que les événements leur avaient donné raison, à elle et à Ray-mond.

Elle prenait désormais sa revanche, au point de braver sa sur-veillance pour se glisser dans la couche de Bernard de Ventadour, allant jusqu'à espérer que Louis l'apprenne et la chasse. Il n'en fit rien. Il continuait de succomber aux caresses de Béatrice, puisant en elles un peu d'espoir et de réconfort. Comment aurait-il pu critiquer l'infidélité de son épouse quand lui-même ne prétendait plus à la pureté ?

Jaufré et moi étions heureux. Du moins voulais-je le croire. Il n'était plus le même depuis le siège de Damas. Son jeune et brillant disciple Peyronnet avait été enlevé par les Turcs, puis retrouvé violé et brisé à quelques pas du campement, étranglé par les cordes de sa mandore. J'ignorais pourquoi, mais Jaufré se sentait responsable.

Il avait souvent l'air absent et douloureux, refusant de me répondre lorsque je m'inquiétais. J'avais fini par me dire que le temps guérirait cette blessure en son âme et son cœur. Durant les six mois que dura notre séjour à Jérusalem, je m'employai à atténuer sa souffrance, en demeurant tendrement à ses côtés.

Décidé soudainement à regagner la France, Louis rassembla ses gens, et l'ost royal embarqua en Acre, le jour de Pâques 1149, sur deux navires. Louis avec ceux du Nord et sa chère Béatrice, Aliénor et ceux du Sud avec ses troubadours, à l'exception de Panperd'hu qui appareilla pour Tripoli. Chacun de leur côté bien heureux de n'avoir pas à se supporter durant la traversée qui devait nous conduire en Sicile et, de là, chez nous.

Nous arrivions au large de la Malée, sur les côtes du Péloponnèse. Depuis le matin, le navire tanguait sereinement sur une mer calme. Jaufré se pressa les tempes, inspirant abondamment la brise légère. Debout sur le pont, il songeait que ses migraines devenaient de plus en plus fréquentes. Par moments, c'était comme si quelque chose à l'intérieur de son crâne semblait près d'éclater. Puis cela s'apaisait lentement dès lors qu'il faisait quelques pas ou prenait sa mandore, cherchant dans la musique le remède à sa douleur. Mais elle s'aggravait de jour en jour depuis de longs mois, depuis son plongeon forcé à Antioche lorsque Robert de Dreux avait forcé ma porte, l'arme au poing. Il n'avait osé se confier à quiconque. Tant de choses s'étaient passées, tant d'événements douloureux qui laissaient au cœur de chacun amertume et désillusion. Chacun portait son fardeau tel un cauchemar persistant, lors il taisait le sien, soucieux de cacher comme tant d'autres ce qui le rongeait.

Il poussa un soupir douloureux. Un instant, il revit le visage tuméfié de Peyronnet. Il ne se pardonnait pas de l'avoir entraîné si loin de Blaye. Il serait devenu un grand troubadour. Il en avait l'étoffe, la voix, la prestance. Peyronnet avait tant attendu de lui ! Et que lui avait-il donné en remerciement du bonheur que son audace lui avait rendu ? Cette ultime souffrance et humiliation avant la camarde ! Quelle injustice !

Jaufré suivit machinalement le vol d'un goéland qui retournait d'une aile souple et majestueuse vers les rivages. Puis, détournant les yeux, il les posa avec tendresse sur moi. Accoudée près d'Aliénor au bastingage, je lui souris, tout en humant l'air vif pour apaiser mon propre malaise. Car, depuis notre départ, j'étais prise de nausées que rien ne soulageait et qui me faisaient verser mon matinel par-dessus le bastingage. Je ne m'en inquiétais pas, n'étant pas la seule à souffrir du mal de mer, au grand amusement de notre capitaine. Celui-ci, Antonio Gaviardi, était un homme large d'épaules qui barrait sans forcer et buvait de grosses goulées d'un alcool de girofle que l'on distillait à Tortose et qu'il gardait toujours dans une gourde pendue à sa ceinture. Sans être beau, il avait pourtant quelque charme avec son front noir garni d'épais cheveux bouclés retenus par une cordelière, sa barbe épaisse et frisottante, au milieu de laquelle se tissaient de minces fils d'argent, et ses yeux d'un bleu pur. Ajoutée à cela, cette humeur taquine propre aux Siciliens rendait sa compagnie fort plaisante.

Le voyage prenait des allures de croisière grâce à la clémence du temps. Le simple fait de n'avoir pas à subir la mauvaise humeur de Louis avait levé toute tension sur les visages, et l'on parlait avec bonheur de la douceur de nos foyers de France. L'air du large balayait l'odeur du sang, et peu à peu nous retrouvions devant nos yeux des couleurs et des rires. Certes nous étions tous et toutes différents de ces croisés qui, deux ans plus tôt, avaient gainé leur bras de la manche brodée d'une croix écarlate. Moi-même, j'avais été brisée par ces images, bouleversée par ces femmes et ces enfants égorgés, par ces monceaux de cadavres que des charognards affamés se disputaient. J'avais mal, d'une douleur que rien ni personne ne pouvait apaiser. J'entendais encore les voix autour de moi rejeter la cause de notre échec, non sur l'absurdité de cette guerre, mais sur l'erreur de tactique, la faiblesse, le manque d'armes ou de nourriture, la charge inutile des femmes et tant d'autres raisons. Alors, je me mettais à pleurer en secret sur l'ignorance des hommes, sur leur orgueil imbécile qui les poussait à posséder encore et davantage, sur leur faculté à se retrancher derrière l'abjuration de leurs péchés.

Jaufré s'avança vers nous et s'accouda à nos côtés. Il était pâle, mais je l'étais tellement aussi que je ne pensais pas qu'il pût souffrir d'autre chose que de ce mal de mer qui nous prenait toutes par intermittence.

L'écume venait s'écraser contre la coque en un mouvement lent et régulier.

– Regardez ! lança Aliénor gaiement.

Une compagnie de dauphins sautait dans notre sillage pour nous saluer. Leur ballet nous arracha un rire léger. Il était de ces moments de paix qui valaient toutes les fortunes du monde !

– Ceux-là sont nos amis, à n'en pas douter !

Nous nous retournâmes de concert pour accueillir le visage souriant de Geoffroi de Rancon qui s'était avancé jusqu'à nous. Aliénor le gronda :

– Messire, vous faites preuve d'un mauvais esprit ! Nous n'avons plus que des amis sur ces eaux.

– Surtout depuis que le navire de notre bon sire Louis a été contraint de faire escale pour avarie ! répondit-il avec une pointe d'impertinence.

Aliénor éclata de rire.

– Gare à vos paroles, messire de Taillebourg ! Bien que je doive reconnaître que ce répit m'est aussi agréable qu'à vous. Mais oublions le roi voulez-vous ? Allons plutôt retrouver ces dames et cette pauvre Sibylle. Nous pourrions jouer aux devinettes, vous excellez en ce domaine. Vous joignez-vous à nous ? demanda-t-elle encore en s'adressant à Jaufré et à moi.

– Point pour moi, Majesté. Je m'en vais aller chanter la beauté de ce ballet aquatique à ses protagonistes.

– En ce cas, je vous accompagne, murmurai-je, comprenant que Jaufré souhaitait demeurer seul.

Nous jouâmes un moment, délaissant Sibylle qui ne parvenait à se remettre totalement de ce qu'elle avait vécu et gardait un regard vide et tourmenté. Puis, bercées par un roulis régulier et la douceur du soleil, nous nous abandonnâmes à la rêverie. Par instants, j'entrouvrais les yeux pour regarder Jaufré. Il s'était juché sur la figure de proue malgré les recommandations et les grognements du capitaine qui estimait dangereuse cette position instable. Mais lui s'en moquait. Sa mandore à la main, il puisait là quelques rimes qu'accompagnait parfois un accord. Jaufré composait. Et l'admirer ainsi, baigné de lumière, m'emplissait d'un bonheur sans pareil.

– Navire à bâbord, navire à bâbord !

Habituées à ces hurlements de la vigie qui indiquaient fréquemment que nous croisions un bateau et qu'il fallait barrer en conséquence, nous tournâmes à peine la tête. Ce fut le second cri qui nous donna l'alerte :

– Navire à bâbord, il fonce droit sur nous, cap'taine !

Debout sur le quart avant, Antonio fixait l'horizon en protégeant ses yeux d'une main en visière. Il donna quelques ordres que nous ne comprîmes pas. Mais point n'était besoin. Nous nous dressâmes de concert pour juger nous-mêmes du danger. Toutes voiles dehors, un navire léger fondait sur nous à grande vitesse, arborant pavillon grec.

Aliénor poussa un petit cri et tendit le doigt au nord. Dans son encablure elle venait d'apercevoir un deuxième vaisseau qui le suivait en ligne. D'un bond, elle se rendit sur le quart avant auprès du capitaine.

Je lançai un œil inquiet en direction de la proue. Jaufré n'y était plus. Un sentiment de panique m'envahit, aussitôt apaisé par sa silhouette qui était réapparue et s'avançait, féline, sur le pont. En quelques enjambées, il fut à nos côtés :

– Je crains, damoiselles, que ce pavillon ne soit pas amical, vous feriez mieux de vous enfermer dans vos cabines sur-le-champ et de n'en point sortir avant que l'on ne vous délivre.

Mais Faydide de Toulouse, qui avait reçu à Damas une méchante estafilade de la commissure des lèvres à la tempe droite, redressa son menton anguleux et, d'un regard fier, le toisa en bombant le torse :

– Nous avons affronté les Turcs, croyez-vous que nous allons trembler devant des Grecs ? L'heure est venue de venger nos compagnes enlevées à Adalia !

Joignant un geste déterminé à ses paroles, elle sortit du fourreau la lame qu'elle seule n'avait pas abandonnée dans sa cabine.

– Dame Faydide a raison, insistai-je. Allons prêter main-forte à nos hommes ! Toutes à nos épées, damoiselles de France.

Je vis Jaufré frémir, mais il ne souffla mot, tandis que dans un cri de rage, chacune se précipitait dans les entrailles du navire pour y récupérer sa précieuse lame.

Lorsque nous reparûmes sur le pont, les féaux d'Aliénor étaient prêts à affronter l'assaut, car il ne faisait aucun doute que nous ne pouvions échapper à ces vaisseaux rapides et maniables. Malgré toute la science du capitaine, il fallait s'attendre à l'abordage.

Aliénor avait fait jaillir son épée et regardait la manœuvre habile de l'ennemi qui se rapprochait par le flanc bâbord et s'apprêtait à coller son navire contre le nôtre.

— Nous sommes perdues, murmura à mes côtés la voix blanche de Sibylle, tandis qu'elle tombait à genoux en pleurant.

Je la secouai à pleines mains.

— Debout, Sibylle ! Debout ! Je te l'ordonne ! Lève-toi !

Elle me regardait sans me voir. Je compris que son esprit revoyait un autre combat et qu'il ne faudrait pas compter sur elle. Je glissai mon bras autour de ses omoplates et l'entraînai vers l'escalier qui menait aux cabines. Jugeant qu'elle ne serait en sûreté nulle part, je soulevai les étoffes qui traînaient sur la couche et la dissimulai derrière un coffre en prenant soin de jeter sur elle les linges, pour faire illusion à sa peur.

Bouclant la porte derrière moi, je m'élançais vers l'escalier lorsque le choc contre la coque me fit perdre l'équilibre et me renvoya contre la paroi. Un instant assommée, je me redressai et grimpai les marches, l'épée au poing.

Sur le pont déjà la bataille faisait rage. Les Grecs n'étaient pas de solides soldats mais de bons marins et jouaient d'un avantage certain. Fort heureusement, les matelots du capitaine Antonio maniaient le sabre avec une dextérité exceptionnelle. Notre situation était pourtant des plus précaires. Si le second navire nous abordait par le flanc ouest, nous prenant en tenaille, nous serions submergés par le nombre. À l'instant où je prenais la décision de faire intervenir la magie, je reçus dans mes bras le jeune Thierry de Moroit, qui, piqué au flanc, avait reculé jusqu'à moi en se recroquevillant sur sa blessure. Son agresseur, un géant aux poils blonds et aux dents jaunies et vilaines, me lorgna d'un œil concupiscent tandis que je laissais le corps de Thierry glisser sur le pont.

Il fondit sur moi à la vitesse d'un éclair et je vis que je devrais d'abord m'en débarrasser si je voulais agir. J'esquivai d'un bond sa lame, qui passa à quelques pouces de mon flanc. Il allait de nouveau se jeter sur moi lorsque son regard accrocha la pierre de lune qui pendait à mon cou au bout de sa chaînette d'or. Il eut un sourire intéressé et jeta son épée à terre. Un instant interdite par son attitude, je n'eus pas l'aplomb de mon esquive précédente et basculai sous le poids de son corps lourd qui m'avait plaquée en pleine poitrine. Un cri m'échappa en même temps que l'épée. J'eus beau me débattre et cogner son dos à grands coups de poing, je ne parvins pas à me dégager de son emprise. Il entreprit de se frayer un passage entre les belligérants, tandis que je gesticulais comme une diablesse en appelant à l'aide.

Mes cris alertèrent Geoffroi de Rancon qui venait de se défaire non sans mal de deux Grecs malingres mais agiles. Il se rua sur le colosse. Je vis son épée pénétrer la cotte de cuir qui protégeait la carrure massive de l'homme et s'enfoncer jusqu'à la garde, à quelques centimètres seulement de mon visage. Le Grec râla de surprise et se retourna d'un bloc. Alors, d'un mouvement de reins, je me cambrai et échappai à sa poigne que la blessure rendait moins tenace. Bien m'en prit ! Je n'eus que le temps de me jeter sur le côté, pour n'être pas écrasée par le géant, qui s'affaissa en éructant un filet de sang.

Déjà, Geoffroi de Rancon se tournait vers un nouvel agresseur. Je reculai contre le mât de vigie et d'un coup d'œil circulaire avisai que la partie était perdue. Le second vaisseau approchait très vite. Bientôt, il nous aborderait et nous serions à la merci de ces traîtres. Il n'était plus temps désormais de se demander si l'on n'allait pas me brûler sur un bûcher pour ma magie. Tout me semblait préférable à la mort de mes compagnons et, pire encore, à celle de Jaufré que je ne voyais plus.

D'un bond, je me dressai et levai les bras au ciel, lançant dans l'air teinté de sang :

– Que des ténèbres et du jour, des profondeurs de l'abîme et du temps s'éveille le dragon noir, et que seuls ces Grecs aux sombres desseins voient sa gueule béante et son souffle malsain !

En un instant une ombre gigantesque masqua la lumière, tandis qu'un même cri s'élevait autour de moi. Des mouvements de panique avaient envahi le second navire, qui vira de bord en nous frôlant. Les hommes, massés sur le pont avec leurs grappins d'arraisonnement, reculaient à présent terrifiés. Sur ce pont-ci, la surprise et l'effroi ouvrirent les bouches et les yeux, abaissant la garde de nos ennemis. Cela suffit pour que les lames pénètrent les chairs et nous donnent la victoire. Moi seule de nos gens pouvais voir la bête qui crachait par les naseaux une flamme écarlate. Mais ce n'était qu'une illusion. Lorsqu'il n'y eut plus un de nos ennemis debout, mes bras retombèrent et la bête disparut. Alors seulement, les visages se tournèrent vers moi, car aucun n'avait compris ce qui s'était passé, mais tous m'avaient pu voir, les bras dressés au ciel, auréolée d'une lumière ensanglantée.

Ils m'entourèrent telle une marée de survivants dont j'eus peur qu'elle ne m'engloutisse. Mais peu importait, j'avais agi pour le mieux et sauvé les miens. Sauvé la reine qui ne portait qu'une longue estafilade au bras, sauvé Jaufré qui se relevait en boitant, sauvé Sibylle qui n'avait rien vu mais avait perdu la raison sous son monticule de linges.

Soudain, d'un même élan, entraînés par la reine qui était tombée à genoux, tous et toutes courbèrent la tête devant ma frêle silhouette, et de leurs lèvres tremblantes monta un alléluia.

Il me fallut quelques secondes pour comprendre que, n'ayant pas vu le monstre, mes amis croyaient tout bonnement à une intervention divine. J'aurais dû m'amuser de cette méprise, pourtant en cet instant, devant leurs mains jointes, mesurant la puissance de l'aura qui m'entourait encore, je ressentis seulement une infinie tendresse. Comme ils étaient crédules, tous ! Comme ils étaient vulnérables ! Mais pouvais-je les blâmer ? Une chose seule était certaine, j'avais agi par amour. Peut-être était-ce là tout ce qu'il fallait retenir.

Tout en écoutant le chant de grâces, je ressentis d'un coup le poids d'une immense fatigue. Faire appel à la magie avait été une épreuve difficile, d'autant plus que jamais encore je n'avais véritablement usé de pareils sortilèges. Titubant, je m'avançai jusqu'à Jaufré, qui me dévisageait passionnément. Il me tendit les bras, mais, avant de m'y écrouler, une vision me glaça d'effroi. L'espace d'un instant, je le vis s'effondrer, le regard vitreux, entre des mains blanches et baguées. Je poussai un cri de surprise et de douleur, puis sombrai dans une nuit d'encre.

Lorsque je revins à moi, la nuit balançait doucement le navire entre l'onde et un ciel piqueté d'étoiles. Jaufré s'était assoupi à mes côtés. Son souffle régulier et son teint rosé me rassérénèrent. Je passai délicatement un doigt sur la joue de mon aimé. Aussitôt, il ouvrit les yeux et me sourit.

– Ma bonne fée va mieux, semble-t-il, murmura-t-il en m'attirant à lui.

Je me laissai aller à son baiser.

– Que s'est-il passé ? demandai-je ensuite en me pelotonnant au creux de son épaule.

– Rien d'important, plaisanta-t-il. Tu as levé les bras aux cieux et les cieux nous ont épargnés. Du moins est-ce la version consignée par le capitaine dans son carnet de route. Aliénor a précisé que tu avais dû voir la Vierge des marins pour avoir ainsi le visage illuminé de bonheur et de béatitude. Quant à nos gaillards blonds, nul ne sait ce qu'ils ont vu, mais sans doute était-ce la colère de Dieu. Après, comme toutes les saintes de l'Histoire, tu t'es évanouie pour mieux conserver intact et pur le souffle divin. Les marins ont jeté les corps à la mer et nettoyé le pont du sang qui avait séché, et le prêtre a dit une messe pour leurs âmes, les nôtres et la tienne surtout qui avait été élue. Une bien belle anecdote, qui finira certainement en chanson.

– L'écriras-tu ? demandai-je en souriant.

– Non point, belle damoiselle ! Je laisse à d'autres le soin de vanter ta piété. J'aurais sinon bien trop de scrupules à épouser une sainte ! Et, puisque te voici rassurée sur mes intentions, si tu me disais quel est donc ce mirage qui a dressé les cheveux sur les têtes de ces vilains ?

– Un dragon.

– Un dragon ? Aussi hideux que ceux des récits légendaires ? Avec plusieurs têtes et crachant du feu ?

– Pire encore, il avait une haleine putride et de gros yeux roulant en tous sens, de cette manière-là.

Entrant dans son jeu, je me dressai sur mon séant et mimai le monstre. Il rit de ce rire clair que j'aimais. Puis il m'attira de nouveau contre lui.

– Je t'aime, Loanna de Grimwald.

– Je t'aime aussi, Jaufré de Blaye.

– Blaye sera bien gardée si tu peux tenir ses ennemis à distance avec de pareils stratagèmes. Bon sang, Loanna, j'ai en toi une confiance infinie, mais, si par malheur quelqu'un venait à surprendre l'une ou l'autre de tes pratiques, tu serais soupçonnée de t'être acoquinée avec le Malin. Parfois tout cela m'effraie. La chance a voulu que tes ennemis ne soient pas sur ce navire, mais regarde ce qu'il est advenu à Antioche. Et puis il y a autre chose.

Il saisit sur une tablette un bijou, qu'il me tendit. Ma pierre de lune, suspendue à sa chaînette d'or. Je portai la main à mon cou.

– Le fermoir est brisé. Au moment où l'on allait jeter à la mer celui qui semblait être le chef, j'ai vu ceci pendre de sa main. Inutile de te dire que je me suis empressé de la lui reprendre. C'est alors que j'ai découvert ceci.

Il ouvrit sa main, et je reconnus une bague élégamment travaillée au sceau de Manuel Comnène.

– On ne nous a pas attaqués par hasard, Loanna. Aliénor pense que c'est à cause d'elle que les Grecs ont agi, pour obtenir une rançon royale. Et je l'ai cru tout d'abord, mais je n'en suis plus sûr. C'est toi que ce barbare cherchait. Geoffroi de Rancon est de mon avis, Comnène voulait sa revanche.

Je secouai la tête.

– C'est déjà si loin…

– Tu es différente des autres, Loanna et c'est pour cette raison que l'on te désire ou que l'on souhaite ta perte. Épouse-moi vite, avant qu'un quelconque vassal à la solde de tes ennemis ne demande ta main à Louis et l'obtienne.

– Louis ne ferait pas cela sans mon consentement.

– Sans doute pas, mais peux-tu l'assurer ? Les murailles de Blaye sont à même de faire taire les prétentions de plus d'un, et j'ai de mon côté de nombreux alliés. En te donnant mon nom et mon titre, je te donne mes terres et mes gens pour veiller sur toi, bien plus que ces pauvres mains de poète ne le peuvent.

– Laisse-moi quelque temps encore, Amour. De retour en France, Aliénor rejettera Louis au nom du droit canonique et l'Angleterre aura sa reine. Dès lors, plus rien ne s'opposera à ce que je suive mon propre destin.

– Est-ce une promesse ?

– Ma vie tout entière est une promesse.

Et pour mieux sceller ce serment, je me couchai sur son corps doux comme un voile de soie.

Nous débarquâmes bientôt à Palerme, où nous apprîmes que le navire de Louis avait lui aussi été attaqué par la flotte byzantine et sauvé par les Normands de Sicile. Trop heureux d'être parvenus à bon port sans autre incident, nous gagnâmes Potenza, où le roi Roger nous reçut avec sollicitude.

Retrouver la terre ferme sous mes pieds me fit du bien, et j'eus un sentiment de bonheur infini en me disant que ces nausées allaient enfin prendre fin. Hélas, je dus déchanter très vite. Dès le surlendemain de notre escale, dans le palais ensoleillé et blanc du roi, les vomissements me tirèrent du lit. En me redressant pour m'essuyer au-dessus du bassin d'argent qui servait à ma toilette, je croisai mon visage dans un miroir. Cela faisait plusieurs semaines que je n'avais prêté attention à mes traits, et les cernes violacés sous mes yeux me firent peur. Et puis, soudain, ce fut la révélation.

Enceinte ! J'étais enceinte ! Je portai les mains à mon ventre. Il était un peu gonflé, certes, et mes seins s'étaient alourdis. Comment n'avais-je pu me rendre compte de rien ? Il était vrai que, sur le navire, je passais peu de temps à m'occuper de moi. Je cherchai dans mes souvenirs la date de mes derniers flux menstruels. À cela aussi je n'avais prêté aucune attention. Cela devait bien faire trois mois. Trois mois ! Un vertige me prit et je dus m'appuyer sur le montant du lit. Trois mois, et je n'avais sous la main aucune herbe pour faire partir l'enfant. Je tremblais d'angoisse. L'enfant de Jaufré était là, blotti dans mon ventre. J'aurais dû sauter de joie, et je ne songeais qu'à m'en débarrasser.

Des larmes vinrent, de rage, d'impuissance et de bonheur aussi. N'était-ce pas un signe du destin pour me signifier que ma mission était remplie et qu'il me fallait songer à ma propre existence ? Je ne pouvais pourtant prendre le risque de m'éloigner de la cour avant qu'Henri rencontre Aliénor.

Trois mois... Cela me laissait un peu de temps avant que cela se voie. Non, je ne dirais rien à Jaufré. Bientôt nous serions de nouveau dans l'île de la Cité et je partirais pour la Bretagne voir Henri. Dès qu'Aliénor serait libre, je mettrais mon enfant au monde et deviendrais l'épouse de Jaufré. Les choses iraient vite à présent.

Il suffirait de serrer les fils de mon corset et d'interdire ma couche à mon troubadour quand mon embonpoint serait trop évident. Pour l'heure, lui non plus n'avait rien remarqué. Il lui faudrait regagner Blaye, trop longtemps abandonnée à cause de la croisade. J'aurais le champ libre. Oui, cela devrait aller. Je caressai doucement la peau de mon ventre à peine rebondi.

– Mon tout petit. Ma fille, murmurai-je, attendrie.

Lorsque Camille, ma chambrière, entra pour m'aider à me vêtir, elle me trouva dans cette même posture, le regard songeur, loin, bien loin au-delà de la grande mer, vers cette terre marécageuse où j'avais connu les plus belles heures de ma vie.

Louis s'annonça cinq jours plus tard. Il était amaigri, et son regard trahissait quelque démon intérieur. Il vint saluer Aliénor, que Roger de Sicile avait mise en avant pour accueillir son époux, et sembla avoir peine à faire bonne figure à celui qui leur avait offert son assistance. Aux questions qui ne manquèrent pas, il répondit que le voyage avait été éprouvant et que, malade durant toute la traversée, il n'avait vécu qu'avec l'espoir d'aller se recueillir sur un sol stable et apaisant. Roger de Sicile s'empressa donc de faire célébrer une grand-messe, au cours de laquelle allusion fut faite à cet Esprit-Saint qui était descendu à ma prière pour écarter les Byzantins. Cette histoire m'agaçait. D'autant plus que l'évêque crut bon d'ajouter que seule l'âme pure d'une vierge pouvait attirer la clémence divine.

J'en fus dès lors de plus en plus convaincue : nul ne devait savoir que je portais un enfant ! Si tous se doutaient que je n'étais plus pucelle, personne, à l'exception de Denys, n'avait pu le vérifier, Jaufré s'évertuant pour préserver mon honneur à prétendre son amour pur et noble, à me nommer sa « lointaine » et à s'esquiver de ma couche avant que quiconque ne se lève. Néanmoins, Béatrice de Campan était suffisamment fine pour ne pas croire un seul instant que la main de Dieu ait pu s'étendre sur moi, alors que je ne passais pas le plus clair de mon temps en prière, à son exemple. Étienne de Blois lui aussi me lança un regard soupçonneux.

Jaufré avait raison. Il me fallait être prudente. Les sorcières étaient montrées du doigt par l'Église, comme des suppôts du diable. Si elles bénéficiaient encore du soutien du peuple, chaque jour davantage, elles devaient se cacher dans les recoins les plus sombres des forêts. Avant longtemps, j'en étais sûre, l'Église balaierait d'un revers de main quiconque s'opposerait à son hégémonie. Le Malin deviendrait un prétexte habile pour faire taire des esprits libres et encombrants. Tant que je restais à ma place dans l'ombre d'Aliénor, je n'avais que peu à craindre, donnant autant qu'il m'était possible l'illusion d'une foi sans tache. Cet enfant, hélas, prouvait le contraire, au regard de l'Église. S'il était admis qu'une femme mariée soit engrossée par quelque amant, il était impensable qu'une vieille fille comme moi affiche ainsi son ventre gonflé sans passer pour la dernière des catins.

La messe achevée, Roger de Sicile fut un hôte parfait. Pendant plusieurs jours, fêtes, banquets et chasses alternèrent avec de longs offices au cours desquels Louis semblait plus recueilli que jamais.

Ce qui m'alerta fut qu'il se tînt loin de Béatrice, comme s'il voulait éviter sa présence. Se seraient-ils disputés sur le navire ? Quel péché Louis avait-il sur la conscience qui l'empêchait de croiser le regard de celle qu'il aimait ? Je tentais désespérément de le découvrir, en le faisant espionner par une servante, mais la seule chose qu'elle m'apprit fut que le roi se rendait plusieurs fois par jour auprès de l'évêque et qu'ensemble ils avaient de longues conversations. J'aurais pu faire appel à la magie pour entrevoir leur secret, mais les risques étaient bien trop grands. Le fait qu'il évitât Aliénor autant que Béatrice suffisait au fond à étouffer la plus grande de mes craintes. Si le roi s'était rapproché de quelqu'un, c'était du Christ et non d'une femme. De fait, Louis s'était fait octroyer une cellule dans le monastère attenant à la cathédrale.

Au bout de quelques jours, il eut une autre conversation, avec Roger de Sicile cette fois. Là encore, rien ne transpira de ce que se dirent les deux hommes, mais à l'issue de cet entretien Louis ne reparut pas aux banquets, prétextant qu'on l'avait assigné à faire pénitence et à jeûner. Il resta ainsi plus de deux semaines loin de tout et de tous, comme il l'avait fait après le siège de Damas.

Roger de Sicile se montra charmant et fit de son mieux pour nous distraire, de sorte que bientôt nous ne nous inquiétâmes plus de savoir ce qu'il advenait du roi de France. Je surveillais pourtant avec une attention croissante mon tour de taille, mangeant le moins possible pour qu'il ne paraisse pas trop vite déformé par l'enfant. Désormais, je la sentais vivre en moi, et c'était une sensation étrange et unique. Chaleureuse, tendre, douce, elle me remplissait, et les caresses de Jaufré semblaient chaque jour plus apaisantes et sensuelles. Comme si ma peau tout entière tendue par cet acte d'amour appelait plus encore le sien. J'étais bien.

Aliénor poussa un cri déchirant. Le bref s'échappa d'entre ses mains et je n'eus pas même le temps de la retenir qu'elle s'affaissa d'un bloc sur le sol de mosaïque.

– Que l'on porte les sels ! criai-je à l'attention d'une des suivantes de la reine de Sicile.

Elle dut comprendre mon injonction, puisqu'elle s'élança en relevant ses jupons couleur d'andrinople en direction de l'office.

Nous étions paisiblement occupées à tisser une superbe bannière mêlant les couleurs de France à celles de Sicile, que nous avions choisi d'offrir à l'un et l'autre roi. Puis un messager était entré, qui s'était incliné devant Aliénor et lui avait remis un pli sans autre explication. Maintenant une des suivantes, Paola, je crois, me le tendait. Je saisis vaguement qu'elle avait dû avoir le même cheminement d'idée que moi. Tandis que Paola débouchait le flacon de sels qu'on venait d'apporter pour les faire respirer à Aliénor, je déchiffrai les lignes fines et délicates. Un haut-le-cœur me saisit. Le pli portait la signature de Constance. Elle nous apprenait la mort de Raymond d'Antioche, décapité en combattant contre Nūr al-Dīn à Maaratha. Ainsi Aliénor avait vu juste lorsqu'elle avait prédit qu'elle ne reverrait jamais Raymond et que l'entêtement de Louis vers Jérusalem causerait sa perte.

Un soupir douloureux me ramena vers elle. Elle avait repris ses esprits et avec eux la pleine conscience de l'affreuse nouvelle. Je n'eus que le temps cette fois de m'agenouiller auprès d'elle et de l'entourer de mes bras avant qu'elle n'éclate en sanglots convulsifs, poussant de longs hurlements de douleur.

Cela faisait maintenant un mois qu'Aliénor refusait de quitter sa chambre, faisant porter jusqu'à son lit de maigres bouillons qu'il fallait réchauffer plusieurs fois avant qu'elle parvienne à les avaler. La reine était malade. Les plus grands apothicaires de Sicile étaient à son chevet et ne parvenaient malgré leur science à trouver la cause de son mal. Quant à Louis, désemparé, il venait souvent lui rendre visite, n'obtenant pour son affection soudaine qu'un regard de mépris et un geste de lassitude qui le renvoyait tôt fait auprès de ses confesseurs. Roger de Sicile et son épouse se montraient désolés. Ils étaient l'un et l'autre aussi attentionnés que possible, ne négligeant rien qui pût faire plaisir à la reine et lui donner envie de se battre.

Car le véritable problème était là. Aliénor ne se remettait pas de la mort de son oncle. Les jours qui avaient suivi cette triste nouvelle, elle avait pleuré beaucoup, puis avait semblé se ressaisir. Je savais pour ma part qu'il n'en était rien. Pire encore que la douleur d'avoir perdu un être aussi cher, quelque chose de plus viscéral rongeait la reine : le sentiment de rancœur qu'elle nourrissait à l'égard de son roi. Raymond avait combattu l'ennemi là où il croyait la véritable justice, mais que pouvait-il sans le soutien de l'ost royal ? Raymond n'était pas sot. Il savait en se rendant là-bas qu'il courait à sa perte. Que pouvait-il avoir à oublier dans la mort si ce n'était sa nièce, celle qu'une fois encore la raison d'État lui avait ravie, celle pour laquelle il n'avait pas eu le courage de défier le roi de France. Louis était responsable. Lui et lui seul.

Peu à peu elle avait perdu l'appétit, rongée de l'intérieur par cette haine et par son chagrin. Ce n'était pas l'amant qu'elle pleurait, c'était elle-même et son impuissance face au destin. Aliénor se laissait mourir pour échapper, comme Raymond, à ce sentiment de n'être rien d'autre qu'un infime pion dans l'histoire de France. Les apothicaires auraient beau se creuser la tête, aucun ne guérirait ce mal secret. Et moi, qui ne quittais pas son chevet, je déployais tout mon amour, toute ma patience, mais n'y pouvais rien. Il fallait qu'Aliénor purge sa douleur et trouve en elle la force de continuer. Il fallait attendre.

Un apothicaire eut l'idée de prétendre qu'une saignée ferait sortir d'elle les humeurs malignes, un autre qu'il fallait frotter son corps avec des orties pour la dégager de son apathie, un autre encore qu'il n'y avait rien de mieux que des douches bouillantes pour lui rendre sa vitalité. Ils auraient sans doute réussi à la tuer si chaque nuit, alors qu'elle dormait d'un sommeil agité, je n'avais usé de mes pouvoirs pour apaiser ses cauchemars et de certaines médecines pour la maintenir malgré elle. Fort heureusement, j'avais trouvé ici de la mélisse et de la menthe en abondance. Et, malgré tout le soin qu'Aliénor mettait à se laisser mourir, chaque matin je tirais ses rideaux sur un rayon de soleil et l'obligeais à s'en nourrir.

Cela dura plus d'un mois, et puis, un matin, elle s'éveilla en hurlant et se mit à pleurer, le corps secoué par de violentes convulsions qui la firent vomir de la bile. La servante courut quérir un prêtre, pensant que l'heure de l'extrême-onction avait sonné pour la reine.

Lorsqu'il franchit le seuil, Aliénor n'eut qu'un cri, alors qu'elle s'était refusée au moindre mot depuis qu'elle était alitée :

— Dehors, envoyé du diable ! Et dites à mon curé de mari qu'il ne m'aura pas !

Le prêtre recula, en la voyant me repousser brutalement et tendre vers lui un doigt accusateur. Elle avait les yeux injectés de sang et il se signa d'effroi. À cet instant, je sus qu'elle était sauvée. D'un bond, je fus sur le prêtre qui avançait son crucifix comme s'il était en présence du démon et, d'une main apaisante, je l'entraînai à l'écart :

— Mon père, oubliez ce que vous venez de voir. La reine de France a pris cette nuit quelque médecine ordonnée par les apothicaires et son apathie semble vouloir finir. Avec un peu de repos, je gage qu'elle aura recouvré ses esprits avant la fin de la journée.

— Je gagerais pour ma part que quelque démon a pris possession de son âme, rétorqua-t-il en frémissant de peur.

— Vous parlez de Sa Majesté la reine de France, mon père. N'allez pas trop vite en besogne.

Il me fixa avec dans le regard un mélange de crainte, de résolution et de doute. S'il faisait venir à elle un exorciste et qu'il se soit trompé, on ne lui pardonnerait pas en haut lieu. La reine s'était laissée retomber à plat ventre sur son lit et pleurait tout son soûl, la tête dans les oreillers de plume, les serrant dans ses bras à s'en étouffer. Le prêtre dégagea finalement son bras de mon étreinte et sortit après avoir tracé dans l'air un signe de croix géant.

La chambrière s'était recroquevillée dans un angle et tremblait de tous ses membres tant l'invective avait été violente. Je m'approchai d'elle et lui conseillai d'aller prendre du repos et de donner consigne que l'on ne nous dérange pas. Ni les apothicaires, ni le roi, personne.

— Tu as bien compris ? Personne.

Elle hocha la tête et se hâta de disparaître à son tour.

Alors seulement, je retournai vers le lit et m'allongeai près d'Aliénor. Elle s'accrocha à moi, hoquetant entre deux spasmes :

— Pourquoi la mort ne me veut-elle pas ? Pourquoi ? Pourquoi ?

— Qu'aurait-elle à faire de ta jeunesse et de ta beauté ?

— J'ai tué Raymond… C'est à cause de moi qu'il s'est entêté malgré la décision de Louis.

— Et c'est à cause de toi que Louis a fait de même. Je sais ce que tu ressens, mais tu n'y peux plus rien changer, ma douce.

– Il était tout, tu comprends ? Tout ce qui me restait de chez moi. De mon véritable chez-moi. Je n'ai plus rien. Plus rien...

– Tu as Marie..., murmurai-je doucement, me souvenant qu'à deux reprises déjà la pensée de sa fille lui avait donné le courage de relever la tête.

Mais cette fois elle n'eut aucune réaction.

– Louis paiera, dit-elle après un long moment, avec une soudaine résolution.

– Que feras-tu, ma douce ? Dieu n'a épargné personne. Ni Raymond, ni toi, ni Louis. Il est méconnaissable depuis que tu es tombée malade, il n'est plus que l'ombre de lui-même. La mort de ton oncle l'a profondément affecté. Je sais qu'il s'en tient pour responsable.

– Il l'est ! cria-t-elle en redressant la tête.

Elle répéta :

– Il l'est !

– Il en porte le poids sur la conscience et, plus encore que toi, il doit vivre avec cela.

– Je vais demander l'annulation de mon mariage. Je ne veux plus vivre avec Louis, tu entends. Je ne veux plus qu'il m'approche, je ne veux plus qu'il pose ses mains sur moi, je ne veux plus qu'il lève seulement ses yeux sur moi.

– Tu dois pour cela obtenir une audience auprès de Sa Sainteté.

– Qu'à cela ne tienne !

Elle s'arracha de mes bras et repoussa les couvertures. Lorsqu'elle posa résolument un pied à terre pour se lever, ses forces l'abandonnèrent et un vertige la cueillit, qui la rassit sur le lit. Je la raisonnai comme une enfant :

– Voilà plusieurs semaines que tu ne manges ni ne te lèves. Crois-tu pouvoir ainsi faire face à la raison d'État ? Je vais te faire porter du bouillon.

– Au diable le bouillon ! ragea-t-elle en massant ses mollets affaiblis par l'inactivité. Fais donc monter de la véritable nourriture. J'ai faim de poularde et de poisson, de sauces et d'entremets, sans oublier du vin.

– Voici qui va ravir notre hôte, Votre Majesté, acquiesçai-je dans un éclat de rire.

C'est alors que son regard accrocha ma taille qui, malgré tous mes efforts, s'était épaissie. Elle écarquilla les yeux et sa bouche s'arrêta sur un joli « oh ! » de surprise. Mon rire retomba aussitôt. Je ne pourrais cacher bien longtemps encore mon infortune. Je revins vers elle et, m'agenouillant, je pris sa main et la posai sur mon ventre. Au même moment, le bébé bougea et envoya un coup qui fit tressauter sa paume. Son sourire s'élargit, tandis que des larmes lui venaient aux yeux.

– Enceinte ! Tu es enceinte ! Oh, Loanna ! C'est merveilleux.

Elle m'enlaça tendrement, comme une sœur. Heureuse soudain, alors qu'elle avait oublié jusqu'au sens de ce mot.

– Tu ne dois rien dire pourtant. À personne, suppliai-je.

– Tu veux dire que...

Je secouai la tête. Elle eut un moment d'interrogation muette, le temps de rassembler en elle toutes les données d'une situation qui lui échappait, puis me prit les mains.

– Il va falloir songer aux épousailles, Loanna.

– Dès notre retour en France, je te le promets. Pour l'heure, que cela reste entre nous, je t'en conjure. Pour rien au monde je ne voudrais précipiter les choses, et tu connais Jaufré, s'il savait que je porte son enfant, il demanderait à l'évêque de nous unir sur-le-champ. Cela ferait jaser.

– Si tu attends trop, jamais l'Église ne consentira à bénir votre union avant que l'enfant soit né. On ne marie pas une damoiselle qui porte gros ventre le jour de la cérémonie, c'est contraire à toutes les règles. Tu en as conscience ?

– Ne t'en fais pas pour moi. J'ai déjà songé à cela. Dès notre retour en France, tu répudieras Louis et j'épouserai Jaufré.

– Et je serai seule...

– Point, ma reine, je t'en fais serment devant Dieu. Ton destin n'est pas de vieillir sans royaume.

– Si je perds celui de Louis, que me restera-t-il sinon une Aquitaine dont je devrai me défendre ? Certains de mes vassaux ne manqueront pas d'essayer de m'épouser de gré ou de force pour gagner ce duché tant convoité.

– Le temps viendra, ma reine, où Louis portera avec regret le poids de ses erreurs. Aie confiance en moi.

– En qui d'autre pourrais-je avoir confiance ? Je t'aime tant.

– Je t'aime aussi. Je n'aurais pas supporté de te perdre.

Aliénor mangea tant ce jour-là qu'elle surprit tout le monde. En fin d'après-midi, elle paraissait à l'office dans une robe étincelante, amaigrie et les yeux cernés, mais plus majestueuse que jamais. Elle communia aux côtés du roi et lui accorda même un sourire dans lequel je fus seule à reconnaître le rictus de la vengeance. J'avais retrouvé ma reine, et Louis avait désormais auprès de lui la plus grande de ses ennemies.

8

Cela faisait maintenant deux semaines que j'interdisais ma couche à Jaufré, prétextant une maladie contagieuse contractée dans les pays chauds. Je serrais mes robes autant que possible, jusqu'à étouffer mon ventre rebondi. Fort heureusement, ma constitution accusait à peine mon état. Mathilde m'avait souvent rapporté que mère n'avait eu de signes évidents de sa grossesse qu'au début du septième mois. Il semblait que j'avais hérité d'elle et je m'en félicitais. À peine notait-on quelques rondeurs qui pouvaient être attribuées à la chère méditerranéenne abondante et savoureuse dont je prétendais faire excès.

Jaufré, quoi qu'il en fût, ne s'apercevait de rien. D'ailleurs, il ne me tint nullement rigueur de cet isolement, et j'eus même la sensation que cela le soulageait. Depuis quelque temps déjà, j'avais remarqué qu'il n'était pas au mieux, mais j'attribuais son silence et sa mélancolie au fait que ses compagnons nous avaient quittés depuis que nous avions accosté en Sicile. On demandait leur talent partout, et conquérir l'Italie leur plaisait. En outre, Bernard de Ventadour avait jugé plus prudent de s'éloigner de la reine jusqu'à son entrevue avec le pape. Il valait mieux éviter les ragots. Jaufré restait donc seul à suivre notre équipée. Quelques seigneurs eux aussi, assurés que le roi et la reine étaient à même de rentrer en France sans courir de dangers, étaient partis en avant-garde pour mettre à jour leurs affaires, trop longtemps laissées aux mains des femmes, des fils ou des intendants.

Suger donnait régulièrement des nouvelles du royaume et celui-ci paraissait en paix, chacun ayant été bien trop occupé avec la croisade pour fomenter de véritable révolte ou guerroyer contre ses voisins. Il insistait pourtant sur le fait que le roi et la reine ne devraient plus tarder, car, à présent que les seigneurs avaient regagné leurs domaines, des bruits circulaient. Robert de Dreux, le premier, songeait à s'insurger, depuis que les événements d'Antioche l'avaient placé en disgrâce auprès du roi, son frère. Il avait mal digéré que le complot tramé contre la reine à travers moi se solde par des fièvres dont Étienne de Blois et lui-même avaient eu grand mal à se remettre.

Geoffroi de Rancon et bien d'autres Aquitains avaient eux aussi regagné leurs foyers par bateau. De part et d'autre, du Sud et du Nord, on ruminait une rancœur qui laissait augurer un inévitable affrontement.

Pour le reste, Louis n'avait rien dit. Il avait entendu la décision d'Aliénor sans broncher, avait demandé si elle avait songé aux conséquences de son acte, et s'était contenté de conclure qu'il ne lui pardonnait pas son infidélité avec Raymond, même s'il regrettait sa mort. L'un et l'autre étaient donc partis pour Tusculum rencontrer le pape, avec la ferme résolution de se séparer. Nous n'étions plus qu'une dizaine dans leur sillage. La veille du départ, Béatrice de Campan avait demandé au roi de la marier, créant une surprise générale. Louis lui-même avait semblé ébranlé par cette requête. Il avait dégluti péniblement, puis avait affirmé qu'il y songerait à leur retour en France ; Béatrice étant la pupille de Suger, c'était au vieil homme d'approuver le choix qu'elle ferait parmi les nombreux prétendants qui l'entouraient et que, jusqu'à ce jour, elle avait repoussés avec véhémence.

Louis se sentait coupable. Pas plus avec elle qu'avec Aliénor, il n'avait admis les exigences de sa chair et il croyait fermement que la mort de Raymond était un signe de Dieu destiné à le punir de son infidélité à la reine.

Tant qu'il avait vénéré Béatrice telle une statue sainte, Dieu les avait soutenus. Mais, depuis qu'ils brûlaient leurs chairs dans des jeux pervers, tout autour de lui s'était écroulé. Louis s'était laissé aller avec elle à des pratiques de sodomie et bien d'autres errements que son confesseur avait qualifiés de sataniques et d'impurs. Jeûne et pénitence n'avaient rien changé et il payait lourdement son tribut, sentant bien au fond de lui que la peau douce et soyeuse de Béatrice lui manquait et que le moindre de ses regards lui retournait le sang. Louis était malheureux. Béatrice était malheureuse. Et Aliénor jubilait d'une joie mesquine. Car elle savait que jamais Béatrice ne serait reine de France après elle. Malgré tout leur amour, la raison d'État contraindrait Louis à épouser une dot qu'elle n'avait pas. C'était sans doute pourquoi Béatrice avait réclamé comme une faveur que Louis la donne à un de ses vassaux, celui en lequel il aurait le plus de confiance.

Le pape Eugène III reçut leur requête d'un œil sévère. Il n'avait pas oublié que l'un de ses prédécesseurs avait dû excommunier Pernelle et Raoul de Vermandois, soutenus par la reine dans leur affront. Il ne vit pas davantage d'un bon œil les griefs du roi à l'encontre de son épouse et le fait que l'on brandît une fois de plus le droit canonique comme s'il s'était agi d'une simple formalité. Il les sermonna fermement, puis leur enjoignit de méditer l'un et l'autre sur les devoirs sacrés du mariage.

Au bout de quelques jours, au cours desquels ils s'entretinrent longuement, j'eus la sensation d'un revirement de situation. Non que cela fût visible ni même concrétisé dans les faits, mais l'un et l'autre semblaient abattus, et revenaient de ces entretiens en pénitents et vraisemblablement épuisés. Ils s'affrontèrent ainsi tous trois une dizaine de jours, puis, un matin, Aliénor et Louis parurent ensemble, au bras l'un de l'autre. L'on apprit qu'ils avaient fait chambre commune et que le pape les avait réconciliés. J'eus l'impression que le sol se dérobait sous mes pieds. Aliénor s'avança vers moi. Elle m'offrit un sourire navré dans lequel je lus qu'elle avait demandé à Dieu la miséricorde autant que le pardon et qu'elle les avait obtenus. Nous n'avions plus qu'à rentrer en France pour célébrer l'heureuse nouvelle et unir Nord et Sud autour du couple reconstitué.

C'était à mon tour d'être brisée. Tous mes projets perdaient leur sens. Cela aurait été une trahison envers mes ancêtres, envers mère, envers Mathilde ma marraine et surtout envers Henri. Je ne pouvais plus épouser Jaufré, pas davantage que je ne pouvais mettre au monde cet enfant. Pourtant, n'était-il pas trop tard ? J'étais enceinte de presque cinq mois. Et, pis encore, j'aimais cette vie à l'intérieur de moi. Or, qu'y avait-il de plus important que l'amour ? Ne m'avait-on pas déjà mise en garde alors que je sous-estimais ses pouvoirs ? Que pouvais-je faire sans me trahir encore, sans trahir ceux auxquels mon destin était lié ? Je ne savais plus.

Jaufré paraissait heureux de regagner enfin la France. J'avais obtenu de lui qu'il ne demande pas encore ma main à Louis, mais pendant combien de temps ? La nuit qui suivit cette terrible nouvelle de réconciliation, je restai seule devant la fenêtre, cherchant au travers des nuages épais et noirs la présence de la mère éternelle, cette lune immense et sacrée que mes ancêtres vénéraient. Lorsque le coq chanta, je n'avais pas trouvé de réponse à mes interrogations. Le ciel était toujours aussi sombre au-dessus de la ville et de grands éclairs fulgurants cinglaient l'air lourd comme pour mieux me déchirer.

Dans la chambre voisine, Aliénor et Louis avaient de nouveau passé la nuit ensemble, et, malgré le dégoût d'Aliénor pour ses mains blanches, ils s'étaient probablement unis. Tout était à recommencer. Encore et encore. Combien de temps faudrait-il ? Aliénor ne devait pas plus qu'hier donner un fils à Louis, et à elle seule cette obligation m'empêchait de m'éloigner de la cour. Tout était confus. Mes sentiments comme ma raison.

Camille, ma chambrière, entra pour m'aider à me vêtir et me sermonna gentiment en voyant que ma couche n'était pas seulement défaite. À cet instant, je l'enviai de n'être rien. Mais, au fond, ne vivais-je pas la même servitude qu'elle ? Je n'étais moi-même, malgré mon rang, malgré ma condition, qu'une bâtarde de duc placée au service d'une reine pour le bon vouloir d'une autre. Je devais obéir, j'avais été conditionnée à obéir. On m'avait éduquée avec le sentiment du devoir envers l'Angleterre, et je lui appartenais, comme cette fille appartenait à mon service. J'eus brusquement envie de lui faire mal, comme j'avais mal, mais quelque chose me retint : peut-être son sourire tandis qu'elle laçait ma gorge enflée.

– Serre plus fort, demandai-je simplement.

– Vous ne devriez pas autant comprimer l'enfant, ma dame, ce n'est pas bon.

– Occupe-toi de tes affaires.

Elle ne dit rien, ne cilla même pas, et je m'en voulus aussitôt Cela faisait tant d'années désormais qu'elle était à mon service, fidèle et attentive, sûre. Elle avait bravé avec moi tous les dangers de notre expédition. Jamais elle n'avait émis la moindre plainte. Jamais elle n'avait formulé la moindre impatience. J'arrêtai ses mains qui achevaient de nouer les lacets, sentant venir les larmes que j'avais cherchées en vain toute la nuit :

– Pardonne-moi, Camille. Je ne suis pas dans mon état normal ce matin.

– Je sais, ma dame, répondit-elle en agrandissant encore son sourire. Il faut vous hâter à présent. Sa Sainteté le pape célèbre une messe solennelle en l'honneur des époux royaux, on raconte même qu'il prévoit de bénir une nouvelle fois leurs épousailles afin qu'ils renouvellent l'un et l'autre leurs serments. Alors que tous seront en liesse, que pensera-t-on de votre triste mine ?

– Tu as raison. Mais personne ne doit deviner que je porte cet enfant. Ne me trahis pas, Camille, implorai-je doucement.

Elle me lança un regard chargé de reproches.

– Comment le pourrais-je, ma dame, vous êtes si bonne.

Elle avait achevé de m'habiller et déjà me contournait pour brosser mes longs cheveux abîmés par le soleil d'Orient. Mais j'avais besoin d'être seule un moment encore.

– Laisse-moi. Je vais le faire, cela me calmera avant de descendre pour l'office.

Elle s'inclina respectueusement et referma sans bruit la porte derrière elle. Je me campai devant le miroir poli délicatement enchâssé dans un cadre d'argent et de pierreries. Je nattai mon abondante chevelure en une seule tresse sur le côté, qui m'atteignait le bas-ventre, prenant soin d'y mêler quelques rubans verts, assortis à ma robe de velours.

Quelques minutes plus tard, alors que je finissais de me farder pour dissiper les affres de ma nuit blanche, Camille reparut pour m'annoncer que Jaufré était derrière ma porte. Je pris une profonde inspiration. Je ne savais que trop ce qu'il voulait : que je renouvelle ma promesse, peut-être même souhaitait-il profiter de la messe de réconciliation pour que l'on annonce publiquement nos fiançailles ?

– Qu'il entre, dis-je simplement, résignée soudain à mon devoir, encore et toujours.

Je me levai et, m'appuyant contre la coiffeuse pour garder une contenance, je redressai le menton.

Il s'inclina en une révérence, puis, lorsque ma chambrière se fut éclipsée, s'approcha pour m'embrasser sur le front. Il avait l'air grave et décidé.

– Panperd'hu est revenu de Tripoli hier, tu ne l'ignores pas ? Il a su me convaincre d'y retourner avec lui. Un navire part dès l'aube prochaine. J'embarquerai à son bord.

Cette nouvelle me fit l'effet d'un coup de poignard. Je me laissai tomber sur la chaise, sans forces. Qu'allait-il faire auprès de cette belle Hodierne qui le désirait tant ? S'était-il lassé de moi soudain pour vouloir la rejoindre ? Sans doute s'était-il préparé à mes angoisses, car il vint s'agenouiller devant moi et me prit les mains. Elles étaient glacées.

– Je t'aime plus que tout au monde, Loanna, et nulle autre n'aura jamais ta place. Mais, le couple royal reformé, je sais que tu ne peux m'épouser encore. Si je reviens avec toi en France, Aliénor insistera pour célébrer nos épousailles ; et, même si cela devait être le plus beau jour de ma vie, pour rien au monde je ne voudrais te contraindre. Je vais demander sur l'heure ta main au roi et je sais qu'il ne me la refusera pas. Tu seras ainsi à l'abri jusqu'à mon retour de tout autre prétendant. Lorsque je reviendrai, je veux croire que le destin nous réunira car l'esprit libre, tu auras pu agir selon ce devoir qui pèse sur ta conscience. Sinon, tu n'auras qu'à reprendre ta promesse. Il ne sera pas difficile d'arguer notre séparation pour refuser nos épousailles. Bien que cela me déchire le cœur, Amour, je sais qu'il n'est pas d'autre solution pour ne pas te perdre.

– Oh, Jaufré, je...

Mais ma phrase se noya dans un torrent de larmes. Je tombai sur le sol de terre cuite et nous restâmes ainsi enlacés jusqu'à ce que ma pluie s'apaise. J'aurais voulu que ce moment ne finisse jamais, tant il était doux et réconfortant. Jaufré caressait mes cheveux et me murmurait des mots tendres et apaisants qui ressemblaient à une vieille, très vieille berceuse, comme celle que mère me chuchotait, lorsque, enfant, j'étais désemparée. Je l'aimais tant, mon troubadour ! Il savait si bien me comprendre.

– Nous allons être en retard à la messe solennelle. Il est temps de sécher tes larmes. Cette nuit je viendrai te rejoindre, même si nous ne faisons pas l'amour. Je veux m'endormir dans tes bras pour que l'odeur de ta peau m'accompagne.

– Tout ce que tu voudras. Je t'aime, Jaufré. Je t'aime. Si tu savais comme...

– Chut !

Il posa un doigt sur mes lèvres pour me faire taire.

– Un chantre doit souffrir pour composer ses chansons, tu le sais bien. Je me nourrirai de ton absence comme d'un hiver, ma lointaine. Je t'appartiens de toute mon âme… Allons, rajuste-toi !

Il effaça d'un geste les larmes qui glissaient encore sur mes joues, et quelques minutes plus tard, c'est ensemble et au regard de tous que nous franchîmes le seuil de la cathédrale.

Ce qui suivit fut agaçant et rassurant à la fois. Le pape Eugène III bénit l'union des époux royaux et, à la demande d'Aliénor, annonça nos fiançailles. De sorte que Jaufré et moi reçûmes au-dessus de nos têtes inclinées le signe de croix qui officialisait notre serment, pour le plus grand bonheur de la reine me sembla-t-il. Grâce à la générosité de Jaufré, j'étais à l'abri de la concupiscence de quelque baron qui aurait ainsi gagné une place de choix à la cour de France.

Ce problème résolu, il ne restait plus que celui de l'enfant.

Lorsque Jaufré vint me rejoindre cette dernière nuit avant son départ pour Tripoli et le nôtre pour la France, il me fallut user d'un de mes charmes pour qu'il puisse m'aimer sans s'apercevoir de mon état. Le subterfuge réussit aisément, et je le reçus avec un bonheur immense tant m'avait manqué la douceur de sa peau. Au petit jour, Jaufré me quitta sur des promesses d'amour éternel sans savoir que je portais son enfant.

Jaufré de Blaye regardait résolument devant lui cette étendue d'eau mouvante que fendait à bonne allure la coque du navire. Il lui tardait à présent de toucher la terre ferme. Les douleurs dans son crâne s'intensifiaient de jour en jour, lui serrant les tempes à les briser. Par moments même, son champ de vision devenait flou, et il devait faire des efforts pour fixer un objet et en situer les contours. Comme il aurait eu besoin de médecine ! Hélas pour lui, non seulement il n'avait rien emporté mais il avait tu autant que possible son état pour ne pas peser davantage encore sur un départ pénible. Panperd'hu ne cessait de chanter la beauté de la dame de Tripoli dont il était tombé éperdument amoureux, et même le son de sa voix lui vrillait les tympans. Il s'accouda au bastingage et inspira à pleins poumons l'air salé du large.

Le voyant si pâle, Panperd'hu posa son instrument et s'avança en réglant sa démarche sur les mouvements du navire. La mer était agitée. Octobre touchait à sa fin et de gros nuages noirs menaçaient dans le ciel depuis deux jours sans parvenir à crever. Le capitaine avait pourtant assuré qu'il n'y aurait pas de tempête. C'était un vieux loup de mer, et l'on pouvait s'y fier. Panperd'hu s'accouda à côté de Jaufré au bastingage de bois. Devant eux, une figure de proue en forme de sirène plongeait jusqu'au sein à chaque vague.

– Tu as bien mauvaise mine, ami, constata Panperd'hu, attristé.

– Je voudrais pouvoir l'imputer au mal de mer, mais je crains fort que ce ne soit plus grave, grimaça Jaufré en réponse.

– Houdar est un bon guérisseur, tu verras. On prétend qu'il peut réussir des miracles, mais, par tous les saints, je comprends mal pourquoi tu n'as rien dit à Loanna. Elle aurait sans doute pu te soulager avec ses médecines. Tu sais bien que de plus en plus de personnes dans l'entourage de la reine ont recours à sa connaissance en ce domaine.

– À quoi bon l'inquiéter ? Et puis j'ai voulu croire à un mal passager, un de ceux dont on souffre après une trop longue exposition au soleil. N'avons-nous pas subi maintes insolations sur cette Terre sainte ?

– Tu ne me convaincras pas, Jaufré. Je suis ton ami depuis bien trop de lunes. Si tu n'as rien dit, c'est pour une autre raison, qui m'échappe.

– Je vais mourir, Panperd'hu.

Un silence pesant s'installa entre les deux hommes. Jaufré avait lâché cela sans colère, sur un ton égal. Panperd'hu resta un instant figé, puis se reprit :

– Quelle est donc cette certitude ? As-tu vu un apothicaire ?

– Il y a des choses que l'on sent, ami. Toi-même m'as affirmé à plusieurs reprises avoir respiré avec ton âme les parfums de douleurs de la terre elle-même. Nous sommes différents, toi et moi, des autres qui ne composent pas. Nous sommes à l'écoute des moindres souffles. Ce sont eux qui me l'ont dit. Lorsque le pape a béni nos têtes dans la cathédrale, j'ai brusquement perçu le souffle de la mort. Cela n'a été qu'une sensation fugitive, mais depuis quelques jours elle s'est installée telle une évidence.

– N'est-ce pas plutôt la douleur qui égare tes sens, ami ?

– D'où me vient-elle, compère, si ce n'est de cette certitude ? Mon unique regret sera de ne l'avoir pas contrainte à m'épouser avant mon départ. Blaye n'aura pas d'héritier, et j'ai grand peur que la cité ne tombe aux mains de ses ennemis. J'aurais voulu une comtesse pour y régner avec sagesse et amour.

– Tu es déprimé, Jaufré. Demain, nous accosterons et, sitôt que Houdar t'aura fait avaler une de ses potions, tu te sentiras mieux et ces pensées morbides te quitteront.

– Je voudrais que tu dises vrai. Pour l'heure, permets que je te laisse. Par instants, j'ai l'impression que quelque chose va éclater à l'intérieur de mon crâne, et cela devient insupportable. M'étendre me soulagera.

Jaufré posa une main fraternelle sur l'épaule massive de son ami, mais, la douleur le poignardant, il s'appuya plus lourdement pour trouver en lui la force de marcher.

– Veux-tu que je t'accompagne ? s'inquiéta Panperd'hu, qui ne pouvait s'empêcher de remarquer les cernes violacés sous les yeux du troubadour.

– Non point. Le roulis convient parfaitement à ma démarche d'ivresse. Prie pour moi plutôt. Que tout cela ne soit rien d'autre qu'une triste pensée d'homme seul.

Sur ce, il s'éloigna en titubant jusqu'à sa couchette et s'y laissa tomber. Au bout d'un moment, la douleur s'apaisa et il se mit à penser à sa promesse, à sa terre de Blaye, et à la folie qui l'avait poussé loin d'elles. Une larme roula sur sa joue creuse, puis il se sentit aspiré vers un insondable trou noir dans lequel il s'endormit.

– Voici la côte. Le navire qui portait la nouvelle de notre arrivée est au port. Sans doute la princesse Hodierne y est-elle, avertie par ses guetteurs. Sa seule vue, Jaufré, réconfortera ton mal, je te l'assure. Jamais je n'ai vu plus gente femme et mieux tournée.

– Voilà bien cent fois que tu me la dépeins, ironisa Jaufré. Crois-tu donc vraiment que je puisse l'aimer alors que mon cœur et mon âme appartiennent déjà à Loanna ?

– Non point, car j'en serais fort jaloux ! se renfrogna comiquement Panperd'hu.

Jaufré tenta de distinguer les formes qui apparaissaient à présent sur la jetée, mais un voile flou devant son œil l'en empêcha. Il avait dormi à outrance le tantôt et une grande partie de la journée. Seul le cri de la vigie qui annonçait la terre l'avait tiré du lit. Il s'était parfumé et avait passé une tunique propre, évitant de s'attarder devant son visage qui portait plus encore que la veille le rictus de la mort. Panperd'hu avait feint de ne rien remarquer, et il lui avait menti en prétendant qu'il se sentait mieux. La vérité était que la douleur était plus intense que jamais et qu'il entendait dans le fond de ses oreilles une sorte de souffle intermittent qui masquait les paroles de son ami et le brouhaha des gens rassemblés sur le pont. L'on agitait des bras, et des mouchoirs. Au bout du quai, les vêtements moirés d'une longue silhouette accrochaient la lumière.

Panperd'hu gémit :

– C'est elle. Elle est venue, ami. Comme elle est belle !

Mais Jaufré ne discernait qu'une forme floue baignée d'arcs-en-ciel. Il déglutit difficilement et parvint à assurer :

– Oui, elle est belle.

Mais son vieil ami ne l'écoutait pas. Il vibrait à la vue de la princesse et agitait sa main comme un enfant en sa direction. Lui-même n'avait-il pas vibré de cette joie sans pareille ? Puis il y eut le choc de la coque contre le ponton de bois, le mouvement de l'ancre jetée par-dessus bord et celui des cordages que les marins en équilibre sur le bastingage lançaient à terre. La dame de Tripoli était là, debout, superbe, attirant par sa seule présence tous les regards, et il était le seul à ne rien distinguer d'elle qu'une silhouette fluide à l'intérieur d'un brouillard qui s'épaississait à mesure que la pression augmentait près de son ancienne blessure, à la tempe droite.

Panperd'hu lui prit le bras, et il se laissa entraîner, se forçant à sourire, vers la passerelle qu'on avait posée. Il lui semblait que chaque pas accentuait la douleur. Déjà, il était devant elle. Il entendit une voix chantante répondre à celle de Panperd'hu, mais il ne parvint pas à saisir le sens de leur propos. Il aperçut seulement cette main qu'elle lui tendait. Une main blanche au milieu du brouillard. Il la saisit dans un ultime effort. Puis de nouveau il y eut un abîme profond devant lui et une voix qui l'appelait doucement. Cette voix, il l'aurait reconnue entre mille, elle chantait un voluptueux chant d'amour. Alors il sourit et s'y laissa glisser.

Panperd'hu redressa le corps inerte qui s'était écroulé devant la princesse. Hodierne avait hurlé d'effroi. Elle n'avait eu que le temps d'un mouvement de côté pour n'être pas entraînée dans la chute de Jaufré.

– Seigneur Dieu, murmura-t-elle en s'agenouillant au côté du troubadour qui avait posé l'oreille contre la poitrine de son compagnon. Est-il... ?

Mais déjà Panperd'hu relevait la tête, des larmes dans ses yeux noirs.

– Mort, hélas, ma dame.

Hodierne étouffa un nouveau cri derrière ses jolies mains baguées, puis un sanglot. Elle l'avait tant espéré, tant attendu. Elle chancela. Autour d'eux le silence s'était fait, troublé cependant par les questions des badauds. D'une voix brisée par l'émotion, Hodierne de Tripoli appela les gardes qui l'avaient escortée afin qu'ils dispersent les curieux. Mais point ne fut besoin d'utiliser la force. Voyant que les lanciers s'avançaient, chacun s'éloigna avec ses bagages ou son chargement, chuchotant pour commenter l'incident.

– Qu'on l'emmène au palais, ordonna Hodierne.

Quatre des hommes soulevèrent le corps de Jaufré et le portèrent par le chemin de cailloux qui serpentait à travers les orangers et les oliviers vers le palais de la cité.

Dès le lendemain, Panperd'hu s'embarquait pour la France, laissant à Hodierne de Tripoli le soin de donner une sépulture à son cher ami. Bien que la princesse ait insisté longuement pour qu'il restât aux funérailles, il avait refusé. Il fallait plus de vingt-cinq jours pour atteindre Massilia et bien encore une quinzaine pour gagner Paris. Il était de son devoir d'annoncer la triste nouvelle, ne pouvant supporter l'idée qu'elle parvienne déformée ou avilie à la cour de France. Il savait mieux que tout autre de quel bois étaient faites les légendes, et déjà des ragots couraient à Tripoli, selon lesquels le troubadour serait mort d'amour dans les bras d'Hodierne. Avant longtemps, cette rumeur finirait en chanson pour devenir une vérité, comme tant d'autres avant elle. Non. Pour préserver intacte la mémoire de son ami, il ne pouvait tarder. Le cœur empli de douleur, il s'éloigna de Tripoli alors qu'octobre 1149 tirait son dernier jour.

Hodierne ne pouvait détacher ses yeux de ces mains blanches et fines que l'on avait croisées sur la poitrine du troubadour sitôt qu'on l'avait ramené du port et étendu sur un lit de soie. Le prêtre qui l'avait baptisée avait insisté pour qu'on conduise le défunt directement dans la chapelle et qu'on le recouvre d'un linceul, mais elle s'y était fermement opposée. Elle avait passé des nuits entières à imaginer ce corps sur sa couche, le sourire au lèvres et le regard brûlant d'amour pour elle. Car Hodierne aimait Jaufré de toute son âme. Elle avait entendu de lui tant d'éloges, parmi lesquels l'assurance qu'il marquait son temps par la profondeur de ses sentiments, qu'elle avait éprouvé le besoin de le voir pour s'assurer qu'il était bien tel qu'on le lui avait décrit, tel qu'elle l'avait aimé. Sa mère l'avait reprise plusieurs fois, prétendant qu'on ne pouvait ainsi adorer une personne que l'on ne connaissait pas, mais elle s'en moquait.

Hodierne aimait la musique, et pas un seul troubadour n'avait su la troubler autant que ce qu'elle savait de Jaufré et de ses chansons. Oui, il était bien tel qu'elle l'avait imaginé. Il était mort en lui souriant, et son visage relâché gardait encore l'empreinte de ce sourire, comme s'il avait voulu lui transmettre l'amour qu'il avait pour elle. Car Hodierne en était convaincue, Jaufré l'aimait, malgré ce qu'avait prétendu le barde Taliessin qu'elle avait envoyé à Antioche. Et, quand bien même il en eût aimé une autre avant de la rencontrer, cela n'avait nulle importance ! Hodierne était belle au point que, chaque jour de par le monde, on se mourait d'amour pour elle, et lui, plus que tout autre, ne pouvait échapper à la règle. D'ailleurs, elle en tenait pour preuve le fait qu'il était venu à elle, malgré tout.

Elle se mit à pleurer convulsivement. C'était trop injuste. Elle avait rêvé et son rêve était devenu cauchemar. Jaufré était mort dans ses bras alors qu'elle se préparait à lui donner sa propre vie.

Depuis que son père était mort, elle avait écarté plusieurs prétendants au trône laissé vacant. Elle avait un frère bien trop jeune pour gouverner et sa mère se chargeait en son nom de régenter son fief. L'Église voyait d'un mauvais œil le fait qu'une femme seule tienne en main le destin d'une cité. Mais qu'était Tripoli ? À peine une poignée d'habitants regroupés dans l'enceinte fortifiée d'un château sur une falaise. Qui pouvait s'intéresser à ce royaume qui n'en était pas un ? Et puis la défense était assurée par une troupe de soldats fidèles qui savaient se battre. Hodierne n'était pas pressée de trouver un époux et avait décidé d'attendre le jour où Jaufré viendrait. Alors, elle serait à lui. Entièrement à lui.

Sa mère était une femme forte, autoritaire, mais elle ne refusait rien à sa fille. Hodierne en jouait. Elle avait ainsi obtenu de veiller la dépouille du troubadour dans sa chambre pendant trois jours, avant qu'on le mette en terre. Dans la lumière tamisée de la pièce, simplement éclairée de cierges, régnait une odeur d'encens que venait troubler par moments un parfum de lys. Au-dehors, par la fine meurtrière qui laissait passer un peu de jour, la vie continuait.

Hodierne s'éveilla d'un sommeil agité. Un regard par la meurtrière lui apprit qu'il faisait nuit. « Demain, se dit-elle en étirant ses membres endoloris, demain Jaufré de Blaye recevra sur son cercueil la première pelletée d'une terre qui lui est étrangère. » Elle se leva et fit quelques pas dans la pièce.

Elle s'apprêtait à sonner une servante lorsqu'un gémissement la cloua sur place. Elle était seule avec le gisant, d'où ce bruit pouvait-il venir ? Ce devait être le vent dans la fente de la meurtrière. Elle tira sur le cordon et se retourna pour regagner sa place, lorsque son regard se posa sur le visage du troubadour. Un cri lui échappa. Ces yeux qu'elle avait elle-même clos étaient grands ouverts et la fixaient. Elle recula de terreur contre la porte, incapable à présent d'émettre le moindre son. Et, soudain, une plainte s'arracha des lèvres du défunt, tandis qu'une larme roulait sur sa joue.

À cet instant, la porte s'ouvrit et Hodierne dut s'avancer vers le lit pour laisser entrer la servante. Celle-ci s'apprêtait à demander à sa maîtresse ce qu'elle voulait lorsque, attirée par l'expression de terreur inscrite sur son visage, elle constata elle aussi l'étrange phénomène. D'un geste prompt elle se signa et recula, livide.

Mais déjà Hodierne s'était ressaisie et approchait du lit. Tremblante, elle souleva une des mains croisées, s'attendant à ne pouvoir la bouger tant elle serait raide et froide, mais celle-ci s'envola dans sa main et retomba mollement lorsqu'elle la lâcha. Un cri de joie s'étouffa dans sa poitrine. Derrière elle, la servante effrayée marmonnait une prière destinée à éloigner les esprits du Mal. Hodierne se retourna vers elle, le cœur gonflé d'espoir.

– Va, ordonna-t-elle d'une voix affermie par la résolution, et ramène Houdar.

La pauvrette ne se fit pas prier pour sortir de la pièce. Lorsque Hodierne revint à Jaufré, ses paupières étaient retombées et il semblait de nouveau sans vie. La princesse prit alors la main molle dans la sienne. Elle était fraîche, mais non glaciale comme celle de son père la veille de sa mise en terre. Personne n'avait touché le corps du troubadour depuis qu'on l'avait étendu là. « Cela fait deux jours qu'il est mort », songea Hodierne en un éclair. Il aurait dû se raidir depuis longtemps comme n'importe quelle dépouille. Si cela n'était, c'était sans doute grâce à ses prières. Oui, elle en était convaincue, ses prières avaient accompli un miracle. Jaufré de Blaye vivait. Son âme errait sans doute encore quelque part dans un ailleurs inconnu, mais il vivait.

Elle en était à cet instant de ses réflexions lorsque le vieil Houdar, l'apothicaire du palais, entra dans la chambre. Il avait un air grave. Mis au courant par la servante de ce dont elle avait été témoin, il avait jugé bon de se faire accompagner d'un prêtre.

– Houdar, mon bon Houdar ! s'exclama Hodierne sans s'intéresser à l'habit noir du vieux confesseur qui tenait entre ses mains ridées une bible de cuir. Vois ceci !

Elle souleva une fois encore la main et la lâcha. Les sourcils froncés, Houdar regarda la main du troubadour retomber sur le lit, tandis que l'abbé se signait en serrant sur son cœur le précieux ouvrage saint. Houdar s'avança et, avec l'habitude de son métier, s'assit sur le lit et saisit à son tour la main inerte. Il tâta la chair, dans laquelle ses doigts s'enfonçaient aisément. Puis, d'un geste sûr, il chercha le pouls, s'y reprit à plusieurs fois, sans parvenir à le trouver, secoua la tête, comme il faisait à son habitude lorsque quelque chose l'intriguait, et s'abstint de répondre à la question qu'Hodierne répétait :

– Alors ?

Houdar releva les paupières closes de Jaufré et constata que les yeux étaient révulsés, puis il lui ouvrit la mâchoire et s'avisa encore une fois que rien n'était raide.

En désespoir de cause, il se leva et contourna le lit pour dénuder un pied qu'il amena à la hauteur de son visage. Déterminé, il mordit dans l'orteil sans que Jaufré manifestât la moindre réaction. Pourtant, à l'endroit de la morsure, une fine trace rouge montrait que le sang circulait encore.

– Alors ? insista Hodierne.

Houdar secoua la tête, élevant sa grosse voix dans le silence :

– Alors, Votre Majesté, tout cela est bien étrange. Je dirai que cet homme est mort, le test du pied le prouve, de même que celui du miroir l'a démontré lorsque nous l'avons couché sur ce lit : pas un souffle ne sortait de ses narines.

– Je l'ai entendu gémir, Houdar, et vois sur son visage. Il porte encore la trace de cette larme que j'y ai vue couler. Les morts ne pleurent pas.

– Douce Hodierne, il faut voir en cela l'œuvre du démon. Et se hâter de mettre en terre cette dépouille avant que, par quelque magie démoniaque, elle ne reprenne vie et ne massacre tout autour d'elle, professa l'abbé.

Hodierne sentit la colère monter en elle.

– Père Virgile, gronda-t-elle, comment pouvez-vous voir quelque démon dans ce qui est un miracle ! Cet homme est un des chevaliers du Christ et un fervent chrétien. De plus, je suis restée à son chevet sans faillir, accompagnant son repos de prières incessantes. Comment le Malin aurait-il pu s'emparer de ce corps si bien gardé ?

– Ses pouvoirs sont sans limites, ma fille. Prenons garde qu'ils ne nous atteignent grâce à ce subterfuge et activons l'office.

– Je m'y refuse, mon père.

Dressée dans toute sa certitude, Hodierne lui fit face.

– Vous n'avez pas, jouvencelle, à vous interposer devant la volonté divine.

– Mais, mon père, la volonté divine a redonné vie à ce corps, vous ne pouvez enterrer un homme vivant.

– Son âme appartient à Dieu. Elle n'appartient plus à ce corps et, quand bien même il continuerait à vivre sans, ma fille, il faut vous rendre à l'évidence, ce ne peut être qu'avec l'aide du Malin, sinon avec la vie, il aurait repris sa conscience. Résignez-vous. Demain matin, nous porterons ce malheureux en terre. Mais dès à présent je vais faire monter sa bière qui sera scellée et portée en la sainte église afin que la damnation ne soit pas sur nous et que les esprits du Mal ne puissent plus s'échapper.

Hodierne eut un sanglot, mais le prêtre avait la tête haute et ne cilla pas. Il marqua la pièce d'un signe de croix, tourna les talons et les laissa seuls.

– Ne pleurez pas, princesse.

Houdar referma ses bras sur les épaules fines. Tout cela l'ennuyait. L'homme de science qu'il était se trouvait face à un mystère et, malgré tout le respect qu'il devait à l'abbé, il avait du mal lui aussi à se résoudre à cette explication simpliste.

– Houdar, il faut convaincre l'abbé. Je ne peux croire que cet homme soit mort, entends-tu ? Il a pleuré, Houdar. Les démons pleurent-ils pour tourmenter les hommes ?

– Je l'ignore, princesse. Mais vous savez comme moi que les morts appartiennent à Dieu et donc à l'Église.

– Mais il n'est pas mort et vous le savez.

– Je ne sais rien, Hodierne. Cela dépasse ma science.

– Écoutez encore ! Je vous en conjure.

Hodierne leva vers lui un regard noyé et suppliant, et, comme chaque fois, le vieil homme poussa un long soupir résigné. Il se rassit sur le lit et chercha le pouls sur le poignet mol.

– Cherchez ailleurs…, suggéra la jeune fille.

Houdar relâcha la main et posa ses doigts à la naissance du cou. À plusieurs reprises il les déplaça, puis soudain s'immobilisa, ajusta l'emplacement, et Hodierne vit un large sourire s'étirer sur son visage boursouflé.

– Vous aviez raison, princesse. Je sens son pouls, il est extrêmement faible.

Il écarta les pans de la tunique grège et plaqua son oreille à l'endroit du cœur. Hodierne retint son souffle. Pendant de longues minutes, Houdar resta ainsi sans bouger dans un silence total, puis il se redressa et hocha la tête :

– Il est presque inaudible, comme ralenti, mais il est régulier. Pour une raison que j'ignore, cet homme est encore en vie. Trouvez-moi un miroir.

Hodierne s'envola presque jusqu'à la chambre voisine où elle prit un joli miroir rond enchâssé dans un cadre d'or ciselé. Alors qu'elle pénétrait de nouveau dans la pièce, les cloches de l'église se mirent à sonner à toute volée. Mais elle refusa d'y prêter attention. Houdar appliqua le miroir sous les narines de Jaufré. Un léger voile de brume s'y déposa, si mince qu'il dut refaire l'expérience plusieurs fois pour s'en assurer.

Houdar saisit Hodierne par les avant-bras et lui fit face gravement.

– Cela ne sera pas suffisant pour convaincre le père Virgile, princesse. Je peux constater que le cœur de cet homme bat, mais il est si faible que je doute qu'il puisse faire autre chose qu'entretenir un semblant de vie. Il faut se rendre à l'évidence. Le cerveau de cet homme est éteint et son âme l'a certainement quitté. Il vaut mieux mettre fin à son agonie et l'enterrer dignement.

Hodierne roula des yeux horrifiés.

– Aurais-tu perdu la raison ? toi aussi ? Je ne peux croire que toi, Houdar, tu oses dire pareille chose. Enterrer vivant un être humain ? Mais quel est donc, Seigneur Dieu, ce sentiment qui vous pousse l'un et l'autre ?

– Hodierne, vous savez combien nous vous aimons, le père Virgile et moi. Nous vous avons vue naître et grandir. Que se passerait-il, selon vous, si l'on savait au-delà de ces murailles qu'un homme déclaré mort est gardé dans une des chambres du palais, que son cœur bat, mais qu'il gît sans percevoir aucun sentiment ni même la douleur ? Dans le meilleur des cas, on vous penserait folle, à moins qu'on ne vous soupçonne de pratiques de sorcellerie. Je crains qu'alors ne viennent sur nous de grands malheurs, princesse. De grands malheurs.

Hodierne baissa la tête, bouleversée. Houdar avait raison, hélas. Au regard de tous, cette vérité ne pouvait qu'être l'œuvre de puissances occultes et maléfiques. Pourtant, elle releva la tête une nouvelle fois, assaillie par une idée folle :

– Je sais que tu as raison, Houdar, et cependant n'est-ce point un cas magnifique pour la science ? Je crois me souvenir d'une vieille histoire chantée par des troubadours. Elle raconte le miracle d'une femme qui serait restée dix jours en léthargie avant de se réveiller. Ne serait-ce point un cas similaire ?

– Légende, princesse, enjolivée par un esprit romanesque.

– Tu es un être rationnel, Houdar, le plus prodigieux apothicaire de cette terre. Un cas comme celui-ci est unique. L'examiner servirait à faire progresser la médecine.

– Où voulez-vous en venir, princesse ? demanda le vieil homme soupçonneux.

– Faisons des funérailles à cet homme pour que chacun pleure tout son soûl, de sorte que nul ne pourra jamais savoir la vérité. Avant qu'il soit mis en bière, nous transporterons son corps dans l'aile gauche du palais. Personne n'y vient plus. S'il guérit, alors nous aviserons. S'il meurt, nous l'enterrerons sobrement. Comme il aura déjà eu une messe, Dieu ne nous gardera pas rancune.

– C'est vous, douce et fragile Hodierne, qui me demandez cela ? Vous voudriez enterrer un cercueil vide, au mépris de tous les sacrements divins ?

– N'est-ce point péché plus grand, Houdar, d'enterrer les vivants ? Cela ne s'apparente-t-il point à un meurtre ? Je suis persuadée que ce sont mes prières et tout l'amour que je porte à cet homme qui ont permis ce miracle. Par tous les saints du Paradis, Houdar, laisse Dieu décider de sa destinée.

Mais déjà la porte s'ouvrait et le père Virgile entrait, devançant un cercueil de bois, que quatre moines posèrent à terre. Hodierne regarda Houdar et Houdar regarda Hodierne. Au terme de cet affrontement qui dura tout le temps que le prêtre récitait sa litanie, tandis qu'on déposait Jaufré de Blaye dans son linceul, Houdar hocha la tête et Hodierne de Tripoli sut qu'elle avait gagné.

Le 11 novembre 1149 vit notre retour au palais de la Cité. La vieille ville n'avait pas changé malgré ces deux années d'absence. Mais nous tous étions différents. Suger nous accueillit avec plaisir. Ses cheveux s'étaient encore clairsemés et de larges plaques brunes couvraient à présent son front et son crâne. Son regard n'avait cependant rien perdu de son intensité, et je le vis avec inquiétude se poser sur mon ventre. J'étais enceinte de cinq mois. Je me souvenais qu'Aliénor au même stade ne pouvait plus dissimuler ni sa poitrine ni la bosse proéminente qui saillait au-dessous de sa ceinture. Fort heureusement pour moi, je n'accusais qu'un léger embonpoint, et nous avions toutes pris quelques rondeurs en Sicile, puis tout au long de notre chemin vers Paris ; toutes et tous dirais-je, sauf Sybille, que nous avions confiée aux bons soins d'Héloïse au Paraclet, et Louis qui persistait dans un jeûne draconien. Lui aussi avait changé. Il n'était plus le moine effacé d'avant notre départ. C'était comme si le poids de Dieu avait fini par transpercer sa cuirasse et fait sourdre en lui l'âme du roi.

Dès notre retour, il s'entretint longuement avec Suger des affaires du royaume, et l'on célébra la première messe dans l'abbatiale de Saint-Denis. De nombreuses finitions restaient encore à réaliser mais la nef était somptueuse et je fus interloquée de tant de majesté. Les voûtes en ogive ressemblaient à des mains tendues vers le ciel.

Suger fit un long sermon sur la folie des hommes à vouloir posséder davantage, toujours. Cela pour rappeler que le temps de la guerre était révolu et qu'il fallait songer à reconstruire. Ensuite, il prononça une prière pour tous ceux que nous avions laissés en Terre sainte, et mon cœur s'émut pour Denys dont le souvenir était toujours présent et pour Jaufré dont je n'avais pas de nouvelles.

Ce fut la dernière fois que nous évoquâmes les durs moments que nous avions traversés tant nous étions les uns et les autres pressés d'oublier.

Bernard de Ventadour nous avait précédés à Paris et divertissait la petite Marie qui allait sur ses trois ans. Il s'effaça lorsque la reine parut, jugeant sans doute qu'à cet instant il n'avait pas sa place. L'enfant, qui ne se rappelait guère sa mère, se renfrogna lorsque Aliénor voulut la prendre dans ses bras, se cachant derrière les jupons de sa nourrice, mais, d'un tempérament affable, elle finit par se laisser apprivoiser et, quelques minutes plus tard, elle jouait sur les genoux de sa mère en riant aux éclats.

Aliénor était heureuse de retrouver sa fille, et bien moins d'avoir à affronter Bernard. Car sa réconciliation avec Louis excluait qu'elle continue de le voir, malgré tout son amour pour lui. Il avait fallu faire un choix, Aliénor avait choisi.

Bernard fut donc exilé une nouvelle fois. Non par le verbe violent du roi de France, mais par les larmes de raison de son amante. Il s'en fut tristement, bien que préparé à cette rupture par la rumeur de la réconciliation qui avait précédé les époux au palais.

Triste retour.

La vieille Cité nous sembla plus lugubre encore qu'avant notre départ. Terne et sale, ennuyeuse à mourir. Que nous restait-il du faste de Constantinople ou d'Antioche, des murs blancs, des fleurs à profusion et des fruits gorgés de soleil ? Quelques impressions plus ou moins heureuses et de la grisaille partout autour.

Béatrice avait renouvelé sa requête d'être donnée en épousailles. Ensemble, Louis et Suger lui choisirent un époux parmi ses prétendants : le jeune seigneur de Montmorency, qui portait beau et avait surtout le mérite de figurer parmi les proches du sénéchal de France et donc, à ce titre, de demeurer à la cour. Car ni Suger, qui considérait encore que sa nièce pouvait lui être utile, ni Louis, qui ne parvenait pas à l'oublier, n'avaient eu le cœur de l'éloigner. Ainsi, elle demeurait à nos côtés.

Je savais qu'elle en voulait à la reine de sa réconciliation avec Louis qui l'avait à jamais écartée de sa couche. Il lui aurait été égal de n'être pas reine de France pourvu que Louis l'aimât malgré tout et la gardât comme maîtresse. Désormais, plus rien n'était possible. Sa rancœur s'étendait désormais au fait qu'elle croyait amèrement que j'étais à l'origine de cette réconciliation.

Pour couronner le tout, Aliénor était de nouveau enceinte, c'était évident, et je n'eus pas le cœur, portant moi-même l'enfant de Jaufré, de mettre un terme à sa grossesse. D'autant plus que c'était à n'en pas douter une seconde fille.

Tout restait à faire.

Oui, bien triste retour que le nôtre.

9

Panperd'hu se tenait devant moi en ce 17 décembre 1149, torturant entre ses mains son bonnet de laine maculé de boue. Il était crotté jusqu'aux oreilles et pourtant n'avait pas voulu attendre d'être présentable pour me venir voir.

Je le reçus dans le salon de musique, abandonnant Aliénor et ses dames qui jouaient aux dés dans la pièce voisine. Leur rire arrivait jusqu'à nous. Panperd'hu, lui, ne riait pas. Il avait refusé que je l'embrasse tant il était sale, et, au vu de ses yeux tristes, mon bonheur de le retrouver s'était envolé. J'eus peur soudain, peur de son embarras, peur de cette sueur qui perlait à son front comme s'il avait de la fièvre. Mais ses yeux n'étaient pas fiévreux, non, ils étaient brisés.

– Où est Jaufré ?

Ses yeux se remplirent de larmes. À mots comptés, il me raconta le voyage, la certitude qu'avait Jaufré de sa fin prochaine, sa souffrance, Hodierne, et enfin son ami, mon amant, mon amour, qu'il avait abandonné sur une terre lointaine pour s'en venir vers moi le pleurer. Au fond de moi, un cri de désespoir tenta de jaillir pour me délivrer, mais il n'y parvint pas.

C'était juste comme si tout en moi disait non. Non, Jaufré n'était pas mort. Je l'aurais su, j'étais une magicienne, une sorcière, tout ce que l'on voudrait. Ces choses-là, je les sentais, je les devinais, je les voyais, et pas une seule fois je n'avais perçu la mort de Jaufré. Et puis je me souvins de cette vision sur le navire : Jaufré s'effondrant entre des mains blanches et baguées. Hodierne. Hodierne de Tripoli. Comme je m'en voulus de n'avoir rien compris, de n'avoir pas su empêcher que cela arrive.

Panperd'hu m'ouvrit ses bras, oubliant sa crasse, et moi-même je ne la vis plus. Je m'y jetai avec le sentiment de n'être plus rien. Rien. Je n'avais pas de larmes. J'avais envie de pleurer, mais je n'avais pas de larmes. Lui, il pleura pour moi, m'assura encore de tout l'amour qui remplissait le cœur de Jaufré, mais je ne pensais qu'à une seule chose : pourquoi ne m'avait-il pas fait confiance ? J'aurais pu sans doute, j'aurais dû sans doute. S'il me l'avait dit, si je m'en étais aperçue. Je lui en voulais, je m'en voulais. J'avais mal. Mal à hurler. Je demandai encore, car malgré tout quelque chose en moi s'accrochait à un espoir fou :

— Es-tu sûr qu'il est mort, Panperd'hu ?

— Aussi sûr que tu portes son enfant, murmura mon ami entre deux sanglots.

Je le fixai, surprise, incrédule. Ainsi Jaufré savait. Mais Panperd'hu secoua la tête, sa belle tête aux cheveux longs emmêlés par le vent.

— Non, il ne savait pas. De même moi, je ne le savais pas, je l'ai senti bouger, s'excusa-t-il en se reprenant et se forçant à sourire.

Alors seulement, je me mis à pleurer, à pleurer sur cet enfant qui ne connaîtrait pas son père, pas plus que je n'avais connu le mien, sur Panperd'hu qui avait bravé mille morts pour m'annoncer celle de Jaufré, sur tout cet amour qui m'emplissait et ne savait plus brusquement où s'épancher, sur ce bonheur entrevu, sur ma vie enfin qui n'avait été jusqu'alors qu'une succession d'erreurs et de malchances.

Je pleurai autant que ces nuages d'en haut pouvaient pleurer sur le monde pour l'enfouir dans une boue noire et le faire disparaître.

Aliénor était devenue attentive, douce, patiente. Elle aussi avait pleuré. Toute la cour avait pleuré son troubadour. Me voyant effondrée, la reine avait pris les choses en main. Elle contacta aussitôt Guilhem IV d'Angoulême, son vassal, mais néanmoins cousin et suzerain de Jaufré, afin que le frère du défunt, Gérard, prenne possession de son héritage. La réponse du comte d'Angoulême nous ébranla de nouveau : embarqué dans le sillage du comte de Toulouse pour rejoindre les croisés, Gérard Rudel avait été porté disparu en mer lors d'une tempête. Aliénor réagit sans attendre et exigea qu'un intendant soit nommé à Blaye, afin que le comté ne devienne pas la proie des seigneurs alentour.

Quant à moi, je savais que je n'y retournerais pas, trop de souvenirs y étaient attachés, si intenses encore qu'ils me faisaient douter chaque instant de la mort de mon amant. Parfois, je le rêvais étendu sur des draps blancs ou au milieu d'un parterre de fleurs. Il paraissait dormir. Je l'appelais de toutes mes forces, mais il ne m'entendait pas. Je m'éveillais en sueur, les larmes aux yeux.

Je devais me résigner, disait Aliénor, pour l'enfant. Ma fille. Sa fille. Notre fille ! Qu'adviendrait-il d'elle ? Louis ne pouvait me donner en mariage à quelque autre vassal dans mon état. Jamais un homme n'aurait conduit à l'autel une femme portant son gros ventre comme seule dot. J'allais devoir mettre cet enfant au monde, comme mère avant moi, dans un endroit sûr où personne ne saurait rien de son existence. La meilleure solution consistait à gagner la Normandie et à enfanter auprès de Mathilde, mais je ne pouvais me résoudre à quitter Aliénor au moment où j'avais le plus besoin de m'impliquer à fond dans la destruction de son mariage, ne serait-ce que pour oublier. Oublier combien il me manquait.

Quelques semaines plus tard, il y eut ce message en provenance d'Angers qui me recommandait de faire diligence : le conflit entre Étienne de Blois, qui avait regagné l'Angleterre, et Mathilde était plus mordant que jamais. Profitant de l'absence prolongée d'Étienne en croisade, Geoffroi le Bel avait œuvré habilement et réussi à mettre en avant les qualités d'Henri au détriment de celles d'Étienne et du fils qu'il préparait à sa succession. De sorte que les relations de l'Anjou avec les barons et prélats anglais s'en trouvaient ragaillardies. Si ces derniers avaient haï Mathilde, ils éprouvaient une sorte d'affection pour le Plantagenêt, comme ils le nommaient, qui ressemblait à son grand-père, le défunt roi. Or, Louis soutenait désespérément Étienne de Blois. Avec sa dot, Aliénor devenait plus que jamais un enjeu politique.

J'étais enceinte de six mois et Aliénor de quatre. Chez elle l'enfant était visible, puisqu'elle avait enflé d'une vingtaine de livres déjà, ce qui l'empâtait de toute part. En ce qui me concernait, je ne bougeais pas. J'avais même la sensation d'avoir maigri. Mes jambes ressemblaient à des piquets de barrière, comme lorsque j'étais petite, et l'on voyait mes salières poindre à travers ma peau à la naissance de la gorge. L'enfant me prenait tout. Le chagrin aussi. Aliénor m'enviait de pouvoir ne rien laisser paraître. Et pourtant elle était plus présente que jamais, fidèle et compréhensive.

Au fil des ans, son amour exclusif pour moi s'était transformé, peut-être par le simple fait d'avoir rencontré elle aussi l'amour véritable et désintéressé d'un homme. Nous étions plus que jamais complices, plus que jamais proches, même s'il nous arrivait de moins en moins souvent de nous aimer. Notre vie aventureuse pendant ces deux années y avait sans doute été pour quelque chose. Nous n'avions eu que peu d'occasions d'être seules suffisamment longtemps pour satisfaire notre désir l'une de l'autre. Au fond, c'était mieux ainsi. Je n'aurais pu de toute manière supporter des mains sur mon corps. Aliénor disait que c'était à cause de ma grossesse, mais je n'y croyais pas vraiment. J'avais plutôt la sensation qu'avec Jaufré était mort mon désir de l'amour. Les seules caresses que j'acceptais étaient celles de mes doigts sur mon ventre lorsque je me déshabillais et que je regardais les mouvements de l'enfant creuser des plaines et darder des monts dans ma chair rose.

Béatrice tournait et retournait une bague d'émeraude et de diamant autour de son annulaire. Ce gage de fiançailles du baron de Montmorency, qui lui venait de sa mère, était splendide, mais elle ne l'aimait pas davantage qu'elle n'aimait l'homme. Elle ne pouvait oublier Louis, se résoudre à ne plus l'approcher, le toucher. Certes, ils se retrouvaient souvent à l'église, mais Louis ne la regardait plus, il fixait désespérément la croix de bois sur laquelle un Christ ensanglanté défiait les hommes.

Et pourtant il l'aimait, elle le savait. Ce n'était pas elle qu'il fuyait, mais lui-même. Le baron de Montmorency était bel homme et sans doute un bon amant si elle en jugeait d'après les commérages de celles qui prétendaient avoir approché sa couche. Il serait probablement aussi un bon mari, elle l'avait suffisamment croisé dans les couloirs pour l'avoir pu apprécier à sa juste valeur. Mais elle ne parvenait pas à se faire à l'idée que dans trois mois seulement elle serait son épousée. Bien sûr, aussitôt qu'elle deviendrait baronne de Montmorency, elle aurait davantage de pouvoir qu'elle n'en avait eu jusqu'alors. Oui, elle allait être plus que jamais présente, et Louis ne craindrait plus de la regarder. « Les hommes sont stupides, pensa-t-elle, ils s'imaginent qu'une femme mariée dérange moins leur âme qu'une prétendue vierge, parce qu'elle présente moins de risque de scandale une fois engrossée. » Cette idée lui répugna. Elle avait tellement rêvé de donner à Louis le fils qu'il attendait.

Un instant, elle songea à entraîner la reine dans une course folle à travers les bois pour lui tendre un piège, la faire tomber et piétiner par son cheval, non pour qu'elle meure mais pour qu'elle perde son enfant. Mais elle se dit qu'Aliénor trouverait bien le moyen de le perdre sans aucune aide, comme elle avait déjà perdu tous les autres, à l'exception de Marie. Et puis au fond, ce n'était pas à Aliénor qu'elle en voulait. Celle qu'elle haïssait par-dessus tout, c'était moi. Elle ne cessait de se répéter que je l'avais bafouée, humiliée, brisée à plusieurs reprises, et finalement jetée dans les bras de Louis pour qu'il s'en repente et la repousse ensuite. Elle avait beau se consoler en songeant que Dieu m'avait punie en m'enlevant Denys puis Jaufré, elle savait que, tant que je la tiendrais dans mes griffes, elle ne pourrait goûter véritablement au bonheur. J'étais une épine dans sa chair. Et que faisait-on d'une épine sinon l'enlever et la faire disparaître ?

Nous étions fort occupées depuis l'annonce des épousailles de Béatrice. Toutes les dames de compagnie de la reine, les anciennes qui étaient revenues à nos côtés de Terre sainte et les nouvelles, fraîches comme des boutons de rose, pour la plupart à peine âgées d'une douzaine d'années, toutes nous étions occupées à filer, à carder, à tisser, à teindre, à broder le trousseau étincelant que la reine voulait lui offrir en présent. De sorte qu'on l'avait gentiment bannie de nos réunions d'après-midi et qu'elle ne nous rejoignait que lorsque nous changions d'ouvrage. Elle semblait heureuse de ces épousailles. Pourtant, Aliénor comme moi savions que ce mariage n'était qu'un leurre. L'essentiel étant pour tout le monde qu'elle se tienne tranquille. Et, de fait, elle se montrait charmante et souriante avec tous, même avec moi. C'était comme si on l'avait brusquement changée. J'aurais dû me méfier. Mais, en ces temps, je m'accrochais au quotidien comme à une bouée de sauvetage, naviguant à vue pour ne pas m'y perdre. Sans Jaufré je n'existais plus. Et, bien que toute ma raison s'ingéniât à me faire relever la tête, quelque chose en moi était brisé. J'avais pris la décision de partir dès la semaine suivante en Normandie où la cour de Geoffroi siégeait. Panperd'hu m'accompagnerait. L'immobilité de ces dernières semaines lui pesait à présent, et il tenait à être le premier à embrasser mon enfant. Nous étions devenus très proches depuis son retour et parlions souvent ensemble de Jaufré. Cela nous réconfortait mutuellement.

– La porte est ouverte ! criai-je tandis que je m'essuyais les mains.

J'avais demandé à m'occuper de la teinture. Nous avions rapporté d'Orient des pigments qui faisaient merveille, et il me divertissait de me laisser prendre par les effluves des bains bouillonnants dans lesquels je les déversais jusqu'à obtenir satisfaction. Ensuite, j'y trempais les tissus et les brassais avant de les étendre pour les faire sécher. Plusieurs jeunes filles m'assistaient dans ma tâche et suivaient scrupuleusement mes conseils. Désormais, j'étais l'ancienne, même si je n'avais que vingt-neuf ans.

Comme à l'accoutumée, les damoiselles chantaient de vieilles comptines entrecoupées de ragots qui m'obligeaient à les faire taire parfois, tant elles étaient avides de détails croustillants. La veille, l'une d'elles m'avait gentiment lancé qu'avant longtemps j'allais les faire ressembler à des nonnes puritaines et que si elles avaient, Dieu merci, échappé au couvent, c'était justement pour pouvoir se régaler de ces choses. Cette petite avait à peine quinze ans et était promise à un vieux baron qui était veuf depuis trois années. J'aurais dû la réprimander pour sa hardiesse, je n'en eus pas le courage. Quelque chose en elle me rappela les échanges qu'Aliénor et moi-même avions sous le saule dans les jardins de l'Ombrière. Tout cela était si loin !

– Dame Béatrice, quel bonheur de vous voir ! s'écria Margot, une jeunette aussi brune qu'un corbeau, mais vive comme une anguille.

L'arrivante portait un panier à son bras. Aussitôt, tel un essaim d'abeilles curieuses, ces damoiselles l'entourèrent, soulevant par malice les coins du torchon qui les empêchait de voir ce qu'il contenait.

– Bas les pattes, chipies ! les gronda Béatrice en riant, tout en se frayant un passage jusqu'à moi.

J'essuyai mes doigts tachés d'un bleu turquoise sur l'ample tablier qui couvrait mon bliaud.

– On dirait une lavandière, me lança Béatrice, visiblement amusée par ma tenue.

– Ma foi, acquiesçai-je, prenant plaisir à ce ton dans lequel pour une fois ne perçait aucune ironie. Il ne manque pas de tabliers pour vous joindre à nous.

Béatrice partit d'un rire gai.

– Point non, merci ! D'ailleurs, je me suis laissé dire que certaines de ces étoffes seraient utilisées pour quelque mystérieux trousseau, n'est-ce pas, damoiselles ?

Il y eut aussitôt quelques gloussements tandis qu'elles faisaient mine de s'éloigner et de reprendre leurs tâches. Mais Béatrice les interpella de nouveau après m'avoir lancé une œillade complice.

– Allons, restez donc, péronnelles. Voici de quoi récompenser vos efforts.

Et, d'un geste large et généreux, elle enleva le torchon qui cachait de belles tourtes dorées à point et une bouteille de sirop. Aussitôt, mes assistantes redevinrent des abeilles qui s'empressèrent de débarrasser un coin de la table et, prenant des mains de Béatrice le panier qu'elle leur tendait, elles dressèrent notre goûter.

Cette générosité soudaine m'émut malgré moi. Je m'approchai d'elle et murmurai :

– Merci, dame Béatrice.

– Ne me remerciez pas. Vous œuvrez pour moi, je le sais, sans compter votre peine, et malgré nos querelles j'y suis sensible, croyez-le. Venez, ajouta-t-elle avec un sourire léger, allons partager ces pâtisseries avant que ces gourmandes ne nous laissent que les miettes.

Quelques minutes plus tard, nous savourions ces présents en plaisantant. Alors que Béatrice remplissait les gobelets et les distribuait, je m'éloignai vers le chaudron, jugeant à l'odeur qui s'en dégageait qu'il était temps d'y verser les draps. Je restai un moment à brasser le tissu, puis revins vers la table, où Béatrice me tendit un verre en souriant. Je le vidai d'un trait tant les vapeurs et les sucreries m'avaient donné soif.

Béatrice souriait toujours, mais son sourire à présent avait une curieuse apparence de cruauté. C'est au moment où je me demandais pourquoi que je compris : cet arrière-goût dans ma bouche, cet étau à mes tempes...

Je poussai un cri de rage et de désespoir.

– Qu'avez-vous, dame Loanna ? Vous sentez-vous mal ?

Je distinguai vaguement le bourdonnement des voix des filles qui se rapprochaient de moi. Puis il y eut une douleur violente dans mon ventre. Et ensuite il n'y eut plus rien.

C'était comme une aube merveilleuse dont les couleurs du gris au rose se mouvaient en permanence, de sorte que leur brouillard effaçait jusqu'au moindre paysage. J'étais bien, détachée. J'avais la curieuse sensation de flotter parmi ces brumes qui me semblaient familières. Il me fallut un certain temps pour m'apercevoir qu'elles-mêmes baignaient dans une sorte de musique. Ce n'était pas à proprement parler des notes, plutôt une sorte de murmure fait de voix amies, enchevêtrées les unes aux autres dans un habile écho.

Un instant, j'eus la sensation d'être de retour chez moi, mais quel était-il, je l'ignorais. Puis ce fut comme si les brumes s'écartaient en un couloir au bout duquel une lumière flamboyait et m'attirait irrésistiblement. Je la vis s'approcher, mais sans doute était-ce moi qui volais jusqu'à elle. Je franchis sa barrière si intense qu'elle me fit cligner des paupières, ensuite je fus à l'intérieur d'elle et je le vis : Merlin.

Il se tenait debout, sa longue robe blanche de druide emplissait tout l'espace, et ses belles mains croisées sur sa poitrine se tendirent vers moi pour m'accueillir. Il souriait et de son regard coulait une infinie tendresse.

– Es-tu prête, mon enfant ? murmura sa voix au son de harpe.

Je m'entendis demander :

– Où allons-nous, père ?

– À la dernière frontière du temps. Là, tu choisiras ton destin.

– Je suis prête, père, murmurai-je, confiante.

Alors, il étendit ses bras et devant moi s'ouvrit l'horizon. La brume se déchira. Nous étions devant la porte d'une masure aux murs de torchis. La tenture en peau de bête se souleva et j'en vis sortir mère. Mon cœur bondit de joie, mais, comme j'allais m'élancer pour me jeter dans ses bras, je me rendis compte que ce n'était plus Guenièvre de Grimwald, mais quelqu'un d'autre. C'était son visage, c'étaient son regard et son port de tête, mais elle semblait immense et respirait une sérénité que jamais je ne lui avais vue. Merlin s'inclina devant elle pour la saluer et j'en fis autant. Alors, elle me sourit et s'avança vers moi. Ses mains douces me ramenèrent longtemps en arrière.

– Bienvenue chez toi, ma fille. Je suis la grande prêtresse d'Avalon désormais, mais peu importe. Si tu es ici, c'est que ton âme est à mi-chemin entre la vie terrestre et le noir de la mort. Or nous savons, Merlin et moi, que ton heure n'est pas venue. Pourtant, quelque chose t'attire vers le gouffre où plus rien n'existe et nous ne pouvions te laisser partir sans rien y faire.

Je ne comprenais pas ce qu'elle voulait dire, mais elle devait avoir raison, car une tristesse intense me noua la gorge. Merlin posa sa main sur mon épaule et me dit simplement :

– Viens.

Aussitôt le décor changea. Devant moi s'étendait un vaste bassin dans lequel une eau claire paraissait dormir, car rien ne s'y reflétait, ni les arbres qui se courbaient au-dessus d'elle ni nos visages penchés.

– Regarde, chanta la voix de mère.

La surface de l'eau frémit et des formes apparurent. Des visages étaient penchés au-dessus d'un corps qui se tordait de douleur. Je reconnus mes traits et autour de moi des visages en larmes.

– Dame Loanna, disait l'une d'elles, tenez bon, on s'en vient.

– La voilà.

Elles s'écartèrent et je distinguai le visage d'Aliénor boursouflé par la peur et l'effort d'avoir couru malgré son gros ventre. Près d'elle se tenait l'apothicaire du palais et une autre silhouette qui m'emplit de rage : Béatrice de Campan qui racontait une histoire invraisemblable. Je l'entendais et j'eus envie de crier qu'elle mentait, que je mourais par la faute du poison qu'elle avait versé dans mon verre, mais mon visage ne traduisait rien d'autre qu'une souffrance extrême.

L'image devint floue et une autre scène m'apparut. Je reconnus la silhouette d'Henri qui chevauchait au côté de son père. Il portait une bannière, celle des ducs de Normandie, et derrière eux se profilait une armée de lanciers et de soldats en armures. En face il y avait une autre armée, mille fois plus importante, sous une autre bannière, celle du roi d'Angleterre : Étienne de Blois. À son côté se dressait, telle une injure, l'étendard à fleurs de lys du royaume de France. Le choc était inévitable et pourtant, soudain, Aliénor s'interposa entre ces deux armées. Elle leva ses bras aux cieux, et Louis et Henri se précipitèrent tous deux vers elle, l'épée au poing, poussant des cris de rage. Mais ce fut Henri qui l'enleva le premier. Aussitôt, son armée devint puissante et redoutable. Louis recula, le visage défait. Étienne de Blois poussa un cri de haine. La rage au cœur, mais désespérément vaincu, il planta la bannière de l'Angleterre sur la colline où, avec Louis, il s'était retranché, puis, tous deux tournèrent les talons pour disparaître. Henri, qui tenait Aliénor en croupe, s'élança, et ce fut elle qui, se courbant à toucher terre, enleva le gonfanon et le brandit, sous les acclamations d'une armée gigantesque.

La scène redevint floue, puis le brouillard s'éclaircit, et cette fois je vis des jardins gorgés de fleurs luxuriantes. Un homme assis sur un banc pleurait en silence. Il leva la tête et je reconnus Jaufré. Mais ce n'était pas celui que j'avais quitté, non, son visage était déformé par un rictus douloureux et, lorsqu'il ouvrit la bouche pour m'appeler, aucun son n'en sortit, alors ses larmes redoublèrent. Une femme d'une beauté sublime s'approcha de lui et l'aida à se relever. Mais ses jambes étaient molles comme si plus aucun souffle de vie ne les habitait. Elle dut le soutenir pour qu'il puisse marcher. Progressivement, je vis son pas prendre de l'assurance et le jardin changer comme sous l'influence des saisons. Le visage de Jaufré redevenait paisible, mais pas davantage je n'entendis sa voix. La femme était toujours là, sans cesse à ses côtés, et, lorsqu'il pleurait, elle refermait ses bras superbes autour de lui et l'embrassait sur le front comme un enfant.

Les images se troublèrent une fois encore et de nouveau je me retrouvai étendue, torturée au milieu des dames. Je perçus un cri :

– Seigneur Dieu, regardez, c'est du sang !

Quelqu'un m'écarta les jambes, tandis que ma robe s'imprégnait d'un rouge écarlate. Aliénor se penchait et me parlait ; ses mots mirent longtemps à m'atteindre, puis je finis par les entendre :

– Je t'en prie, Loanna, tu peux le faire, pousse, pousse. Sauve l'enfant, sauve-le !

Au moment où je pris conscience de la déchirure dans mon ventre, la douleur me foudroya, me pliant au-dessus du bassin qui se nappa de sang. Un murmure de stupeur courut parmi les dames. Béatrice blêmit et bredouilla, horrifiée :

– Enceinte, elle est enceinte !

Puis quelque chose s'échappa de moi, et les femmes se signèrent. En vain j'attendis les hurlements de l'enfant. Rien ne vint. Alors, je compris qu'il était mort-né, que Béatrice de Campan avait détruit la seule chose qui me rattachait à la vie, et que je n'avais plus aucune raison de me battre. Mon image se déchira en lambeaux dans l'eau du bassin, une eau plus noire que la nuit.

Je me laissai tomber en sanglotant dans les bras accueillants de la dame d'Avalon, tandis qu'elle caressait mes cheveux épars de sa main douce, comme lorsque j'étais enfant.

Merlin ne souffla mot. Lorsque mes larmes s'apaisèrent, il posa la main sur mon épaule pour que leurs énergies à tous deux me régénérèrent. Pourtant, cette fois, son contact n'éveilla en moi qu'une immense colère. Je me dégageai violemment pour leur hurler à la face :

– Pourquoi ? Pourquoi vous acharnez-vous contre moi ? Je veux mourir entendez-vous ? Vous n'avez pas le droit de me déchirer ! Vous n'aviez pas le droit de me le prendre. Allez-vous-en ! Laissez-moi retourner à la terre, que j'y retrouve les miens, je n'ai plus rien à faire ni de vous ni de rien à présent.

– Loanna de Grimwald, ce que tu as vu est l'avenir dont dépend ta vie ou ta mort, murmura Merlin.

– Vous mentez, Jaufré est mort.

– L'eau du puits sacré ne peut mentir. Si tu choisis de mourir, alors Jaufré restera prisonnier de son mal dans ce royaume de Tripoli où il se trouve, et l'Angleterre tombera sous la domination définitive d'Étienne de Blois, car Henri mourra dans la bataille.

– Quelle importance, lui ou un autre ? hurlai-je pour me défendre, mais déjà au fond de moi s'ébranlaient mes certitudes.

Oui, je le savais, je l'avais toujours su, Jaufré n'était pas mort !

– D'Aliénor, Henri aura un fils, dont l'histoire du monde retiendra le nom et qui sera un grand roi, de la lignée des enfants d'Avalon, gardien d'une tradition et d'un savoir qui ne doivent pas se perdre. C'est notre devoir, insista Guenièvre. C'est ton devoir, Loanna, ma fille. Ne sous-estime pas les pouvoirs de l'amour.

– Ai-je le choix ? me lamentai-je.

La dame s'avança et m'attira à elle, me berçant tendrement contre son corps chaud :

– Ma petite, ma toute petite, un jour proche viendra où tu porteras ma descendance et celle des peuples engloutis, et où tu seras, comme je l'ai été, la plus heureuse des mères. Aie confiance. Rien n'est le fruit du hasard et pourtant nous ne pouvons laisser se nouer et se dénouer sa trame sans veiller au devenir de cette terre qui est nôtre. Étienne de Blois n'est pas un bon roi pour l'Angleterre. Il est fourbe, déloyal et parjure à nos traditions. Henri est cruel parfois, obstiné et coléreux, mais il sera juste et sa lignée servira une grande cause. Ce que tu as aujourd'hui l'impression de sacrifier, tu t'apercevras demain que ce n'était qu'une peccadille, lorsque fleurira ce que tu as semé. Alors, je te le promets, tu choisiras ta vie. Avalon n'est plus rien pour les hommes et sans doute suis-je la dernière de ses dames. Même le peuple des fées s'en est allé dispenser sa sagesse ailleurs. Nous n'intervenons plus que pour rendre justice à ceux de notre race et tenir sur le trône d'Angleterre le sang des anciens sages, la lignée royale de nos pères. Tu n'as pas été destinée à devenir la prochaine dame. Ni Merlin ni moi ne décidons de ces choses. Sache seulement que cette mission est pour toi la dernière. Désormais il t'appartient de choisir. Quoi que tu fasses et penses, tu es libre.

Me repoussant doucement, elle recula jusqu'à Merlin. Tous deux souriaient avec confiance. La haine que j'avais éprouvée pour eux revint, mais elle avait changé de cible. J'avais dans la bouche un goût âcre de vengeance. Je relevai le menton et d'une voix ferme exigeai :

– Il est une ancienne loi qui dit : Une vie pour une vie, sang contre sang. Si je réintègre la mienne, je veux la paix pour mon enfant.

Merlin hocha la tête en signe d'assentiment. Mère prit une profonde inspiration et assura :

– Une vie pour une vie. Béatrice de Campan mourra !

La douleur me plia en deux et une fois encore je vomis. On m'avait transportée dans ma chambre au palais. De mon voyage, je ne gardais que quelques certitudes : les visages mêlés de mère et de Merlin, la mort de mon enfant et le châtiment pour Béatrice. Elle se demanda sans doute comment je parvins à survivre à son crime abominable. J'eusse pu la dénoncer, mais qui aurait cru que le poison n'avait pas fait son œuvre jusqu'au bout ? L'explication qu'Aliénor me donna, en larmes, était plus crédible : j'avais fait une fausse couche, peut-être à cause des vapeurs des bains de teintures que je respirais depuis trois jours. Mais l'enfant était mort-né et cela seul suffisait à expliquer mon état de faiblesse et mon malaise. C'était une fille, une toute petite fille, qu'on me refusa de voir pour ne point me blesser davantage encore. Panperd'hu était à mon chevet.

Il serrait ma main et pleurait. Cette enfant était devenue la sienne depuis la mort de Jaufré. Il devinait ce que je pouvais ressentir.

La nouvelle s'était répandue comme un incendie de forêt. Les commentaires allaient bon train. Avant longtemps, je le devinais, Suger déboulerait dans ma chambre pour m'exhorter à me confesser et à purger mon âme. Nul doute qu'il me sermonnerait en prétendant que cet enfant conçu dans le péché ne pouvait pas survivre et que Dieu l'avait rappelé pour me punir. Mais je m'en moquais.

Pour l'heure, j'attendais une autre visite : la traîtresse, la monstrueuse, l'impie, Béatrice. Non, je ne dévoilerais pas son sinistre geste, non, nul ne saurait jamais. Mais elle allait apprendre à guetter demain et, chaque jour, elle aurait peur de celui qui suivrait. Oui, cet enfant aurait sa vengeance.

– Vous m'avez fait demander, mon amie, susurra sa voix mielleuse.

Elle supposait probablement que je n'avais aucun soupçon quant à sa culpabilité. Je me tournai vers Panperd'hu et Aliénor.

– J'aimerais demeurer seule un instant avec dame Béatrice.

Aliénor m'interrogea du regard, mais, comme elle ne formula pas sa question, je me contentai de lui sourire.

– Comme bon te semblera, finit-elle par dire d'une voix égale. Allons, venez, messire Panperd'hu. Nous dégourdir les jambes nous fera le plus grand bien, surtout aux miennes qui ressemblent davantage à des outres trop pleines qu'à des tiges de roseau.

Enroulant son bras autour de celui du troubadour, elle salua Béatrice et sortit.

– Approchez-vous, Béatrice.

Elle s'avança. Derrière une superbe assurance, je devinais son inquiétude. Elle s'installa sur le siège laissé vacant par la reine et crut bon de se lamenter :

– Quelle cruelle perte que la mort de ce petit être ! Si je l'avais su, jamais je n'aurais permis que vous vous épuisiez à la tâche sur ce trousseau.

Un sursaut de haine me serra les poings. Je ne cherchais nullement à cacher ma colère. Elle blêmit, tandis qu'implacable je laissais la rage s'arracher de mes entrailles meurtries :

– Trêve de mondanités, Béatrice. Je sais que vous êtes responsable de tout ce qui est arrivé. Je connais trop le poison moi-même pour n'avoir pas reconnu la ciguë que vous avez employée. Vous me haïssez au point de m'avoir voulu détruire, mais on ne tue pas une sorcière.

Elle se leva d'un bond :

— Mensonge ! Je comprends que vous soyez affectée...

— Silence ! Asseyez-vous !

Elle hésita un instant, puis se laissa choir sur la chaise. Je laissai retomber le silence, sans la quitter des yeux. Elle finit par puiser dans une intelligence vive une parade plus appropriée que celle de la victime. Sa haine éclata et elle persifla entre ses dents de porcelaine :

— Nul ne vous croira. On ne survit pas au poison, et j'ignore même comment il ne vous a pas tuée. Mais cela seul servira contre vos accusations.

— Qui parle d'accusation, Béatrice ? ricanai-je. Me pensez-vous assez stupide pour vous intenter un procès ? On me prendrait pour une folle, perturbée par la perte de son enfant. Ce n'est pas cela que je veux.

— Et que diable voulez-vous ? Il n'est pas en mon pouvoir de vous rendre l'enfant.

— Vous ne savez pas qui je suis, Béatrice. Vous n'avez pas seulement idée des pouvoirs que je possède. Mais depuis trop longtemps vous pesez sur ma vie comme une crotte bourbeuse et putride. Vous pouviez être le bien, quand vous n'êtes irrémédiablement que le mal. J'ai cru que votre amour pour Louis pouvait servir mes desseins et je l'ai encouragé, mais cela aussi vous l'avez perverti. Pour tout cela il est temps de payer. Et le prix de vos crimes est la mort.

Elle partit d'un petit rire dans lequel je perçus plus de crainte que de cynisme.

— Quel poison me réservez-vous ?

— Il n'est point besoin de poison aux magiciennes. Entendez bien ce que je dis, Béatrice de Campan : « Par le pouvoir des trois cercles et la magie d'Avalon, j'appelle sur toi les démons des ténèbres et la malédiction de la terre que tu as souillée. Avant que soit passé à ton doigt l'anneau de pureté, tu périras dans la souffrance, par la cause de tout ce mal que tu as engendré. »

Elle tremblait à présent.

— Sorcellerie, hoqueta-t-elle. Vous brûlerez en enfer ou sur un bûcher !

Alors, je partis d'un rire qui fit trembler la pièce :

– Le poison ne peut rien contre moi, crois-tu donc que les flammes me détruiraient ? D'ailleurs, pas plus que moi on ne te croirait. Va-t'en à présent. Ma malédiction est sur toi et quoi que tu fasses ou dises n'y changera rien. Avant que tu sois épousée, tu mourras. Ce trousseau que j'ai teint et tissé sera ton linceul !

– Vous êtes folle ! Complètement folle !

Puis, tournant les talons, elle se donna une contenance en assurant un pas ferme et lent jusqu'à la porte.

Lorsqu'elle fut sortie, je me laissai tomber sur l'oreiller et fermai les yeux. Je ne regrettais rien des paroles que j'avais prononcées. Au contraire, elles me soulageaient.

10

Quelques semaines plus tard, Aliénor mettait au monde une fille prénommée Alix. Elle avait le teint pâle et le front de Louis, de sorte que nul au palais ne songea cette fois à attribuer cette naissance à un quelconque adultère. Louis vint prendre l'enfant dans ses bras et, malgré son regret de n'avoir toujours pas de fils, embrassa la reine avec effusion. Marie qui se tenait à côté du berceau, n'eut pas même droit à un regard tandis qu'il recouchait sa sœur avec précaution. Aliénor vit les yeux de l'enfant s'embuer de larmes mais elle n'intervint pas. Elle se promit de lui mentir et d'affirmer qu'il avait fait de même à sa naissance, car elle se doutait que le premier moment d'émotion passé, Louis ne s'intéresserait pas davantage à cette enfant qu'à l'autre. Le pape leur avait annoncé un fils pour sceller leur réconciliation, mais une fois encore Dieu n'avait rien voulu entendre de leurs prières. À croire qu'Il refusait de les unir véritablement par le sang.

Nous étions en avril 1150, et les premières fleurs de lilas embaumaient les jardins. La saison s'annonçait douce après le rude hiver que nous avions connu. Louis avait décidé qu'on célébrerait le mariage de Béatrice à l'occasion des fêtes de la Pentecôte. Ensuite, la reine et lui-même partiraient visiter leurs vassaux qu'ils n'avaient pas vus depuis leur retour de croisade. Ces derniers mois avaient été ennuyeux à la limite du morbide. Certes, reprendre les habitudes de la cour avait tout d'abord semblé reposant, mais il manquait un peu de cet imprévu et de ce piquant que nous avions laissés derrière nous dans les terres d'Orient.

Aliénor se réjouissait donc de voyager de nouveau et d'être enfin délivrée de ce fardeau qui la faisait ressembler à une roue de charrette. Elle avait énormément grossi et désespérait de retrouver une taille fine. Elle serait sans doute allée quérir l'aide de la sorcière du marais si celle-ci n'était morte pendant que nous étions à Constantinople.

Lors, Aliénor subissait ses relevailles en préparant les festivités. J'avais repris le dessus, même si la naissance d'Alix avait ravivé en moi la perte cruelle de mon enfant. En devenant ma filleule, elle était de fait devenue un peu mienne et Aliénor me la laissait cajoler autant que je le voulais. Bernard de Ventadour avait envoyé ses félicitations, ce qui nous permit d'apprendre qu'il séjournait à la cour de Normandie près d'Henri. Il se préparait là bas de grands affrontements car Étienne de Blois s'était mis à dos les barons, de sorte que Geoffroi le Bel et son fils recueillaient de plus en plus de doléances et d'alliés.

Je m'étourdissais dans les activités quotidiennes, d'une part parce que préparer l'hymen de Béatrice me rapprochait de l'heure de ma vengeance et, d'autre part, parce que j'oubliais ainsi les visions qui m'assaillaient chaque nuit. Jaufré était là, étendu sur un parterre de fleurs, tendant les bras vers moi. Je ne savais plus comment interpréter ces songes, j'avais conscience que quelque chose de primordial m'avait été révélé pendant mon inconscience, mais je ne voyais que des bribes.

Béatrice m'évitait. Elle passait de longues journées enfermée dans l'église. De la jovialité et de l'enthousiasme même feint qu'elle affichait avant l'incident, il ne restait rien. Certaines mauvaises langues répandirent le bruit qu'elle se sentait responsable de ma fausse couche pour n'avoir pas su intervenir assez tôt, ou encore m'avoir par ses fiançailles obligée à un surcroît de travail quand la température extérieure était trop fraîche, bref, en tous les cas, qu'elle se sentait responsable. Peut-être était-ce vrai. Béatrice me haïssait, mais je doutais qu'elle puisse attenter à la vie d'un enfant. J'aurais dû lui pardonner de n'avoir rien su, mais je ne le pouvais. C'était comme si la seule pensée de sa mort à présent inéluctable m'aidait à vivre.

Il faisait un soleil radieux en ce jour de Pentecôte. Toute la matinée, les joutes avaient opposé les seigneurs. J'avais eu grand plaisir à retrouver Geoffroi de Rancon. Il fut heureux de me voir et me présenta ses condoléances. La mort de Jaufré avait fait le tour du pays et il savait combien sa perte était pour moi irréparable. Il n'était arrivé que le matin même, à l'inverse de nombreux autres seigneurs. Il n'y avait pas eu de tournoi depuis la mort de Denys. Aussi, lorsqu'il insista pour être mon champion à sa place, je n'eus pas le cœur de refuser, m'abstenant de prêter l'oreille aux murmures qui ne manquèrent pas lorsqu'il vint me saluer. De fait, je ne regrettai pas d'avoir accepté son hommage, car il se battit hardiment, exhibant ma manche à son bras avec panache.

Béatrice ne parut pas. Je ne l'avais pas revue depuis notre explication. Sans doute se préparait-elle à ce simulacre de mariage, à moins qu'elle n'essayât dans un ultime élan de sauver ce qui lui restait d'âme.

Lorsque cette première journée s'acheva par un gigantesque banquet où moult troubadours et saltimbanques montrèrent leurs talents, je ne pus m'empêcher de songer qu'avant la prochaine lune je serais débarrassée de mon ennemie la plus redoutable. C'est avec du baume au cœur que je m'endormis cette nuit-là.

Le coq chanta sur les premières brumes de l'aurore, voiles légers qui couraient à fleur de terre, promettant une autre journée radieuse. Aux vêpres qui marqueraient la clôture des tournois, on célébrerait les épousailles de Béatrice, et le banquet deviendrait dès lors celui des mariés. Aliénor m'avait confié la tâche de veiller aux préparatifs culinaires du soir, pour que tout soit parfait. Je me rendis donc en cuisine sitôt levée, l'âme légère, et vérifiai que tous les ingrédients avaient été livrés pour la confection des pâtés, des tourtes, et la multitude de plats qui figuraient au menu. Aliénor m'y rejoignit en début d'après-midi. Elle semblait embarrassée et m'entraîna à part :

– Quelque chose te préoccupe ? demandai-je, espérant au fond de moi qu'elle allait m'apprendre que Béatrice avait devancé son heure en avalant quelque poison.

– Point non. En fait, c'est plutôt une bonne nouvelle, bien que je doute que tu y sois sensible.

– Allons, parle, ris-je en lui pinçant le nez, maligne.

– Geoffroi de Rancon vient de me demander ta main.

La nouvelle me coupa le souffle, et Aliénor à son tour éclata de rire devant ma mine abasourdie.

– Je savais que cela te ferait grand effet.

– Il n'est pas sérieux, parvins-je à bredouiller, encore sous le coup de l'émotion. Il vient de perdre son épouse et se doit de respecter le deuil !

– C'est ce qu'il m'a dit, vois-tu. En fait, il souhaitait que je te fasse part de sa demande afin que tu aies le temps nécessaire pour y songer avant qu'il puisse de façon tout à fait officielle te passer la bague au doigt. N'est-ce point chevaleresque ? s'amusa Aliénor en joignant ses mains sur son cœur.

– Cesse de te moquer, veux-tu ? Que lui as-tu répondu ?

– Rien. Je l'ai simplement assuré que je t'informerais de sa requête au plus tôt. Ai-je bien fait ?

– Oui, oui. Merci, ma douce.

– Allons, je m'échappe, on m'attend pour l'ouverture des jeux. Viens-tu ? Ton beau chevalier ne saurait défendre les couleurs d'une absente...

– Pars devant. Il me reste quelques ordres à donner ici.

En fait, j'avais surtout besoin de me ressaisir. Jamais je n'avais envisagé de devenir l'épouse d'un autre que Jaufré. Geoffroi de Rancon était bel homme bien que d'un âge certain, et surtout un homme sûr. À plusieurs reprises déjà, j'avais pu apprécier sa loyauté et sa bravoure. Une année devait s'écouler avant que son deuil lui autorise de nouveau le mariage. J'avais une année pour réfléchir à une proposition qui allait dans le sens des espoirs de Jaufré : me mettre à l'abri de mes ennemis et des convoitises de barons impétueux et grossiers. Une année pour mener à bien ma mission. Ensuite, peut-être... Je n'éprouvais qu'une sincère amitié pour cet homme, mais combien de mariages avaient été heureux sur ces seules bases ? La confiance n'était-elle pas primordiale dans l'hymen ? Et je pouvais dire, assurément, que j'avais confiance en Geoffroi de Rancon. « Si seulement Jaufré était encore de ce monde », soupirai-je en goûtant du bout des lèvres une sauce onctueuse, ce qui m'attira le regard inquiet du cuisinier, s'imaginant sans doute que ce soupir était une critique.

– C'est parfait ! lui lançai-je pour me faire pardonner.

Alors, il gonfla son torse proéminent qui ressemblait à un gosier de dindon gavé jusqu'aux genoux, de sorte qu'on eut l'impression que ses jambes démarraient à cette hauteur. Je m'esquivai en pouffant.

Les joutes furent un régal. Les vétérans encore une fois emportèrent tous les trophées. Sans doute trouvaient-ils plaisant de ne plus se battre que pour l'honneur. Il y eut de fait, comme la veille, fort peu de blessures, et, lorsque chacune d'entre nous remit son trophée à son vainqueur, Geoffroi de Rancon qui était des finalistes vint s'incliner devant moi avec un sourire complice. Je le lui rendis sans malice et passai autour de son cou la médaille d'or à l'effigie d'un chevalier terrassant un dragon qui symbolisait la force et l'adresse.

– Ma dame, murmura-t-il, plus que ce trophée, c'est votre sourire ma plus belle récompense.

Je détournai mon regard du sien, car il était si appuyé que je sentis un fard me monter aux joues.

À cet instant les cloches de Saint-Denis s'envolèrent, appelant à l'office de vêpres.

Aliénor s'en fut rejoindre Louis, et les dames leurs époux qui s'étaient dirigés vers les pavillons pour s'y rafraîchir. Moins d'une vingtaine de minutes plus tard, le cortège s'ébranla vers l'abbaye. Au moment d'allonger le pas, alors que je prenais place au milieu des invités, la voix de Geoffroi de Rancon s'éleva tout près de moi :

– Acceptez mon bras, voulez-vous ?

– Fort volontiers, mon ami, acquiesçai-je.

Ce fut donc à son bras, avec un pincement au cœur, que je pénétrai dans la cathédrale. La dernière fois que j'avais marché aux côtés d'un autre, c'était à Tusculum et le pape lui-même avait béni mes fiançailles.

Quelques minutes plus tard, dans l'église bondée, Béatrice paraissait dans une robe somptueuse d'un voile immaculé, menée à l'autel par son oncle, le baron de Campan. Elle souriait à peine, et son teint plus blanc que son linge attisa un murmure dans l'assistance à mesure qu'elle s'avançait le long de la grande allée centrale. Sans doute l'émotion, commenta une voix féminine. Mais je savais que c'était autre chose. Quelque chose comme de la peur. Une peur grandissante à mesure que ses pas la rapprochaient de l'autel et de son Dieu sur sa gigantesque croix. Lorsqu'elle fut au pied de l'autel, son futur époux la prit par la main pour la conduire devant le roi et la reine. Louis aussi était livide, il devait lui en coûter de voir un autre lui ravir celle qu'il chérissait tant. Les deux vassaux s'inclinèrent respectueusement.

Puis les futurs épousés s'en retournèrent devant l'autel où Suger les attendait. Il parla longuement des obligations du mariage, de leurs devoirs envers le roi de France, et de tant d'autres serments. À plusieurs reprises, Béatrice toussa comme si l'air lui manquait, puis se ressaisit. Enfin vint le moment où le baron de Montmorency prit sur un coussin de velours l'alliance d'or et la lui présenta en clamant haut et clair :

– Par le pouvoir du Tout-Puissant, créateur du ciel et de la terre, et par la foi de mon engagement aux saints sacrements du mariage, je me donne tout entier, corps et âme, à vous, Béatrice Élisabeth de Curves, baronne de Campan, afin que, dans la joie comme dans la peine, mon épée et mon amour servent votre cause dans le respect, la fidélité et la sagesse jusqu'à ce que la mort nous sépare.

Il souleva délicatement la main gauche de sa belle et enfila à son doigt l'anneau d'or. Ce fut à cet instant précis que Béatrice s'étrangla. Elle porta la main à sa gorge diaphane pour en arracher le sautoir de diamants qui y scintillait, comme s'il pouvait être la cause de son malaise. Mais cela ne changea rien. Alors, elle écarquilla des yeux ronds et effrayés vers la tribune royale, chercha un souffle dans un cri qui ne vint pas et s'effondra, inerte, entre les bras de son fiancé, interloqué. Personne n'avait eu le temps de réagir. D'un même élan, l'assistance se leva, inquiète, tandis que Suger venait en aide au baron de Montmorency pour étendre la malheureuse à terre. Personne n'osa troubler le silence de la nef, pas même Louis, livide, qui plantait ses ongles dans l'accoudoir du trône sur lequel il siégeait.

Après s'être penché sur le corps qui reposait sur le dallage de terre cuite, Suger s'avança vers le roi et lui chuchota quelques mots. Il paraissait troublé au plus haut point. Louis chancela, et Aliénor dut passer son bras sous le sien pour le soutenir. Tous trois se dirigèrent vers Béatrice.

Ce fut Louis qui, bravant tous les interdits, la souleva de terre dans ses bras, les yeux emplis de larmes, tandis que le baron ne parvenait pas à faire un geste, pétrifié par cette vision blanche qui ressemblait à une fleur sublime dans un parterre vierge. Le roi hurla plus qu'il ne parla, tant sa voix résonna sous les voûtes emplies d'un silence glacial :

– Mes amis, ce jourd'hui était jour de fête, demain sera jour de deuil. Béatrice de Campan nous a quittés pour le royaume des cieux.

Deux par deux, les invités vinrent tracer un signe de croix sur le front blanc qui pendait mollement entre les bras de Louis. Aliénor voulut lui dire que ce n'était pas sa place mais celle du baron, mais elle n'en eut pas le courage. Elle pouvait lire dans les yeux de Louis une souffrance infinie qui lui rappela celle qu'elle avait éprouvée à la mort de Raymond.

Lorsque, à mon tour, je fis glisser mes doigts au-dessus des paupières closes de Béatrice, ce fut en murmurant pour elle seule :

– Que la paix désormais soit tienne.

Ainsi je levais sur elle l'anathème que sa propre haine avait tissé, car, malgré la satisfaction que me procurait son trépas, je ne pouvais supporter l'idée de laisser peser sur son âme le poids de ma malédiction.

Le banquet qui suivit fut bien terne. Le baron de Montmorency n'y parut pas, occupé à veiller celle qui n'avait pas eu le temps de devenir son épouse. Louis fit pâle figure, ne goûtant qu'à peine les plats. Au terme d'un long moment, il demanda à Aliénor la permission de se retirer et elle n'eut pas le cœur de l'en empêcher. Elle savait qu'il partait rejoindre les proches de Béatrice pour prier avec eux. Curieusement, elle ne lui en voulut pas. Louis était brisé par le chagrin et, au lieu d'en tirer une certaine vengeance qu'elle attendait depuis la mort de Raymond, elle avait pitié de lui. Sans doute eut-elle conscience à cet instant que plus que quiconque Louis était seul. Totalement seul désormais.

Moi, j'avais le cœur joyeux, d'une légèreté inouïe, comme si rien à présent ne pouvait plus m'atteindre. Comme si, d'avoir écarté Béatrice, je tournais une page amère de mon existence. Lorsque Geoffroi de Rancon proposa de me raccompagner jusqu'à ma porte, j'insistai pour faire quelques pas au clair de lune, immense, qui auréolait les arbres du jardin. Cette requête lui fut agréable et c'est côte à côte que nous nous avançâmes vers les créneaux qui surplombaient la Seine.

– J'imaginais mal que cette damoiselle puisse avoir pareille fin, commenta Geoffroi pour rompre un silence que j'avais laissé s'étendre au fil de mes pensées.

– Quoi qu'il en soit, Geoffroi, je vous mentirais en prétendant que je m'en sens affectée.

Il eut un sourire complice.

– Le contraire m'eût profondément surpris, savez-vous. Denys m'a tout raconté vous concernant, Loanna.

Il avait dit cela à mi-voix comme une confidence, tandis qu'il prenait ma main. Je frissonnai soudain, mais ce n'était pas de froid. Que savait-il exactement ?

— Il m'a assuré avant de mourir que vous n'étiez pas comme les autres. Que vous défendiez les intérêts de l'Aquitaine, et que votre mission entraînerait sur vos pas nombres d'ennemis contre lesquels il faudrait se battre. Enfin, que vous lui étiez plus précieuse encore que sa vie. Cela, hélas, il l'a prouvé. Lorsque j'ai fait promesse sur son souffle de mourant de veiller sur vous à mon tour, je n'imaginais pas véritablement à quel point vous prendriez de place dans mon cœur. Sans doute parce que je savais alors votre attachement à Jaufré de Blaye. Puis j'ai appris qu'il s'était éteint à son tour, et ce que je ressentais pour vous a pris son véritable sens. Vous savoir seule et sans défense m'a bouleversé. Je vous aime, Loanna. Bien loin de moi l'idée de comparer cet amour avec celui d'un comte de Blaye ou de Châtellerault Et je serais bien fou d'imaginer que vous puissiez m'aimer aussi. Pourtant, je suis prêt à vous donner mon nom, non seulement pour vous protéger puisque j'en ai fait le serment, mais pour vous chérir jusqu'à la fin de mes jours.

Il était sincère autant qu'ému. Instinctivement, je portai ma main à sa joue. Son attention, sa délicatesse me touchaient infiniment. Alors, il m'attira dans ses bras et m'embrassa avec fougue. Je m'abandonnai à son étreinte. Jaufré me manquait tant !

Cette seule pensée me fit repousser Geoffroi avec douceur et fermeté.

— Pardonnez-moi, bredouilla-t-il, imaginant sans doute que j'avais jugé déplacée sa soudaine hardiesse.

— Non, affirmai-je, c'est à vous de me pardonner, Geoffroi. Depuis que Jaufré est mort, je me sens, il est vrai, désespérément seule. Et davantage encore depuis que j'ai perdu son enfant.

Il blêmit, mais n'osa aucun commentaire. Il avait bien trop de tact pour cela. J'estimai cependant qu'il devait savoir :

— Je vais avoir trente ans, Geoffroi. Il serait stupide d'imaginer que je n'ai pas connu d'hommes. Pourtant Jaufré a été le seul. Et, depuis sa fin, nul autre n'a eu sa place dans ma couche. Certes, ce n'est sans doute pas très chrétien de s'abandonner ainsi avant le mariage, et je vous assure que l'abbé Suger m'a grandement fait la leçon, appelant sur moi toutes les foudres du ciel. Comme vous le savez, Jaufré et moi devions nous marier à son retour de Tripoli. Il est parti sans savoir que j'étais enceinte. J'ai dissimulé cette grossesse autant que je l'ai pu, envisageant d'aller mettre l'enfant au monde en Normandie dans le plus grand secret. Béatrice de Campan est responsable de ma fausse couche. Vous en raconter en détail les circonstances serait bien trop long, mais je veux croire que vous avez suffisamment confiance en moi pour ne pas douter de mes dires.

Il hocha la tête en signe d'assentiment, et je poursuivis en frissonnant sans le quitter des yeux :

– Je sais que Béatrice a reçu ce jourd'hui le châtiment divin pour ce crime et tant d'autres, et c'est la raison pour laquelle je n'ai pas de remords quant à mes sentiments. Je vous respecte, Geoffroi, mais je ne peux vous aimer. Jaufré a pris mon âme, elle ne m'appartient plus.

Il passa son bras autour de mes épaules pour m'envelopper de son mantel. Je n'eus pas le cœur de le repousser une nouvelle fois. D'ailleurs, il se contenta de m'attirer à lui. Dans un soupir, j'abandonnai ma tête sur son épaule massive. Sa voix grave me réconforta :

– J'ai perdu mon épouse cet hiver. C'était une brave femme, qui m'a donné deux fils. Je ne l'ai jamais aimée et elle m'a supporté de même. Mais je veux croire qu'elle a vécu heureuse avant que cette fièvre ne l'emporte. Je porterai son deuil une année ainsi que le veut la coutume, ensuite je serai libre de prendre épouse de nouveau. Je saurai vous attendre, Loanna. Peut-être parviendrez-vous, non pas à m'aimer, mais à éprouver pour moi suffisamment de tendresse pour envisager ma proposition. Sachez que, jusqu'à cette heure, jamais plus nous n'en reparlerons, mais que j'accourrai sans hésitation au moindre signe de votre part, chaque fois que vous aurez besoin de ma présence, et de mon réconfort. Tel l'ami sûr auquel autrefois Denys a confié votre vie.

– Que vous dire, Geoffroi, sinon que, si je devais prendre époux un jour, c'est vers vous assurément que mon cœur irait.

Il me serra tendrement contre lui et nous restâmes ainsi un long moment en silence, écoutant se cogner les coques des embarcations amarrées au pied des remparts. Puis il déposa un baiser sur mon front et, allongeant le pas sur ce geste, me ramena chez moi.

Ce fut comme une certitude. Une certitude qui brusquement revenait dans la réalité. Jaufré de Blaye eut la sensation fugitive qu'il lui suffirait d'ouvrir les yeux pour voir de nouveau et mettre enfin sur ces voix feutrées et inconnues des visages et des noms. Pendant longtemps, un temps dont il n'avait nulle idée, il avait perçu autour de lui un va et vient incessant, mêlé à des images d'un autre temps, d'un autre lieu. Où se trouvait-il ? Qui était-il ? Il l'ignorait. Il avait simplement conscience d'un corps qui n'éprouvait aucune douleur mais qui pesait pourtant. Par moment, il croyait se souvenir de quelque chose, mais aussitôt cela disparaissait. Jusqu'à aujourd'hui. Mais que signifiait ce mot ? À quelle date, quel mois, quelle année se rapportait-il ? Cela aussi il l'ignorait. C'était un prénom qui l'avait éveillé. Un prénom venu du tréfonds de sa mémoire vierge. L'avait-il entendu ? L'avait-il rêvé ? L'avait-il connu ? Lentement, jaillis d'un épais brouillard, des traits dessinèrent les contours d'un visage, d'un regard, d'un sourire qui soudain lui donnèrent envie de ranimer ce corps inutile : « Loanna. Loanna. » Lorsque le comte de Blaye ouvrit les yeux, ce fut en le prononçant. Alors seulement, il s'aperçut qu'aucun son ne sortait de sa gorge.

Tandis qu'au fil des mois la légende du troubadour mort dans les bras de sa belle se répandait en Europe, Jaufré de Blaye dormait d'un sommeil léthargique entre les murs sombres d'une pièce oubliée du palais de Tripoli. Houdar s'était penché sur le problème comme un défi à toutes les règles de la nature. Ce cas l'intéressait au plus haut point. Très vite, il en vint à se dire que Jaufré Rudel vivait de façon végétative et qu'il fallait l'alimenter puisqu'il ne pouvait le faire lui-même. On le fit boire de l'eau sucrée, puis salée, ainsi que du bouillon de viande de nombreuses fois par jour, à l'aide d'un entonnoir qu'on lui enfonçait dans la gorge. Peu à peu, la respiration du troubadour s'était faite plus régulière. Parfois montaient de sa glotte d'étranges sifflements, lors, un souffle irrégulier et fort l'ébranlait tout entier. Mais il n'ouvrait pas les yeux et ne manifestait pas de signe prouvant qu'il percevait ce qui l'entourait.

Houdar avait consulté plusieurs confrères en toute discrétion, jusqu'en les contrées les plus reculées. Il apprit ainsi l'existence d'autres cas qui se comptaient depuis de nombreuses décennies sur les doigts d'une main. Pourtant, il les raccorda à des récits entendus de-ci, de-là faisant état de cadavres découverts lors du nettoyage des fosses et tombeaux, qui, au lieu d'avoir les mains jointes sur la poitrine, avaient pris d'étranges postures, comme s'ils avaient tenté de soulever le dessus de leur cercueil. Ces êtres, il en avait acquis la certitude, avaient été enterrés vivants, dans un état sans doute identique à celui de son patient, et s'étaient réveillés avant de manquer d'air. Or donc, il se félicita d'avoir cédé aux suppliques de la princesse. Cinq mois passèrent ainsi, sans que rien n'évoluât. Jaufré Rudel n'avait plus que la peau sur les os, mais, peu à peu, la vie revenait en lui par de petits signes, un frémissement des doigts, une grimace, un soupir. Détails qui réconfortaient Hodierne et entretenaient son espoir fou.

Lorsqu'elle pénétra dans la chambre un matin de mars 1150, elle trouva Jaufré Rudel les yeux grands ouverts. Remplis de larmes. Elle s'agenouilla devant lui, craignant qu'une fois encore, il ne replonge dans son univers de ténèbres. Mais Jaufré était revenu. Et, avec lui, le souvenir de ce visage et de ce nom, qu'il avait voulu crier sans pouvoir le faire. Il leva son regard délavé vers cette femme qu'il ne reconnaissait pas, mais qui pleurait pourtant en gémissant :
– Là, mon aimé, c'est fini ! C'est fini !

Mais qu'est-ce qui était fini ? Il dut se faire violence pour trouver en lui la force de déplacer sa main droite jusqu'à celle de cette belle. Lorsqu'il y parvint, ses doigts décharnés sentirent une chaleur qu'il avait oubliée, et leurs deux paumes se nouèrent tendrement. Hodierne poussa un cri de joie. Elle avait gagné.

Avec avril, la chaleur douce des bords de mer promena des senteurs de rose et de jasmin sur la ville blanche de Tripoli. L'incessant voyage des navires ramena des voyageurs et des troubadours que le mauvais temps avait empêchés d'accoster durant l'hiver. L'on mit sur le compte de ce renouveau la bonne humeur de la princesse Hodierne.

Jaufré de Blaye avait repris des couleurs. Le gavage obligé de ces longs mois avait fait place à une nourriture plus riche, et son hôtesse avait eu tout loisir de lui raconter ce qui s'était passé. D'avant, il ne se souvenait que de peu de choses, si ce n'était ce nom et ce visage qui l'obsédaient. Le bilan médical de Houdar avait été affligeant. Jaufré Rudel vivait, mais il était muet, et, outre son amnésie, son visage était déformé par un rictus qui lui étirait la lèvre gauche en une grimace simiesque. S'il pouvait remuer son bras, sa main et sa jambe droite, de même que son torse, il n'avait plus de sensibilité ni de coordination dans ses autres membres. C'était comme si cette partie de lui continuait de dormir. Houdar ignorait si cela reviendrait un jour.

Lorsque Jaufré eut entendu le récit du dévouement d'Hodierne, son cœur s'emplit de reconnaissance. Cependant, il ne parvenait pas à se convaincre qu'il l'aimait aussi et que c'était la raison pour laquelle il avait atteint ces rivages. Quand il eut retrouvé quelques forces, il inscrivit sur un parchemin ce nom qui prenait toute place au creux de ses entrailles, afin qu'elle lui donnât une réponse.

– J'ignore qui est cette Loanna, répondit Hodierne, l'air navré. Peut-être votre mère, ou une quelconque dame de France qui aura servi de muse à vos merveilleux vers. Sans doute avec le temps votre mémoire reviendra-t-elle suffisamment pour vous donner une réponse. Pour l'heure, une délicate mission m'attend. Confesser votre résurrection et mon péché à messire l'abbé. Je crains fort qu'il n'apprécie pas d'avoir été berné de la sorte et ne m'inflige quelque jeûne pour un aussi long mensonge. Je viendrai vous voir bientôt.

Sur ce, elle déposa un baiser sur le front tiède et s'éclipsa. Pour rien au monde, elle n'aurait voulu lui montrer sa déception. Si Jaufré de Blaye avait conservé ce seul nom en sa mémoire, c'était qu'il avait dû compter en son cœur et son âme au-delà de toute raison. Pourtant, c'était elle, Hodierne, qui l'avait sauvé et ramené par son amour dans le monde des vivants. Ce qui n'avait été qu'un caprice était devenu une tendre affection, non plus pour la voix dont on lui vantait autrefois les mérites, mais pour l'homme lui-même qui se battait entre deux mondes. Elle était son présent et son devenir. Elle saurait se faire aimer et, lorsque Jaufré Rudel retrouverait sa mobilité et sa voix, sa constance et sa passion finiraient d'éteindre en lui l'image de sa rivale. Oui, elle en était sûre, à présent ce n'était qu'une question de temps.

L'abbé eut un haut-le-corps au moment où la confession lui révéla l'abominable sacrilège. Lorsqu'il menaça Hodierne des foudres divines, celle-ci redressa la tête et d'une voix ferme déclara :

– Lequel de nous deux aurait le plus à se faire pardonner ? Celle qui a sauvé et guéri, ou celui qui a condamné et enterré vivant un chrétien ?

Il y eut un raclement de gorge suivi d'un long silence derrière la cloison de bois ajourée du confessionnal. Puis l'abbé murmura :
– Puisque la volonté de Dieu seule a répondu à ce dilemme, allons voir ce prodige.

Un long conciliabule réunit après coup Hodierne, l'abbé et Houdar afin de décider de ce qu'il convenait de faire pour préserver au mieux les intérêts du royaume. Ébruiter la nouvelle ne manquerait pas d'attirer l'opprobre de l'Église. Il ne fallait pas oublier qu'une messe avait été dite autour d'un cercueil qui ne contenait pas le défunt désigné. Cet acte seul et le mensonge qu'il avait amené étaient un sacrilège. De plus, Jaufré était grandement diminué et Houdar ne pouvait affirmer qu'il recouvrerait un jour ses facultés et sa mémoire. Décision fut donc prise de garder le silence. Si l'homme était vivant, le troubadour était défunt. Ainsi donc ce n'était pas mensonge. Il suffirait de prétendre qu'il était un parent lointain recueilli après une longue maladie. Il pourrait dès lors se promener dans les jardins au regard de tous. Comme il était muet, il ne risquait pas de commettre d'impair. Lorsqu'il serait rétabli, il jugerait de ce qui serait le mieux pour lui et les siens.

Le temps passa sur la ville et son secret. Jour après jour, de nombreuses personnes grassement payées pour se taire s'inclinèrent sur le cas de Jaufré et proposèrent des traitements, tous plus farfelus les uns que les autres. Hodierne écarta ceux dans lesquels entrait la magie noire. L'été succéda au printemps et Jaufré fut transporté dans les jardins de Tripoli, emplis d'orangers, de citronniers, de magnolias et de dattiers. Il parvenait à tenir assis et Hodierne patientait à ses côtés autant que possible. Il communiquait avec elle par l'écriture. Un jour, pour lui être agréable, elle fit venir un troubadour auquel elle demanda de chanter les chansons de Jaufré Rudel. L'homme se lamenta ensuite sur la cruelle perte de son comparse officiellement défunt, sans le reconnaître en cet être difforme qui se mit à pleurer comme un enfant lorsque s'acheva la mélodie. D'entendre cette « complainte d'amor de Lohn », d'un seul coup d'un seul, son cœur s'était ouvert. Des images s'étaient bousculées dans sa tête, reprenant leurs droits sur des gouffres de silence : deux mains liées sur des draps blancs, ces lèvres qui lui criaient « je t'aime », cette peau douce et satinée, le pape qui traçait sur leur front un signe de croix : Loanna de Grimwald.

Bouleversée par ces larmes qui n'en finissaient pas, Hodierne renvoya le troubadour. Elle serra Jaufré dans ses bras. Plus tard, lorsqu'il eut épuisé toute sa pluie, il écrivit longuement, puis tendit à Hodierne un message empli de prière et de pardon :

« Douce, généreuse amie. Sans doute suis-je le plus discourtois des hommes à demander pareille mission. Je vous aime pour tout ce dont vous m'entourez depuis tant de mois, sans faillir, sans mentir, sans réserve et à jamais suis votre serviteur. Hélas, avec ce chant écrit pour une autre, mon cœur saigne d'une blessure si vibrante qu'il me fait oublier ce que je vous dois pour vous implorer de m'entendre. Je sais désormais qu'elle seule, Loanna de Grimwald, à laquelle je suis lié devant Dieu, sera toujours dans mon cœur. Qu'y puis-je, douce amie ? Voyez mon malheur ! Je sens sa douleur de me savoir perdu, elle rejoint celle qui me hante jour et nuit. Je ne peux continuer à lui cacher la vérité. Elle doit me savoir vivant et protégé par vos bons soins et votre amour. Car, plus encore que ma souffrance, c'est la sienne que je veux épargner. Pardon, douce et tendre Hodierne. Pardon mille fois, pardon d'être indigne de votre abnégation et de votre amour. »

Hodierne racla sa gorge pour dissimuler sa peine et sa rancœur. Un instant, elle se dit qu'elle aurait sans doute mieux fait de le laisser mourir puisqu'il n'avait pas seulement la reconnaissance du ventre qui l'avait fait renaître, mais il lui suffit de croiser son regard si douloureux pour que ses plus amers sentiments s'évanouissent.

« Non, se dit-elle, elle ne doit rien savoir. » Alors, prenant entre les siennes les mains de Jaufré, elle affirma d'une voix pleine de sollicitude :

– Mon amour pour vous est si grand, Jaufré, que je ferais n'importe quel sacrifice pour vous être agréable et vous combler. Pourtant accéder à votre demande serait folie. Regardez-vous, mon ami, votre infortune est telle qu'aucune à part moi ne saurait se nourrir d'un espoir aussi mince. Votre belle aimait en vous le troubadour, le comte de Blaye allègre et aimant, sa voix chaude qui lui chantait ses louanges, ses caresses et sa présence infaillible à ses côtés. Est-ce cela qu'aujourd'hui vous pourriez lui offrir ? Non, mon doux ami. Elle vous croit mort et c'est un peu ce que vous êtes, hélas, car de l'homme d'hier il ne subsiste rien hormis cette passion. Pour autant qu'elle vous ait gardé sa flamme, résisterait-elle à cette incertitude de vous voir jamais redevenir comme avant ? Ne serait-ce pas torture plus grande encore ? Je ne peux croire que vous vouliez lui infliger pareil tourment. Laissons le temps faire son œuvre, Jaufré. Si un jour vous retrouvez en vous celui d'hier, alors peut-être, s'il n'est pas trop tard.

Jaufré baissa la tête. Hodierne avait raison. Hier était derrière lui. Il allait falloir apprendre à oublier. Oui, désespérément, elle avait raison ! Qui d'autre à part elle pouvait aimer ce déchet, ce rebut qu'il était désormais. Fallait-il qu'il soit fou pour regarder en arrière ! N'était-elle pas la seule à caresser les rares cheveux disséminés sur son crâne, à ne pas s'apitoyer sur son sort, mais au contraire à l'encourager à lutter ? Que serait-il sans elle aujourd'hui ?

Alors, refoulant en lui ce qu'il devait désapprendre, il prit le beau visage entre ses mains osseuses et posa sur les lèvres muettes un tendre, un doux baiser.

11

Depuis quelques mois déjà, cela se préparait. Étienne de Blois avait resserré ses alliances avec la France en soutenant Louis contre son frère Robert de Dreux qui briguait la couronne. Il résidait désormais continuellement en Angleterre pour affirmer haut et fort sa légitimité et celle de son fils qu'il vouait à sa succession. Là-bas, la discorde était telle entre les partisans d'Henri Plantagenêt et ceux du roi d'Angleterre que les algarades se faisaient nombreuses, laissant pressentir une guerre civile. La popularité d'Henri allait grandissant dans le pays et il tissait des liens de plus en plus étroits avec ceux qui autrefois avaient rejeté sa mère. C'était sans doute la raison pour laquelle les échauffourées entre partisans des deux clans étaient si violentes. L'Angleterre voyait en ce jeune colosse le roi qu'ils n'avaient pas en Étienne, aussi fourbe que cruel. De plus, bon nombre d'Anglais étaient fatigués de cette guerre qui plongeait le pays tout entier dans la famine, la ruine et la haine. Au printemps 1150, Geoffroi le Bel céda le duché de Normandie à Henri pour ses dix-sept ans.

Le premier devoir d'Henri aurait été de faire allégeance au roi de France pour ce titre et de reconnaître sa suzeraineté. Il décida de n'en rien faire. Puisque Louis VII soutenait son rival, il n'avait aucune raison de s'incliner devant lui. D'autant moins qu'il sentait bien à présent qu'avoir été dépossédé de l'Aquitaine pesait lourd dans la balance. Il ne pardonnait pas. Et, plus encore que son père ou son grand-père et jusqu'au plus lointain de ses aïeux, Henri était belliqueux, rancunier et tenace.

Au mois d'août 1150, Louis s'agaça et décida qu'il était temps de remettre à sa place ce freluquet. Henri allait apprendre qui il était. Contre les conseils de Suger qui considérait que la paix devait être préservée dans le royaume, il commença à masser des troupes sur les rives de la Seine entre Mantes et Melun.

Henri lui aussi gronda. Que le roi de France le défie, lui, l'héritier légitime de la couronne d'Angleterre, pour soutenir un parvenu et un parjure, il ne pouvait l'admettre. Il ne se reconnaissait pas vassal de Louis. Il ne se reconnaissait pas dans l'allégeance qu'il lui devait. Pendant plusieurs semaines, un vent guerrier secoua la France.

C'est à ce moment-là, dans ce creux du temps qui maintient les choses entre deux équilibres fragiles, que Louis me fit venir dans son cabinet de travail.

Je n'avais plus eu depuis fort longtemps l'occasion d'un parler en tête à tête. D'ailleurs, depuis la mort de Béatrice de Campan, Louis n'aimait personne, n'écoutait personne, ne voyait personne. S'il se pliait aux sentiments de ses conseillers et de son sénéchal Raoul de Vermandois, c'était parce qu'il avait lui-même choisi d'aller dans cette direction et pas une autre. Aliénor et moi nous contentions donc depuis une année de veiller à la bonne marche des affaires courantes, dispensant charité et bons soins puisque ma connaissance des simples soulageait nombre de maux, filant, cousant, brodant, préparant festivités et processions dans un rythme sans fin, qui pourtant tissait l'inexorable déchirement. Louis n'aimait plus Aliénor, et Aliénor n'acceptait plus d'être reléguée au rang de matrone.

Aussi, lorsque la porte se referma derrière moi, me livrant le visage sombre du roi sur lequel de petites rides se dessinaient à présent, j'étais en proie à toutes les interrogations possibles.

– Prenez un siège, dame Loanna, dit-il aimablement pour couper court à ma révérence.

Tandis que je m'installais dans un fauteuil richement sculpté, Louis posa son sceau sur un parchemin roulé. Il se dirigea vers moi et s'assit de biais sur le bureau qui me faisait face, prenant un air décontracté que je ne lui connaissais pas. Je fronçai les sourcils. Cette attitude même montrait que quelque chose d'important se tramait.

– Je me suis laissé dire il y a déjà fort longtemps que Mathilde, duchesse d'Anjou, était votre marraine et que c'est à la cour de Geoffroi le Bel que vous avez été élevée.

– En effet, Votre Majesté, approuvai-je, méfiante.

Où voulait-il en venir ? Me soupçonnait-il de connivence avec celui qui était devenu irrémédiablement son ennemi ?

– J'ose donc penser que vos attaches sont puissantes à ceux-là mêmes qui aujourd'hui défient mon autorité.

– Me demandez-vous de prendre position dans cette affaire, Majesté ? demandai-je en le fixant droit dans les yeux.

Je n'aimais pas ce jeu de chat et souris. Il eut un sourire et se radoucit :

— Nenni, gente dame. Je vous sais suffisamment attachée à la couronne de France et à votre reine pour ne pas mettre sur vos épaules aussi cruel dilemme. D'ailleurs, ce n'est pas votre orgueil qui est bafoué, mais le mien.

— Qu'attendez-vous de moi, Sire ?

Ma question lui plut sans doute, car son sourire s'élargit et une lueur mutine passa dans cet iris sombre. Il me tendit le bref qu'il tenait.

— J'ai besoin d'un messager sûr pour remettre ce pli en main propre à ce stupide rejeton d'une famille ombrageuse. Ils sont nombreux autour de moi à estimer qu'envahir son territoire et lui infliger une cuisante défaite serait une solution, mais point la meilleure pour lui arracher ses hommages. Et, bien que je brûle d'envie de lui botter le derrière et de tiédir son arrogance, je me range à cet avis. Du moins est-ce la solution dernière que je me fais fort d'utiliser. Confiante en votre affection, j'espère que dame Mathilde saura vous écouter et fera entendre raison de ma dernière initiative pour maintenir la paix. Je vous demande de vous rendre en Normandie, dame Loanna, et de convaincre Henri Plantagenêt de cesser de me défier.

— Votre confiance m'honore, Votre Majesté, mais Henri est resté dans mes souvenirs l'être le plus capricieux et le plus rancunier que je connaisse. Je doute fort qu'il m'écoute.

— En ce cas, ce sera la guerre. Je soutiendrai Étienne de Blois et raserai l'Anjou et la Normandie jusqu'à ne plus trouver sur mon passage que champs de ruines. Me suis-je bien fait comprendre ?

— Je le crois, Votre Majesté.

— Allez, à présent. Plus tôt vous partirez, mieux cela sera pour la paix de ce royaume.

Lorsque je regagnai mes appartements pour préparer mes bagages, une sorte de joie infantile me gagna. Depuis plusieurs mois déjà, je cherchais une occasion de rejoindre Henri pour échafauder avec lui une tactique qui mette à bas le roi de France, Étienne de Blois, et nous allie l'Aquitaine. Il faudrait jouer fin. J'avais entrepris de convaincre Aliénor de la légitimité du combat d'Henri pour reprendre son héritage, et, même si elle désapprouvait, en tant que reine de France, le non-respect du serment d'allégeance de son vassal, elle ne pouvait s'empêcher de voir en ce jeune homme un ami qui la vengeait des tourments que lui infligeait son époux.

Le voyage fut chaotique. Les routes étaient encombrées de soldats à mesure que l'on s'enfonçait sur les terres et, à plusieurs reprises, je dus montrer le sauf-conduit du roi pour qu'on me laissât passer. Peu avant Château-du-Loir, la chaleur nous enveloppa comme une boule de feu. Bientôt la litière ne fut plus qu'une étuve et de nos fronts coula une sueur malsaine. Je penchai la tête à la portière et demandai que l'on s'arrêtât. Camille, ma chambrière, était en nage, d'autant plus qu'elle avait considérablement grossi ces dernières années et que cette obésité l'étouffait. J'aurais dû m'en séparer pour une jeunette plus alerte, mais nous avions traversé tant de choses ensemble que je n'en avais pas eu le cœur.

La voiture s'immobilisa devant un étang. Sur l'autre rive, un petit château fort perché sur un promontoire rocheux pointait ses tourelles vers un soleil de plomb. De nombreuses gens de conditions diverses, marauds, pèlerins ou voyageurs, pataugeaient dans l'onde verdâtre à grand renfort de rires. Je me tournai vers Camille :

– Allons, ma bonne, accompagne-moi. Cette eau me fait grande envie et nos mollets dégonfleront sans tarder à son contact.

– Point, madame, souffla-t-elle bruyamment en voyant le groupe qui se baignait. Que va penser tout ce bas peuple en voyant une dame de votre condition patauger de même !

– Que petit ou grand n'empêche pas d'avoir chaud ! Allons, viens, te dis-je. C'est un ordre ! ajoutai-je pour la contraindre car je savais que ses jambes enflées et durcies s'en verraient apaisées.

Lorsque la voiture se fut garée pour ne point encombrer la route, je l'entraînai de force derrière moi.

– Tout de même, damoiselle, ce n'est pas bien, non, ce n'est pas bien, ronchonna-t-elle en soulevant ses jupons pour me suivre tant bien que mal jusqu'au bord de l'eau.

– Là, ris-je, en la tenant par la main tandis que nos pieds nus s'enfonçaient dans l'eau vivifiante. Vois donc, bourrique, que ce n'était pas si terrible.

– Nenni, damoiselle. Nenni, mais tout de même, on nous regarde !

– Quelle importance. Je n'en pouvais plus.

Au même instant une gerbe d'eau m'éclaboussa tout entière, lavant de même Camille, qui poussa un cri strident.

– Petit chenapan !

Mais l'enfant riait à gorge déployée en se tenant les côtes, ravi du bon tour qu'il venait de nous jouer. Son rire me fit du bien, et plus encore cette eau qui m'avait été d'un seul coup une brassée de fraîcheur. Alors remontèrent en moi des souvenirs lointains. Dans un sursaut de bonheur, je me baissai en avant pour emporter dans mes mains une brassée d'eau qui s'envola en direction du gamin.

– Damoiselle ! s'indigna Camille, outrée.

Mais déjà notre agresseur répondait, trouvant amusant qu'une dame aussi bien mise rie de sa farce et même s'en accommode en relançant le jeu. Sous les reproches de Camille, qui tentait d'échapper aux gerbes d'eau, s'ensuivit une guerre mouillée qui nous arracha de joyeux rires à tous deux. Au moment où je criais grâce, en me laissant choir sur le derrière dans l'eau jusqu'à taille, une voix glacée me cueillit dans le dos :

– Levez-vous, damoiselle !

Le ton était arrogant, agacé. Je tournai la tête, surprise, mon rire stoppé net. L'homme qui me tendait une main plus autoritaire que charitable était de taille moyenne, les yeux sombres et plutôt jeune. Ses cheveux bruns étaient retenus par un lien de soie et à son habit je jugeai aisément qu'il était de bonne noblesse.

J'hésitai un instant, puis saisis cette poigne. Il me releva comme un fétu de paille.

– Disparais ! lança-t-il, mauvais, au garnement, qui plongea dans l'eau boueuse sans demander son reste.

– Voilà bien une désagréable façon de remercier cet enfant.

– Libre à vous de vous couvrir de ridicule s'il vous en chante mais ailleurs que sur mes terres, répondit la voix pleine de reproches.

Mon sang gronda dans mes veines. Dressant le menton, je répliquai :

– Que monseigneur me pardonne d'avoir troublé son eau et sa tranquillité.

Et, relevant mes jupons alourdis par le poids de l'eau, je passai devant lui pour regagner le chemin, suivie de Camille qui se lamentait. Je devais faire triste figure, mais je m'en moquais. Il y avait trop longtemps que je ne m'étais sentie aussi bien. C'est alors qu'un gant d'acier accrocha mon bras, me forçant à faire volte-face.

– Savez-vous bien qui je suis, jeune impétueuse ?

Le maître de céans me toisait avec colère. Sans doute n'appréciait-il pas mon humour, mais je n'en avais cure, quel qu'il pût être, il n'était qu'un vassal de Louis et j'étais mandatée par ce dernier pour une mission d'importance. D'ailleurs, déjà le capitaine des gardes s'élançait à ma rescousse, l'épée au poing.

– Allons, messire, lâchez-moi avant que mes hommes ne voient en votre attitude quelque intention belliqueuse.

Avisant la fleur de lys sur le pourpoint du capitaine, l'homme blêmit. Sans doute n'avait-il pas imaginé que cette escorte fût mienne.

Il s'excusa aussitôt, tandis que, d'un geste, je faisais signe au capitaine de rengainer son arme.

– Mille pardons, damoiselle. J'ignorais que vous fussiez convoyée par les gardes royaux.

– J'ai donc eu beaucoup de chance, messire, encore que je n'ose croire que vous puissiez vous montrer discourtois, même avec une gueuse.

Il me lança un regard hargneux. Cette fois, et parce que ce bain forcé m'avait fait un bien immense, j'éclatai de rire, tout en roulant mon bras trempé autour du sien :

– Allons, paix, messire ! Regagnons la voie avant qu'un autre de ces chenapans ne vous prenne à votre tour pour cible. Je me nomme Loanna de Grimwald, dame d'honneur de la reine Aliénor, et je suis navrée de vous donner l'impression piteuse que vous voyez. La tentation était trop grande de rafraîchir notre route par pareille canicule.

– Loanna de Grimwald, dites-vous ?

Il marqua un temps d'arrêt et me fit face pour me détailler étrangement.

– Par tous les saints du paradis, messire, allons-nous pouvoir atteindre cette via, ou faudra-t-il que vous m'arrêtiez à chaque pas ? À ce rythme je serai bientôt sèche et tout sera à recommencer.

Mais il continuait de me fixer, comme s'il cherchait dans sa mémoire quelque chose qui m'échappait. Puis, soudain, son visage s'éclaira et un large sourire transforma ses traits.

— Bon sang ! Loanna de Grimwald ! Cela faisait si longtemps ! Vous avez ma foi bien changé, jeune péronnelle.

Ce fut à mon tour de le fixer avec surprise. Mais ma mémoire était sans doute moins bonne que la sienne car je ne parvenais pas à me souvenir de l'avoir jamais rencontré.

— Ma foi, messire, je n'ai pas le sentiment de vous connaître, et, de ce fait, permettez que je trouve votre familiarité quelque peu déplacée.

— Faudra-t-il donc que je vous rafraîchisse la mémoire autant que vos atours ? Je suis Bastien. Le fils de Benoît le meunier. Angers, ajouta-t-il comme je fronçais les sourcils. Vous m'avez plus d'une fois fait tourner en bourrique alors que nous étions enfants à la cour de messire Geoffroi d'Anjou. Ne vous souvenez-vous point ?

Oui, maintenant, je me souvenais. Ces boucles brunes, ce menton, ce regard étaient là, enfouis sous des centaines d'autres souvenirs rendus flous par le temps. Bastien qui me poursuivait de sa hardiesse quand je n'avais que quinze ans, juste avant que je ne regagne Brocéliande. Bastien qui attrapait mes colombes et fixait à leurs pattes des messages qui me faisaient enrager et le poursuivre jusque dans les parcs à cochons en vociférant.

— Bastien ! murmurai-je, nostalgique, tandis que mon sourire s'élargissait avec le champ de mes souvenirs. Tudieu, mon ami, vous avez bien changé. La dernière fois que je vous vis, vous étiez crotté jusqu'aux oreilles. Est-ce bien vous qui, ce jourd'hui, vous insurgez de ma trempette ? Et en habit de seigneur ? Que vous est-il arrivé pour mériter pareil changement ?

— C'est une longue histoire, damoiselle. Mon château est celui que vous apercevez sur cette colline. Allons avec votre suite y prendre quelque rafraîchissement, je vous conterai tout ce qui vous fait défaut.

Ainsi fut fait, et, quelques heures plus tard, nous étions encore à nous raconter moult anecdotes qui ramenaient notre enfance au seuil de nos rides naissantes.

— C'est ainsi que je vous le dis, poursuivait Bastien, si je n'étais pas intervenu pour dévier la course de ce monstrueux sanglier, notre jeune Henri ne coifferait pas de sitôt la couronne d'Angleterre. J'en ai été pour quelques courbatures et une belle estafilade au bras laissée par une des défenses de la bête avant qu'elle ne s'effondre. Le jeune

Henri m'a gardé une reconnaissance véritable. C'est à ses largesses que j'ai dû mon nouveau statut. À la mort du vassal auquel appartenaient ces terres, il ne s'est présenté aucun héritier direct. Henri a aussitôt décrété qu'elles me revenaient de droit et qu'avec sa gratitude il me donnait un nom et un titre. C'était il y a deux ans tout juste et je dois reconnaître, ma foi, que ce nouvel habit me sied davantage que le précédent.

– Vous me voyez ravie de votre aubaine et vous avez en retour ma gratitude, mon ami. Perdre Henri aurait été un grand malheur.

– Ainsi donc, ce qui se raconte est vrai ? Vous aimez Henri autant qu'il vous aime ?

Refusant de comprendre ce qu'il supposait, je bredouillai :

– J'aime Henri tel un frère, il est vrai, et je veux croire qu'il en est de même pour lui.

– Dame ! objecta-t-il en écarquillant des yeux ronds, ignoreriez-vous véritablement les sentiments du duc à votre égard ? Pour avoir été son confident, je puis vous assurer qu'il ne vous chérit point comme une sœur, mais bien plutôt comme une amante !

– C'est impossible voyons !

Cette affirmation me terrassait. J'avais toujours pris comme un jeu d'enfant les railleries et les déclarations d'Henri. Qu'en serait-il désormais ? Aurais-je aussi à lutter contre celui auquel je sacrifiais ma vie ? Les deux hommes que j'avais aimés m'avaient été pris par un destin implacable et aujourd'hui je me trouvais avec deux prétendants dont je ne voulais pas. Mon destin était-il donc de me perdre sans cesse entre ces jeux du hasard sans avoir seulement un asile pour mon cœur assoiffé de passion ? Comme Jaufré me manquait ! J'aurais tellement eu besoin de lui à mes côtés. Ne plus le voir, ni l'entendre, ni même pouvoir penser que son esprit demeurait lié au mien au-delà des distances, tout cela me pesait. Et le temps qui passait, inexorablement, ne changeait rien à ce vide immense, bien au contraire !

– Loanna ! Loanna de Grimwald !

Henri ouvrit des bras béants comme les portes d'une cathédrale en me voyant franchir la porte de la grande salle du palais où il se trouvait en famille. Coupant court à son élan qui faisait fi des plus élémentaires convenances, Mathilde lui jeta un regard incendiaire et ce fut elle qui s'avança la première, me tendant une main chaleureuse tandis que je m'inclinai en une profonde révérence.

– Chère enfant, quel bonheur de vous voir ici de nouveau parmi les vôtres !

Me saisissant aux épaules, elle plaqua deux baisers légers sur mes joues.

– Soyez la bienvenue, Loanna, m'accueillit à son tour le comte.

Geoffroi le Bel était toujours aussi séduisant, malgré de profondes rides autour de ses yeux verts et un front dégarni par les soucis.

– Vous me voyez bien heureuse également, répondis-je sincèrement.

Mais déjà Henri se dressait devant moi et me prenait la main avec sollicitude.

– Il y a si longtemps que nous espérions votre retour, damoiselle.

Je levai les yeux et croisai son regard si brûlant qu'un fard me monta aux joues. Allez savoir pourquoi, cela m'agaça. Je retirai poliment ma main et répliquai en baissant le front :

– Messire Henri, vous voici désormais un fringant jeune homme. Permettez donc que je ne vous embrasse point.

– Tudieu, gronda-t-il en m'empoignant par les épaules. Quelle serait donc cette coquetterie qui interdirait l'étreinte d'un frère et d'une sœur ?

Et avant même que j'eusse pu réagir, il plaqua deux sonores baisers sur mes joues, puis partit d'un rire joyeux en commentant :

– Eh bien, que vous ont-ils donc fait en cour de France que vous soyez aussi prude désormais ?

– Henri ! le rabroua fermement Mathilde en m'entraînant vers la table garnie de fruits et de fromages. Malgré sa taille impressionnante, il n'en reste pas moins un véritable enfant. Ne faites point attention à ses dires, Canillette, vous voici plus belle que jamais.

– Vous aurais-je offensée, Loanna ?

La voix était inquiète dans mon dos. Non, il ne m'avait pas offensée. Je mesurai simplement d'un seul coup la justesse des prédictions de Jaufré avant son départ, quand il m'avait assuré que l'épouser serait un rempart contre les affections déplacées. Et, avec cette découverte, je me sentais plus démunie que jamais. Je me retournai pourtant, prenant sur moi pour conjurer mon immense tristesse.

– Il en faut bien davantage pour cela, messire Henri. Je suis harassée par ce voyage que la chaleur a rendu fort pénible. Pardonnez-moi si je me retire. Dès la fin de l'office de prime, je serai à même de partager avec bonheur ces retrouvailles. Pour l'heure, je n'aspire qu'à quelques ablutions et un sommeil salutaire.

– Quels sots sommes-nous de vous accaparer ainsi ! Je vous accompagne, mon enfant, et vais de ce pas faire monter dans votre chambre un panier garni dont vous pourrez tirer quelques gourmandises si la faim vous réveillait. Votre chambrière doit être restaurée. Je vais l'envoyer quérir. Quant à votre escorte, n'ayez aucune inquiétude. Le meilleur accueil lui a été réservé. Malgré nos différends avec le roi de France, ces gens seront chez nous servis comme chez eux. Allons, venez. Il est vrai que vous avez triste minois.

Et, protégée par le bras que Mathilde avait maternellement enroulé autour de mes épaules, je me laissai conduire d'un pas pesant vers l'escalier de pierre. Elle resta encore quelques minutes auprès de moi, mais n'insista pas sur les raisons de cette tristesse qu'elle pouvait lire dans mon regard. Sans doute mit-elle celle-ci sur l'émotion que me causaient ces retrouvailles. Elle me quitta lorsque Camille s'annonça. Lors, ce fut dans ses bras ronds et rudes que je m'effondrai, secouée par des sanglots venus de la nuit des temps, tandis qu'elle roulait des yeux ronds et ne cessait de répéter sans comprendre :

– Ah ben, vl'à autre chose !

Cette autre chose c'était tout. Tout ce poison distillé dans mes veines, ce sort funeste qui s'acharnait sur ma vie. Qu'avais-je fait pour mériter ces punitions ? J'avais tout sacrifié à une cause qui me semblait juste, mais au nom de quoi ? Au nom de qui ? Ce royaume des morts, d'où sortaient mère et Merlin pour me poursuivre d'un devoir à accomplir, ne pouvait-il me rendre aussi celui que j'aimais ? Mon corps continuait à réclamer les bras noueux, la bouche gourmande et le sexe gonflé du seul homme qui ait pu m'entraîner dans les jeux de l'amour avec autant de tendresse et de volupté. Non, je n'acceptais pas ! Je n'accepterais jamais cette idée sombre, ce deuil qu'il me fallait porter contre mon cœur, contre mes sens, contre mon intuition même. Qu'en était-il de ces élans qui me poussaient à ne pas croire que Jaufré n'était plus ? J'avais pensé que la mort de Béatrice aurait vengé ma souffrance et permis que j'atteigne enfin la paix. Ce n'avait été qu'un leurre. Un de plus. Ce soir, je me sentais plus solitaire qu'un chien abandonné. Malgré la présence de Mathilde, de Geoffroi et d'Henri. Malgré leur affection. C'était pour eux, à cause d'eux que j'avais sacrifié ma jeunesse et ma vie. J'aurais dû me satisfaire de leur réconfort. Ce soir, je leur en voulais amèrement. Je n'étais qu'un pion habile dans une lutte d'intérêts. Je ne comptais pas. Les seuls êtres véritablement désintéressés avaient été Denys et Jaufré. Et l'un et l'autre, je les avais perdus.

– Laisse-moi seule ! ordonnai-je soudain à ma chambrière.

Elle hésita un instant, mais il dut y avoir quelque chose de terrible dans mon regard, car elle ouvrit des yeux effrayés et sortit en maugréant. Pas de témoin. Non, je ne voulais pas de témoin. J'avais besoin d'avoir mal et que cette douleur sorte, elle m'étouffait depuis trop longtemps. Jaufré, Jaufré, Jaufré, mon amour, ma terre, ma lumière, ma vie. Faut-il que je sois maudite entre toutes pour t'avoir laissé partir ! Pour n'avoir rien vu et rien compris !

Une petite voix douce comme un printemps se mit à chanter dans ma tête. J'avais tant besoin de me raccrocher à elle que je me mis à fredonner à travers mes larmes, comme une prière désespérée :

Amors de terra lonhdana
Per vos totz lo cors mi dol ;
E no'n puèsc trobar meizina,
Si non vau al seu reclam.
Ab atrat d'amor doussana
Dins vergièr o sotz cortina
Ab desirada companha.

Le sommeil dut me prendre entre deux sanglots, car les oiseaux m'éveillèrent, la bouche pâteuse et les yeux gonflés. Sur l'appui de la croisée que j'avais laissée ouverte, un rouge-gorge lançait un chant très doux. Il s'envola lorsque les lourdes cloches de la cathédrale de Rouen s'ébranlèrent pour appeler au premier office. Je me redressai d'un bond, cognai à la porte de l'antichambre où j'avais consigné Camille de fort méchante façon. Elle ouvrit aussitôt. Elle était habillée et devait attendre mes ordres. Mes sanglots l'avaient sûrement empêchée de dormir, car elle aussi portait au-dessus de ses joues rebondies de profonds cernes de fatigue.

– Aide-moi, demandai-je doucement. Je ne peux affronter les regards avec cette figure.

– Voilà bien des façons de se mettre en pareil état, me gronda-t-elle gentiment, puis, voyant que je ne réagissais pas, elle hasarda prudemment, en appliquant sur mes paupières douloureuses de l'eau de rose et de bleuet : N'avez-vous jamais songé à prendre le voile ?

Je sursautai, mais cette question, aussi idiote fût-elle, me fut salutaire.

– Pour autant que je sois désespérée, je ne le suis pas tant que cette pauvre Héloïse ! répondis-je d'une voix ferme.

Non, décidément, je n'avais pas choisi ma vie, mais je n'aimais pas assez Dieu pour accepter de Lui abandonner ce qui me restait de mes plus belles années. J'en avais bien plus qu'assez des sacrifices ! Je m'aperçus soudain que cette nuit m'avait porté conseil et rassérénée. Cette mission était la dernière. Je la remplirais au nom de mes ancêtres, au nom de ceux que j'avais sacrifiés à sa cause, pour qu'ils ne soient pas morts pour rien. Mais ensuite c'en serait fini. Terminé ! Que le Dieu des chrétiens efface à jamais les traces des anciens cultes, des druides, des sorcières et même des fous ! Cela m'était égal ! Quant à l'Angleterre, elle trouverait son chemin sans moi.

Ainsi en serait-il, ou ne serait pas.

Lorsque je pénétrai dans le chœur, tous les fidèles étaient recueillis et l'évêque récitait le Pater noster. Je me glissai entre deux femmes parées de riches atours et courbai le front sur mes résolutions nouvelles.

Henri écouta attentivement ce que j'avais à lui dire, hochant parfois la tête ou fronçant des sourcils qu'il avait épais pour marquer une désapprobation certaine. Toutefois, il ne m'interrompit pas. Il s'était à demi assis sur le bureau ouvragé. Son opulente tignasse rousse que j'avais eu tant de mal à coiffer autrefois lui faisait une crinière de feu qui se perdait dans une barbe épaisse et bouclée. Il ressemblait à un lion, prêt à bondir sur sa proie. Bien qu'il lui fût pénible de concevoir que sa plus fidèle alliée fût celle qui l'incitait à faire allégeance, il n'en montra rien.

– Le temps n'est pas encore venu, je vous l'affirme, messire. Ne risquez pas la guerre avec la France quand vous n'avez pas toutes les cartes en main. Louis souhaite une entrevue. Donnez-la-lui. Ainsi vous rencontrerez Aliénor et nous serons à même de lui proposer une vengeance qui la ronge.

– Je vous entends bien, mon amie. Mais cet idiot de Louis m'exaspère. Je ne peux m'incliner devant lui.

– Vous lui devez allégeance, Henri !

– Je ne lui dois rien du tout ! Avant longtemps je reprendrai ce qui est mien ! L'Angleterre et l'Aquitaine ! Et souffletterai ce morveux d'un revers de main !

– Vous êtes aussi entêté qu'autrefois, grognai-je, attendrie l'espace d'un instant. À quoi vous servira cet entêtement si Louis lâche ses chiens sur vous ?

– J'ai de quoi me défendre !

– Sornettes ! À l'heure actuelle, il est bien plus puissant que vous. Vous le savez pertinemment. Davantage encore si l'armée d'Étienne de Blois le seconde. Et soyez certain qu'il le fera. Il faudra peu de temps avant que ce soit lui qui vous mouche tel un morveux.

– Et vous, Loanna, dans quel camp êtes-vous ?

– Le vôtre, messire, vous ne pouvez en douter.

– Alors prouvez-le.

Il se leva d'un bond et m'enlaça brutalement.

– Je suis fou de toi, Loanna, cela fait si longtemps que j'attends ce moment.

Mais sa hardiesse décupla ma volonté et ma rage. Il avait beau me dépasser de trois têtes, je savais encore me défendre.

– Lâchez-moi, Henri ! Vous n'obtiendrez rien de moi ainsi ! Je ne vous aime pas !

Mais, aveuglé par son désir, il me plaqua contre le bureau et dégrafa d'un geste vif les lacets de mon corsage. Je n'aurais pu lui résister s'il n'avait commis une erreur, celle de ne pas bloquer mes jambes. D'un mouvement brutal, je redressai mon genou entre ses cuisses, meurtrissant méchamment ses attributs virils. Il hurla de douleur et lâcha prise. Promptement, je rajustai mon corsage et ma chevelure tressée d'où quelques mèches s'étaient échappées.

– Voyons, Henri, lui lançai-je d'une voix assurée et amicale malgré tout, il vous faut cesser ces enfantillages. Avant longtemps vous serez pour l'Angleterre le lion que l'on espère et, en monarque juste et véritable, vous devrez apprendre à modérer ces instincts primaires. Vous m'êtes comme un frère, et je vous aime comme tel. Je serai à vos côtés la plus fidèle, la plus dévouée et la plus soumise de vos servantes, mais jamais, entendez-vous, jamais je ne tolérerai que vous me voliez l'affection que j'ai pour vous en m'humiliant comme n'importe laquelle de vos catins !

– C'est bon, grommela-t-il, sous l'emprise encore d'une douleur qui défigurait ses traits. Mais n'osez plus jamais lever sur moi pareil châtiment ou je jure devant Dieu que je vous fais décapiter sur l'heure !

– Pour l'amour de ce Dieu, Henri, cessez de prendre d'assaut les femmes. Vous n'obtiendrez d'elles que rancœur et soumission, quand il n'est de plus merveilleux présent que l'art d'aimer.

– Que m'importent vos conseils ! rugit-il. J'ai déjà quatre bâtards qui prouvent bien qu'il suffit amplement de satisfaire ses pulsions pour engendrer.

Pauvre Aliénor, pensai-je, de la confiture à un cochon, voilà ce que j'allais donner à Henri en toute complicité. Louis était un amant de missel, et Henri une brute viscérale, que valait-il mieux à un sang jeune et avide de caresses ?

La réponse me vint sans détour lorsque s'annonça un de ces hommes qui marquent une vie, et dont la vue me remplit de joie. Bernard de Ventadour, me sachant dans les murs, était venu mander à son hôte le plaisir de prendre des nouvelles de la reine et de la cour de France.

– Bernard ! m'écriai-je en lui prenant les mains. Voilà si longtemps, que vous voir m'est transport d'allégresse !

– Mon seigneur, ma dame, nous salua-t-il courtoisement.

Il était toujours aussi diaboliquement beau, et ses cheveux se teintaient par endroits de quelques fils d'argent qui ajoutaient au charme de ses yeux gris.

– Eh bien, mon ami, vous voici encore au moment où l'on vous espère le moins, gronda Henri, agacé par cette intrusion.

– N'est-ce point vous, messire, qui m'avez invité à venir à vous à n'importe quelle occasion pour peu que le désir de chanter m'obsède ?

– Maudit sois-je d'une telle proposition ! Allons, puisque tu es là et que par ma foi je n'ai que rarement eu l'occasion d'entendre meilleur chantre, je te pardonne. Mère est dans le salon avec quelques autres dames, vous écouter apaisera certains maux dont le souvenir m'est pénible, acheva-t-il en me lançant à la dérobée un œil noir.

J'enroulai mon bras autour de celui qu'il me présentait et, emboîtant le pas à Bernard, nous rejoignîmes ces dames. Elles filaient en fredonnant une vieille comptine galloise et furent enchantées de notre visite. Bernard s'installa sur un tabouret, croisa entre ses cuisses une harpe et se mit en devoir de nous chanter ses dernières créations. Bien vite, il fallut me rendre à l'évidence. Plus que jamais c'était pour sa reine qu'il pleurait. Bernard n'avait pas oublié. Et, puisqu'il était désormais à la cour d'Henri, il serait bientôt de nouveau auprès d'elle. Car à coup sûr, si Aliénor épousait Henri pour se venger de Louis, ce dont je ne doutais plus, elle se lasserait vite de servir de paillasse. Lors, son amour perdu se confondrait dans les caresses de celui qui était encore tout pour elle. La vie n'était qu'un éternel recommencement. Pourquoi fallait-il que je sois la seule à en douter pour moi-même ?

12

– À quoi bon ?

La voix d'Hodierne de Tripoli s'éleva dans le dos de Jaufré, courbé au-dessus de l'écritoire.

– Vous n'achèverez pas davantage celle-ci que les autres.

Comme pour lui donner raison, Jaufré chiffonna le parchemin et le fit choir d'une main lasse dans une corbeille d'osier.

Il tourna vers elle son visage tourmenté en sentant le poids d'une main affectueuse étreindre son épaule.

– Je sais combien cela vous est difficile, mon ami, mais vous n'y pouvez désormais plus rien, soupira-t-elle encore.

Son regard triste lui fit mal, une fois de plus. Elle attira le front lourd contre son ventre et caressa ce crâne presque nu désormais sur lequel de larges traces brunes traçaient d'étranges silhouettes. Cette fois, il ne pleura pas. C'était comme si les larmes aussi avaient achevé leur périple.

Les souvenirs étaient revenus au fil des mois. Blaye, la cour de France, la croisade, sa solitude d'avant et sa complétude depuis qu'il avait trouvé l'amour de sa fée, sa lumière. Sa passion envahissait tout, comme une prison dans laquelle il s'enfermait lui-même, incapable de chercher à s'évader. Jaufré aurait mille fois préféré la mort à ce tourment perpétuel. Où était sa muse ? Que faisait-elle ? L'avait-elle oublié dans les bras d'un autre ? Et, bien que cela fût légitime puisqu'elle le croyait défunt, il ne pouvait s'empêcher d'éprouver cette jalousie infâme et sournoise qui le rendait fou. Si seulement il avait pu aimer Hodierne… Hodierne, infaillible, qui lui avait tendu la main pour l'aider à marcher lorsqu'il avait retrouvé l'usage de ses membres. Qui avait réappris à écrire à sa main indisciplinée, qui pas une fois ne s'était plainte de la charge qu'il était, du mutisme dans lequel l'infortune l'avait jeté. Car sa voix était perdue. C'est à peine s'il parvenait à émettre quelques sons disgracieux lorsqu'il forçait de toute son âme ses cordes vocales. Jaufré le troubadour était emmuré.

– Vous vous faites du mal, Jaufré, et cela m'est insupportable, vous le savez. Combien de ces lettres avez-vous froissées, couvertes des mêmes mots, des mêmes larmes, tout en sachant qu'ils étaient inutiles ? Il n'est pas bon pour vous de remâcher sans cesse un passé révolu. Croyez l'amie que je demeure. Oubliez ! Je vous en conjure.

Jaufré s'arracha à l'étreinte dans laquelle tant de fois il avait abrité sa souffrance. Dix-huit mois déjà qu'il se terrait à Tripoli. Dix-huit mois qu'il devait à cette femme plus que sa vie. Il aurait voulu, tant voulu, lui témoigner plus qu'une reconnaissance éternelle.

Il se pencha de nouveau sur l'écritoire, saisit une feuille de parchemin et trempa la plume dans l'encrier. Sa main n'était pas sûre, et pourtant son âme l'était. Pour la première fois, il trouva le courage. Le courage qui lui manquait face à ce regard brûlant de tendresse qu'il étreignait sans amour :

« Je ne peux, Hodierne, commença-t-il d'une main maladroite, tandis qu'elle suivait des yeux l'entrelacs de lettres à mesure qu'il griffait le papier. Quand bien même je le voudrais, je ne peux oublier Loanna de Grimwald. Pardon, pardon mille fois pour le mal que je vous donne et plus encore pour celui que je vous fais ainsi sans le vouloir. Je voudrais, je le jure sur la Très Sainte Bible, pouvoir vous aimer car plus que quiconque, plus qu'elle-même, vous méritez de recevoir ce que vous espérez, mais l'infâme bourbier que je suis devenu ne vaut pas un regard, pas une plainte, pas une larme, car c'est elle désespérément que j'aime, Hodierne. Comme un fou, comme un roi, comme une virgule qui ne termine jamais une phrase. Jetez-moi, tuez-moi, mais, par pitié, comprenez-moi avant de me perdre et de me libérer ainsi de mes tourments. »

Il laissa la plume tomber en écorchant les fibres dans un petit bruit crispant. Hodierne ravala ses larmes. Tout cela, elle l'avait deviné depuis longtemps. Elle avait espéré pourtant. Elle eût pu, oui, par vengeance, par dépit, achever ce que dame nature avait refusé de faire et le renvoyer à la mort. Mais Hodierne de Tripoli ne pouvait aller contre elle-même. Jaufré n'était pas responsable, non. Elle appuya douloureusement ses mains sur les épaules voûtées du troubadour. Il n'avait pas bronché, pas sourcillé, espérant sa sentence comme une délivrance.

Alors, du fond de son âme, elle sut qu'elle lui avait déjà pardonné. Elle déposa un baiser doux comme une aile de papillon sur son crâne et murmura dans un souffle :

– Peu m'importe que vous m'aimiez ou pas, Jaufré. Demeurer votre amie suffit à ma peine. J'enverrai quérir des nouvelles à la cour de France de celle dont vous vous languissez. Ainsi vous saurez ce qu'il convient de faire, mais, je vous en conjure, ne précipitez pas les choses. Je ne vous demande qu'une faveur, une seule. Ensuite, je ne serai plus à vos côtés que l'amie fidèle et dévouée. Aimez-moi, une fois, une seule et unique fois, de ce corps que vous nommez injustement bourbier infâme, afin que dans mes yeux vous puissiez lire qu'il n'est ni repoussant ni mort. Aimez-moi Jaufré, même si à travers mes caresses ce sont les siennes que vous imaginerez.

Bouleversé, il se leva en s'aidant du dossier de la chaise. Hodierne pleurait, mais c'était à peine s'il l'avait remarqué dans le trouble de sa voix. Il l'attira à lui et chercha ses lèvres finement ourlées, sa taille parfaite, ses seins menus. Il y avait si longtemps. Allait-il encore savoir ? Son corps retrouverait-il ces élans charnels que ses sens endormis avaient oubliés ?

– Je vous aiderai, chuchota-t-elle comme si elle avait lu dans ses pensées.

Alors, tous deux s'allongèrent sur le lit face à la cheminée où brûlait un tronc entier. Peu à peu, les gestes lui revinrent, il se laissa apprivoiser par les siens, et lorsqu'il parvint à la prendre, un râle de plaisir sauvage s'étouffa dans sa poitrine. Seules des larmes jaillirent, et à travers elles, s'épancha toute la détresse du monde.

Louis était sombre. Penché en prière au-dessus de la bière de son plus fidèle conseiller et ami, il songeait avec désespoir combien cette perte était grande pour le royaume tout entier. Nous étions le 13 janvier 1151. L'abbé Suger venait de s'éteindre sans avoir accompli son double rêve : maintenir intact ce mariage de légende et achever les travaux de finition de l'abbaye de Saint-Denis.

Curieusement, son trépas me toucha. Derrière l'ennemi se tenait un homme d'envergure et, s'il n'avait été aussi fervent à contrecarrer mes projets, sans doute eussé-je apprécié qu'il fût des miens. Au fond, nous défendions la même cause, bien que dans deux camps différents. Suger rêvait d'une France forte et unie, je rêvais d'une Angleterre de même. Qu'avions-nous à nous reprocher ? Mais il n'était plus temps de remâcher d'inutiles remords. Ce qui était fait était fait. Et rien ni personne n'y pouvait changer.

J'avais réussi à maintenir une paix difficile en faisant promettre à Henri de venir rendre hommage à Louis. Ce dernier, soumis par Suger, avait accepté les excuses qui repoussaient inlassablement l'acte d'allégeance. Patience qu'Étienne de Blois trouvait déplacée, mais Louis tenait bon. Aliénor et lui ne se parlaient plus désormais. Là encore, leur rapprochement n'avait été que de courte durée. Aliénor avait un nouvel amant depuis quelques mois, le jeune et beau comte de Rocamadour qui avait fait son entrée au palais de la Cité avec les fêtes de la Pentecôte 1150. Louis savait. Il était même la risée du royaume, où de nombreuses chansons circulaient. Il eût pu pourfendre son rival ou l'exiler, mais il était lassé de ces mesquineries. Et puis il y avait Suger. Suger qui s'éteignait, il en avait conscience, et qui le suppliait de réfléchir aux conséquences de ses actes.

Louis gardait tête basse et se pliait à la sagesse de son vieil ami. Sans doute craignait-il plus que quiconque de le voir passer. Car, après lui, qui peuplerait cette immense solitude qui était sienne ?

Avec cette disparition, c'était le fondement même du royaume qui se précipitait dans un abîme de noirceur et de deuil. Louis le savait. Aliénor le savait. Je le savais.

Les mois qui suivirent s'estompèrent dans une sorte de brouillard où les choses avaient du mal à trouver leur place. Le conseiller Thierry Galeran se sentait une importance accrue à présent. À l'inverse de Suger, il forçait la main de Louis contre Henri, soutenu par Raoul de Vermandois. L'affaire traîna jusqu'au mois d'avril 1151. Le temps pour Louis de puiser en lui une force nouvelle. Ce fut dans la prière, comme à son habitude, qu'il se décida. Les prochaines fêtes de Pentecôte verraient plier le front d'Henri et de son père.

J'alertai Mathilde à l'aide d'une de mes colombes. Depuis mon dernier séjour en Normandie, nous n'avions cessé de correspondre ainsi. De même, et de façon tout à fait impromptue, j'avais renoué avec un vieil ami : Thomas Becket, qui avait séjourné quelque temps à Paris pour assister à diverses conférences. Il souhaitait fonder une université à Londres et avait besoin pour ce faire de nombreux conseils et de l'avis des maîtres. Je le revis avec plaisir. En Angleterre, il séjournait dans une abbaye sur les bords de la Tamise, œuvrant toujours adroitement et de son mieux pour l'avènement d'Henri. Étienne de Blois était, à ses dires, un tyran qui continuait à diviser le pays. L'heure approchait où il serait renversé de lui-même par ses innombrables sottises et maladresses. Dialoguer avec Thomas comme aux temps heureux de l'insouciance me fit du bien. De plus en plus fréquemment, je m'éveillais la nuit en sueur, avec la sensation d'une présence à mes côtés, d'une ombre souffrante au visage émacié. Jaufré. Jaufré me hantait sans relâche, il ouvrait la bouche, formait des lettres, des mots du bout des lèvres, mais aucun son ne me parvenait. Je ne comprenais pas. Je ne comprenais plus. Chaque matin, je m'éveillais avec au cœur une certitude immense qui reniait sa mort. Folie. Je devenais folle. Désespérément folle.

J'avais revu Geoffroi de Rancon à plusieurs reprises au cours de cette année. À chacune d'elles, nous avions devisé tels de véritables amis. Fidèle à sa promesse, il ne m'avait pas imposé la pression de son amour. Je l'avais simplement senti dans la chaleur de ses prunelles, dans un geste esquissé, dans un frôlement. Mais, cette année, il exigerait avec la fin de son deuil une réponse à sa requête. La raison aurait dû me faire envisager l'hymen avec sérénité. Je n'étais que tourment. Comment pouvais-je accepter d'épouser un autre que Jaufré quand tout en moi l'appelait ? Pourtant, n'était-ce pas l'unique rempart contre cette folie qui jour après jour s'emparait de mon âme ? Je m'étais confiée à la reine, qui avait, sans aucune hésitation, soutenu la requête du comte. Elle aussi pensait que c'était pour moi la meilleure chose à faire. Elle avait cherché mes caresses cette fois-là, mais curieusement je n'avais pu l'aimer. Depuis la mort de Jaufré, aucune main ne m'avait modelée à sa fièvre. Je ne pouvais plus faire l'amour. Comment accepterais-je de ce fait les inévitables rencontres qu'une épouse devait à son mari ? Pour oublier toutes ces questions sans réponse, je me jetai à corps perdu dans l'achèvement de ma mission.

Inlassablement je tissais ma toile d'araignée autour d'Aliénor. Souvent nous parlions d'Henri, et à plusieurs reprises ce fut elle qui amena le sujet. Que quelqu'un osât braver son époux la réconfortait. Au royaume de France elle n'était plus rien, et Louis n'avait de cesse de la rabrouer, ouvertement parfois. Autrefois, la jeune reine aurait bondi, hurlé, craché sa jeunesse, et Louis aurait plié. Elle n'avait désormais plus de prise sur lui.

Elle était prête. Il suffirait qu'elle croise le regard d'Henri, et même sans doute qu'il la violente dans sa chair, pour qu'elle accepte de le suivre. Car Aliénor se mourait de ne pas vivre. Son bel amant amusait ses sens, mais ne comblait pas son besoin d'un pouvoir qui était sa raison d'être.

Les fêtes de la Pentecôte s'annonçaient sous l'auspice d'une tiède moiteur. Le ciel était orageux depuis plusieurs jours. Une onde d'électricité statique flottait dans l'air et tendait les propos de chacun. De sorte que lorsque les vassaux du roi vinrent s'incliner dans la vaste salle voûtée, ornée des oriflammes des provinces de France, Louis ne parvint pas à se sentir aussi sûr de lui qu'à l'accoutumée. Cette cérémonie qui précédait l'ouverture des tournois obligeait chacun à renouveler au roi son serment d'allégeance. Or, l'on murmurait partout depuis la veille qu'aucun des pavillons aux couleurs de la Normandie n'avait encore piqué l'herbe de Saint-Denis. Aliénor, assise aux côtés du roi, tremblait et cherchait des yeux ce géant roux dont on lui avait tant parlé.

Mais la matinée se passa et avec elle mon anxiété se fit plus grande. Nulle part trace d'Henri. Mes derniers messagers étaient porteurs pourtant de bonnes nouvelles. Louis commençait de tapoter de ses doigts agacés le bras du fauteuil.

Ce fut aux alentours de midi qu'un héraut annonça le duc de Normandie. Un soupir de soulagement monta dans l'assistance, tandis que chacun guettait l'entrée de ce personnage qui semait tant de désarroi.

Hélas, à mon grand étonnement, ce fut Geoffroi le Bel qui s'avança et s'inclina. Seul.

Louis fronça les sourcils. Certes, c'était un progrès, mais... Il posa rudement la question qui lui brûlait les lèvres :

— Eh bien, comte, où se trouve donc ce fameux duc de Normandie que nous attendons impatiemment ?

Le ton était à peine contenu, et Geoffroi le Bel ne s'y trompa pas ; il se redressa et, de toute sa superbe, fit face au roi.

— Hélas, Votre Majesté. Le duc Henri, mon fils, est alité depuis huit jours, victime d'une fièvre intense. Les meilleurs médecins sont auprès de lui et ont exigé qu'il soit mis en quarantaine, tant ce mal les intrigue. Le duc vous envoie par ma bouche ses plus sincères excuses pour ce contretemps fâcheux et vous assure de sa visite dès son prochain rétablissement.

— Et quelle serait donc cette maladie ? ironisa Louis, qui ne croyait pas un mot de cette nouvelle excuse.

— Hélas, messire, nous l'ignorons. Mais le jeune duc de Normandie est très affaibli, il vous faut m'en croire.

— Et si je décidais de n'en rien faire ? s'emporta le roi.

— Ce serait grand malheur pour tous, Votre Majesté. Aussi serait-il judicieux que votre indulgence s'arme de prudence et que vous dépêchiez un de vos médecins à Rouen, qui, outre ses conseils éclairés, vous confortera dans une attitude de patience.

— Vous pouvez compter sur cette démarche, comte d'Anjou, mais si par Dieu, votre rejeton n'est pas mourant, je jure qu'il le sera par cette lame ! gronda Louis en posant une main agacée sur le pommeau de son épée.

Sa voix était si dure qu'Aliénor se rencogna dans son siège. Louis héla Thierry Galeran qui se trouvait non loin et d'une voix ferme ordonna :

— Qu'une escorte parte sur-le-champ et conduise mon meilleur apothicaire, Grimaud de Morois, au chevet du duc de Normandie, avec pour mission de visiter ce prétendu malade. Quant à vous, comte, vous êtes mon invité, mais vous ne pourrez quitter Paris sans m'en avertir.

— Dois-je me considérer comme prisonnier ? s'offusqua Geoffroi.

— Grand Dieu, non, répondit Louis, mi-figue mi-raisin, puis il ajouta avec une pointe de cynisme : Pas tant que cette expédition ne sera point revenue pour m'apporter des nouvelles. Priez donc, messire, pour qu'elles aillent dans votre sens !

Geoffroi courba la tête.

« Avant longtemps, pensa-t-il, tu regretteras d'avoir ainsi humilié les miens. »

— Allons à présent, que les fêtes commencent ! clama Louis à l'attention de l'assemblée.

À cette invitation, une salve de trompettes s'envola et, comme des oiseaux multicolores, la foule s'éparpilla par les portes grandes ouvertes. Noyée dans le mouvement, je ne pus approcher Geoffroi le Bel de sitôt. Je décidai donc de l'aller trouver après m'être acquittée de la charge qui était mienne en ce jour de fête, veiller à ce que les cuisines croulent sous les pâtés, les jambonneaux, les gibiers, les sauces, les entremets et tant d'autres mets qui allaient être servis à la table du roi.

Quelques heures plus tard, je quittais l'enceinte du palais pour me rendre à Saint-Denis où déjà l'on se préparait aux tournois.

Granoë me conduisit au milieu des tentes et pavillons jusqu'à celui dont l'oriflamme annonçait les couleurs de l'Anjou.

Lorsque je m'y présentai, Geoffroi achevait de visser son armure avec l'aide d'un écuyer.

– Loanna, chère enfant ! s'écria-t-il en me voyant.

Je le saluai, puis me risquai aussitôt sur la raison de ma visite :

– Qu'en est-il vraiment de cette maladie, mon oncle ?

Il congédia d'un geste vif son écuyer qui venait de terminer l'ajustement d'un bras.

– J'en finirai moi-même avec le heaume. Va ! Occupe-toi de ma monture. Et sangle-la bien. Prendre une déculottée devant le roi serait malsain pour mon amour-propre.

Lorsque nous fûmes seuls, il s'alla servir un verre de vin de cannelle et m'en tendit un, puis de sa voix que les années avaient cassée, il soupira :

– Ce n'est pas, hélas, un nouveau caprice. Henri est bel et bien malade.

– Est-ce grave ?

– Les médecins ne croient pas sa vie en danger, mais il est affaibli. Fort heureusement, sa constitution le met à l'abri de nombre de maladies, mais n'écarte pas tout. Quoi qu'il en soit, cela tombe mal. Pour une fois qu'il s'était résolu à venir et à profiter de ces fêtes pour rencontrer la reine !

– Il ne faudra plus tarder, mon oncle. Elle est prête à prendre fait et cause pour lui. Et Louis est exaspéré par cette situation. Je songe même à demander l'aide de Bernard de Clairvaux pour faire patienter le roi si Henri ne plie pas, mais je doute qu'il intervienne.

– Henri est bien plus obstiné que moi. S'il avait accepté de se rendre à l'invitation de Louis, ce n'était que dans le but de l'affronter ouvertement. Pas de plier.

– Quelle tête de mule ! J'en appellerai donc à Bernard de Clairvaux. Pour l'heure, j'espère qu'Henri sera assez convaincant auprès de ce charlatan de Moroit pour lui faire comprendre que ce n'est pas un nouvel affront.

– Dieu vous entende. Allons, il me faut aller moucher ce jeune freluquet de baron de Montmorency qui, à plusieurs reprises, a eu des mots malheureux. Le jeter à terre me soulagera.

Ainsi fut fait. Et ce fut d'autant plus savoureux que Louis l'avait choisi pour favori.

Le repas fut joyeux, malgré la menace qui pesait sur Geoffroi d'Anjou et son fils dans l'attente du retour de la délégation. Pour ma part, une autre angoisse m'étreignait le cœur. Comme l'année dernière, Geoffroi de Rancon avait vaillamment défendu mes couleurs et m'avait offert son trophée. Cette fois pourtant, je savais qu'il était chargé de symboles. À la longue tablée de laquelle fusaient rires, chants et anecdotes, il était placé dans l'oblique de mon regard. L'heure approchait où il chercherait ma compagnie. De nombreux convives roulèrent sous la table bien avant l'aube, ivres de ripaille et de vins d'Aquitaine. Lorsque la reine prit congé de son époux et de ses invités, j'en fis autant, espérant de toute mon âme échapper ainsi à cette entrevue que je redoutais. Je ne fus pas assez rapide, car je trouvai le comte au pied de l'escalier qui menait à mes appartements. Il nous salua courtoisement, échangea quelques mots avec la reine pour lui souhaiter le bonsoir, et me proposa son bras :

– Faisons quelques pas, voulez-vous, Loanna ?

Je le suivis, la gorge nouée, jusqu'aux jardins éclairés par une lune ronde. Je gardai le silence pendant tout ce temps et lui-même n'osa le rompre. À chaque pas, une peur irraisonnée gagnait en ampleur, tant que je dus me retenir de courir en sens inverse pour me réfugier dans l'ombre. Sans s'en apercevoir, il m'entraîna d'un pas léger à l'écart des yeux et des oreilles indiscrètes, là où les seringas pleuraient de fines fleurs blanches à l'odeur entêtante. Alors il se planta en face de moi.

– Vous tremblez, douce amie. Me croirez-vous si je vous affirme être plus tremblant encore ? Voilà une année déjà que je vous ai fait cette confidence. Mon affection pour vous n'a cessé de croître, Loanna. Vous avouerai-je bien follement que le seul souvenir de ce baiser échangé me hante comme une brûlure ? Mon deuil a pris fin et avec lui cette attente. Un seul mot de vous me rendra le plus heureux ou le plus malheureux des hommes.

Mais, pour toute réponse, j'éclatai en sanglots.

Alors il me prit dans ses bras, comme cette autre nuit, alors que je fêtais la mort de Béatrice. Cela me semblait si loin et si proche à la fois. Ce soir-là j'avais cru pouvoir, j'avais cru savoir. Aujourd'hui, je n'étais plus rien qu'un navire sans port, ballotté par des tempêtes intérieures plus violentes les unes que les autres, dont chacune me laissait plus meurtrie, abîmée et vulnérable.

– Allons, ma douce... murmura-t-il à mon oreille pour me calmer.

Mais ces seuls mots m'arquèrent en avant telle une proue de navire dans un océan déchaîné. Je m'écartai de lui, livide.

– Ne m'appelez jamais comme ça, ordonnai-je d'une voix que je reconnus à peine.

Ce fut à son tour de blêmir. Il me contempla quelques instants douloureusement, puis poussa un profond soupir et se laissa tomber sur un petit banc de pierre.

– Il y a des deuils que ni le temps ni les conventions n'effacent jamais, n'est-ce pas ? demanda-t-il simplement.

Une nouvelle vague de larmes monta jusqu'à mes paupières, tandis que difficilement je hochais la tête.

– Je comprends. Qu'allez-vous devenir, Loanna de Grimwald ? Prendrez-vous le voile comme cette pauvre Héloïse ? Ou finirez-vous par vous résoudre à quelque poison ?

Il n'était même pas cynique. J'aurais sans doute préféré. J'aurais ainsi pu le haïr. Or je ne parvenais pas seulement à bouger. J'étais brisée.

– Venez vous asseoir, vous êtes livide, et je crains que le moindre souffle de vent ne vous emporte.

Je lui obéis. Il glissa son bras autour de mes épaules.

Puis, doucement, comme on le ferait à une enfant, il me parla :

– Vous êtes fragile, Loanna. Denys de Châtellerault avait raison et Jaufré de Blaye aussi. Plus précieuse et fine qu'un fil de soie. J'ai promis de veiller sur vous, et voilà que j'ai l'impression de vous mener à votre perte par cette sécurité même que je vous offre. Que dois-je faire ? J'ai appris à vous aimer bien après vous avoir respectée. Faudra-t-il que je vous prouve combien ces mots ont valeur en moi ? Je ne suis qu'un seigneur de petite envergure, il est vrai, téméraire et belliqueux et parfois rageur. Mais devant vous je ne suis rien. Je ferai selon vos désirs, vous le savez, mais je ne pourrai accepter de vous laisser vous enfoncer dans cette folie qui vous guette. Jaufré de Blaye est mort, Loanna, et personne, hélas, n'y peut rien changer. Quoi que vous fassiez dès lors n'est qu'un moyen d'essayer de vivre malgré tout. Je respecterai votre choix, mais ne vous condamnez pas, je vous le demande, non pas comme le prétendant, mais comme l'ami en lequel Denys a jadis placé sa confiance.

Il avait raison. Mille fois raison. Il me fallut puiser loin, très loin à l'intérieur de moi, rassembler tout ce qui me restait de volonté chancelante pour oser sortir un mot. Je voulais qu'il comprenne. Avec difficulté, j'articulai d'une voix hachée :

– Faire l'amour m'est devenu impensable, Geoffroi...

Avec cela j'expliquais tout, me semblait-il. La souffrance, le manque de lui, la déchirure et le renoncement. Il le sentit sans doute, car il soupira, mais se tourna vers moi.

– Est-ce la seule raison qui vous fasse repousser ma proposition ?

Je hochai la tête sans parvenir à soutenir son regard. Alors, il eut un geste d'une infinie bonté dont ma vie durant je me souviendrai. Il prit délicatement mes mains dans les siennes et murmura à son tour :

– Regardez-moi, Loanna. Regardez-moi.

Je levai les yeux vers lui et je ne vis que tendresse.

– Je ne manque pas de maîtresses complaisantes et, si vous me laissez libre d'une discrétion qui m'entachera en rien votre honneur, je jure devant Dieu que vous pourrez partager ma vie sans jamais avoir à subir la moindre impatience de ma part. Je saurai attendre, Loanna, que votre blessure soit cicatrisée et que l'amour vous revienne, car, à votre âge, il est impensable que le désir soit fané ; lors je serai le plus attentionné des amants. Mais, s'il faut que jamais cela ne vous reprenne, alors peu m'importe. J'ai deux fils et ne cours plus de ce fait après une quelconque descendance. Épousez-moi. Vous n'avez rien à y perdre, je vous l'assure.

– J'ai votre parole Geoffroi ?

– Sur mon honneur et mon rang, vous l'avez.

Il était sincère, je le savais. L'épouser et oublier, je ne le pouvais. L'épouser et garder intact le souvenir de Jaufré me convenait. Même si j'avais du mal à exiger de Geoffroi pareil sacrifice, car je n'avais rien à donner. Plus rien. J'étais vide, creuse. Mais puisqu'il l'acceptait, cela aurait été une offense que de refuser encore.

– Je vous épouserai.

Pourtant, je n'oubliais pas les raisons qui m'avaient fait refuser Jaufré. Elles étaient toujours là, et, si Geoffroi voulait de moi, il lui fallait attendre. Tandis qu'au fond de moi une petite voix hurlait à la mort, une autre me disait que j'avais encore du temps devant moi, et une troisième me susurrait que je faisais le bon choix. Je les balayai ensemble, puis enchaînai d'un ton plus ferme :

– Je vous épouserai, Geoffroi, mais vous savez que je suis auprès d'Aliénor dans un but peu avouable.

– J'ai souvenir en effet d'une certaine embuscade manquée…, chuchota-t-il en connivence.

– Ne croyez pas, Geoffroi, que je ne sois qu'une intrigante. Je suis aquitaine par mon père et anglaise par ma mère. Je ne peux renier cette double origine. J'ai été élevée avec Henri Plantagenêt, et, s'il n'y avait eu l'habileté de nos ennemis pour porter un coup fatal au père d'Aliénor, l'Aquitaine aujourd'hui serait anglaise. Je ne peux davantage qu'Aliénor admettre qu'elle soit ainsi bafouée jour après jour par son moine d'époux. Je suis née pour servir le roi d'Angleterre et, jusqu'à ce qu'Aliénor soit son épouse devant Dieu, je n'aurai d'autre maître que cette mission. Jaufré le savait, qui attendait l'issue de cette entreprise. Plus que jamais nous approchons du but. Laissez-moi le temps d'achever ce pour quoi ma misérable vie a été programmée. Ensuite, je tournerai cette page qui m'a coûté les trois êtres que je chérissais le plus au monde.

– Je comprends. Mais je connaissais déjà votre histoire. Je vous dois la vérité à mon tour, Loanna. Si Denys vous a ainsi placée sous ma protection, c'était parce qu'il savait pouvoir me faire confiance. J'ai quinze années de plus que vous et, vous le savez, mon père était un ami du duc Guillaume. Un ami cher et précieux. Lorsque Guillaume est revenu d'une certaine entrevue secrète à Fontevrault, en l'an 1137, il a soulagé sa conscience auprès de mon père. Il était flatté de la proposition de Geoffroi le Bel, mais plus encore il était heureux de pouvoir enfin cesser de se préoccuper de l'avenir de l'Aquitaine et de sa fille aînée. J'ai surpris leur conversation bien malgré moi, j'avais une trentaine d'années alors et devais régler une affaire de troupeaux volés avec mon père. Guillaume avait une voix qui portait plus que la moyenne et ses paroles me sont parvenues. Je savais donc la première fois que nous nous sommes rencontrés qui vous étiez. Lorsque Denys m'a confié son secret, j'ai compris que rien n'était achevé. Ce n'est pas par hasard que j'ai accepté de veiller sur vous, Loanna.

– Vous étiez à mes côtés durant toutes ces années et vous n'avez rien dit ! Geoffroi, je ne vous mérite pas.

Il souriait avec douceur. Alors, simplement parce que cet aveu m'avait fait du bien, je me penchai sur ses lèvres et y posai un baiser. Il m'enlaça aussitôt et me le rendit avec fougue. Oui, j'épouserais cet homme, non par amour car je n'avais plus d'amour à donner, mais pour ce qu'il était : juste et généreux. Fier et vrai.

Les festivités s'achevèrent avec un bref du médecin de Louis qui l'assurait de l'impossibilité pour Henri de se rendre à Paris.

« Celui-ci, disait-il, est rougeâtre et couvert de pustules gonflées qui ne présagent rien de bon. Il souffle bruyamment de la poitrine et sa fièvre ne descend pas quoi qu'on lui administre. En outre, il est d'un caractère exécrable, supporte mal la médication et refuse d'avaler les bouillons d'herbes. Il gémit sans cesse et exige pour repas quelque cuissot de chevreuil ou de sanglier, qu'il n'avale que par petites bouchées tant il est vite rassasié du fait de la maladie. S'il n'était aussi mauvais malade, sans doute guérirait-il plus vite, mais il chasse à coups de jurons son confesseur dès qu'il pointe son nez dans la chambre. Comment voulez-vous, Sire, que Dieu lui accorde quelque clémence dans pareille condition ? Fort heureusement il est de composition robuste et devrait se remettre avant qu'il soit long. Puisse le ciel, dès lors, lui pardonner ses offenses. Au regard de l'Église et de Votre Majesté. »

Cette missive divertit fort Louis et suffit à apaiser momentanément sa rancœur. Il envoya aussitôt un courrier par lequel il souhaitait un prompt rétablissement à son vassal :

« Afin, ajoutait-il, que le ressentiment de Dieu ne se double pas de celui de son roi et que, dans Sa divine clémence, il permette à celui qui l'avait bafoué de venir au plus tôt courber à la fois le front et la mauvaise tête. »

Autant dire que, loin d'apaiser la colère et le courroux d'Henri, cela ne servit qu'à accroître son panel de jurons, qu'il avait déjà conséquent !

13

L'accalmie fut de courte durée. Quelques jours plus tard, des nouvelles désagréables parvinrent à la cour de France. Cela faisait maintenant trois années que Geoffroi le Bel était en conflit avec le sénéchal de Louis en Poitou, un nommé Giraud Berlai, petit homme sombre et sec qui portait un œil borgne et un nez de fouine. Je l'avais rencontré à plusieurs reprises sans parvenir à l'apprécier. Pourtant, il avait la confiance de Louis. Pendant la croisade, pour une raison que j'ignorais, Geoffroi le Bel avait capturé Giraud Berlai, s'attirant les foudres de l'Église, selon cette loi qui interdisait à tout vassal de s'élever contre l'autorité de son suzerain en son absence. L'affaire s'était soldée par une menace d'excommunication et la libération du sénéchal. Depuis, les relations entre les deux hommes étaient pour le moins tendues. Lassé d'être défié par Berlai qui le narguait à l'envi à l'abri des puissantes fortifications de son château de Montreuil-Bellay, Geoffroi le Bel venait de passer à l'offensive. Mon intuition me dit aussitôt que ce dernier avait mal digéré l'offense que lui avait faite Louis lors des fêtes de la Pentecôte en mettant sa parole en doute. Le comte d'Anjou était orgueilleux. Atteindre Louis au travers de son sénéchal était une vengeance habile, mais qui ne servait en rien le consensus de paix que nous avions entamé.

— Il a mené l'attaque contre une poutre de soutènement du donjon, à grand renfort de traits chauffés au rouge ! grogna Louis, rouge de colère, en frappant du poing sur la table. Ce diable d'Angoumois a incendié la ville et fait encercler toutes les issues. De sorte qu'il n'a eu qu'à cueillir Giraud et les siens comme de vulgaires rats apeurés ! Je suis las de ces suborneurs, las de ces mesquineries, las de ces guerres ! Il est temps pour ces morveux, père et fils, de mordre la poussière et de s'humilier devant leur roi. Sans quoi, par saint Denis, je jure qu'ils seront passés par l'épée de Dieu !

— Que comptez-vous faire ? demanda Aliénor, craignant soudain pour son vassal.

— À l'heure qu'il est, mes troupes doivent approcher d'Arques en Normandie. Elles raseront, brûleront, dépèceront tout jusqu'à ce qu'il n'y ait plus que ruine, mais feront plier bas à ces rustres. D'ailleurs, je pars superviser en personne les opérations, soutenu par le pape qui vient de prononcer l'excommunication contre ces parjures et mécréants. Étienne de Blois m'a fait savoir que son fils, Eustache, traverse en ce moment même la Manche avec de fortes garnisons d'hommes pour se joindre aux miennes. Trop heureux de m'aider à le débarrasser de son ennemi ! Avant la fin de ce mois, c'en sera fini !

Aliénor sortit de la salle où se tenait le conseil, le cœur battant la chamade. Elle pénétra en trombe dans le jardin des simples qu'une tonnelle de chèvrefeuille gardait au frais. Je m'y trouvais, comme à l'accoutumée. M'occuper des plantes était devenu primordial. S'il avait fallu compter seulement sur le maigre savoir des apothicaires dont s'entourait Louis, beaucoup auraient trépassé d'avoir été saignés tels des pourceaux !

— Ils sont perdus ! conclut Aliénor après m'avoir fait récit de ce qu'elle venait d'entendre.

— Pas encore, ma reine. Envoyons un bref à Bernard de Clairvaux. Lui seul peut faire cesser le massacre.

— J'ai peur, Loanna.

Elle me fixait avec un regard d'oiseau prisonnier d'une cage. Se pouvait-il qu'elle soit tombée amoureuse d'un homme qu'elle n'avait vu qu'une fois alors qu'il n'était qu'un enfant ?

— Pourquoi t'intéresses-tu tant au devenir d'Henri ? demandai-je soudain.

Elle rougit aussitôt.

— À toi je peux tout dire, Loanna. J'ignore ce qui m'arrive, sans doute ai-je accumulé tant de rancœur envers Louis que j'exulte à voir d'autres braver mille dangers pour lui faire offense. Je voudrais pouvoir m'élever contre lui, le gifler ainsi qu'ils le font, faire entendre ma voix et plier la sienne. Je ne peux m'empêcher d'être dans le camp de ses ennemis. Ils apaisent ma soif de vengeance. Ils apaisent ma colère. Et à force, il est vrai, d'être de leur parti, j'en viens à renier la reine de France qui devrait s'offusquer aux côtés de son roi. Mais, ô combien, je voudrais à leur exemple ne plus faire allégeance !

Elle était prête. Je lui pris les mains et l'obligeai à s'asseoir sous un pommier, à même l'herbe fraîche et douce de ce mois de mai 1151.

– Il est temps à présent de te révéler la vérité, Aliénor. Peu importe ce que tu décideras ensuite. J'ai été élevée à la cour de dame Mathilde, tu le sais, et mère était sa conseillère. J'aime Henri comme un frère, et je ne t'apprends rien en te disant que son devenir m'est cher. Si cher qu'il y a de cela fort longtemps j'ai choisi de me sacrifier pour lui. J'ignorais alors que je trouverais une amie en toi, si tendre à mon cœur qu'elle est unique.

– Où veux-tu en venir, Loanna ?

– Quelques mois seulement avant que je ne vienne à l'Ombrière, ton père Guillaume eut une entrevue avec Geoffroi le Bel. Il avait promis de te dire à son retour de Compostelle les raisons véritables qui le poussaient à te placer dans un couvent.

– Je me souviens. C'était une idée folle !

– Non. Réfléchis. Ce que Geoffroi le Bel était venu demander à ton père dans l'abbaye de Fontevrault ce jour-là n'était rien moins que ta main pour son fils Henri.

– Que dis-tu ?

Aliénor devint blanche comme une fleur d'églantier.

– Henri était un enfant à l'époque, et, lorsque ton père, au regard de leurs intérêts mutuels, accepta de te fiancer à Henri, l'unique solution qui apparut fut de te placer au couvent jusqu'à ce qu'Henri soit en âge d'épousailles. Cela peut sembler farfelu, je le conçois, mais l'Aquitaine a souvent été en butte au roi de France. En s'alliant avec l'Anjou, le Maine et la Normandie, elle devenait plus puissante que celui-ci, sans compter que, dès lors, l'Angleterre se serait tout entière ralliée à dame Mathilde. Ton père est mort avant d'avoir pu te révéler la vérité. Je n'ai aucune preuve, mais je ne peux pas croire que cette soudaine maladie ait été fortuite.

– On l'aurait assassiné ? Mais dans quel but ?

– Celui de remplacer un roi par un autre, Aliénor. L'Aquitaine est une dot considérable, tu en conviendras.

– Je ne peux le croire. Tout ceci est si… Mais toi, toi, que viens-tu faire dans tout cela ?

– Dame Mathilde considérait que le couvent n'était pas véritablement un endroit distrayant pour une pucelle de quinze ans, même s'il te mettait à l'abri de la concupiscence des barons aquitains. Nous avions le même âge. J'ai été placée auprès de toi, d'une part pour sceller l'engagement verbal des deux parties, d'autre part pour devenir ton amie et adoucir les rigueurs de ce que l'on t'imposait.

– Manipulée, j'ai été manipulée.

– Non, ma reine, jamais, tu entends, jamais. Regarde-moi, Aliénor.

Elle avait le regard blessé.

– Je t'aime, Aliénor, et ce qu'il y a entre nous n'a rien à voir avec ces alliances et ces jeux d'adultes. Du jour où le sort a basculé, je n'ai cessé d'être à tes côtés et de faire en sorte que cela se passe le mieux possible. Mais ce que tous avaient prédit s'est réalisé. Tu n'as rien en commun avec Louis, quand tu ressembles tant à Henri. Peut-être est-il temps pour toi de désunir ce que l'on a consenti dans la traîtrise et le sang.

– Tu voudrais que je me sépare de Louis pour épouser Henri ? C'est bien cela ?

– Tu feras selon ton cœur. Mais sache qu'une partie de sa haine contre le roi de France vient du fait qu'il lui a ravi sa promise.

– Il m'aimerait donc ? Mais il est si jeune !

– Te souviens-tu de ce jour où, sous le saule pleureur à l'Ombrière, je t'avais demandé quels seraient tes sentiments si tu rencontrais quelqu'un qui aimerait et userait du pouvoir autant que toi ?

– Je m'en souviens, oui, répondit-elle en souriant.

Une flamme coquine éclaira son regard. L'Aliénor d'autrefois fut devant moi soudain.

– Je t'ai répondu que sans conteste je l'aimerais, pour peu qu'il ne déserte pas ma couche au profit de la guerre... Ou de Dieu, ajouta-t-elle en souriant.

– Henri n'a rien d'un prêtre !

– Je le sais. Sa réputation est parvenue jusqu'ici. On prétend qu'il a déjà quatre bâtards. Quatre garçons. Loanna, crois-tu que, si je n'ai pu donner de fils à Louis, c'était pour cette raison-là, parce que des hommes avaient défait la volonté de Dieu ?

– J'en suis sûre.

– Mais Geoffroi le Bel est excommunié...

– Pour une peccadille. Pour avoir mis la main par deux fois sur l'officier royal qu'est Giraud Berlai. Si ce sot n'avait pas recommencé à le narguer après que Geoffroi le Bel eut accepté de le relâcher, rien ne serait arrivé.

– Tout de même.

– Bernard de Clairvaux peut faire lever l'excommunication si Henri plie un genou.

– Mais le fera-t-il ? demanda-t-elle avec une moue qui traduisait bien qu'elle en doutait fort.

– Si cela doit être la condition pour que la promise devienne enfin l'épouse…, laissai-je tomber en clignant un œil complice.

Elle écarquilla des yeux ronds comme des soucoupes, tandis que sa bouche s'ouvrait de même, mais aucun son n'en sortit. Dans son regard défilait en un éclair tout ce que cette perspective lui offrait de vengeance et d'agrément. Et soudain il n'y eut plus devant moi que la pucelle de l'Ombrière, à la veille d'une bonne farce soigneusement préparée. Spontanément, elle m'enlaça à me broyer et claqua une bise sonore sur ma joue.

– Je t'aime, je t'aime, je t'aime, Loanna de Grimwald !

– Ce n'est pas une raison pour m'étouffer, me moquai-je en riant.

Elle desserra doucement son étreinte.

– Je sens que nous allons bien nous amuser aux dépens de ce cher Louis, murmura sa petite voix perverse.

– Pour l'heure, il faut prévenir Bernard de Clairvaux avant que le sang ne marque à jamais cette terre qui deviendra tienne.

– Il va en avaler sa Bible !

– De qui parles-tu, de Bernard ou de Louis ?

– Peut-être bien des deux ! lança-t-elle avec un plaisir non dissimulé.

Trois jours plus tard, Bernard de Clairvaux se présentait à l'abbaye de Saint-Denis pour y célébrer une messe. Ce n'était ni dans ses prérogatives, puisqu'un nouveau prieur s'occupait de l'abbaye en place de Suger, ni dans ses habitudes. Louis ne s'en offusqua point, pour la bonne raison qu'il s'apprêtait à rejoindre ses troupes, qui venaient de faire plier le comte d'Arques et s'étaient emparées de la ville sans véritable résistance. Ses hommes, augmentés de ceux d'Eustache de Blois, le fils de l'actuel roi d'Angleterre, campaient autour de l'enceinte, déployant leur puissance. Ni Geoffroi ni

Henri n'avaient bronché, et Louis comptait bien réclamer son dû sur place.

Aussi fut-ce naturellement qu'il voulut profiter de la venue de Bernard de Clairvaux pour faire bénir son départ dans cette croisade personnelle.

Il fut reçu aussi rudement que possible. Bernard n'y alla pas par quatre chemins. Si la conduite du comte d'Anjou était inqualifiable, celle de Louis ne l'était pas moins. Ce que Suger avait réussi à unir était bafoué, violé. Ce n'était pas ainsi que devaient se régler les différends ! D'un ton sans réplique, il ordonna à Louis de s'en tenir à cette démonstration de force et clama haut et fort que la paix devait être rétablie, coûte que coûte. Il s'en irait lui-même tenir des propos identiques à Geoffroi le Bel et à son fils, offrant son arbitrage dans le différend qui opposait les deux parties.

Louis rumina. Il attendait plus que de simples excuses désormais. Toutefois, il plia. La voix de Bernard était telle une tempête dans un désert, chacun courbait la tête et protégeait son âme.

Curieusement, Geoffroi et Henri firent de même. Mais je les connaissais assez pour savoir que ce n'était pas la perspective du châtiment de Dieu qui les avait décidés, mais bien plutôt l'immense armée qui se cantonnait à leurs flancs. Quant à savoir ce qu'il adviendrait de cette entrevue fixée au mois de juillet 1151, c'était une autre affaire !

– Que voulez-vous ? demanda aigrement Aliénor en voyant la silhouette de Louis s'encadrer dans l'embrasure de la porte.

Elle venait de se coucher et s'apprêtait à moucher la chandelle, lorsqu'elle avait entendu frapper. Pensant qu'il s'agissait de moi, elle avait naturellement invité son visiteur à entrer. La surprise qu'elle eut en découvrant Louis se glaça en un rictus de haine.

– Je désirais vous entretenir. Le puis-je ?

Louis ne semblait pas menaçant. Elle hocha la tête en tirant à elle les draps pour couvrir sa chemise, ce qui eut pour effet de faire sourire le roi. Il s'assit sans façon sur le lit, tandis que, dans un geste de défense incontrôlé, Aliénor s'écartait sur le côté.

– Il y a bien longtemps, soupira Louis en frôlant d'une main molle l'oreiller sur lequel tant de fois il avait posé sa nuque.

– Je suis fatiguée, Louis, venez-en au fait, voulez-vous ? insista Aliénor en bâillant ostensiblement.

– Le fait ? Faut-il un fait pour qu'un époux rende visite à sa femme ? Oui, bien sûr. Lorsqu'il n'existe plus entre eux que déchirement. Comment en sommes-nous arrivés là Aliénor ? Vous ne m'aimez plus, et j'avoue avec effroi que je n'éprouve plus pour vous qu'indifférence. Qu'avons-nous fait à Dieu pour qu'Il punisse ainsi notre union ?

Aliénor se mordit la langue. Elle eût volontiers craché comme un venin cette vérité qu'elle venait d'apprendre, mais jugea qu'il valait mieux ne pas risquer de compromettre l'avenir. Elle se contenta de garder le silence. Louis lui faisait peur, plus encore dans ce soudain abattement qui alourdissait ses épaules que dans sa superbe.

– Je suis un homme seul, Aliénor. Bien seul. Et pourtant j'ai à mes côtés la femme la plus belle de ce royaume. Quelle a été mon erreur ? Ne vous ai-je pas assez comblée ? Sans doute vous aurait-il fallu davantage de caresses ? J'en suis sevré, mais elles ne me manquent plus. Je n'ai plus que haine au cœur, rancœur et amertume. Quant à ces regrets pour tout ce à côté de quoi je suis passé, il faudrait plus que mes larmes pour en faire des chapelets. Je n'ai même pas la certitude d'être un bon roi.

Aliénor sentit malgré elle sa gorge se nouer. Jamais Louis ne s'était confié ainsi, jamais elle ne l'avait vu si misérable. Sa colère tomba d'un coup, lorsqu'il étouffa un sanglot en murmurant d'une voix cassée :

– Vous ne dites rien. Vous avez raison. Je ne mérite rien d'autre que votre indifférence.

Alors, elle posa une main sur son bras que le maniement de l'épée avait épaissi.

– Ne croyez pas cela, Louis. Vous ne m'êtes pas indifférent, en vérité. Nous n'avons pas choisi l'un et l'autre ces épousailles. Nous avons cru que nos différences pouvaient se compléter, et je persiste à croire que s'il n'y avait eu Suger entre nous, cela eût été possible.

– N'accablez pas sa mémoire. Certes il eut tort parfois, mais il croyait sincèrement que notre union était bénie de Dieu, et j'ai souci de me rattacher encore à cela. Car, sinon, tout, depuis quinze ans n'aurait été que mensonges et abîme.

– Croyez ce que vous voudrez, Louis. Pour ma part, j'en viens aujourd'hui à voir les choses différemment. Ce fils que Dieu nous a refusé n'est-il pas à lui seul le signe que notre union est illégitime ? Que nous ne sommes que des pécheurs devant l'Éternel ?

– À quoi faites-vous allusion ?

Louis avait pâli. Sans doute avant même de poser cette question savait-il déjà la réponse.

– À cette parenté qui est nôtre et qui aurait dû faire annuler notre hymen.

– Le pape lui-même l'a déclarée caduque.

– Le pape souhaitait réconcilier un royaume. Et en cela je ne juge pas qu'il eut tort. Pourtant, cette vérité est là, Louis, et au regard de Dieu, les intérêts des hommes sont peu de chose. Si, en quinze années, je n'ai pu vous donner cet héritier que nous souhaitions tant, ce ne peut être à mon sens que pour cette seule raison.

– Alors, qu'allons-nous devenir ? J'avais espéré en venant vous voir que vous m'ouvririez vos bras comme dans ces premiers temps et que j'oublierais brusquement l'échec qui nous vieillit. Le trône a besoin d'un héritier. Et, malgré tout ce que j'ai pu dire et penser, vous êtes une grande reine, Aliénor.

– Je ne peux, Louis. Pardonnez-moi. Je ne peux.

Il eut un sourire amer.

– À d'autres, pourtant, vous n'avez cessé de vous livrer corps et âme. Non, ne niez pas, vous me feriez plus de mal encore. Je suis las des mensonges. Je sais. Cela suffit. Dites-moi seulement ce qu'ils avaient de différent.

Elle déglutit, puis, d'une voix meurtrie, laissa tomber dans le silence qui s'était installé :

– Ils m'ont aimée, Louis. Véritablement et totalement aimée.

Alors, il tourna vers elle un visage ravagé par la douleur.

– Peut-être n'est-il pas trop tard ? demanda-t-il en lui prenant la main avec douceur.

– Non, Louis, c'est votre solitude qui vous égare. On ne ranime pas un feu avec des cendres froides. Et quand bien même vous le pourriez de toute votre âme, de tout votre cœur, le mien n'est plus que ruines. Il est trop tard, Louis.

Il secoua la tête en silence, comme s'il mesurait combien elle avait raison. Puis, d'une voix brisée, il murmura :

– Vous êtes fatiguée. Je vais vous laisser dormir.

Elle ne répondit rien. Il n'y avait rien à répondre. Elle ne le désirait plus. Elle se demandait même s'il l'avait, lui, un jour, véritablement désirée.

Avant de refermer la porte, il s'arrêta et se tourna vers elle :

– M'avez-vous aimé, Aliénor, une fois, une seule fois, autant qu'eux ?

– Oui, Louis.

Il eut un soupir désolé.

– Alors, je mérite ce qui est.

Lorsque la porte se referma doucement sur la silhouette effacée et meurtrie du roi de France, Aliénor se rendit compte qu'elle pleurait. Elle n'avait pas menti. Elle l'avait aimé, peu de temps certes, mais elle l'avait aimé, jusqu'à être lassée, blessée, de n'avoir jamais pu savoir laquelle, de la Bible ou de la femme, il avait épousée.

Elle allait partir rejoindre le royaume et l'homme qui lui étaient promis. Cela eût dû être une vengeance, mais, soudain, elle prit conscience que celle-ci n'avait plus d'importance. L'aveu de Louis venait de lui faire oublier ces années de rancœur. De réveiller en elle la pitié et la tendresse. Au fond Louis était comme elle, l'un et l'autre avaient désormais besoin d'aimer. Véritablement et totalement. Ce fut d'un cœur neuf et libre qu'elle s'endormit, et peu à peu s'imposa dans son rêve un visage flou qui riait dans une forêt rousse.

14

Geoffroi de Rancon s'inclina devant la reine avec un sourire qui fendait son visage tel un croissant de lune. Juin 1151 s'achevait, pluvieux et maussade, comme le climat de tension qui alourdissait le royaume. Le 13 juillet, Geoffroi le Bel et Henri Plantagenêt étaient attendus avec le roi de France devant Bernard de Clairvaux. Depuis que les deux parties avaient accepté de se rendre à la convocation du saint homme, les hostilités s'étaient figées. Cela pourtant n'allégeait pas l'atmosphère, et chacun se préparait à l'affrontement. La confiance n'y était pas.

Voilà pourquoi, quand le seigneur de Taillebourg demanda une audience solennelle à la reine et à son roi, cela attira du monde. Les bruits de couloir allaient bon train, car, depuis deux semaines, Geoffroi de Rancon séjournait au palais de la Cité et ne cessait de se promener en ma compagnie. Je n'avais pas eu le cœur de lui refuser le plaisir de s'afficher avec moi. À présent qu'Aliénor m'avait confirmé que Louis, le moment venu, ne s'opposerait pas à l'annulation de son mariage, je n'avais plus aucune raison de repousser l'annonce de nos fiançailles.

Il y eut un murmure dans l'assistance, lorsque la voix chaleureuse du sire de Taillebourg s'éleva pour demander ma main. J'eusse dû prendre plaisir à cela, mais je ne ressentis qu'un étrange pincement au cœur tandis qu'une giboulée de chagrin gagnait mes yeux. Que n'aurais-je donné pour que Jaufré surgisse brusquement et m'enlève !

Lorsque le roi et la reine m'appelèrent, je m'avançai très digne et me forçai à sourire.

– Loanna de Grimwald, commença le roi, cet homme qui est valeureux et fort aimable, souhaite vous prendre en épousailles, y consentez-vous ?

– Si ma reine le permet, oui, murmurai-je d'une voix que je voulus ferme.

– Votre reine vous offre toute sa bénédiction, répondit Aliénor, émue.

Elle savait que je n'étais pas guérie de la disparition de Jaufré. Bien sûr, mon mariage la priverait à jamais de mes caresses, mais depuis déjà longtemps elle avait su me remplacer par quelques servantes habiles. Elle était heureuse pour moi, espérant de tout son cœur que je trouve enfin la paix.

Geoffroi aurait voulu que le mariage soit célébré sur l'heure. J'avais refusé et demandé à ce qu'il soit proclamé en septembre. Afin de laisser auparavant se dénouer l'écheveau de ma vie, et planter les racines de mes lendemains. Cela aussi, il me l'accorda. Le roi arrêta la date du 30 septembre et décréta que ce soir serait fête dans le royaume. Ce n'était pas tous les jours que l'on « casait » une vieille fille !

L'on m'embrassa avec effusion, l'on me félicita chaleureusement, ainsi que Geoffroi. Mais, lorsque je me retrouvai seule dans ma chambre, je n'eus qu'un cri, un seul qui déchira le silence :

– Oh, Jaufré, qu'ai-je fait ?

La nouvelle assomma Jaufré Rudel, et lui coupa le souffle. Mariée ! Loanna de Grimwald, sa Loanna, allait épouser Geoffroi de Rancon ! Il dut s'asseoir pour ne pas s'écrouler. Hodierne de Tripoli s'agenouilla devant lui et chuchota pour lui seul :

– Il vous faut accepter la réalité, Jaufré. Elle ne pouvait indéfiniment se languir sur une tombe.

Il la fixa d'un regard éperdu, puis revint vers l'homme qui leur avait annoncé la nouvelle. Cela faisait plusieurs mois que celui-ci avait été envoyé en France, sur l'ordre d'Hodierne, pour y glaner des renseignements. En apprenant ces fiançailles qui libéraient Jaufré de son serment, Hodierne avait ressenti une joie puérile. Mais, à présent, elle se demandait si son miraculé n'allait pas se laisser mourir de chagrin, tant l'espoir avait porté ses jours ces derniers mois au point de lui permettre des progrès spectaculaires. À présent, Jaufré se déplaçait seul. Il s'appuyait encore sur une canne, et restait voûté, mais il cheminait sans aide et avait recouvré toutes ses facultés. Toutes sauf une, essentielle : la parole. Jaufré se leva soudain, et saisit une feuille sur l'écritoire. D'une main qui avait retrouvé ses marques sur le parchemin, il traça plusieurs questions, qu'il tendit à Hodierne. Elle hocha la tête. Elle aurait préféré ne pas avoir à les poser au messager, car elle se doutait que les réponses lui feraient plus de mal encore. Mais il avait le droit de savoir. Et elle l'aimait tant !

– À quelle date ce mariage doit-il être célébré ?

– Au 30 septembre de cette année, lui répondit l'homme basané et alerte.

– Que savez-vous d'autre sur cette dame ?

– Une bien triste histoire, Votre Majesté ! On raconte qu'elle aimait un homme, un troubadour. Vous savez, celui que l'on a enterré chez nous il y a déjà quelques années. Peu de temps après la mort de son promis, elle a fait une fausse couche. Personne n'a su qui était le père, mais cela a fait beaucoup de bruit au palais, car nul n'était au courant de sa grossesse. On raconte ensuite qu'elle n'a sur-vécu que pour servir la reine, sans prétendant. Elle avait beaucoup maigri et n'était que l'ombre d'elle-même jusqu'à ce que le comte de Taillebourg demande sa main au roi de France. Voilà, c'est tout ce que je sais, mais c'est bien pitoyable, car vous pouvez m'en croire, Majesté, c'est une fort gente dame.

– Aime-t-elle ce Seigneur ?

– Je l'ignore, Majesté. Selon vos consignes, je ne l'ai pas appro-chée directement et ne sais que ce qu'on m'en a dit. Certains préten-dent que c'est pour contrer le chagrin qu'elle a consenti à ce mariage, d'autres que c'est une manigance de la reine pour enfin marier sa plus fidèle dame de compagnie dont on raille la vertu, d'autres encore qu'elle s'est laissé séduire par cet homme qui porte beau, d'autres encore qu'elle le regarde passionnément. La rumeur a d'infinis visages.

– Vous, mon ami, vous qui l'avez vue sans l'approcher, qu'en pensez-vous ?

– Ce que j'en pense ? Que derrière le sourire se cache le regard le plus triste qu'il m'ait été donné de voir avant ce jour, acheva l'homme en se détournant de Jaufré.

Celui-ci n'eut pas un mouvement. Hodierne en conclut qu'il en avait fini avec l'interrogatoire.

– Vous pouvez aller, mon ami, dit-elle à son messager, en lui remettant une bourse de cuir abondamment garnie.

Lorsqu'ils furent seuls, Jaufré se laissa aller à ces larmes indiscipli-nées qui étaient son lot depuis trop longtemps. Parfois, elles le fuyaient, comme taries, comme si sa détresse était au-delà de l'expression d'autres fois, elles le ravageaient sans qu'il puisse rien pour les arrêter. Là, elles s'écoulaient simplement. Et, avec elles, toute sa vie. Il n'en pouvait plus.

Hodierne lui prit les mains.

– Regardez-moi, Jaufré.

Il leva sur elle ses yeux poignants de douleur. Et soudain elle comprit. Elle comprit que jamais, jamais quoi qu'elle fasse, elle ne séparerait ces deux cœurs qui se mouraient. Alors, elle fit ce qu'elle s'était juré de ne jamais faire et dit ce qu'elle aurait voulu ne jamais s'entendre dire :

– Un bateau part demain. Va. Va ! Elle seule désormais peut décider que tu vives ou meures. Alors va !

Il se leva doucement et attira contre lui ce corps parfait qu'il n'avait aimé qu'une fois et le serra, serra, serra, comme pour ne jamais oublier ce qu'il lui devait.

Une foule importante emplissait l'immense salle de réception du palais de la Cité. Tous avaient tenu à assister à la rencontre historique entre Geoffroi le Bel et le roi de France. Bien plus, le fait que Bernard de Clairvaux soit là, debout tel un juge, simple dans sa bure grise, une croix de bois plaquée sur sa poitrine frêle et pourtant tant redoutée, faisait naître un silence tel que l'on entendait jusqu'au crissement des robes d'apparat.

Geoffroi le Bel et son fils Henri s'avancèrent côte à côte, le pas assuré et le regard fier, toisant ceux qui s'écartaient devant eux d'un mépris écrasant. Un murmure de désapprobation s'éleva dans la salle. Derrière eux marchaient deux soldats encadrant un prisonnier chargé de chaînes : Giraud Berlai.

Louis se mordit la lèvre de rage. Mais déjà Bernard levait les bras aux cieux pour ramener le silence. Geoffroi le Bel et Henri le saluèrent, faisant fi du roi de France. Lors, Bernard de Clairvaux prit la parole, et sa voix fendit l'air chargé d'animosité :

– Soyez les bienvenus, messires. Je me suis entretenu avec Sa Sainteté le pape. Il consent à vous relever de votre excommunication si vous libérez cet homme que vous promenez devant nous sans souci de son rang et de sa charge, tel un vulgaire voleur de pommes. Relâchez-le sans tarder et déclarez-le libre.

Loin de courber la tête devant cette injonction, Geoffroi le Bel le défia d'une voix forte :

— Je refuse, mon père. Si c'est une faute que détenir un prisonnier sur lequel on a fait valoir ses droits, alors je refuse d'en être absous !

Il y eut un nouveau remous dans l'assistance. Bernard de Clairvaux eut un regard terrible.

— Prenez garde, comte d'Anjou, car vos juges auront pour vous la justice que vous appliquez !

Mais déjà Geoffroi et son fils avaient tourné le dos à Bernard et marchaient vers la porte.

Avant que les deux gardes ne l'entraînent sur leur trace, Giraud Berlai glissa à Bernard :

— Peu importe ce qu'il adviendra de moi, mon père, que Notre-Seigneur tout-puissant entende seulement les cris des miens condamnés sans raison.

Alors Bernard laissa sa voix courir sur les traces de l'homme qu'on emmenait déjà :

— Ne crains rien pour eux, mon fils, les innocents sont bienheureux entre les mains de Dieu.

Il fallut néanmoins à Bernard de Clairvaux beaucoup d'autorité pour retenir le bras vengeur de Louis. Lorsque la foule se dispersa au congé que lui donna le saint homme, le roi de France était à deux doigts d'exiger que l'on fasse arrêter sur-le-champ Geoffroi le Bel et Henri Plantagenêt.

— N'en faites rien, ou vous serez parjure, objecta Bernard.

— Par saint Denis, c'est lui qui a rompu la trêve ! s'emporta Louis.

— Nenni, mon fils. Il a maintenu ses positions. Mais ce n'est que partie remise. Nous devons respecter son choix. Il connaît le mien. Dieu jugera. Dieu et Lui seul. Vous savez prier, Louis le Jeune. Alors priez pour que la paix de Dieu soit entendue par ces hommes !

Et, une fois encore, Louis s'en fut prier.

Pourtant, ce n'étaient pas ses mains usées à force d'être jointes et ses marmonnements qui eussent pu ramener dans le chemin du Christ ceux-là dont je savais l'entêtement et la fierté.

Tandis que Louis se penchait sur le prie-Dieu aux côtés de Bernard de Clairvaux, Aliénor et moi poussions nos montures vers le bois de Vincennes pour atteindre le campement de Geoffroi le Bel.

Il avait posté un nombre conséquent d'hommes d'armes autour des pavillons, et il nous fallut donc montrer patte blanche lorsque l'on nous arrêta. Je fis choir le capuchon qui recouvrait mon front et déclinai mon identité. Aussitôt, l'on nous conduisit auprès du comte, sans aucune question concernant celle qui m'accompagnait, dissimulée sous la coiffe de son mantel.

Ce fut seulement lorsque nous fûmes à l'abri des regards dans la tente de Geoffroi qu'Aliénor révéla son visage. Henri, debout au côté de son père, tressaillit en la reconnaissant.

— Je viens en amie et non au titre de reine de France, messires, annonça Aliénor, affable.

— En ce cas, vous êtes la bienvenue, lança Henri en lui avançant un siège.

Sa main effleura celle de la reine au moment où elle s'asseyait, rosissant d'un fard léger ses pommettes. Cette réaction dut plaire à Henri, car il afficha un sourire de jeune loup qui me donna envie de le gronder. Pourtant, je m'en gardai bien. C'était beaucoup mieux ainsi. Ils se plaisaient. C'était parfait.

— Vous avez à la fois offensé le roi et l'Église, messires. Il fut un temps où mon grand-père Guillaume le troubadour fit de même, je ne saurais donc vous reprocher cet excès de bile qui est si proche de celui des Aquitains. D'ailleurs, je dois dire à mon corps défendant que j'ai pris plaisir à cette joute oratoire et aurais sans doute agi de même si je m'étais trouvée dans votre camp.

— Il ne tient qu'à vous d'y venir ! lança Henri, toujours aussi délicat dans ses approches.

Mais cela aussi plut à Aliénor, car ses lèvres s'étirèrent, moqueuses, dévoilant ses dents de perle :

— Eh bien j'y suis, me semble-t-il, mon cher duc, répondit-elle avec bonne humeur. Ce qui m'amène à vous faire une proposition : libérez Giraud Berlai. Il n'est qu'un pantin juste bon à bassiner d'orties dont il a à peine le piquant. Acceptez de faire allégeance au roi de France. Vous y gagnerez la paix si chère à la construction d'un royaume.

— Il n'est rien en tout cela qui diffère du discours entendu. Lors, que proposez-vous en échange ? demanda Geoffroi le Bel, qui ne cessait de me jeter des regards inquiets, ignorant les dernières décisions de la reine.

– Moi, messire.

– Vous ? Henri sourit, moqueur. Vous voudriez prendre la place de cet idiot de Berlai ?

– Je pensais à d'autres chaînes que les siennes, mon ami, s'amusa Aliénor.

Ils étaient seuls maîtres du jeu, désormais. Geoffroi le comprit et se détendit enfin, laissant son fils affronter la reine.

– Et à quelles chaînes faites-vous donc allusion, Votre Majesté ?

– À celles du mariage, jeune sot, il semble que vous auriez grand besoin d'une femme d'envergure pour domestiquer un peu votre superbe !

– Qu'est-ce qui vous fait croire que vous m'intéressez ? s'irrita Henri, piqué au vif.

– L'Aquitaine !

Geoffroi le Bel ne put réprimer un rire joyeux devant tant de repartie, s'attirant un coup d'œil agacé et sévère d'Henri.

– Votre Majesté oublie juste un petit détail : elle est l'épouse du roi de France !

– Faites allégeance, Henri Plantagenêt, et, sur la Très Sainte Bible que vous avez bafouée, je jure que dans les douze mois qui viennent, non seulement mon mariage sera annulé, mais je serai votre épouse, tel que cela eût dû se faire il y a fort longtemps.

– Si vous avez menti Aliénor d'Aquitaine, nulle forteresse ne sera assez puissante pour vous protéger de moi.

– Qui vous dit, mon cher duc, que je veuille me protéger de vous ? lança-t-elle avec un regard qui le mettait au défi.

Un défi charnel, dont je savais qu'il serait aussi fougueux que ces deux étalons de même race.

Sur ce, nous prîmes congé. Lorsque la nuit tomba sur le château, sans avoir rien amené de nouveau de part et d'autre, une silhouette agile grimpa le long de la muraille qui surplombait la Seine jusqu'à la fenêtre de la chambre de la reine laissée ouverte.

Henri Plantagenêt sauta lestement sur le parquet. Le craquement de son pas éveilla Aliénor qui, se redressant brutalement, voulut pousser un cri. Aussitôt, la poigne épaisse d'Henri l'étouffa sur ses lèvres, tandis qu'il murmurait :

– Silence, ma reine. Ce n'est que votre futur époux. Je tenais à m'assurer avant de céder à vos avances que vous saurez vous plier aux miennes. Si vous criez, vous attirerez à vous un joli scandale. Ce n'est pas ce que vous voulez, n'est-il pas ?

Elle secoua la tête, alors seulement il enleva sa main. Aliénor sentit un goût de sang contre sa lèvre.

– Brute, gémit-elle, vous m'avez fait mal.

– Gardez ça pour tout à l'heure, ma reine !

Et sans lui laisser le temps d'avoir d'autre humeur, il la coucha sous lui avec la brutalité dont il était coutumier et qui, après avoir dérouté sa captive un instant, l'entraîna dans un tourbillon de plaisir dont elle n'eût jamais auparavant imaginé les méandres.

Le lendemain mit Louis au supplice. Il bouillait. Écartelé entre son désir d'être agréable à Bernard de Clairvaux et celui de lancer à l'orée du bois de Vincennes une horde de soldats qui ne laisseraient sur leur passages que cadavres. D'un côté Dieu, de l'autre le diable ; encore cette incessante balance entre le bien et le mal, entre la raison et le charnel, entre le châtiment et le crime, qui meurtrissait depuis toujours son âme. Louis lutta contre lui-même toute la journée tandis qu'un orage dardait ses éclairs bruyants sur la vieille Cité. Lorsque la nuit s'avança, il n'en pouvait plus de cette tension qui vrillait les éléments et le silence, car rien n'avait évolué. D'un pas rapide, il se dirigea vers la crypte où son père était enterré. Là, il savait pouvoir être seul. Une simple croix de bois veillait sur la sépulture. Suger avait voulu la remplacer par une autre plus richement ornée, mais Louis s'y était opposé. Cette simple relique de son enfance, à laquelle tant de fois il s'était accroché pour ne pas perdre son âme, lui était apparue comme un rempart infaillible contre les tentations. Une fois encore, il s'y agenouilla, non pour prier, car il avait usé ses mains et son repentir, mais pour s'absoudre de cette haine qui était sienne. Derrière la croix, un carreau du sol était disjoint. Il le souleva sans peine et sortit de la cachette un fouet dont le manche avait moulé ses empreintes. Il y avait longtemps qu'il ne l'avait utilisé. La dernière fois, c'était cette nuit auprès de Béatrice de Campan, cette nuit peu de temps avant qu'elle ne meure. Elle était venue le rejoindre. Elle était promise à un autre. Il l'avait repoussée maladroitement. Elle avait supplié. Supplié qu'il la prenne encore une fois, avant, avait-elle dit, de le perdre à jamais. Elle seule l'avait aimé, il en avait pris conscience depuis. Elle seule aurait donné sa vie pour lui. Cette nuit-là, lui aussi l'avait aimée, de toute son âme. Ensuite, il s'était rendu là, écœuré de la perversité de ses actes et du plaisir que l'un et l'autre y avaient trouvé. Louis leva le fouet. Les souvenirs allaient l'aider à se laver de sa honte. Il se frappa, une fois, deux fois, puis, lorsque la douleur ruissela sur son corps, il enchaîna les coups de plus en plus fort, jusqu'à tomber sur lui-même, couvert de plaies sanglantes.

Cette nuit-là, Aliénor attendit, guetta le moindre grattement sur la muraille extérieure du palais. Comme elle avait attendu toute la journée qu'Henri tienne sa promesse et plie devant Louis. Il n'en avait rien fait. Son corps réclamait à présent à la fois sa présence rustre et son engagement. Plusieurs fois, croyant entendre quelque bruit près de sa fenêtre, elle se leva et scruta l'ombre pour tenter d'apercevoir la silhouette qui la mettait en émoi. La nuit se passa ainsi sans qu'elle puisse seulement s'endormir, les sens aux aguets et le ventre humide. Henri ne vint pas.

Bernard de Clairvaux venait d'étendre ses bras pour prononcer son sermon dans une abbatiale bondée comme de juste. Tierce sonnait l'office et une foule immense se tassait à Saint-Denis pour entendre la voix du saint homme. Louis, vêtu d'une bure aussi neutre que celle de Bernard, ne laissait rien paraître de son corps marbré de meurtrissures. Aliénor se tenait droite à ses côtés, fardée au mieux pour dissimuler les affres de sa nuit blanche. L'un et l'autre s'évitaient du regard. Tendus vers Bernard, ils espéraient la même chose pour des raisons différentes. Aussi, lorsque les portes grincèrent dans le silence, d'un même élan se tournèrent-ils vers elles. Ils virent s'avancer Geoffroi le Bel et Henri Plantagenêt, dignes et les mains jointes. Entre eux, libéré de ses fers, Giraud Berlai souriait.

Bernard traça un signe de croix dans l'air. La foule écarquillait des yeux incrédules sur ce cortège inespéré qui se dirigeait à pas lents vers les marches de l'autel.

Il n'y eut pas un mot. Juste deux corps qui se plièrent en même temps pour s'agenouiller aux pieds du saint homme, tandis que celui qu'ils avaient emprisonné s'avançait vers Bernard et baisait le bas de sa robe en pleurant. Alors, seulement, la voix magistrale résonna, faisant frissonner jusqu'aux voûtes cambrées de la nef.

– Frères, que la paix de Dieu soit avec vous.

Père et fils tracèrent un signe de croix sur leurs poitrines. Puis, dignement, ils se levèrent et laissèrent là leur ancien prisonnier, pour aller se fondre parmi l'assemblée des fidèles. En passant devant Aliénor, Henri pourtant releva la tête et lui offrit un de ses sourires de carnassier qui ne me trompa pas.

Quelques heures plus tard, ce fut dans la grande salle du palais de la Cité, au pied du trône sur lequel le roi de France siégeait aux côtés de la reine, qu'Henri vint s'agenouiller pour prêter serment d'allégeance à son suzerain. Au nom du pape, Bernard de Clairvaux leva sur l'heure l'excommunication qui pesait sur le père et le fils. Lorsque Louis posa une main amicale sur l'épaule d'Henri, je vis une lueur de cruauté passer dans les yeux de ce dernier. L'heure de la vengeance était proche. Un sentiment de soulagement m'envahit, tandis que je suivais le cortège royal vers la salle à manger.

Fin août, les événements se précipitèrent en Normandie. Eustache de Blois, vexé d'avoir été ainsi rejeté par la nouvelle alliance conclue par Bernard de Clairvaux, décida de lever les barons anglais et normands qui le suivaient contre ceux favorables à Henri et Geoffroi le Bel, tandis que ces derniers s'attardaient à Paris. Inutile de dire que les affrontements promettaient d'être extrêmement meurtriers. Avertis par un espion avant qu'Eustache ait pu mettre son plan à exécution, Geoffroi et Henri prirent la route pour le contrer.

Aux environs de Château-du-Loir, dans ce même lac où j'avais ébroué ma poussière de voyage et retrouvé Bastien l'année précédente, Geoffroi le Bel décida de se baigner. Depuis quelques jours déjà, il toussait à fendre l'âme, victime de l'humidité qui régnait dans Paris comme une vermine. Geoffroi avait pris froid. Cette baignade eut-elle pour but de soulager un excès de fièvre rendu plus pénible encore par la chaleur ? Toujours est-il qu'au sortir du bain il ne put remonter à cheval, tant il se sentit faible. Henri le fit porter aussitôt chez son vassal, et ce fut à ses soins attentifs qu'il l'abandonna, tandis qu'il s'empressait de regagner ses terres.

Le simple fait qu'Henri paraisse, le visage rouge de colère, suffit à ramener une paix qui avait failli être troublée et demeurait instable. Peu de temps après avoir rejoint sa mère, Henri apprit la mort de Geoffroi le Bel. La pneumonie l'avait emporté sans rémission. Un vertige le saisit : il était le maître désormais. Restait à attendre qu'Aliénor ait mis à exécution ses promesses. Dès lors, Louis ne serait plus qu'un pion à balayer d'un revers de manche.

Nous avions quitté Paris en même temps que le Plantagenêt. L'air y était devenu irrespirable. Les égouts répandaient des vapeurs ignobles jusque dans les appartements, et les jonchées de fleurs ne servaient qu'à aggraver le malaise au lieu de chasser cette pestilence. Mais ce n'était pas la première raison qui poussait Aliénor à retourner en Aquitaine.

Dès le lendemain du départ d'Henri, elle s'était hâtée vers le cabinet où son époux se trouvait en conversation avec Thierry Galeran. À son entrée, le vieil homme au visage de fouine s'effaça comme à son habitude. Ni l'un ni l'autre ne s'aimaient et ils s'évitaient au possible.

– Pardonnez-moi, Louis, de vous déranger ainsi, mais, cette nuit, un cauchemar affreux dans lequel j'ai cru voir un signe du destin m'a tiré d'un sommeil agité. Il me fallait vous en entretenir, gémit-elle d'une voix blanche qui retint l'attention du roi.

– Parlez sans crainte, ma reine.

– D'immenses flots de sang noir s'abattaient sur nous, tandis que des gnomes difformes sortaient de mon ventre gros pour se dresser, vengeurs et maléfiques. Je hurlai de terreur en invoquant Dieu pour nous protéger des démons. Mais la voix de Bernard de Clairvaux se dressa au-dessus de leurs rires malsains pour nous accuser : « Honte sur vous, mécréants qui avez consommé une union dont vous saviez qu'elle était interdite par l'Église ! La main de Dieu vous condamne au néant. Vos âmes iront brûler en enfer, quant aux enfants que vous aurez, ils ne seront plus que des gargouilles destructrices. » Voyez, Louis, j'en tremble encore.

Elle remonta une manche et laissa voir sur sa peau fine cette chair de poule que seule sa machiavélique invention créait. Louis détourna la tête ainsi qu'elle s'y attendait.

— Oubliez cela, Aliénor. Ce n'est que mauvais rêve sans importance.

— Je ne le crois pas, Louis. Vous souvenez-vous de notre conversation de l'autre nuit ? Nous avons évoqué ce châtiment du Seigneur de ne point nous avoir donné de fils. Notre parenté est réelle. Bernard de Clairvaux lui-même l'a condamnée, rappelez-vous.

Louis ne pouvait pas ne pas s'en souvenir. Suger lui avait parlé de cette lettre que le saint homme lui avait écrite. C'était au moment où Raoul de Vermandois tentait de faire annuler son mariage pour épouser Pernelle. Aliénor et Louis s'étaient faits complices en arguant du droit canonique. La réponse de Bernard avait fusé. Louis ferait mieux de se préoccuper de ses propres liens de parenté avec la reine plutôt que de s'inquiéter d'un fait pour lequel l'Église avait tranché et excommunié.

Non, il n'avait pas oublié. Suger s'était évertué, durant toutes ces années, à lui répéter que c'était une inquiétude sans fondement, que l'Aquitaine était un morceau de choix et que la paix du royaume dépendait de ses possessions. Aujourd'hui, il n'était plus sûr de rien. Suger n'était plus. Bernard continuait de brandir la menace, la reine était désespérément incapable de lui donner un héritier, et, pis, il ne la désirait même plus assez pour accomplir son simple devoir d'époux.

— M'entendez-vous, Louis ? insista Aliénor, qui l'avait prudemment laissé suivre le cours de ses pensées mais trouvait à présent le silence pesant.

— Je vous entends. Que souhaitez-vous ? Vous défaire d'un mari qui ne vous inspire que dégoût ? Ou véritablement racheter notre âme à tous deux ?

— Ce que je souhaite est bien plus que cela, Louis. C'est sauver la France.

Il eut un regard incrédule. Mais celui d'Aliénor était droit et franc.

— Que voulez-vous dire ?

— Notre mariage est un échec, et il est clair que rien de bon n'en naîtra plus. Nous le savons tous deux. S'obstiner contre la volonté du Seigneur, c'est mener à la ruine cette terre qui est nôtre. Désormais par cette vision j'en suis convaincue. Lors, que restera-t-il après nous d'un pays sans héritier au trône ? Voyez déjà comme votre frère

Robert brigue celui-ci et fomente des soulèvements. Si vous n'avez pas de fils, alors ce sera le chaos, car des hommes s'entre-tueront pour ce pouvoir, pour cette terre. Je ne veux pas cela, Louis. Vous ne le voulez pas non plus. Je ne suis pas une bonne épouse, et vous avez toutes les raisons de me répudier. Pourtant, si vous le faites, mes filles, vos filles, garderont leurs prétentions au trône elles aussi. Annulons ce mariage, rentrons en grâce avec Dieu, et remariez-vous avec une épouse qui saura vous donner l'enfant que je n'ai jamais porté. L'enfant du salut.

– Que deviendrez-vous ?

La voix s'était faite fine, comme celle d'un petit à qui l'on demande de devenir grand et de perdre le dernier de ses repères.

– Cela m'importe peu, répondit Aliénor en haussant les épaules. J'envisage pour un temps de rendre visite à cette pauvre Sibylle de Flandres au Paraclet où nous l'avons laissée en revenant de croisade. Mais je crois que Fontevrault conviendrait mieux à une retraite. Là, j'aurai tout loisir de racheter mon âme dans la prière pour ensuite aviser.

– Je vous imagine mal au couvent.

– Je préfère cela que vous faire souffrir encore.

Ce furent les larmes au coin de ses yeux qui décidèrent Louis, davantage que tout ce qu'Aliénor avait pu dire. Il y avait une éternité qu'il ne l'avait vue pleurer. Il se demanda même s'il en avait seulement eu l'occasion. Qu'elle se livrât à nu au terme de ces années de lutte et de discorde, de méfiance et de haine, suffit à le troubler. Il esquissa un geste léger sur sa pommette pour recueillir sur son doigt cette perle d'argent.

– Quinze ans. Il m'a fallu attendre quinze ans, murmura-t-il, pour vous trouver digne de ce trône que vous me rendez. Dès demain, nous partirons pour l'Aquitaine et j'ôterai les officiers français des places fortes. Cela fait, nous agirons dans le sens que vous souhaitez.

– Me pardonnerez-vous, Louis, le mal que je vous ai fait ?

– Un seul être eût pu le racheter si elle était encore de ce monde, gémit douloureusement le roi en pensant à Béatrice de Campan. Hélas, si je peux cesser de vous haïr, comme vous, davantage m'est impossible. Laissez-moi à présent. J'ai besoin d'être seul.

Aliénor se retira aussitôt, le cœur léger. Louis n'y avait vu que du feu. Elle eut un petit rire sec en grimpant l'escalier en toute hâte. Personne, jamais, ne lui ferait perdre sa jeunesse et sa beauté dans le gris d'un couvent ! Fallait-il que Louis soit sot pour croire un seul instant qu'elle ait cessé d'aimer ce pouvoir qu'il lui avait enlevé. Elle ouvrit en trombe les portes de sa chambre et héla joyeusement ses chambrières :

– Hâtez-vous, mes belles, dès demain, je retourne chez moi !

C'était à Poitiers, où nous avions été si heureuses, qu'Aliénor voulait achever les préparatifs de mes épousailles. Nous étions le 10 septembre. Dans moins de vingt jours, je serais la femme d'un homme que la raison avait choisi. Dans quelques mois, Aliénor cesserait d'être reine de France.

Elle et moi jouions ensemble à la balle dans le jardin avec les enfants de Pernelle et la petite Marie, lorsque le messager porta la triste nouvelle de la mort du comte d'Anjou. Ma première réaction fut de partir sur l'heure pour les funérailles, mais la reine m'en dissuada. M'y rendre ne servirait à rien, quand je pouvais d'ici dire toutes les prières que je souhaitais pour son repos éternel. Et puis, si je partais à présent, jamais je ne serais revenue pour la date du mariage. Elle avait raison. Mais peut-être était-ce cela que j'espérais au fond. Que quelque chose l'empêche. Quelque chose malgré moi, malgré tout. Geoffroi de Rancon vint me rendre visite à Poitiers. Il se montra prévenant au possible, me consulta à plusieurs reprises pour les derniers préparatifs, insista pour que j'arbore un superbe collier de diamants qui lui venait de sa grand-mère. J'obéis à tous ses caprices, sans rechigner et le sourire aux lèvres. Tout m'était égal. La cérémonie, la robe, les fleurs, les convives, la table, la bénédiction du pape. Tout. Et, plus les jours rapprochaient l'échéance, plus je me sentais vide et triste. Aliénor me réconforta de son mieux. M'assura même que c'était la mort de celui que j'avais pendant longtemps considéré comme un père qui me perturbait et ajoutait à ma tendance dépressive. Elle n'était que joie de vivre, quant à elle. Pour cause, la mort prématurée du duc agrandissait sa dot et son futur pouvoir !

Je m'occupais beaucoup de la petite Alix qui était insatiable de découvertes. L'enfant était fine comme son père, à l'inverse de Marie qui avait tiré d'Aliénor son teint hâlé et ses rondeurs.

Mais, chaque fois qu'Alix venait se blottir dans mes bras en pleurant pour une égratignure, un océan de larmes me montait aux yeux. Je ne pouvais m'empêcher de songer que ma fille aurait son âge et, comme Alix envers Aliénor, m'appellerait « mère ».

15

– A peur Alix, a peur ! bredouilla l'enfant en s'accrochant à mes jupons.

Depuis la veille, nous abritions au palais ducal un groupe de moines pèlerins qui s'en retournait de Compostelle vers le nord et avait demandé asile. Aliénor leur avait offert l'hospitalité avec chaleur et mis à leur disposition des chambres dans le gigantesque palais. Ce matin donc, après s'être rendus à l'office, ils prenaient le frais dans les jardins, devisant à voix basse, capuchons affaissés sur leurs épaules maigres. Pourtant, ce n'étaient pas ceux-là qui effrayaient l'enfant. C'était un autre à l'allure penchée et au visage généreusement ombré par sa capuche. Il se tenait à l'écart du groupe. Assis sur un banc contre un mur couvert de lierre, il paraissait vieux, ratatiné et misérable.

– A peur Alix, a peur ! répéta l'enfant en tentant désespérément de me tirer vers un autre endroit.

Elle avait, la veille, perdu là son petit collier d'ambre qu'Aliénor lui avait offert pour son anniversaire et tout naturellement m'avait demandé de l'aider à le chercher. La marraine que j'étais ne pouvait lui refuser quoi que ce soit. Mais voilà que je ne parvenais pas à détacher mon regard de cet être qui l'effrayait, clouée sur place par une sensation étrange. Je n'aurais su dire ce qui me retenait, peut-être de la pitié ; quoi qu'il en soit, au lieu de m'écarter, je l'enlevai du sol pour la blottir dans mes bras.

– Tu ne dois pas avoir peur, Alix, ce n'est qu'un vieillard fatigué. Viens !

D'un pas décidé, je me dirigeai vers la silhouette. Alors que j'étais à quelques mètres seulement de lui, la petite tête d'Alix blottie dans mon cou pour cacher ses yeux, une voix m'interpella. Je me retournai et vis un autre moine qui s'approchait de moi. Courtoisement, j'arrêtai donc mon pas pour l'attendre. Il avait le teint hâlé et un accent fort que je ne situai pas :

– Gente damoiselle, vous voici bien chargée.

– En effet, mon père, répondis-je aimablement.

– Est-ce votre enfant ?

– Celle de notre reine. Allons, Alix, montre ton museau, on ne va pas te manger.

– Veux pas ! A peur ! s'obstina la jouvencelle.

– Qu'est-ce donc qui t'effraie, jolie caille ?

– Votre compagnon sur ce banc, répondis-je à sa place. Aussi voulais-je l'entretenir un instant pour qu'Alix puisse se rendre à l'évidence qu'il n'avait rien d'inquiétant.

– Hélas, damoiselle, je crains que ce ne soit possible, répondit l'homme en souriant tristement. Notre ami est muet et, s'il garde ainsi sa capuche, c'est qu'un rictus disgracieux ajoute encore à son visage la laideur de son corps.

Une immense tristesse m'envahit à ses mots sans que je susse pourquoi.

– Vous feriez mieux d'éloigner l'enfant, continuait le moine en lui caressant les cheveux. Croyez-moi, il est des êtres pour lesquels même le regard de Dieu est une injure.

– Je ne crains pas l'infirmité. Il est des blessures bien plus profondes et douloureuses que la beauté et la jeunesse cachent adroitement.

– Je sais, mon enfant. Mais celle-ci est bien jeune encore pour le comprendre.

– Vous avez raison. Cependant, la charité n'a pas d'âge.

– En la montrant, vous blesseriez bien davantage l'homme fier qu'il n'a cessé d'être. Je vous en prie, laissez-le en paix.

– Comme il vous plaira, mon père.

J'obéis. Non sans jeter un dernier regard vers l'homme qui n'avait pas seulement fait un geste.

Je n'avais cessé de penser à cet incident, d'autant qu'à plusieurs reprises, il m'avait semblé apercevoir cette forme voûtée et claudicante près des endroits où j'errais. Aussi, lorsque Aliénor m'annonça le soir même que le groupe repartait dans la matinée suivante, je me sentis soulagée et triste à la fois. Cette nuit-là, Jaufré hanta mes rêves sans répit ; il se tenait là, debout, à quelques mètres de moi, et, lorsque je tendais la main vers lui, il n'y avait plus à sa place qu'un mantel vide.

Un jour brumeux me cueillit désespérée et épuisée d'avoir lutté en vain contre des ombres.

À la sortie de l'office, je regardai passer le groupe des moines pèlerins appuyés sur leurs bâtons, cherchant malgré moi celui qui m'intriguait.

– Attendez-vous Sa Majesté la reine ? s'inquiéta une voix typée dans mon dos.

Je me retournai pour me trouver face au moine avec lequel j'avais devisé la veille. Je hochai la tête, n'osant lui révéler que son compagnon éveillait en moi une curiosité malsaine.

– En ce cas, je crains qu'il ne vous faille patienter, car elle est en grande conversation avec monseigneur l'évêque. Toutefois, si vous acceptiez de faire quelques pas avec moi, j'en serais fort heureux.

– Vous ne pourriez me faire davantage d'honneur, mon père.

Nous avançâmes donc côte à côte, quittant l'allée caillouteuse qui ramenait vers le palais, pour glisser nos pas vers la rivière. Des nuages de libellules bleues et roses s'écartaient à mesure que nous approchions. Des filets de brume serpentaient encore à fleur de sol, mais le ciel s'était dégagé. La journée s'annonçait étouffante.

– Ainsi donc, vous nous quittez, mon père.

– Hélas, ma fille. Il est des lieux où il ne fait pas bon pour des âmes simples de séjourner trop longtemps, sans risquer d'oublier la rudesse de notre ordre.

– Je n'ai pas vu votre compagnon muet à l'office. Est-il souffrant ?

– Point non, il s'est simplement écarté de notre groupe hier, après l'office de vêpres. Sans doute estimait-il que nos chemins s'arrêtaient là. Que ressentez-vous pour lui, mon enfant ?

Cette question me cloua sur place. Mon interlocuteur me fixait avec une pointe de malice et de tendresse dont je ne parvenais pas à saisir la nuance exacte.

– Ne soyez pas gênée. L'infirmité des hommes provoque souvent maintes réactions. Il m'intéresserait de connaître la vôtre, reprit-il.

– Je ne suis pas gênée, mentis-je. En fait, je ne sais pas vraiment ce que j'éprouve à son contact.

– Avez-vous pitié de lui ?

– Non !

J'avais crié sans m'en rendre compte. Les oiseaux se turent brusquement.

– Non, ce n'est pas cela, repris-je d'une voix plus douce.

Je ne comprenais pas ce qui m'arrivait. Peut-être cette difformité me rappelait-elle la mienne, cette monstrueuse déchirure qui disloquait mon âme et mon cœur, peut-être avais-je envie de me rapprocher de gens dont la douleur ressemblait à la mienne par le rejet que j'avais des autres et du monde.

Soudain, sans que je puisse rien contrôler, des sanglots convulsifs m'ébranlèrent, tandis que je bredouillais désespérément, entre deux hoquets :

– Oh, mon père, si vous saviez !

– Racontez-moi, dit-il simplement en m'entraînant par le bras au bord de la rivière, sous un aulne qui pliait ses branches jusqu'à frôler l'onde.

Je m'assis sur une pierre plate, tentant de faire taire ces sanglots ridicules. Lorsqu'il me tendit un mouchoir en souriant, je mesurai à quel point je devais sembler désemparée. Je frottai mes yeux et mouchai mon nez comme une enfant.

– Pardonnez-moi, mon père. Je ne sais ce qui m'a pris.

– Voyez-vous, mon enfant, il n'est de pire péché que celui de mensonge, dit-il paternellement en s'asseyant à mes côtés.

– Appelez-vous mensonge le fait que je pleure à vos côtés quand je devrais rire ?

– Seul votre cœur connaît la réponse à cette question, mon enfant.

– Je ne sais même pas votre nom.

– Il ne vous dirait rien. Mais Dieu a mis entre mes mains le bonheur de pouvoir réconforter ceux qui souffrent. Épanchez-vous sans crainte.

Je pris une profonde inspiration, puis lâchai d'un trait :

– Je vais épouser un homme que je n'aime pas pour en oublier un autre que j'ai perdu. Voilà toute mon histoire. N'est-elle pas triste, mon père ?

– Si celui que vous avez perdu vivait encore, l'entendis-je murmurer d'une voix douce, l'épouseriez-vous ?

– Sans hésiter et de tout mon cœur ! criai-je dans un nouveau sanglot.

– Même s'il était tordu, boiteux et muet ? continua-t-il en souriant. Je le regardai sans comprendre, mais une chose était certaine en moi, qui franchit mes lèvres sans hésiter :

– Je n'ai que faire de l'apparence, c'est son âme que j'aimais ! Et elle était plus belle et pure que toutes les beautés de ce monde. Sans lui je ne suis rien, je n'existe plus. Je survis, comprenez-vous ? Je ne parviens pas à oublier. Je deviens folle. Aidez-moi, aidez-moi...

Il me regardait me vider de mes larmes, de ces larmes de boue que le temps ne drainait pas. Il me regardait et il souriait avec tendresse. Alors, il m'ouvrit ses bras et je m'y réfugiai, perdue et inutile, comme tant de fois depuis que Jaufré m'avait quittée.

Lorsque mon orage apaisa ses roulements, sa voix paternelle chuchota dans mon oreille :

– Si vous êtes Loanna de Grimwald, aussi vraie que vos larmes et votre douleur, alors je détiens pour vous la paix de Dieu.

Il me repoussa et sortit de sa besace un parchemin roulé. Je le fixai sans comprendre.

– À mon tour de vous raconter une triste histoire, ma fille. Celle d'un homme que je croisai par hasard en Sicile. Jamais de ma vie je n'avais vu plus grande souffrance que celle de cet être brisé. Il ne parlait pas, mais je pus le comprendre par le langage des signes que j'avais appris dans ma jeunesse. Le comprendre et l'aimer comme un frère, tant sa quête était grande. Voyez-vous, mon enfant, j'ai toujours pensé que l'amour que l'on portait à Dieu était de loin plus sublime et pur que celui que l'on voue aux élans terrestres. Grâce à cet homme, je compris que je me trompais. Car, comme moi qui n'avais d'autre raison de vivre que l'amour de Dieu, lui n'avait que l'amour d'une femme. J'étais triste pour lui, car je l'avoue, je n'ai toujours eu que peu de considération pour les femmes qui souvent sont vénales, futiles et bien peu fidèles. Lorsqu'il me demanda de se joindre à nous, j'acceptai. Tout comme nous acceptâmes de faire halte ici, à Poitiers, lorsqu'il apprit qu'elle s'y trouvait. Tenez, mon enfant. Il ne tient qu'à vous désormais de me réconcilier avec la gent féminine.

Je tremblais en saisissant le parchemin. J'avais bu ses paroles en retenant mon souffle, en refusant de croire ce qu'il insinuait. Je fis sauter le cachet de cire :

« À Loanna de Grimwald,
« Ma vie,
« Mon âme,

« Ma déchirure,

« Si ces lignes te viennent aux yeux, alors c'est qu'en toute conscience ton cœur est toujours mien, car je refuse de croire que mon nouvel ami m'aura trahi au point de livrer mon secret à une étrangère. Ces lignes, je les ai écrites cent fois et cent fois détruites, pourtant, combien il m'est difficile aujourd'hui de te demander pardon !

« Mort, je le suis depuis si longtemps que j'en oublie même avoir été vivant un jour. Mort, je le suis de n'être plus rien. Celui que tu as aperçu hier dans ces jardins, qui pleurait sous sa capuche de te voir si belle et triste, est si différent, si cruellement différent, que je n'ose croire encore que tu aies eu envie de t'approcher de lui. Alors que la légende du troubadour tombé dans les bras d'une princesse s'envolait jusqu'à toi, alors même qu'on bénissait mes funérailles, une femme, une autre, s'acharnait dans le plus grand secret à me rendre la vie. Contre tous. Elle m'a tiré du néant comme une seconde mère avec patience et amour.

« Mais, lorsque j'eus pris conscience du déchet que j'étais devenu, je n'ai pas eu le courage de t'imposer le carcan de mon infirmité. J'ai voulu t'oublier, Loanna, comme j'étais certain que tu m'avais oublié, comme il aurait fallu que cela soit. Mais je n'ai pu. Dans quelques semaines, tu seras mariée et qu'ai-je à t'offrir au regard de cet autre ? Rien, rien. Plus même ma terre, puisque je suis mort.

« Je ne viens pas te demander de sacrifier ta vie. Je ne te mérite plus. Mais ce que dame nature n'a pas voulu, par pitié et par amour achève-le. Bannis-moi, Loanna, détruis-moi. Mon reflet m'est trop difficile au regard de ta beauté. Je dois mourir vraiment pour que tu puisses vivre. Mais, sans ce mot de toi qui me condamne, je ne puis en finir. Délivre-nous. Je t'en supplie.

« Jaufré. »

Je pleurais toujours, mais ce n'étaient plus les mêmes larmes. Jaufré était vivant. Il m'avait fallu voir la signature pour en être vraiment sûre. Je n'étais pas folle, je ne l'avais jamais été. Ce n'était pas mon intuition qui m'avait trahie, mais moi qui avais trahi mon intuition.

– Où est-il ?

Le moine secoua la tête.

– Je l'ignore, mon enfant. Il m'a simplement demandé de vous remettre ce message si j'estimais que vous étiez digne de sa confiance.

– Il est vivant, mon père. Je refuse de le perdre une seconde fois, comprenez-vous ? Peu m'importe qu'il n'ait plus rien à m'offrir. Je ne souhaite rien d'autre que son amour.

– Il m'a simplement dit en partant : « Il n'y a qu'un seul endroit où je sois vraiment chez moi. » Ai-je bien compris ? Il est difficile de lire le langage des signes.

Mais déjà je savais. Je savais où le trouver. Je me levai d'un bond et souris à ce visage rond et amical. La flamme qui passa dans ses yeux soudain me fit prendre conscience d'une autre réalité. Je les scrutais pour m'en assurer, puis, d'une voix raffermie par le bonheur, demandai :

– Je ne connais toujours pas votre nom, mon père.

Alors, il eut un sourire qui acheva de me convaincre.

– Cherche dans ton cœur, mon enfant.

Je me penchai doucement vers lui et posai un baiser léger sur sa peau douce.

– Merci… Merlin.

Il y eut un petit rire comme un son de clochettes venu du pays des fées. Et une myriade de papillons multicolores entoura les branches de l'aulne.

– Va.

Alors, je courus. Lorsque, arrivée en haut de la butte pour reprendre le chemin, je me retournai, il n'y avait plus que la pierre, l'arbre et l'eau, et tout autour de l'endroit des milliers d'étoiles qui scintillaient encore d'amour et de lumière.

– Je ne peux vous épouser, Geoffroi. Jaufré est vivant !

Geoffroi de Rancon me regardait, hébété. Je l'avais trouvé devant les écuries en m'y précipitant. Il m'y attendait. J'avais oublié que nous avions prévu de faire une promenade à cheval le long de la rivière. J'avais tout oublié, jusqu'à mon mariage. Jusqu'à ma vie pendant ces deux longues années. Ma vie sans Jaufré. J'avais les cheveux en bataille et les joues en feu d'avoir couru. Je devais ressembler à une démente et je m'en rendis bien compte lorsque, reprenant ses esprits, il me demanda avec prudence :

– Que vous arrive-t-il, Loanna ? Ne seriez-vous point victime d'une insolation par ce grand soleil ? Vous paraissez brûlante de fièvre.

Je pris soudain conscience que j'allais lui briser le cœur. Je fis donc taire mon impatience et ma fougue. Et puis ce n'était pas l'endroit idéal pour une conversation de cet ordre, d'autant plus que ma mine désordonnée attirait sur nous les regards.

– Prenons nos montures, Geoffroi. Et pardonnez mon inconduite.

Il eut le tact que je lui connaissais et appréciais de n'en pas exiger davantage. Quelques minutes plus tard, nous chevauchions côte à côte sur les bords du Clain et j'essayais de rassembler mes idées. Le simple fait de savoir que Jaufré vivait et qu'il me fallait raisonnablement régler ces détails avant de le rejoindre et de lui crier mon amour me mettait aux enfers. J'aurais tant voulu qu'il ne s'échappât point. Qu'il ne doutât pas de mes sentiments. Lorsque mes pensées, bondissant au rythme du trot soutenu de ma monture, trouvèrent un cheminement logique, alors je mis pied à terre.

Geoffroi m'imita. Il devait sentir que quelque chose se préparait, car il m'avait jeté de brefs coups d'œil inquiets tout au long de cette promenade silencieuse et n'avait pas cherché à brusquer le dialogue.

Un pré s'ouvrait devant nous, surplombé d'un moulin. On entendait, mêlé au roucoulement de la rivière, le crissement de la meule qui broyait le blé. Parfois, un halo de poussière de farine s'envolait par une des fenêtres. La campagne sentait bon. Comme je me sentais légère, moi-même !

Geoffroi noua ses doigts autour des miens. Je le laissai faire. Lorsque je m'assis dans l'herbe tendre, il fit de même, sans me lâcher. Il était mon ami. Il comprendrait.

– Durant tous ces mois, Geoffroi, vous avez œuvré pour moi, vous m'avez donné plus qu'aucun homme ne l'avait jamais fait, commençai-je, et je jure devant Dieu que j'étais prête sinon à vous aimer, du moins à vous rendre autant qu'il m'était possible votre tendresse et votre générosité. Or, ce que je viens d'apprendre m'a bouleversée au point que je ne peux vous épouser sans vous trahir, sans me trahir et sans trahir l'homme que je n'ai cessé d'aimer. Jaufré de Blaye est vivant. Il a vécu durant toutes ces années un cauchemar qui lui avait fait renoncer à répandre la nouvelle. Mais aujourd'hui il est revenu de Tripoli, et, malgré toute mon affection pour vous, c'est à lui que j'appartiens corps et âme. C'est à lui que je suis promise.

La main de Geoffroi serrait mes doigts à les broyer. Lorsque je me tus, je vis que son visage s'était crispé et qu'il prenait sur lui pour ne pas rugir. Il souffrait. Je m'en voulus amèrement. Mais il était trop tard, ou trop tôt.

— Je voudrais croire pour vous que tout cela est vrai, Loanna. Mais c'est bien trop fou pour n'être pas l'invention de gens œuvrant à votre perte. Avez-vous seulement songé que ce ne pouvait être que mensonge et piège ? demanda-t-il d'une voix qu'il tentait de garder posée et sereine — elle tremblait pourtant.

— Sans doute, mon ami, aurais-je eu méfiance si cette nouvelle m'avait été rapportée par un autre. Mais à celui-ci aussi je confierais ma vie.

Je sortis de mon corsage la lettre que j'y avais placée et la lui tendis en ajoutant :

— Quant à cette écriture, je la connais trop bien pour juger qu'elle est authentique et non l'œuvre d'un faussaire.

Il lut sans s'arrêter. Puis, d'une voix étranglée par une émotion qu'il ne cherchait plus à dissimuler :

— Est-ce bien ainsi ce que vous voulez ? Vivre avec un infirme ? Lui-même sait qu'il ne vous mérite plus.

— Par cette seule phrase, il mérite bien plus encore que mon amour. Geoffroi, à vous seul je peux me dévoiler sans mentir. Vous saviez quels étaient mes tourments, je ne vous ai rien caché. Vous l'avez accepté malgré ce que je vous imposais. Comprenez que je ne m'appartiens plus désormais.

— Je sais.

Il tourna vers moi ses grands yeux noirs. Ils étaient blessés et cela me fit mal.

— Pardonnez-moi, Loanna. Je devrais me réjouir de votre bonheur, je n'en ai pas la force. Ce que j'aurais accepté il y a quelques mois si vous m'aviez rejeté m'est difficile à quelques jours seulement de notre mariage. Je ne suis plus seul à attendre cette union. Mes enfants, ma famille et jusqu'à mes gens l'espèrent autant que moi, tant vous avez conquis tous ceux que vous avez approchés. Pourtant, je ne saurais vous contraindre. Jaufré mort était un obstacle à votre amour, mais non à votre tendresse et votre dévouement. Lui revenu, entre mes mains vous vous laisseriez mourir de ne pouvoir le rejoindre. Je resterai fidèle au serment de vous protéger quoi qu'il advienne. Je ne vous en veux pas. Je vous aime, Loanna de Grimwald. Mais ne revenez jamais à Taillebourg. Jamais, entendez-vous ?

Je hochai la tête, la gorge nouée. Je savais ce qu'il lui en coûtait de me rendre ma liberté. Ce qu'il lui faudrait affronter de risée et de remarques désobligeantes.

– Bien plus que lui, c'est vous que je ne méritais pas, Geoffroi.

– Puissiez-vous ne jamais regretter ce que vous venez de détruire, gémit-il. C'est tout ce que je vous souhaite.

Il avait gardé ma main dans la sienne. Ce fut moi qui la dégageai la première pour détacher de mon cou le collier d'or et de diamants, pour ôter de mon annulaire la bague d'émeraude qu'il y avait glissée. Il eut un sourire amer lorsque je les lui tendis.

– À jamais, Geoffroi, je vous serai reconnaissante pour ce que vous venez de m'offrir. À jamais, désormais, bien mieux que par l'anneau du mariage, je suis vôtre.

– Cela aussi, je le sais.

Il eut un sourire triste de nouveau. Alors, doucement, je caressai cette joue râpeuse et ferme, et pour tout adieu, posai mes lèvres sur les siennes. Il ne broncha pas. Pas davantage lorsque je me levai, pas plus lorsque, d'un geste décidé et irrévocable, je talonnai ma jument en direction de Poitiers.

Aliénor eut la même réaction. Elle me regardait, hébétée, tandis que je lui criais mon bonheur. Puis elle laissa tomber d'une voix rancunière :

– Libre à toi de t'aliéner à un infirme, mais je ne vois vraiment pas quel bonheur tu y trouveras !

– Aliénor ! m'indignai-je. Jaufré est vivant, m'est rendu et c'est tout ce que tu as à dire ?

– Il n'est pas convenable que ma première dame de compagnie rompe ses engagements à quelques jours de son mariage. Que vont penser ceux d'Aquitaine ? Ceux de Taillebourg ? Tu te moques bien que j'aie sur les bras une révolte, alors que je suis censée renforcer les liens entre les miens avant de me défaire d'un roi !

Ainsi donc c'était cela ! Après tout ce que j'avais fait dans l'ombre pour elle. Un goût d'amertume me vint aux lèvres. Je lui en voulus, autant parce qu'elle se moquait de mon bonheur que parce qu'elle avait raison. Était-il raisonnable si près du but de provoquer un scandale ? Je tirais les ficelles de son devenir depuis si longtemps ! Mais je ne perdrais pas Jaufré une seconde fois.

« Un jour viendra, avait-il dit il y a fort longtemps, où tu devras choisir, entre ton amour pour elle et celui que tu me portes. »

Ce jour était venu. Le destin d'Aliénor s'était ébranlé, il n'avait désormais plus besoin de mon aide pour s'accomplir. J'avais rempli ma mission. Je n'avais plus de comptes à rendre qu'à moi-même.

Alors, de toute la force de mon ventre écartelé par l'habitude d'une soumission aliénante, je lâchai d'un trait :

– Il est trop tard, ma reine. J'ai rendu son engagement à Geoffroi de Rancon et il l'a accepté. Je pars rejoindre Jaufré. Plus rien n'arrêtera ma course. Libre à toi de me bannir avec lui si tu le juges bon pour tes affaires. Je me passerai d'escorte s'il le faut, je me passerai de biens, je me passerai de tout. Tu m'as dit un jour que Jaufré était laid et que tu ne comprenais pas que je me sois attachée à lui. Vois-tu, cette laideur je la trouve belle. Parce que, sans lui à mes côtés, plus rien ne vaut d'être regardé et aimé. Je regrette que tu ne puisses comprendre.

Il y eut un silence lourd, chargé de reproches et de rancœur. Puis elle poussa un petit soupir résigné et reprit d'une voix radoucie :

– Tu vois, finalement, je n'ai pas changé, Loanna. Je suis toujours jalouse de lui. C'est toi qui as raison. Sa mort m'a peinée pour toi, c'est vrai, mais au fond elle me soulageait car tu m'appartenais tout entière. Te savoir mariée à Geoffroi de Rancon m'importait peu, puisque tu ne l'aimais pas. Je crois bien que je ne comprendrai jamais ce qui t'attire en Jaufré Rudel. Hormis sa voix. Il est des mystères qui me dépassent. Tu en es un. Mais tu sais bien que je ne supporterais pas de te perdre. Prends les hommes que tu veux pour t'escorter. Je m'arrangerai des miens. Mais ne me laisse pas. Pas encore.

– Je reviendrai, je te le promets.

– La dernière fois que tu m'as dit cela, tu partais aussi pour Blaye, t'en souviens-tu ? Ce jour-là, j'ai su qu'il avait gagné. Sois heureuse. Je t'aime.

– Je t'aime aussi, ma reine.

Nous nous précipitâmes dans les bras l'une de l'autre avec une tendresse infinie. Quinze ans auparavant, elle était entrée dans une fureur folle. La petite fille était devenue une grande dame. Aliénor avait mûri. Elle était toujours emportée et têtue, mais elle avait acquis cette véritable noblesse qui rendait juste son jugement. Mère avait raison : l'Angleterre aurait une grande reine.

L'aube pointait à peine, lorsque, escortée d'une vingtaine de cavaliers, je m'élançai à bride abattue vers Blaye. À Angoulême, il nous fallut changer de montures, mais cela n'arrêta pas mon élan. C'était comme si chaque foulée écrasait la douleur de ces deux dernières années. Sexte sonnait lorsque nous arrivâmes en vue des remparts de la ville haute.

Je consignai mon escorte à Saint-Martin-Lacaussade sur la voie romaine, au pied de l'hôpital, et c'est d'un trot sûr et le cœur palpitant que je m'avançai vers la cité.

Des étals colorés s'étalaient le long du cours du Saugeron, jusqu'à l'embouchure. Les senteurs de ce milieu septembre ranimèrent mes souvenirs. Quinze ans ! Et tout était comme hier. Après avoir franchi le pont qui enjambait la rivière, je montai jusqu'à la ville haute. Il était un promontoire rocheux au bord de la falaise où je savais que je le trouverais. Cet endroit où une fois déjà il m'avait attendu, alors que, depuis le castel, j'écoutais en pleurant les sanglots de sa cithare, sans avoir la force de le rejoindre. Il lui suffirait d'un geste pour se laisser glisser sur les rochers en contrebas. Cette pensée m'obséda soudain. Et s'il était trop tard déjà ? S'il n'avait pas eu le courage d'attendre ? S'il avait osé se supprimer, ainsi qu'il l'avait écrit ? Non, non !

J'abandonnai ma monture au pied d'un gros chêne. Des bosquets de genévriers me cachaient la bordure. Ils n'existaient pas la dernière fois que j'étais venue. Peut-être m'étais-je trompée d'endroit ? Peut-être n'était-il pas là ? Le souffle me manqua. J'écartai les branches en tremblant. Il me tournait le dos, les pieds ballant dans le vide. Son crâne luisait sous le soleil, comme une pêche marbrée de traînées brunes. Quelques fins cheveux s'y accrochaient encore. Mon pas crissa sur l'herbe sèche. Il tourna la tête, et mon cœur se serra. Comme il avait changé ! J'aurais pu faire demi-tour, m'enfuir, oublier ce visage émacié, creusé par la souffrance, déformé par ce rictus qui étirait sa lèvre gauche. Tourner le dos à cette image et le condamner. Son regard attendait que je le fasse. Qu'il puisse sauter et se perdre. Mourir et oublier enfin. Au lieu de cela, mue par un élan de tendresse immense, éperdue, je me jetai à genoux à ses côtés.

– Mon amour, mon tendre amour, murmurai-je, les larmes aux yeux, en caressant la cicatrice qui faisait une bosse violacée sur sa tempe droite.

Des larmes roulèrent sur ses joues. Il ouvrit la bouche pour parler mais aucun son ne franchit ses lèvres. C'était sans importance. Il y avait ses yeux, grands comme l'estuaire. Aussi gris et trempés que l'océan. Alors je parlai pour lui, parce qu'il n'osait pas me toucher, il n'osait pas y croire. Je parlai en pleurant, mes larmes dans les siennes, en ponctuant mes mots de baisers sur son visage que je n'avais jamais autant aimé qu'à cet instant.

– Je t'aime, je t'aime, je t'aime, répétai-je pour marteler ses doutes. Rien n'est différent, Jaufré, rien, je suis toujours tienne. Et le serai toujours. Je vais t'emmener dans ce pays de nulle part où tout est possible. Je te rendrai ta voix, je te rendrai tes rêves, je te rendrai ma vie si tu la veux encore. Je ne peux pas vivre sans toi, je n'ai pas su, je ne peux plus, je ne veux plus. Je me moque des conséquences, je me moque de tes cicatrices. Épouse-moi. Plus qu'hier, je veux être ta femme. À jamais. À jamais !

Alors, ses lèvres s'ouvrirent et se fondirent aux miennes. Elles avaient un goût de marée et de miel. L'herbe sèche gémit en ployant sous mon corps, qu'il renversa. Il y avait comme autrefois un parfum de lys qui flottait dans l'air. Nous roulâmes l'un sur l'autre jusqu'à l'ombre d'un bosquet. Et là, avec des gestes si doux que j'en eus le souffle coupé, il me déshabilla jusqu'à me mettre à nu. Mon corps sevré de caresses depuis si longtemps se gorgea de sa lumière, et, lorsqu'il me prit, ce furent des milliers d'étoiles qui éclatèrent dans mon ventre, nous perdant l'un et l'autre dans un même univers de bonheur.

Ensuite, il me fallut affronter la réalité et sa souffrance. Jaufré n'était plus le même, mais j'étais prête à accepter son nouveau visage, à m'y habituer, moi qui n'avais d'autre terre que lui. Il n'avait pas besoin de parler pour que je comprenne. Cheminer dans ses pensées m'était facile, ce que j'y découvris le fut moins. S'il était fou de joie de m'avoir retrouvée, il supportait mal que j'accepte ce qu'il était devenu, pire, que je le plaigne ou aie pitié de lui. Il ne pouvait se faire à l'idée que j'appartienne à un autre et pourtant refusait que je sois à lui, tant il se sentait diminué. Et tout ce que j'aurais pu dire n'y aurait rien changé. Alors, les mots que j'avais prononcés sans qu'ils soient prémédités prirent tout leur sens. On me les avait soufflés. Qui ? Merlin ? Mère ? Ceux qui me répétaient que le plus grand des pouvoirs était l'amour ? Quel serait le Dieu qui accomplirait ce miracle ? Celui des chrétiens, ou celui des druides ? Peu m'importait. Une chose, une seule, était importante et claire. Je devais conduire Jaufré à Brocéliande.

Il me regarda interloqué lorsque je lui annonçai que nous partirions sur l'heure. Pourtant, il hocha la tête. Il était anéanti. Il m'aurait suivie n'importe où. Fait n'importe quoi. Et cela, en revanche, je ne pouvais l'admettre. Si j'étais prête à donner tout de mon cœur et de mon âme à un homme qui vaincrait son handicap en l'assumant, je refusais de m'aliéner à une poupée de chiffon résignée. Je possédais en moi plus d'amour qu'il n'en fallait pour retrouver Jaufré Rudel au-delà de son apparence.

L'escorte d'Aliénor nous accompagna sans poser de question. Jaufré avait caché sa triste mine sous sa bure de pèlerin. Le voyage fut long et pénible. Jaufré ne pouvait rester que peu de temps en selle. L'on dut faire étape de nombreuses fois dans divers hospices. De sorte que septembre 1151 touchait à sa fin lorsque les premières frondaisons de la forêt de mon enfance furent en vue. À plusieurs reprises, j'avais dû écarter de nous des malandrins et des voleurs à l'aide de divers sortilèges. J'étais épuisée. Jamais, de toute mon existence, je n'avais autant fait appel à la magie. J'allais vers mon destin en toute confiance. J'avais rempli ma mission envers l'Angleterre ; aujourd'hui, je venais réclamer mon dû et tout me disait qu'il m'attendait

À l'orée de Brocéliande sommeillait le petit castel qui dominait le village. Un intendant le gérait depuis si longtemps qu'on en avait oublié presque qu'il nous appartenait. Je me présentai à lui, qui ne m'avait pas revue depuis quinze ans, insistant sur le fait que je devais me rendre dans la forêt seule et qu'il veuille bien héberger mon escorte jusqu'à mon retour. Il ne fit aucun commentaire, habitué par mère à ne pas poser de question.

La nuit passa sur nos rêves, sans que je pusse dormir ni détacher mon regard de Jaufré qu'une chandelle vacillante éclairait de côté. Il sommeillait comme un enfant, un sourire simiesque aux lèvres, au creux de mon épaule. Ce dernier tronçon de route l'avait anéanti. Comme il était loin, cet intrépide troubadour qui parcourait les contrées pour chanter quelques vers et recueillir les éloges. Comme étaient loin son regard pétillant de malice et d'humour, sa verve tour à tour vive, tendre, mutine ou moqueuse. Comme il avait changé en ces deux années ! Et comme je l'aimais pourtant, malgré cette injure qu'il se faisait à lui-même de s'avilir et de se soumettre.

– Demain ! Demain, murmurai-je. Demain je donnerai ma vie s'il le faut pour sauver ton âme.

Remontant le drap sur son épaule décharnée, je calai ma tête contre la sienne et fermai les yeux sur son malheur pour me griser de son parfum de lys retrouvé.

Nous partîmes à l'aube, alors que tous dormaient encore dans la maisonnée.

Ce fut sans surprise que je regardai s'ouvrir devant nos pas ce sentier au milieu des bruyères et des chênes. Aussitôt passés, la forêt se referma sur nous. Nous étions quelque part au pays des fées. Au pays des rois. Au pays des druides et de nulle part. Nous étions chez moi.

Ma main enserra celle de Jaufré et le guida comme un enfant sur ce chemin pavé de pierres blanches. Des nuées de papillons ouvraient notre marche et j'entendais bruire au creux de leurs ailes le petit rire des elfes. Jaufré semblait émerveillé. Ses grands yeux blessés cherchaient à tout voir, à tout comprendre. Même la lumière qui descendait ses rayons au travers des frondaisons des chênes était irréelle. J'étais bien. Bientôt, j'entendis les premiers murmures de la source. Nous n'étions plus loin. Tournant un rocher que je reconnus aussitôt, elle fut devant moi, telle que je l'avais quittée, jaillissant de la pierre de quartz pour s'épandre dans le bassin que l'érosion avait creusé. À droite, au bout du sentier, se tenait l'autel de roc et son cercle de pierres dressées. Droit vers le ciel. Droit vers l'espoir. Merlin était là. Je le sentais partout, dans l'aura même des plantes qui rayonnaient. Je lâchai la main de Jaufré, qui demeura là, ballant, humant l'air, conscient qu'il vivait un moment unique et merveilleux.

Comme maintes fois alors que je faisais mon apprentissage, j'allai m'agenouiller devant le dolmen, paumes ouvertes vers les nues. Entre mes bras, une lune grosse comme un ballon se dessinait dans l'azur sans nuage.

— Père, murmurai-je. Me voici humble et sereine devant votre bonté. Entendez le souffle qui m'étreint, voyez ma peine, comme ma joie. Et tout ce qu'il me reste à apprendre.

Il y eut comme un bruissement de dentelle et de soie. Jaufré l'avait perçu lui aussi. D'un même regard, notre attention se porta sur la surface du bassin. Des milliers d'étoiles se mirent à scintiller, à tourbillonner jusqu'à façonner une image. Elle était semblable à mon souvenir. Drapé de sa robe d'eau qui s'écoulait de lui en de multiples cascades, le visage de Merlin émergea dans sa transparence et sa sage beauté. Jaufré tomba à genoux et joignit les mains. Cela me fut presque désagréable, mais en moi une voix chuchota : « Tous les dieux n'en sont qu'un. » Alors, d'un pas sûr, je vins m'agenouiller à ses côtés.

— Père, il vous suffit de nous voir pour connaître ma demande. Vous l'avez conduit jusqu'à moi et ce jourd'hui je le conduis à vous, car sa quête est si pure qu'elle mérite mon amour et celui de la terre tout entière.

— Je n'ai pas de pouvoir, Loanna de Grimwald. Seul l'amour en possède. Seul l'amour est magie.

— Pourtant, je ne peux rien pour soigner ses blessures, quand vous pouvez tout.

— En es-tu sûre ?

Je frémis d'inquiétude. J'avais attendu qu'il lève les bras et que brusquement Jaufré redevienne celui d'avant. Où voulait-il en venir ? Mais la voix cristalline reprit :

— Comte Jaufré de Blaye, vous avez franchi les limites du monde des humains et êtes aujourd'hui dans un autre qui n'appartient ni à la mort ni à la vie, mais au temps. Un espace de vérité où vous êtes seul en face de vous-même. Rares sont les initiés admis en ce lieu. Pourtant je vous y accueille tel un fils. Êtes-vous prêt à sacrifier ce qui vous est le plus précieux pour l'amour de cette femme ? Êtes-vous prêt à nous rejoindre en vous unissant à elle ? Êtes-vous prêt à recevoir et à transmettre l'enseignement des druides en garantissant le plus grand secret de ce savoir ? Êtes-vous prêt enfin à renaître, en oubliant celui que vous étiez, sans pour autant en être un autre ?

Je comprenais soudain que ce n'était pas un dû. Merlin ne m'offrait rien. Il assurait une descendance. Il avait choisi son héritier. Une rage sourde m'envahit. J'eus envie de partir et d'emmener Jaufré, mais, comme s'il lisait dans mes pensées, ce dernier tourna vers moi son visage de tourment, et son regard se fit doux et confiant comme une caresse. Ma colère fondit sous sa chaleur. Je crus bon de murmurer :

— Rien ne t'enchaîne, Jaufré. Je t'aimerai quel que tu sois. Peu m'importe ton apparence. Tu es libre de ton choix.

Alors, doucement, il prit ma main dans la sienne et la porta à ses lèvres. Puis, tournant son visage vers Merlin, il hocha du menton en signe d'assentiment.

Mon cœur battait à me faire mal. J'oscillais entre le bonheur, la crainte et la colère.

— Je sais ce que tu ressens, Loanna, chuchota la voix de Merlin. Mais rien ne peut s'obtenir sans sacrifice. Une vie pour une vie. Aurais-tu oublié ? Je n'ai pas de pouvoir. Es-tu prête à accepter ce qu'il te donne ? Es-tu prête toi aussi à renoncer à ce que tu es ? Sache que, si tu te donnes à cet homme, tu ne seras plus qu'une femme. Intuitive et gardienne du don de double vue et de prédiction, mais plus jamais tu ne pourras faire appel à moi, ou à ce berceau dont tu t'es nourrie. Ici s'achève ta lignée.

— Mon choix est fait, père — je resserrai entre mes doigts ceux, noueux, de Jaufré —, c'est à lui que j'appartiens.

Il me sembla que Merlin souriait entre les fils de sa barbe d'eau. Sa voix forte s'éleva dans le silence, comme si la source elle-même avait suspendu son filet :

– Ce jour est jour de Samain. Tu sais ce que cela signifie. Tout ce qui sera engendré cette nuit sera enfant de la nuit, appelé à régner sur les ténèbres entre bien et mal, entre tourment et miséricorde. Pourtant, cela sera avec justice. Acceptes-tu cela, Loanna de Grimwald ?

– Oui, père.

– L'acceptes-tu aussi, Jaufré de Blaye ?

Jaufré hocha la tête résolument.

– À dater de ce jour, vous êtes le positif et le négatif. La laideur et la beauté, la lumière et l'ombre, mais l'univers repose sur cet équilibre. Or donc je t'offre ce présent pour célébrer vos noces, Loanna de Grimwald.

Les longs bras de Merlin se dressèrent aux cieux et de gros nuages noirs se ramassèrent entre eux, dans un azur qui n'avait cessé d'être limpide.

– Que les portes du temps soient pour ces deux âmes l'anneau d'alliance entre hier et demain, entre le monde des fées et celui des humains. Que jamais, les siècles passant, ils ne se perdent et que leur amour toujours les fasse se retrouver au-delà de leurs apparences, sans qu'à aucun moment, ils aient souvenir de ce qu'ils ont été et des serments antérieurs. Qu'enfin ce même amour qui ce jourd'hui les unit devant leurs pères les conduise à œuvrer pour le bien des peuples dans la justice, la liberté et l'amour.

Il y eut un grondement de tonnerre, et, l'espace d'un instant, j'eus l'impression que le ciel allait se déchirer telle une feuille de parchemin. Mais il n'en fut rien. Autour de nous, des étoiles scintillaient au point de nous obliger à baisser les yeux. La clairière n'était qu'or et nébuleuse.

– Je n'ai pas de pouvoir, seul l'amour est magie ! entendis-je encore.

Alors, soudain, je compris.

– Viens, murmurai-je à Jaufré en me redressant et en l'aidant à faire de même.

Baignés de cette lumière qui nous plongeait dans les méandres de l'infini, je le conduisis au pied du dolmen qui, seul, se détachait à présent sans nous éblouir. Là, je l'attirai à moi.

– Pour l'éternité je suis tienne, Jaufré. Je t'aime.

Alors, nous nous allongeâmes sur la pierre plate. Je le reçus avec le sentiment que c'était l'univers tout entier qui s'ouvrait avec mon ventre. Et, lorsqu'il cria en me délivrant sa semence, je compris que notre offrande était acceptée.

Ce qui ne m'avait semblé que quelques heures dans le monde des fées avait été dans celui des humains près de deux semaines. Lorsque nous ressortîmes de la forêt, je savais porter en mon sein l'enfant de Jaufré. Merlin avait dit vrai. Jaufré ne boitait plus et son visage avait repris sa finesse. La vilaine cicatrice à sa tempe avait disparu, emportant la trace de ses tourments. Pourtant, le troubadour était définitivement mort à Tripoli. Jaufré n'avait recouvré qu'une voix rauque et grave, qui n'avait plus aucune mesure avec celle qui m'avait bouleversée tant de fois aux larmes. Il était le même, et il était différent. J'ignorais s'il prenait la mesure, à cet instant, du sacrifice auquel il avait consenti. Perdre sa voix, c'était un peu perdre son âme. Il m'assura que c'était un bien petit malheur en comparaison de ce qu'on venait de lui rendre. J'étais trop heureuse pour vouloir en douter, mais quelque chose en moi me susurrait que ce ne serait pas aussi simple. En me redressant sur le dolmen, j'avais instinctivement porté la main à mon cou. Ma pierre de lune n'y était plus. Je pensai un instant qu'elle avait pu se détacher pendant nos ébats, mais aussitôt je chassai cette idée. Elle m'avait été remise par Merlin comme le symbole de ma connaissance, de mon appartenance aux prêtresses d'Avalon. En renonçant à tout cela, je l'avais renvoyée dans ce monde dont je ne faisais désormais plus partie. Étrangement, je m'aperçus que j'en étais soulagée. Comme si l'on avait dénoué de mon col quelque chose qui m'avait étranglée de longues années. Libre ! Enfin, j'étais libre !

16

Aliénor me reçut avec chaleur, enlaçant mes épaules de ses bras affectueux.

– Te voici rayonnante, s'écria-t-elle, au point que je ne peux croire que tu n'aies point renoncé à ce stupide projet qui t'a éloignée de moi !

– J'avais promis de revenir, ma reine. Me voici, répliquai-je simplement en lui rendant son baiser.

Elle n'était pas seule. Plusieurs de ses dames étaient occupées à jouer aux dés dans la vaste salle du palais ducal. Aliénor n'avait pas seulement pris ses quartiers à Poitiers, elle y avait recréé en quelques mois la cour de son enfance, celle de Guillaume le troubadour. De tous les coins du palais se répondaient harpes et cithares, mandores et flûtes, au milieu des jongleurs et des acrobates. Vautrés sur des coussins multicolores, les vassaux d'Aliénor se divertissaient pour oublier que les premières gelées avaient frémi sous leurs fenêtres. Personne ne s'étonnait de l'absence de Louis, qui réglait, disait-on, diverses affaires de part et d'autre dans le royaume. Il flottait sur Poitiers un souffle de béatitude. Aliénor y préparait sa retraite. Et sa reconversion. Un homme s'avança vers nous, et cela suffit à ramener vers moi les regards curieux. Geoffroi de Rancon avait rendu publique l'annulation de notre mariage et l'on s'attendait sans doute qu'il manifestât à mon encontre quelque mauvaise humeur. Je m'inclinai devant lui. Je ne craignais pas son courroux. D'ailleurs, lorsque je me relevai, ce fut avec un sourire qu'il ponctua ces mots :

– Je voulais être le premier à saluer votre retour, dame Loanna.

– Après votre reine, Geoffroi, le gronda gentiment Aliénor.

– Il n'est rien, Majesté, pour quoi je ne sois votre vassal, s'excusa-t-il.

– Je suis heureuse de vous revoir, messire Geoffroi.

– La duchesse d'Aquitaine que je suis avant tout est ravie, croyez-le, que vous conserviez, au-delà de toute raison, une certaine civilité, mes bons, ajouta Aliénor en haussant la voix pour qu'elle atteigne chacun.

– Je n'ai pour ma part rien à reprocher à dame Loanna, si ce n'est peut-être une fidélité d'âme qui est à mon sens une vertu dont beaucoup se devraient parer.

– Combien je vous envie, mon ami, d'être capable d'autant de lucidité et de générosité, gloussa Aliénor. Allons sortons, le bruit voile nos mots et je serais aise d'avoir avec vous deux une discussion hors les oreilles indiscrètes. Tu es partie si soudainement, Loanna, que j'ai grand besoin de t'entretenir.

Se glissant avec autorité entre nous, Aliénor nous entraîna dans son sillage. Quelques minutes plus tard, dans son cabinet, nous étions seuls autour d'une liqueur de prunelle et quelques oublies.

Je n'avais aucune raison de leur cacher la vérité, du moins pour ce qui était avouable. J'attendis donc que Geoffroi de Rancon m'ait exposé les arguments qu'il avait donnés à l'annulation de notre mariage pour leur présenter les faits.

– Je ne souhaitais pas que l'on rît de moi, de vous, de nous et de ma famille. Je ne voulais pas non plus que paraisse bafouée l'autorité de la reine et du roi qui nous avaient accordé leur bénédiction.

– Sire Geoffroi m'est venu trouver après ton départ, renchérit Aliénor. Il désirait que le mariage fût annulé pour cause de consanguinité. Amusant, n'est-ce pas ?

Je souris à cette allusion à sa propre situation, mais la laissai poursuivre.

– Certains prélats, à qui j'ai accordé pour ce faire un don des plus généreux, ont certifié que leurs recherches, poussées dans ce domaine sur la demande expresse du seigneur de Taillebourg, les avaient amenés à cette triste conclusion.

– De sorte que ma famille a vu en cette prévoyance un signe du Seigneur sans laquelle notre union aurait été droit au désastre. Il valait mieux que cela soit découvert avant le mariage qu'ensuite.

– Je n'ose croire, Geoffroi, que vous ayez eu soin de préserver ma réputation à ce prix.

– J'ai été déçu et blessé, certes, mais je ne renie rien de ce qui m'a conduit à me rapprocher de vous.

– Geoffroi m'a tout raconté, ajouta la reine, y compris ce que tu n'avais confié qu'à lui, ainsi que sa promesse de ne jamais forcer ta couche, attitude chevaleresque s'il en est. Cela m'a aidée à mieux comprendre ta décision. L'un et l'autre avons agi au mieux, au nom de l'amour. Et Dieu sait si nous t'aimons !

Des larmes me vinrent aux yeux. J'étais arrivée là, le cœur serré malgré mon bonheur, ne sachant comment je serais reçue après cette volte-face, et voilà qu'on m'ouvrait les bras. Pour la première fois de ma vie, tout se mettait en œuvre pour laisser s'accomplir le destin que j'avais choisi.

– À présent, raconte-nous. Notre cher troubadour est-il aussi vivant qu'on te l'a laissé croire ?

– C'est une fort longue histoire, ma reine. J'ai retrouvé Jaufré de Blaye, mais, hélas, celui qui faisait frémir les cœurs les plus secs par sa voix merveilleuse est mort à Tripoli.

Ils eurent l'un et l'autre un regard d'incompréhension. Je crus bon de poursuivre :

– Jaufré a été victime là-bas d'une maladie étrange qui l'a d'abord fait croire défunt. Et, par Dieu, si son hôtesse, Hodierne de Tripoli, n'avait été amoureuse de lui, on l'aurait enterré vivant. Elle l'a caché au regard de tous, veillé, soigné jusqu'à ce qu'il reprît conscience et force. Ensuite, elle le laissa repartir vers moi. On prétend que la beauté cache souvent la vilenie. Longtemps, moi-même je l'ai pensé. Je sais aujourd'hui que c'est faux. Il n'est de plus belle femme au monde que celle-ci, mais son âme et son cœur sont plus nobles encore que son allure. Elle l'a protégé et chéri mieux que je ne l'aurais fait. De sorte que le handicap de Jaufré n'était rien qu'un leurre destiné à jauger mes véritables sentiments. Jaufré est tel que je l'avais laissé en Sicile, amaigri, chauve, mais sans traces physiques d'une quelconque malformation. Non, sa seule infirmité réside en cette voix qu'il a perdue. Il n'est pas muet, mais c'est tout comme, car à jamais le troubadour a disparu. Pourtant, cela m'importe peu. Il est, et je l'aime.

– Quelle étrange histoire ! Que comptes-tu faire ? demanda Aliénor attendrie.

– L'épouser. Donner un père à l'enfant que j'ai perdu et à celui que je porte.

Aliénor étouffa un cri, tandis que je glissais avec tendresse une main sur mon ventre. Je vis le regard de Geoffroi se troubler, mais il ne dit rien.

– Comment peux-tu, déjà…

– Je le sais, je le sens, cela suffit. J'ai besoin simplement de votre bénédiction à tous deux.

– Il faut auparavant rendre à Jaufré ses terres de Blaye et annoncer la nouvelle.

– Point, ma reine. Jaufré ne survivrait pas aux quolibets qui ne cesseraient sans doute pas de suivre ses pas. Non plus qu'aux regards de pitié et aux doigts tendus des pères vers les fils qui martèleraient des : « Vois, c'était un grand troubadour avant ! » Non ! Il mourrait plus assurément de cette blessure-là que de toute autre, tant lui était précieux ce don qu'il n'a plus. Laissons la légende grandir. Elle portera son nom et son infortune sur une belle partition dont il pourra être. Redevenir seigneur de Blaye sur sa terre lui suffit. Il a tant à lui donner pour que grandissent nos enfants.

– Ne rien dire ! Comment cela se pourrait-il ?

– Rien n'est plus simple, Aliénor. L'épreuve qu'il a traversée l'a rendu plus rude, en le vieillissant d'apparence. Personne ne reconnaîtra, malgré la ressemblance, le troubadour perdu, puisque sa voix elle-même le dément. Son frère Gérard qui s'était embarqué à Aigues-Mortes pour la croisade a été porté disparu en mer, tu me l'as appris toi-même lorsqu'il fut question de léguer le comté de Blaye. Changeons Jaufré en Gérard, avec la complicité de son cousin et suzerain. Rien n'est plus facile. Il suffira de prétendre quelque captivité en Terre sainte, comme c'est encore le cas pour bon nombre des nôtres, captivité dont il se sera finalement échappé. Dès lors qu'il revient au pays, la reine de France peut lui donner la terre de Blaye qu'il revendique au titre de sa parenté avec le défunt. Jaufré le troubadour devient simplement Gérard II Rudel. Il y a si longtemps que Gérard n'a été vu à Blaye. Qui se souciera là-bas de mettre en doute sa descendance, ou son nom ?

– Voilà qui n'est point sot, acquiesça Aliénor.

– Et ferait notre bonheur, ajoutai-je en détournant le regard de celui de Geoffroi dans lequel je venais de lire une profonde tristesse.

– Une fois encore, soupira-t-il, je vais devoir porter le poids d'un lourd secret. De sorte que, quoi que je fasse, Loanna de Grimwald, votre vie reste attachée à la mienne depuis que vous avez mis pied en Aquitaine. Mais jamais je ne vous trahirai. Ni vous, ni lui, ni ma duchesse, quelle que soit sa bannière.

— Geoffroi de Rancon, annonça gravement Aliénor en posant une main sur son épaule, croyez que, s'il en est un en Aquitaine à qui je confierais ma vie, ce serait vous. Désormais, vous ne me quittez plus. Vous occuperez en mes nom et absence les fonctions les plus hautes sur mes terres. Il ne sera pas dit que ma reconnaissance sera perdue. Quant à toi, Loanna de Grimwald, fais mander ton amant. Qu'il vienne prêter allégeance à sa duchesse en échange de ses terres, afin qu'il revienne à Blaye en maître.

Je les quittai le cœur léger. Dans une auberge aux abords du palais, Jaufré m'attendait avec impatience. Quand je lui appris la nouvelle, il m'enlaça éperdument, mais je ne sus dire si c'était de reconnaissance, d'amour ou de souffrance.

— Je suis tienne, amour, murmurai-je comme un serment. À jamais. À jamais, Jaufré !

— N'aie crainte. Je vais bien, répondit-il calmement.

Mais cela suffit pour me conforter dans l'idée du contraire.

Lorsqu'il plia genoux devant sa reine, mon cœur cessa de battre. Pourtant Aliénor ne chercha pas à railler. Elle s'avança simplement, et le relevant aux épaules, lui sourit franchement et posa sur ses joues creuses un baiser d'amie.

— Jaufré le rude, Jaufré miracle, Jaufré patience, Jaufré amour, puisque notre Dieu tout-puissant a levé sur toi le doigt de Sa miséricorde, c'est donc que tu es digne, plus que n'importe lequel d'entre nous, de notre respect et de notre amitié. Jaufré Gérard Rudel, je te fais Gérard II comte de Blaye, par le sang qui est tien. À une condition toutefois.

Je levai un œil inquiet, mais la reine souriait.

— Je t'ordonne de prendre épouse dès ce printemps. Mieux, c'est celle-ci que je te choisis.

Saisissant ma main, elle la noua à celle de Jaufré.

— Qu'il en soit fait selon votre désir, ma reine, crissa la voix métallique de Jaufré.

Aliénor ne put s'empêcher de tiquer en l'entendant, mais elle ne laissa rien paraître qui pût passer pour de la pitié.

— Dès ce tantôt, la nouvelle sera rendue publique. Vous prendrez possession de la ville de Blaye demain. Ce bref vous ouvrira les portes.

Il saisit le rouleau de parchemin d'une main ferme. Je sentais à quel point il lui était difficile d'accepter qu'on lui donne ce qui lui appartenait déjà. Mais rien ne le trahit. Jaufré méritait désormais son surnom de Rudel. Ces années de méditation et de souffrance l'avaient rendu endurci, assombri. Il s'était fermé, lui qui n'était que lumière et chaleur. Était-ce bien cet homme que j'aimais ? La réponse fusa à l'intérieur de moi. Oui. Oui. Oui. Je saurais attendre et comprendre, je saurais panser ses blessures, je saurais lui rendre son sourire. Je saurais faire en sorte qu'il redevienne entier. Le temps œuvrerait à ma cause. Nous étions l'un pour l'autre, l'un à l'autre. Je portai la main à mon ventre. Notre enfant me tenait chaud. Du coup, les doigts de Jaufré entrelacés aux miens me parurent moins glacés.

L'hiver se passa en voyages. À Noël 1151, nous étions à Limoges, où Louis nous rejoignit, l'œil sombre. Il eut un long entretien avec la reine. Partout dans les couloirs les bruits les plus divers couraient, entretenant sans équivoque l'idée d'une séparation toute proche. De ce moment, nos pérégrinations se divisèrent en deux escortes. Ceux du Sud suivaient la reine, et ceux du Nord, Louis, drapé dans une dignité austère qui me laissait supposer qu'il se sentait désormais irrémédiablement seul et malheureux. À la Chandeleur, nous étions à Saint-Jean-d'Angély. Ce fut là véritablement que les choses se précipitèrent. Louis avait convoqué un concile pour mars 1152. Désormais, c'était chose publique. Ce fut dans la petite ville que Louis annonça haut et fort son intention de se séparer de la reine.

Aliénor n'apprécia pas que soit clamé ainsi ce qui avait été décidé dans la discrétion. Non qu'elle se fût inquiétée de sa réputation. Il y avait eu bien pire à son encontre. Mais elle sentit brusquement peser sur elle les regards de convoitise des féaux qui jusque-là se seraient bien gardés de faire offense à leur roi. Prendre Aliénor de force et l'épouser revenait dès lors à prendre l'Aquitaine. Et nous n'étions pas sans savoir ce que cette dot représentait.

– Va, me dit la reine. Préviens Henri de ce qui se trame dans l'ombre. Je crains que ma route ne soit semée d'embûches pour le rejoindre. Qu'il se tienne prêt à y faire face. Mieux ! Qu'il me trace un itinéraire sûr où je saurai pouvoir le trouver en cas de danger.

Ainsi fut fait. Munie d'une solide escorte, l'heure suivante n'avait pas encore tourné que je fonçais à bride abattue vers Angers. Mon ventre gros de cinq mois aurait dû m'interdire toute chevauchée, mais je n'en avais cure. Je savais que cette fois je ne perdrais pas mon enfant. Si je n'avais plus de pouvoirs véritables, mon intuition, elle, était toujours aussi vive. L'angoisse d'Aliénor était fondée. J'avais laissé Jaufré retourner à Blaye, mais nous nous écrivions souvent. Il achevait de remettre de l'ordre dans ses affaires, mal menées durant ces deux dernières années. Il avait rendu visite à son suzerain et cousin, fort de l'ordonnance de sa reine, et celui-ci avait approuvé la décision qui avait été prise. Il valait bien mieux au regard de Dieu comme des hommes que celui qui était enterré à Tripoli ne reparaisse pas au sein des vivants. Ensuite, Jaufré se rendit à Lusignan où, une fois encore il ne put dissimuler la vérité. Son vieil ami Uc lui ouvrit les bras en pleurant, jurant sur son âme de garder un secret qui rendait un sourire à sa triste mémoire. Dès lors, Jaufré retrouva son allant. Et sa place. À présent, les difficultés qui m'avaient semblé si lourdes s'estompaient. Dans ses lettres renaissait cet humour que j'aimais tant. Mieux, il préparait notre mariage, fixé pour la fin mai. J'aurais mis notre enfant au monde avant, mais c'était sans importance. Plus rien n'en avait désormais. Et, tandis que je franchissais le pont-levis qui permettait l'accès à la petite cité de mon enfance, je songeais que c'était là, en songe, entre les murailles de cette tour où j'avais grandi, que j'avais vu s'ouvrir devant moi le premier regard gris de Jaufré.

J'en repartis trois jours plus tard après avoir mis sur pied avec Henri et dame Mathilde un plan qui nous avait paru des plus intrépide.

Lorsque je rejoignis Aliénor, la cour royale était à Beaugency dans l'attente du concile provoqué par le roi. Le 21 mars, les grands feudataires du royaume et les archevêques de Reims, de Bordeaux, de Sens et de Rouen rejoignirent cette docte assemblée de juges. La parentèle de Louis VII porta au concile de nombreuses accusations d'adultère à l'encontre d'Aliénor. Elle les accepta sans broncher, sachant que Louis resterait fidèle à leurs accords. En effet, il démontra que cela n'entraînerait qu'un divorce et non la nullité du mariage. La question fut donc tranchée : Louis et Aliénor étaient parents au troisième degré canonique. L'un et l'autre étaient issus de Guillaume Tête d'Étoupe, Aliénor par les hommes et Louis par les femmes, au terme de six générations. Aliénor était libre. Enfin !

Le soir même, encapuchonnées dans de larges mantels sombres et juchées sur des chevaux aux harnais discrets, nous nous glissions par une porte dérobée pour retrouver l'escorte composée de Geoffroi de Rancon, Bertrand de Moreuil, et bien d'autres alliés. Nous souhaitions mettre le plus vite possible Aliénor à l'abri des convoitises. En forçant l'allure, nous pouvions atteindre Poitiers en deux jours.

Geoffroi de Rancon avait été furieux de constater que je faisais partie de l'expédition. Ce n'était pas la place d'une femme enceinte, avait-il argué. En outre, je risquais de les retarder dans leur fuite, si besoin se faisait sentir de parer un danger. Mais je m'étais entêtée. Cette dernière ligne droite, je l'avais méritée. Je voulais être celle qui mènerait Aliénor à Henri.

L'herbe était douce comme un tapis de velours. Des églantiers tout proches répandaient une odeur sucrée que convoitait en un bourdonnement incessant une nuée d'abeilles. Il faisait bon. Nous nous étions assises par terre, et nos montures broutaient avec délice, tandis que leurs flancs ruisselaient de sueur. Nous avions galopé sans répit depuis Tours, puis, mue par un de ces instincts qui ne me trompaient pas, j'avais averti Aliénor d'un danger proche. Nous étions à quelques lieues de Port-de-Piles où nous devions franchir la Creuse. Geoffroi de Rancon s'était sans hésitation rangé à mon avis. Il s'agissait d'un endroit idéal pour une embuscade. Aliénor, quant à elle, restait sceptique. Nul à part elle-même et notre équipage ne connaissait notre itinéraire. J'insistai pourtant et, comme chaque fois, elle me fit confiance. Geoffroi partit en éclaireur avec deux de ses hommes, nous laissant à l'orée d'un bois bordé de champs. Plus loin, la route étirait son mantel avec, piquée à chaque carrefour, une croix de pierre ornée sur son socle de fleurs printanières. Ce repos me fit du bien. L'enfant bougeait sans cesse depuis le début du mois, en un ballet incessant qui me ravissait et m'attendrissait. J'avais conscience que cette course n'était pas faite pour aider à tenir une grossesse aussi avancée, mais, si Aliénor tombait entre d'autres mains que celles d'Henri, je ne me le pardonnerais pas. Sans compter que celui-ci risquait fort d'être moins docile envers ce rival là qu'il ne l'avait été envers son roi. Quoi qu'il en soit, étendue sur le dos, les deux bras repliés sous ma nuque, je suivais avec bonheur la course des nuages, laissant mon imagination créer des formes et des personnages dans l'azur. Aliénor, elle, ne tenait pas en place. Elle ne cessait de se redresser au moindre bruit, grimpait sur une pierre pour guetter les mouvements sur le chemin, s'étirait, s'allongeait à mes côtés.

— Calme-toi donc, la grondai-je enfin, les yeux mi-clos. Tu te fatigues inutilement.

— Et si tu avais raison ? Si eux-mêmes étaient tombés dans un piège, s'ils ne revenaient pas ?

– Geoffroi est bien assez malin pour ne rien risquer de ce genre, ma douce. À gesticuler ainsi, tu vas finir par attirer l'attention de quelque voyageur, qui, te prenant pour une paysanne avenante, viendra te conter fleurette.

Elle soupira bruyamment.

– Tu as raison. Mais tout cela m'agace. Vois à quoi j'en suis réduite, moi qui, hier encore, étais respectée par tous : à me cacher telle une maraude qui craindrait la potence.

– Songe plutôt qu'avant longtemps Louis s'étranglera de colère en apprenant ton remariage. À ce propos, ne crois-tu pas qu'il serait bienséant qu'Henri aille lui demander ta main ? la taquinai-je.

– Qu'il aille au diable ! Lui et son royaume de clerc ! Il apprendra la nouvelle en même temps que les autres ! Et tant mieux s'il s'en courrouce !

– Je croyais que tu ne lui en voulais plus ?

– Je ne lui en veux plus. Mais j'ai fini de courber l'échine devant un roi !

Un long silence s'installa entre nous. Les gardes postés en guet autour de l'endroit s'amollissaient sous l'ombre du chêne. Sans que je la cherche vraiment, la voix perdue de Jaufré se mit à chanter dans mes oreilles. Mon cœur se serra lorsque se substituèrent à elle ces accents rauques chargés de « je t'aime » dont Jaufré m'avait abreuvé avant de regagner Blaye. Ce fut à mon tour de soupirer, si tristement qu'Aliénor tourna vers moi son beau front où dansait une mèche d'or échappée du peigne.

– À quoi songes-tu ?

– À Jaufré, répondis-je d'une voix émue. Il me manque.

– Bientôt. Bientôt, toi et moi serons auprès de ceux que nous aimons.

Je la regardai et lui souris avec tendresse.

– Aimes-tu Henri, Aliénor ?

Ses yeux pétillèrent de malice. Elle éclata d'un rire frais comme une cascade :

– Si je l'aime ? Oui. Oui, je l'aime. Mais ne me demande pas pourquoi. Pas davantage que je ne pourrais te dire comment il se fait que chaque troubadour qui passe me rappelle Bernard de Ventadour, et me crie son absence. Ne trouves-tu pas étranges ces caprices du cœur ? Peut-on adorer deux êtres aussi opposés d'un amour différent et pourtant si fort ?

— On le peut, oui. J'en suis sûre.

En disant cela, je pensais à ces sentiments qui m'avaient écartelée tant de fois envers elle comme envers Jaufré, sans parler de Denys dont le souvenir ne s'éteignait pas. Je faillis demander à Aliénor quelle place je tenais désormais en son cœur, mais je connaissais déjà la réponse. Elle n'avait plus besoin de moi. Je pouvais partir sans crainte. Je la laisserais entre ses deux amours. Bernard de Ventadour veillerait à ses côtés aux moments difficiles. Il y en aurait inévitablement. Son époux et elle étaient d'un même feu, d'une même fougue, d'une même énergie. Ils s'affronteraient autant qu'ils s'aimeraient. Mais grand serait leur destin. C'était écrit. Mon rôle s'achevait là. J'avais choisi. Et Jaufré avait besoin de moi.

Un bruit de sabots interrompit le cours de mes pensées.

— C'est messire Geoffroi, annonça un guetteur sur une des branches du chêne.

Il était seul et mit pied à terre aussitôt.

Aliénor se précipita.

— Vous aviez raison, Loanna. Pas moins de quarante soldats se tiennent en embuscade au pont. Impossible de passer sans avoir à découdre et, par Dieu, si nous nous étions engagés sur cette voie, à l'heure qu'il est, duchesse, vous seriez ligotée et contrainte.

— Où sont nos hommes ?

— Ils veillent aux mouvements de ces fourbes et nous rejoindront en un point convenu, car il va de soi qu'il nous faut passer ailleurs.

— Avez-vous pu voir qui nous réservait pareil accueil ? demandai-je, curieuse.

— Parbleu, damoiselle, et c'est là toute la raison de ma prudence. Il ne s'agit pas moins que de Geoffroi d'Anjou !

— Geoffroi ? Mais il n'a que seize ans !

— Qui est ce freluquet ? s'inquiéta Aliénor, agacée.

— Le propre frère d'Henri. Je m'étonnais aussi de le voir traîner autour de nous lorsque Henri traça notre parcours à Angers. Personne ne prêtait attention à lui, cela lui a fait la part belle ! Il est vrai qu'Henri ne lui laisse qu'une part infime de l'héritage paternel. Ce bougre n'est point sot. Il aura vite compris qu'annexer l'Aquitaine, c'était à la fois agrandir ses terres et se venger de son frère. Te voilà un ami de plus, Aliénor. Et pour le reste, Geoffroi, vous avez raison. Si nous lui échappons ici, il aura d'autres ruses, car il est mieux informé que quiconque.

– Je ne peux croire qu'Henri ignore ce complot, grommela Aliénor, et tenterais bien l'aventure, pour juger de son amour.

– Je vous conseille de n'en rien faire. Il est inutile de risquer un affrontement qui attirerait sur nous des regards. La nouvelle se répandrait vite et Louis ne manquerait pas d'être informé de l'intérêt qu'on vous porte. N'oubliez pas qu'il peut placer sur votre route quelqu'un qui lui serait fidèle et ramènerait en France·ce que vous voulez passer à l'Angleterre.

Quelques minutes plus tard, nous reprenions la route, en évitant soigneusement les endroits où Geoffroi d'Anjou avait posté des guetteurs. Il nous fallut traverser la Vienne à gué, en aval du confluent, non sans peine, car à plusieurs reprises, effrayés par l'eau qui leur arrivait au licol, les chevaux furent pris de panique et se cabrèrent. Un des seigneurs fut même projeté à l'eau, soulevant un éclat de rire général, mais nul n'aurait pu dire s'il était dû au seul comique de la situation ou bien à la tension nerveuse.

Sitôt l'autre rive atteinte, nous nous activâmes à brûler les étapes, sans tenir compte de la fatigue qui commençait à tirailler mon ventre. Lorsque les murailles de Poitiers apparurent enfin, un soupir de soulagement nous échappa. Nous étions sauvées.

Les fêtes pascales ne seraient pas comme les autres en cet an 1152.

Aliénor était redevenue duchesse d'Aquitaine, et toutes ses terres et possessions lui avaient été rendues avec ce titre. Marie et Alix, arrivées avec leurs nourrices bien avant nous et par des chemins plus tranquilles, jouaient paisiblement dans les jardins et s'inquiétaient peu de la suractivité qui régnait au palais. Car tout, jusqu'au moindre détail des épousailles, était tenu secret et seuls quelques initiés savaient qu'Aliénor ne réglait pas entre ces murs que de simples affaires.

À peine s'étonna-t-on lorsque parut aux portes de la ville la large silhouette d'Henri Plantagenêt. D'ailleurs, d'autres seigneurs lui firent suite. Et, tout naturellement, on pensa que la duchesse s'apprêtait à mettre de l'ordre sur ses domaines et à renouer les alliances avec ses vassaux ou ses voisins.

Ce n'en fut que plus savoureux.

Lorsque Jaufré franchit à son tour les portes de la ville, mon cœur se serra. Il avait rencontré en route quelques comparses troubadours qui ne l'avaient pas reconnu et chantaient à pleine voix. Il les avait quittés fort jeunes, avant la croisade, alors qu'ils étaient encore ses disciples, à lui et à Panperd'hu. Panperd'hu dont j'étais sans nouvelles. Il avait disparu peu de temps après avoir appris mon intention d'épouser Geoffroi de Rancon, promettant de revenir pour assister à ce mariage. Mais il me manquait. Combien il aurait été heureux de revoir Jaufré à mes côtés !

Le chemin des troubadours jusqu'au palais fut jalonné d'enfants et de badauds qui leur faisaient une escorte joyeuse. Derrière eux, Jaufré se tenait raide et fier sur son cheval, le regard fixé sur ces diables chantants, claquant des tapes affectueuses sur les fesses de quelques filles frivoles. Je les accueillis en plaisantant et les dirigeai vers les cuisines où un repas leur était toujours réservé selon les coutumes de la maison. Puis, retenant un élan de tendresse déplacé en ce lieu, je m'avançai vers Jaufré, qui se forçait à sourire. Il me tardait de me trouver seule avec lui.

– Viens, murmurai-je en l'entraînant.

Il me suivit sans résistance. Lorsque la porte de ma chambre se referma sur nous, je nouai passionnément mes bras autour de son cou. Alors, il m'enlaça avec force, m'arrachant un souffle de surprise tant je m'attendais peu à cette vigueur, après l'apathie qui avait été sienne dans les corridors. Mais Jaufré le rude s'était déjà repris.

– Pardon, ma douce. J'aurais voulu venir plus tôt, mais j'avais grand-peine à m'extraire de tout ce qu'il me faut accomplir pour rendre à mes gens ce qu'on leur a pris pendant mon absence. De lourds impôts ont été levés par l'intendant en vue de constituer une défense par l'achat d'armes et de mercenaires. J'ignore ce qu'il comptait faire véritablement de cette somme, mais il devra s'en expliquer devant Aliénor et Uc, car je doute que ce fût sur leur demande. Quant au reste, il me faudrait bien plus d'une journée pour te faire l'inventaire, quand je n'ai qu'un désir, celui de te retrouver plus belle et désirable que jamais.

– Oh, Jaufré ! Je t'aime tant !

Nos lèvres se joignirent avec violence. Mais, dans cette violence même, je reconnus celle qu'il cachait, faite de souffrance, de rancœur et de tristesse à l'encontre de tout ce qu'il avait perdu avec sa voix. Il me prit à même le froid de la muraille, debout contre elle, mon ventre tendu dans ses mains qu'écorchaient les pierres.

Ensuite seulement, le visage dans mes cheveux, il se mit à pleurer doucement. Je le berçai sans mot dire, le cœur chaviré, car je savais combien ce fardeau serait lourd encore jusqu'à ce qu'enfin s'anéantissent les souvenirs, dans l'amour constant et la reconnaissance que je lui offrirais au quotidien.

En étant son épouse et, tout à la fois, sa mère, sa sœur et sa maîtresse.

Plus tard, lorsqu'il redressa la tête et me fit faire volte-face, il fouilla mon regard avec hantise, mais il n'y lut que ma patience et ma passion. Cela le rassura. Il sourit à son tour et murmura dans mon oreille :

– Te voilà bien, mon aimée, avec deux enfançons à porter.

– J'ai la patience d'une mère. Et bien assez d'amour pour que ce ne soit un fardeau.

– Alors, je suis le plus heureux des hommes. Sais-tu ce qui a rythmé ma route depuis Angoulême ? L'histoire d'un troubadour qui s'en fut en terre lointaine pour rejoindre sa bien-aimée et mourut dans ses bras à peine débarqué. Je suis en train de devenir une belle légende. Quelle ironie !

– Quelle chance aussi ! Songe que, sans cela, tu serais peut-être tombé dans l'oubli trop tôt. Aucun de leurs chants ne me fera oublier les tiens, Jaufré. Mais ils me manquent bien moins que tu ne m'as manqué ces derniers jours. D'autres les chantent, et cette légende accentue leur fierté à ne pas les laisser mourir. Entends-les. Comme pour cet enfant que j'attends, il est un temps où l'on doit léguer aux autres le meilleur de ce qu'on a été. Ne pleure pas sur toi-même, Jaufré le tendre, Jaufré le rude, ta musique est plus vivante encore qu'hier, et il ne tient qu'à toi de retrouver l'émotion vraie qu'elle procure. Tu ne peux chanter, Jaufré, mais tes doigts n'ont rien perdu. N'est-ce pas toi qui disais qu'il était du corps d'une femme comme d'un instrument ? Seul l'amour savait le faire vibrer. L'amour de la musique es ·ujours en toi. Ne l'éteins pas.

Il poussa un profond soupir et m'écarta délicatement.

— N'en parlons plus, veux-tu ? Tu es belle. Infiniment belle. Et je t'aime, ajouta-t-il en caressant mon ventre.

— Moi aussi je t'aime, Jaufré.

— Alors, accompagne-moi aux cuisines. Je meurs de faim.

— Le temps de remettre un peu d'ordre dans ma toilette.

Quelques minutes plus tard, je lui faisais servir une tranche de rôti épaisse de trois doigts et des haricots fumants dans lesquels baignaient des morceaux de lard. Il régnait dans la cuisine un vent de bonne humeur, car les troubadours ne pouvaient s'empêcher d'enchaîner plaisanteries et ragots, couplets et coquineries. L'un d'entre eux avait même assis sur ses genoux une servante dodue comme une oie, dont les tresses brunes dansaient au rythme des soubresauts d'un pied qui battait la mesure.

— Damoiselle de Grimwald, lança le plus âgé, un dénommé Bernard Marti qui avait maintes fois accompagné Panperd'hu, venez-vous nous faire remontrance de tout ce bruit ?

— Point, mon ami, point. Riez, jouez, divertissez-nous autant que vous le voudrez, mais prenez garde de ne point trop alourdir vos estomacs avant de vous présenter devant votre duchesse, sans quoi, ma foi, vous gargouillerez bien davantage que vos instruments !

Un rire accueillit ma tirade. Je saisis un pichet de vin et en servis une rasade à Jaufré, qui n'avait pas même souri et mangeait à un coin de table sans seulement lever les yeux sur eux.

L'un d'eux s'en étonna et crut bon d'en faire la remarque :

— Par Dieu, mon bon ami, vous voici bien sombre. Iriez-vous à quelque enterrement ?

Jaufré ne répondit pas. J'hésitai à intervenir, mais y renonçai. Jaufré devait apprendre à affronter sa réalité. S'il avait demandé à venir en ce lieu après ce que je lui avais dit, ce n'était pas sans raison. Peut-être cherchait-il en lui-même cette confrontation qui l'effrayait.

— Dame ! insista le jouvenceau ! Discrétion parfois n'est point courtoise, messire. Seriez-vous muet ?

Il assortit sa question d'une grimace qui déclencha un rire massif. Des larmes me montèrent aux yeux. Délibérément, je tournai le dos à la table pour inspecter le garde-manger et me donner une contenance.

– Nous direz-vous votre nom ? À moins que vous ne préfériez l'écrire ?

Il y eut un nouveau rire, provoqué, je le supposai, par une nouvelle mimique. C'est alors que la voix brisée de Jaufré s'éleva et le fit taire :

– Apprenez, jeune sot, qu'il est des fois où il n'est pas nécessaire de parler pour ne rien dire. Et, puisque ne point me connaître vous indispose, sachez que je me porte fort bien de vous ignorer.

Il y eut un grondement de réprobation. Je me tournai vers lui en tremblant.

– Par Dieu tout-puissant, messire, n'aimeriez-vous point la musique ? reprit le jeunot vexé.

Jaufré le toisa d'un regard furieux.

– Ce que vous appelez musique n'est qu'un vulgaire bouillon de notes entre vos mains. Souffrez donc que je ne partage pas votre repas.

Piqué au vif, le troubadour se dressa d'un bond. Cette fois, je devais intervenir avant que cela ne tourne au pugilat. Je m'interposai :

– Allons, cette querelle est sans objet. Paix ! mes amis, paix. Ou vous offenseriez grandement votre hôtesse et cette table.

– Pour l'heure, c'est notre talent qui est offensé, dame Loanna, et malgré tout le respect que je vous dois, je ne puis souffrir un tel langage de la part d'un inconnu. Qu'il me fasse ses excuses

Mais le timbre de Jaufré tomba comme un couperet :

– Je vais faire mieux, jeune prétentieux. Je vais vous donner une leçon.

D'un geste pesé, il se pencha en avant au-dessus de son assiette et s'empara de la mandore qu'un des troubadours y avait abandonnée pour un verre. Le jouvenceau partit d'un rire clair, aussitôt suivi par le chœur de ses amis. Moi, j'avais la gorge nouée de tendresse. Mais je n'avais plus peur. Lorsque les premiers accords s'élevèrent au milieu des railleries, ils égratignèrent l'oreille tant cela faisait longtemps que les doigts osseux n'avaient pas joué. Pourtant, cela ne dura que quelques secondes, car Jaufré avait fermé les yeux et retrouvé en lui cet amour dont il débordait, ce contact dont il avait été privé. Et, lorsque tout son talent éclata sous la caresse des cordes, les rires se turent.

Il n'y eut personne aux cuisines qui ne cessât sur l'instant sa tâche pour tendre l'oreille. Et l'émotion qui me gagna fut la même que lorsque je l'avais entendu jouer pour la première fois à l'Ombrière. Comme cette fois-là, malgré toute la douleur qui passait dans la lente plainte de l'instrument, le visage de Jaufré s'éclaira de l'intérieur. Lorsqu'il laissa le silence retomber, une salve d'applaudissements salua sa prouesse. Le jouvenceau, troublé et ému, s'avança respectueusement.

– Ah ça, messire, c'est moi qui vous dois des excuses ! Je méritais cette leçon, mais enfin, saurons-nous qui vous êtes, car vous valez le meilleur d'entre nous ?

– Je ne suis pas un troubadour, lâcha Jaufré, qui avait tourné vers moi un long regard de reconnaissance. Ma voix, d'ailleurs, ne s'y prête guère et ferait bien davantage fuir que se pâmer. Mais, vous avez raison, il est peu correct de ne se point présenter : on me nomme Gérard Rudel, comte de Blaye.

À ces mots, il y eut un murmure. Bernard Marti blêmit et demanda d'une voix blanche :

– J'ai bien souvent entendu mon maître, le sire Panperd'hu, parler d'un ami qui lui était cher, troubadour de son état, qui portait ce titre et avait hélas péri en Terre sainte. Seriez-vous de sa parentèle ?

– J'en suis. Ce qui vous permettra de comprendre que j'aie eu moi aussi le meilleur des maîtres en matière de musique.

– Quelle tragédie pour notre confrérie de mauvais sujets que la perte de ce grand parmi les grands. Il serait fier, je crois, de vous entendre, messire. Et, si vous ne pouvez chanter ainsi qu'il le faisait, sachez que vous possédez parfaitement la dextérité et l'émotion qu'il faisait naître.

Jaufré hocha la tête. Une des servantes s'approcha et remplit son gobelet d'un rouge léger. Il le vida d'un trait, aussitôt imité par les troubadours qui, sans plus attendre, s'emparèrent de leurs instruments, reprenant leurs partitions que notre arrivée avait dérangées.

Lorsque Jaufré se leva de table, je lui emboîtai le pas. Il sortit du palais et se dirigea en silence vers la rivière. Je ne voulus pas troubler le cours de ses pensées. Je savais à quel point il lui avait fallu faire violence à sa peur pour oser s'affronter lui-même.

Lorsqu'il parvint au pied d'un aulne, en bordure du Clain, Jaufré se tourna vers moi et m'enlaça tendrement. Alors, doucement,

comme si de ces mots dépendait tout mon devenir, je murmurai dans un souffle :
– Merci.

Trois jours plus tard, soit ce 18 mai 1152, les cloches de la cathédrale Saint-Pierre s'ébranlèrent au grand vent. Dans le chœur où seuls quelques intimes étaient rassemblés, ceux, fidèles, sur lesquels Aliénor savait pouvoir compter, la duchesse d'Aquitaine, le regard empli d'une fièvre passionnée, se laissait passer au doigt l'anneau nuptial par Henri, comte d'Anjou et duc de Normandie.

Lorsque ces deux-là s'embrassèrent, une joie immense m'envahit. Aussitôt suivie par une douleur violente dans mon ventre, qui m'arracha un cri. Les regards convergèrent vers moi, coupant court à l'étreinte fougueuse des jeunes épousés. Je levai vers Jaufré un regard effaré, car je venais de comprendre ce qui m'arrivait. Entre mes cuisses, un liquide chaud et poisseux coulait en abondance, tandis qu'une nouvelle contraction me pliait à genoux.

– Seigneur Jésus ! s'écria la voix aiguë de dame Mathilde, qui n'avait pas manqué de venir assister à la cérémonie. Elle va enfanter !

Elle se précipita, précédant Aliénor et Henri qui s'exclama d'une voix forte mais joyeuse :

– Voyez, mes amis, combien mon mariage est un don de Dieu ! Mais, bon sang, Loanna de Grimwald, saurez-vous un jour faire les choses comme tout le monde ?

Éloïn, ma fille, reposait sur mon sein, rose et jolie comme un bouton de printemps. Sa venue au monde avait été longue et douloureuse, mais à présent j'étais bien. Il faisait grand jour dans la chambre et la petite tétait goulûment mon sein. C'était ce picotement inconnu qui m'avait tirée du sommeil.

– Ta mère serait fière de toi, Canillette, me lança dame Mathilde en caressant mon front.

Je souris à sa tendresse. Mathilde la dure, Mathilde l'intransigeante, avait pour moi le regard d'une mère. Aliénor souriait elle aussi. Son visage rayonnait d'un bonheur immense.

– Tu dois mourir de faim, je vais te faire porter collation.
D'ailleurs, le petit ange est endormi, affirma-t-elle.

En effet, Éloïn reposait la bouche entrouverte, béate contre mon
sein que la chemise découvrait.

– Ma fille, ma lumière, murmurai-je, tandis que dame Mathilde
se penchait pour l'emporter délicatement vers un berceau qui avait
atterri là durant mon sommeil.

Lorsque je fus de nouveau seule, des larmes de bonheur se mirent
à couler, tandis que mon regard s'attachait au berceau où ma fille
dormait. Puis Jaufré parut, et elles redoublèrent de tendresse. Il
m'embrassa fougueusement, et ce fut lui qui cette fois murmura
contre mon oreille :

– Merci.

Moins d'un mois plus tard, le 10 juin 1152, je prenais la route de
Blaye, abandonnant à jamais Henri et Aliénor à leur destin qui
n'était plus le mien.

J'avais épousé Jaufré en leur présence, discrètement, car une fille
mère n'était au regard de l'Église pas de celles qui se doivent montrer, mais cela m'était égal. Merlin nous avait unis sur l'autel de
pierre plus sûrement qu'elle ne le ferait jamais. Aussitôt le baptême
d'Éloïn, Jaufré était retourné dans ses terres pour préparer ma venue
et celle de notre enfant, dont Henri et Aliénor étaient parrain et
marraine.

À mes côtés chevauchaient Geoffroi de Rancon, qui avait tenu à
m'accompagner, et Panperd'hu. Panperd'hu qui avait paru quelques
jours après le départ de Jaufré, vieilli et fatigué, sortant péniblement
d'une histoire d'amour qui l'avait misérablement aliéné, et contraint
pour cela de prendre repos dans un monastère. À lui, je n'eus pas le
cœur de cacher la vérité ; d'ailleurs, quand bien même je l'aurais fait,
son amitié pour Jaufré aurait reconnu sans faillir celui qu'il avait
perdu. Il pleura son frère retrouvé et resta à mes côtés pour me faire
escorte et le rejoindre. J'allais vers mon nouveau destin, mais j'y
allais sereine.

Désormais, j'étais entière. La petite fée de Brocéliande était devenue une femme. Une vraie femme. Emportant contre son sein une
autre petite fée de lumière.

Un groupe d'oies sauvages nous survola dans un ciel sans nuage, tandis qu'une louve hurlait dans la forêt proche. Mais cela n'éveilla pas Éloïn. Le pas tranquille de la vieille Granoë berçait son sommeil. C'est alors que je vis tournoyer devant moi une myriade de papillons multicolores dont, seule, j'entendis le rire léger.

Un sourire me vint, tandis que du fond de moi montait cette chanson que Panperd'hu reprit avec moi :

Lanquan li jorn lonc en mai
M'es bèlhs dous chans d'auzèlhs de lonh
E quan me sui partitz de lai
Remembra'm d'un'amor de lonh...

BIBLIOGRAPHIE

De nombreux ouvrages m'ont aidée à approcher la réalité historique de ce roman. Je ne citerai donc que les plus importants, afin qu'ils puissent servir de référence aux lecteurs qui souhaiteraient aller par eux-mêmes au-delà de cette histoire.

Qu'un immense merci soit rendu à tous ceux qui m'ont permis de les consulter, ainsi qu'aux historiens qui m'en ont indiqué les références.

Je saluerai encore la mémoire de Mme Régine Pernoud, pour avoir, la première, grâce à son ouvrage sur Aliénor d'Aquitaine, éveillé mon intérêt.

Audiau J. et Lavaud R., *Nouvelle anthologie des troubadours*, Delagrave, Paris, 1928.

Bailey Alice A., *Traité sur la magie blanche*, Lucis, Genève, 1976.

Barber R., *Henri II Plantagenêt*.

Belperron P., *La joie d'amour*, Plon, Paris, 1948.

Berry A., *Bernart de Ventadour*, choix de chansons, Rougerie, Mortemart, 1958.

Birolleau-Brissac, *Histoire de Blaye*, 1968.

Bordonove G., *Les croisades et le royaume de Jérusalem*, Pygmalion, Paris, 1992.

Boutiere J. et Schutz A.-H, *Biographies des troubadours*, Nizet, Saint-Genouph, 1973.

Candé (de) R., *Histoire universelle de la musique*, éditions du Seuil, 1978.

Carrière V., *Histoire et Cartulaire des Templiers de Provins*, Paris, 1919.

Cauzons (de) Th., *La magie et la sorcellerie en France*, Paris, 1901-1913.

Chambure (de) Maillard, *Règle et Statuts secrets des Templiers*, Paris, 1840.

Curzon (de) H., *La règle du Temple*, Paris, 1886.

Daniel-Rops (H. Petiot, dit), *Saint Bernard et son message*, Paris, 1943.

Dejeanne J.-M.-L, *Poésies complètes du troubadour Marcabru*, Privat, Toulouse, 1909.

Depping, *Histoire de la Normandie*, 2 vol., Édouard Frères, Rouen, 1835.

Duby G. / Perrot M., *Histoire des femmes en Occident*, t. 2, *Le Moyen Âge*, Plon, 1991.

Faral E., *Les jongleurs en France au Moyen Âge*, H. Champion, Paris, 1987.

Frappier J., *Amour courtois et Table ronde*, Genève, 1973.

Goyau G., de l'Académie française, *Saint Bernard*, Flammarion, 1927.

Grousset R., *Histoire des croisades et du royaume franc de Jérusalem*, Paris, 1935.

Harvey J., *Les Plantagenêt*, Plon, Paris, 1930.

Higonnet, *Bordeaux pendant le haut Moyen Âge*, 1963 ; *Histoire de l'Aquitaine*, 1971.

Jeanroy A., *Jongleurs et troubadours gascons des XIIe et XIIIe siècles*, H. Champion, Paris, 1957.

Lacroix P., *Mœurs, Usages et Costumes au Moyen Âge*, Firmin-Didot, Paris, 1877.

Lavocat M., *Procès des frères et de l'ordre du Temple*, Paris, 1888.

Leguay J.-P., *La rue au Moyen Âge*, Ouest-France, Rennes, 1984.

Michelet J., *Le procès des Templiers*, 2 vol., Paris, 1841-1851 ; *La sorcière*, Flammarion, Paris, 1966.

Montaigu H., *Histoire secrète de l'Aquitaine*, Albin Michel, Paris, 1979.

Pernoud R., *Les croisés*, Hachette, Paris, 1959 ; *Aliénor d'Aquitaine*, Albin Michel, Paris, 1978.

Reznikov R., *Les Celtes et le druidisme*, Dangles, Saint-Jean-de-Bray, 1993.

Roy J.-J., *Histoire des Templiers*, Tours, 1853.

Saint Bernard de Clairvaux, *De laude novae militae ad milites Templi*, in Migne, *Patrologia latina*, t. 182, Paris, 1879 ; *Exhortations*, lettre 56 au pape Eugène.

Schlumberger G., *Récits de Byzance et des croisades*, Paris, 1932.

Vacandard E., *Vie de saint Bernard*, Paris, 1910.

Vaublanc, *La France au temps des croisades*, Paris, 1847.

Vetault A., *Suger*, Mame, Tours, 1877.

REMERCIEMENTS

À Régine Gonnet et Francine Bureau, pour leur travail, sans lequel rien n'eût pu aboutir.

À la C.L.I., au Conseil régional d'Aquitaine et au Centre régional des Lettres, pour leur soutien.

À Philippe Plisson et Daniel Picotin, pour leur aide.

À la municipalité de Saint-Martin-Lacaussade, et à son maire, Jacques Narbonne.

À Michel Duvernay, pour sa confiance en moi.

À mes enfants, pour leur patience et leur amour.

À ce troubadour du présent, qui m'a rendue entière.

À ma mère enfin, pour l'héritage de son savoir et son abnégation.

Photocomposition : NORD COMPO
59650 Villeneuve d'Ascq

Cet ouvrage a été réalisé par

FIRMIN DIDOT

GROUPE CPI

Mesnil-sur-l'Estrée

en mai 2002

ISBN : 2-84563-041-7
Nᵒ d'édition : 317/11 - Nᵒ d'impression : 59893
Dépôt légal : février 2002

Imprimé en France